Este livro é uma importante contribuição [...] grande testemunho prestado ao Deus que p[...] pre, transformando inimigos numa nova co[...].

JÜRGEN MOLTMANN, professor emérito de teologia sistemática na
Universidade de Tubinga, em Hamburgo, Alemanha

Mesclando testemunho pessoal, paixão moral e erudição teológica com seu estilo inovador e claro, Volf demonstra as múltiplas formas com as quais a exclusão do "outro" perpetua um terrível ciclo de violência. Ele descobre esperança no abraço curativo do servo sofredor, que é Jesus.

LUKE TIMOTHY JOHNSON, professor emérito "Robert W. Woodruff" do
Novo Testamento e de origens cristãs, na Candler School of Theology
da Universidade Emory, Atlanta, GA

Enquanto eu desempenhava uma incumbência pastoral multirracial na década de 1990, *Exclusão e abraço* abalou meu mundo, teologicamente falando. Volf pôs em xeque a abordagem ingênua, simplista de sanar as realidades e divisões raciais que sempre me acompanhara. Contando sua própria história e narrando suas lutas com o pernicioso mal da "limpeza" religiosa e étnica, ele me forneceu uma estrutura e um vocabulário para eu viver minha vida e assumir minha vocação como arauto e praticante do evangelho da reconciliação. Esta versão revisada e atualizada proporcionou-me uma oportuna injeção de ânimo para seguir em frente.

GREGORY V. PALMER, bispo da zona episcopal do oeste de Ohio, da
Igreja Metodista Unida

Enormes problemas acontecem, diz Volf, quando excluímos o nosso inimigo da comunidade dos seres humanos e quando excluímos a nós mesmos da comunidade dos pecadores — quando esquecemos que não somos as pessoas perfeitas e boas, somos também as imperfeitas. Quando nos lembramos disso, nosso ódio não nos mata nem nos absorve, e de fato podemos sair por aí e trabalhar em busca de justiça.

TIM KELLER, Redeemer Presbyterian Church, de seu sermão no
domingo posterior ao 11 de setembro de 2001

Exclusão e abraço apresenta a ideia do amoroso abraço como uma resposta teológica aos problemas de alienação. O abraço se baseia na lembrança sincera de acontecimentos e ações e na apreciação da posição de pessoas que cometeram injustiças contra a gente. E Miroslav Volf vai até um passo adiante: ele quer que lembremos as injustiças sofridas no passado como já perdoadas.

Mike Bird, diretor acadêmico e professor de teologia no Ridley College, em Melbourne, Austrália

Uma das melhores obras teológicas da teologia cristã [...]. Quer estejamos tratando de relações internacionais quer de relações interpessoais de indivíduos, o mal precisa ser nomeado e confrontado [...]. Quando o mal e o malfeitor são identificados como o que e quem são — e é isso que Volf quer dizer com o termo "exclusão" — então pode ocorrer o segundo movimento para o "abraço", o abraço daquele que feriu a nós ou a mim profundamente.

N. T. Wright, autor de *O mal e a justiça de Deus*

EXCLUSÃO E ABRAÇO

Uma reflexão teológica sobre identidade,
alteridade e reconciliação

EDIÇÃO REVISTA E ATUALIZADA

—

MIROSLAV VOLF

Traduzido por Almiro Pisetta

Copyright © 2019 por Abingdon Press
Publicado originalmente por Abingdon Press, Nashville, Tennessee.

Os textos das referências bíblicas foram extraídos da *Almeida Revista e Atualizada*, 2ª edição (RA), da Sociedade Bíblica do Brasil, salvo as seguintes indicações: *Nova Almeida Atualizada* (NAA), da Sociedade Bíblica do Brasil; e *Nova Versão Transformadora* (NVT), da Editora Mundo Cristão, sob permissão da Tyndale House Publishers.

Fotografia de capa fornecida por Eric Kilby.

Escultura: "Imprinted", por Sue McGrew.

Todos os direitos reservados e protegidos pela Lei 9.610, de 19/02/1998.

É expressamente proibida a reprodução total ou parcial deste livro, por quaisquer meios (eletrônicos, mecânicos, fotográficos, gravação e outros), sem prévia autorização, por escrito, da editora.

Edição
Daniel Faria

Revisão
Natália Custódio

Produção e diagramação
Felipe Marques

Colaboração
Ana Luiza Ferreira

Capa
Jonatas Belan

CIP-Brasil. Catalogação na publicação
Sindicato Nacional dos Editores de Livros, RJ

V889e

    Volf, Miroslav
        Exclusão e abraço : uma reflexão teológica sobre identidade, alteridade e reconciliação / Miroslav Volf ; tradução Almiro Pisetta. - 1. ed. - São Paulo : Mundo Cristão, 2021.

        Tradução de: Exclusion & embrace : a theological exploration of identity, otherness, and reconciliation
        ISBN 978-65-86027-74-7

        1. Identidade (Religião). 2. Relações humanas. 3. Reconciliação - Aspectos religiosos - Cristianismo. I. Pisetta, Almiro. II. Título.

20-67671   CDD: 241.675
                                                  CDU: 27:177.7

Publicado no Brasil com todos os direitos reservados por:
Editora Mundo Cristão
Rua Antônio Carlos Tacconi, 69
São Paulo, SP, Brasil
CEP 04810-020
Telefone: (11) 2127-4147
www.mundocristao.com.br

Categoria: Cristianismo e sociedade
1ª edição: março de 2021

Sumário

Prefácio à edição revisada — 9
Prefácio à primeira edição — 11
Introdução: O ressurgimento da identidade — 13

1. A cruz, o ego e o outro — 27

PARTE I
2. Distanciamento e pertencimento — 53
3. Exclusão — 80
4. Abraço — 135

PARTE II
5. Opressão e justiça — 223
6. Engano e verdade — 273
7. Violência e paz — 325

Epílogo: Duas décadas e meia depois — 366
Apêndice: Trindade, identidade e doação de si mesmo — 409
Agradecimentos — 439
Índice remissivo — 441

Para Peter Kuzmič,
cunhado e amigo,
que despertou meu interesse pela teologia,
guiou meus primeiros passos nesse campo
e me abriu algumas portas
cujas maçanetas eu era pequeno demais para alcançar.

Prefácio à edição revisada

Um conhecido meu recentemente me disse: "*Exclusão e abraço* é mais relevante hoje do que era vinte e cinco anos atrás quando você o escreveu". Fez esse comentário tendo em vista o lema "Make America Great Again!" [Faça a América grande de novo] e o Brexit, no Reino Unido, e ele estava certo. Enquanto eu escrevia o livro no início da década de 1990, o mundo estava se unindo e combatendo perigosas contracorrentes de conflitos centrados na identidade, que estavam desmembrando nações e comunidades. Hoje, enfrentamos uma onda poderosa; o mundo está se fragmentando. "A discussão da identidade explodiu"[1] nos *campi* universitários, na política eleitoral e no palco mundial. Francis Fukuyama, um pensador que celebrou o fim da história no triunfo do estado liberal atrelado à economia de mercado, observou em 2018 em seu livro *Identidades*: "A exigência de um reconhecimento da identidade individual é um conceito dominante que unifica o que está acontecendo nas políticas mundiais hoje em dia".[2] O autoritarismo e o fascismo, as formas mais preocupantes de afirmação de identidade, estão numa fase crescente.[3] Na nova introdução, eu esboço o ressurgimento da identidade e exploro sua relação com o argumento central do livro.

Quando comecei a escrever *Exclusão e abraço*, eu tinha em mente um pequeno volume, uma expansão de uma palestra feita em Berlim no início de 1993 na qual pela primeira vez formulei a ideia. O livro acabou ficando

---

[1] Kwame Anthony Appiah, *The Lies That Bind: Rethinking Identity* (New York: Liverright, 2018), p. xiii.
[2] Francis Fukuyama, *Identity: The Demand for Dignity and the Politics of Resentment* (New York: Farrar, Straus and Giroux, 2018), pos. 114.
[3] Ver Rob Riemen, *To Fight Against This Age: On Fascism and Humanism* (New York: W. W. Norton, 2018); Timothy Snyder, *On Tyranny: Twenty Lessons from the Twentieth Century* (New York: Tim Duggan, 2017).

três vezes maior do que na origem pensei que seria. Enquanto o compunha, não tinha em mente uma plateia. Escrevi para mim mesmo, para imaginar como lidar com o conflito centrado na identidade que assolava minha própria alma, eco interno da guerra que dilacerava o país onde nasci. Mas o escrever para ninguém resultou no fato de que eu estava escrevendo para gente de todas as partes do mundo. O livro foi traduzido para dez línguas, e mais duas traduções estão planejadas. Acadêmicos acharam que ele é útil — não apenas teólogos construtivos, mas também estudiosos da Bíblia, da ética e da missiologia e teólogos da pastoral; e não apenas estudiosos lidando com disciplinas teológicas, mas também psicólogos, sociólogos, antropólogos da cultura e outros. Alguns artistas visuais também encontraram inspiração no livro. Mais gratificante, porém, foi o seu impacto em pessoas comuns. Muitas me escreveram ou contaram pessoalmente que o livro mudou a vida delas. Vibrei com suas experiências com o livro; ele mudou também a minha vida, e não apenas enquanto o escrevia. Muitas vezes, depois de ter optado por um plano de ação, vi o livro me franzindo o cenho em desaprovação. Nenhum outro dos meus livros tem sido tão severo comigo, e eu o amo por isso.

Quando pensava na segunda edição, decidi não mudar quase nada do miolo do livro. Do jeito que está escrito, ele carrega as marcas de uma luta intelectual e existencial, e eu temia que numa revisão abrangente acabaria reduzindo a intensidade da busca e o drama da descoberta. Em vez disso, além de escrever uma nova introdução, decidi redigir um extenso epílogo — para apontar um conjunto integrado de convicções teológicas fundamentais que sustentam o livro, para me explicar um pouco (sobre a ênfase na *vontade* de abraço, por exemplo), para me defender de críticas que abordam o fundamento da argumentação (por exemplo, sobre a natureza e o lugar da Trindade, a restituição ou restauração como elemento-chave da reconciliação). Mas fiz uma intervenção importante no texto original: eliminei o capítulo sobre gênero. Ao longo dos anos não consegui observar os avanços nesse campo com o suficiente rigor para revisar o texto à luz do volume ou do peso do trabalho intelectual realizado. Uma reescrita responsável teria exigido mais tempo do que eu podia dedicar ao projeto.

Prefácio à primeira edição

Depois de terminar minha palestra, o professor Jürgen Moltmann se levantou e me fez uma de suas típicas perguntas, ao mesmo tempo concreta e arguta: "Mas você consegue abraçar um četnik?". Era o inverno de 1993. Durante meses os famigerados combatentes sérvios denominados "četniks" haviam semeado desolação na minha terra natal, encurralando gente em campos de concentração, estuprando mulheres, queimando igrejas e destruindo cidades.

Eu tinha acabado de argumentar que devemos abraçar os nossos inimigos como Deus nos abraçou em Cristo. Será que consigo abraçar um četnik — para mim naquela época o definitivo outro, por assim dizer, o mau outro? O que justificaria o abraço? De onde eu extrairia a força para tanto? Que consequências teria aquele ato para a minha identidade como ser humano e como croata? Levei algum tempo para responder, embora soubesse imediatamente o que eu tinha em mente. "Não, não consigo — mas, como seguidor de Cristo, acho que deveria ser capaz disso." Em certo sentido este livro é o resultado da luta entre a verdade da minha argumentação e a força da objeção de Moltmann.

Foi um livro difícil de escrever. Meu pensamento era puxado para duas direções opostas pelo sangue de inocentes clamando a Deus e pelo sangue do Cordeiro de Deus oferecido pelos culpados. Como pode alguém permanecer leal tanto à exigência de justiça da parte dos oprimidos quanto à dádiva de perdão que o Crucificado ofereceu aos perpetradores? Eu me sentia refém de duas traições — a traição dos sofredores, explorados e excluídos, e a traição da própria essência da minha fé. Num sentido até mais perturbador, sentia que minha fé estava em contradição consigo mesma, dividida entre o Deus que socorre os necessitados e o Deus que abandona o Crucificado, entre a exigência de fazer justiça em prol das vítimas e o chamado a abraçar o perpetrador. Eu estava ciente, é óbvio, das maneiras fáceis de resolver essa vigorosa tensão. Mas também sabia que elas eram fáceis justamente porque eram falsas. Aguilhoado pelo sofrimento dos que foram apanhados nos círculos viciosos do conflito, não apenas na minha terra natal, a Croácia, mas ao redor do globo terrestre, parti numa jornada, cujo relato apresento neste livro.

Foi praticamente inevitável fazer um relato intensamente pessoal — até mesmo em suas seções mais abstratas e exigentes. Não estou dizendo que me entrego aqui a um exibicionismo público de posições sentimentaloides. O livro é pessoal no sentido de que travo uma luta intelectual com questões que cortam fundo quase atingindo o âmago da minha identidade. Nenhuma mente flutuando livre e sem ser afetada está aqui tentando resolver um quebra-cabeça intelectual! Escolhi nem sequer tentar o impossível. Eu, cidadão de um mundo em guerra e seguidor de Jesus Cristo, não podia deixar meus compromissos, desejos, rebeliões, renúncias e incertezas pendurados como um casaco num cabide antes de entrar no meu estúdio, para apanhá-lo e vesti-lo no fim do dia de trabalho. Meu povo estava sendo brutalizado, e eu precisava refletir sobre a resposta apropriada para mim, um seguidor do Messias crucificado. Como eu poderia desconsiderar meus compromissos, desejos, rebeliões, renúncias e incertezas? Eu precisava refletir sobre tudo isso com o máximo rigor que me fosse possível. A tensão entre a mensagem da cruz e o mundo de violência se apresentou a mim como um conflito entre o desejo de seguir o Crucificado e a desinclinação ou de simplesmente observar outros sendo crucificados ou de permitir que eu mesmo fosse pregado à cruz. Sendo um relato de uma luta do intelecto, o livro é também um registro de uma jornada do espírito. Eu o escrevi para mim mesmo — e para todos aqueles que, num mundo de injustiça, mentira e violência, fizeram sua a história do evangelho e, portanto, não desejam nem relegar as exigências do Crucificado às tenebrosas regiões da irracionalidade nem abandonar a luta pela justiça, a verdade e a paz.

Introdução

O ressurgimento da identidade

No início da década de 1990, na época em que escrevi *Exclusão e abraço*, os processos de globalização estavam a todo vapor. O mundo se unia. A Europa também se unia, até mesmo se integrava, com exceção de uma de suas extremidades, onde as partes constituintes da Iugoslávia, o país onde nasci e passei a juventude, estavam violentamente se separando. Croatas católicos, bósnios muçulmanos e sérvios ortodoxos lutavam uns contra os outros em nome de suas identidades étnicas e religiosas. Naquela época, incêndios semelhantes irrompiam em outras partes do mundo, mais de cinquenta, todos centrados em identidades étnicas, raciais e culturais. Alguns desses continuaram queimando com baixa intensidade, enquanto outros, como o genocídio de Ruanda de 1994, tornaram-se conflagrações violentas de crueldade e sofrimento humanos. Na década de 1990, europeus e americanos ficaram perplexos ao ver esses conflitos concentrados na identidade, com frequência repudiando-os como resíduos de barbarismo inculto. Em 1992, Alain Finkielkraut, um filósofo conservador judeu francês, sentiu a necessidade de explicar os continuados grandes investimentos em identidades etnoculturais e escreveu um livro inteiro sobre essa questão, intitulado no original *Como pode alguém ser croata?*[1]

Escrevi *Exclusão e abraço* no ambiente dos conflitos concentrados na identidade num mundo que rapidamente se globalizava. Meu objetivo, porém, diferia daquele de Finkielkraut, embora como ele, mas à minha maneira, eu combatesse a ideia de que investimentos de pessoas em identidades grupais são entulhos de outrora que precisam ser descartados. Em vez de explicar e defender lutas pela identidade como ele fez, eu esbocei, inspirando-me no cristianismo, uma narrativa alternativa de identidades

---

[1] Alain Finkielkraut, *Comment peut-on être Croate?* (Paris: Gallimard, 1992); em inglês: *Dispatches from the Balkan War and Other Writings*, trad. Peter S. Rogers e Richard Golsan (Lincoln: University of Nebraska Press, 1999).

sociais e de suas negociações, propondo um caminho rumo à reconciliação, que é na verdade a visão de vida em conjunto reconciliada e reconciliante. Opondo-me à prática da exclusão baseada na identidade, desenvolvi uma teologia do abraço.

Conflitos centrados na identidade dentro de nações e entre elas eram meras contracorrentes na maré dos processos de integração global e de expansão da monocultura global — pelo menos era isso que imaginávamos no fim do último milênio. Mas o mundo já não está se unindo; ou melhor, a resistência à globalização já não procede apenas de grupos marginais e nações menores. Importantes partidos de oposição e governos das maiores potências mundiais são agora alguns dos mais ardentes antiglobalistas. Por quê? Em parte, porque a percepção da opressão secular sofrida por alguns grupos cresceu dramaticamente (entre mulheres e negros, por exemplo). Mas com certeza também porque processos de globalização que desandaram deixaram em sua esteira um rastro de sofrimento e desorientação, exemplificado do modo mais veemente pelas extraordinárias discrepâncias de riqueza e poder entre as nações e dentro delas, pela progressiva devastação ecológica e pela perda de um sentimento de identidade e controle cultural, religioso e nacional.[2] Em reação a isso, sentimentos antiglobalistas, nacionalistas e regionalistas avassalaram o mundo, e lutas pela identidade e o reconhecimento vão dividindo sociedades.[3] O mundo inteiro hoje se parece mais com a Iugoslávia da véspera da erupção de hostilidades entre seus grupos étnicos do que com a Europa quando o muro de Berlim, aquele símbolo do mundo bipolar, ruiu e a União Europeia se expandia.

[2] O que quero dizer aqui não é que as consequências da globalização foram *somente* negativas, mas que esses processos *também* tiveram inegáveis e significativas consequências e que, na sua forma atual, eles são injustos bem como insustentáveis. Os efeitos dos processos de globalização têm sido muito ambivalentes. No que diz respeito aos três efeitos da globalização mencionados no corpo principal do texto, é verdadeiro dizer que disparidades irresponsáveis de riqueza, degradação ambiental e perda de identidades são geradas simultaneamente pelo inédito crescimento econômico, pelos parciais avanços ambientais e pela revitalização de tradições. É fácil identificar outras ambivalências em processos de globalização: facilidade de comunicação combinada com perda de privacidade, inovações tecnológicas que salvam e ampliam vidas combinadas com a ameaça de autodestruição tecnológica, e assim por diante.
[3] Sobre o surgimento do fascismo nas décadas de 1920 e 1930 como uma reação à globalização, ver Timothy Snyder, *On Tyranny: Twenty Lessons from the Twentieth Century* (New York: Tim Duggan, 2017), p. 11-12.

Identidades etnoculturais, religiosas, raciais, de gênero e sexuais são fatores importantes de políticas em toda parte. O lema eleitoral "Make America Great Again!" que levou Donald Trump para a Casa Branca tinha a ver sobretudo com a identidade: uma escolha entre uma América branca, "judaico-cristã" e nacionalista e outra América pluralista de grupos com diferentes identidades coexistindo sob o mesmo teto.[4] Grande parte da extrema direita europeia gira em torno da identidade.[5] Os nacionalismos da China, da Índia, de Myanmar e da Rússia giram em torno da identidade. Admito que nenhum desses movimentos gira *apenas* em torno da identidade, e nenhum deles tem a ver com uma identidade singular. Eles têm mais a ver com identidades múltiplas que se entrecruzam, muitas vezes se agrupando numa identidade dominante;[6] e, obviamente, eles têm a ver com dinheiro, poder e território. Mas a dinâmica da afirmação e a contestação da identidade social, das tentativas de reafirmação de uma supremacia antiga e revolta pela sua perda, e da busca de reconhecimento e o ressentimento contra a recusa dele, isso tudo está no centro de cada um desses intentos.

Nem todas as lutas pela identidade são iguais. Algumas são agressivas, como a afirmação de uma supremacia nacional ou racial mediante a imposição de um regime colonial sobre terras e povos conquistados ou como a luta pelo reconhecimento da autoritária masculinidade patriarcal. Outras lutas pela identidade são defensivas, como o empenho de colonizados para impedir o apagamento de suas culturas indígenas ou como a reafirmação da identidade racial pela contestação contra o racismo disseminado em

---

[4] John Sides, Michael Tesler, Lynn Vavreck, *Identity Crisis: The 216 Presidential Campaign and the Battle for the Meaning of America* (Princeton: Princeton University Press, 2018). Ver também Arlie Russel Hochschild, *Strangers in their Own Land: Anger and Mourning on the American Right* (New York: The New York Press, 2016). Para uma discussão sobre a insuficiência de um liberalismo de identidade e a urgência de um "liberalismo cívico", ver Mark Lilla, *The Once and Future Liberal: After Identity Politics* (New York: Harper-Collins, 2017). Para uma crítica sobre Lilla, ver Sarah Churchwell, "America's Original Identity Politics", *New York Review Daily*, 17 de fev., 2019.

[5] Ver, por exemplo, Martin Sellner, "Der Grosse Austausch in Deutschland und Österreich: Theorie und Praxis", in Renaud Camus, *Revolte gegen den Grossen Austausch*, trad. Martin Lichtmesz (Schnellroda: Verlag Antaios, 2017), p. 189-221.

[6] Sobre o entercruzamento de identidades, ver Kimberle W. Grenshaw, "Mapping the Margins: Instersectionality, Identity Politics, and Violence Against Women of Color", *Stanford Law Review* 43, n. 6 (jul. 1991): p. 1241-99.

muitas nações, ocidentais ou não ocidentais. Algumas lutas pela identidade, defensivas bem como agressivas, são preocupantemente "inocentes": como aves de rapina, para usar a metáfora de Nietzsche, alguns grupos se empenham em lutas pela identidade apoiando-se em questões morais e exercendo seu domínio como acham que devem fazer visando sua sobrevivência e prosperidade. Outras lutas pela identidade são moralmente muito tensas e absolutamente desprovidas de autocrítica: com o zelo de fundamentalistas, combatentes ocupam diferentes universos morais e lutam uns contra os outros em nome de seus valores inegociáveis. Ainda outras lutas pela identidade são autoconscientes tanto do ponto de vista cultural como moral. Os combatentes reconhecem que até mesmo uma luta bem-sucedida estabelece, e ao mesmo tempo distorce, suas identidades; ela reifica práticas, exclui membros que não se encaixam muito bem e deixa na alma desses combatentes um como que indelével traço do mal sofrido e do mal cometido. Como observo no Capítulo 3, diferenças entre lutas pela identidade estão muitas vezes vinculadas à ambivalência no processo de manutenção de um limite, especificamente às tênues linhas entre a manutenção de um limite na forma de exclusão pela rejeição do outro e na forma de diferenciação pela constituição de uma identidade.

Duas décadas e meia atrás, quando o mundo estava se unindo, as religiões deram a impressão de ser as principais forças separatistas, como o ex-primeiro ministro do Reino Unido Tony Blair, entusiasta defensor de integrações globais, gostava de repetir quando ele e eu ministramos um curso sobre "Fé e globalização" na Universidade Yale (2008–2010). Ele estava parcialmente certo. O investimento que as pessoas faziam em outras formas de identidade bem como seus interesses econômicos e políticos também estavam alimentando a resistência aos processos globalizantes, e muitas vezes com razão.[7] O mesmo se constata hoje. Mas é também verdade que as religiões constituem uma preocupação bem como uma força identitária por direito próprio e muitas vezes elas se associam a outras identidades e interesses, legitimando-os e reforçando-os. Seja como fatores primários, seja como fatores de apoio, as religiões com frequência estão envolvidas em conflitos centrados na identidade. Duas variedades

[7] Ver Miroslav Volf, *Flourishing: Why We Need Religion in a Globalized World* (New Haven: Yale University Press, 2015), p. 28-58.

de cristianismo, o catolicismo e a ortodoxia oriental, juntamente com o islamismo, estavam motivando a guerra entre grupos étnicos na ex-Iugoslávia enquanto eu escrevia *Exclusão e abraço*. A mesma coisa se aplica hoje ao budismo em Myanmar, ao hinduísmo na Índia e a variedades de islamismo no Oriente Médio, por exemplo.

Em lutas centradas na identidade, as religiões tendem a funcionar como marcadoras de identidades grupais e ferramentas de forças políticas atuando como guardiãs dessas identidades. Elas transportam o conflito para a esfera do sagrado e elevam suas apostas. Isso é ruim para o mundo, sobretudo para as pessoas afetadas diretamente. Mas também é ruim para as próprias religiões envolvidas. Em suas origens e em suas melhores expressões históricas, todas as religiões do mundo são religiões *universais*, dirigindo-se a cada pessoa como um ser humano, um membro da "tribo" *humana*, mais do que primeiramente como um membro de alguma tribo cultural.[8] Quando essas religiões se tornam marcadoras de identidades grupais e armas em lutas políticas, elas empurram seu caráter universal para um segundo plano e se transformam em religiões *políticas particulares*.[9] Em versões monoteístas de religiões políticas, Deus se torna um servidor do grupo, identificando quem somos "nós" e quem são "eles", com quem devemos criar laços de amizade e quem devemos colonizar ou destruir, quem devemos excluir e quem devemos abraçar.[10] Isso constitui claramente uma traição à fé monoteísta em si mesma, um rebaixamento imposto a Deus de Senhor do Universo para a condição de criado a serviço dos interesses de um grupo particular. Para deixar claro, o monoteísmo *politicamente engajado* não é traição do monoteísmo; o monoteísmo como *religião política* é o traidor. Distingo categoricamente os dois tipos. O primeiro preserva sua visão universal e a leva a influenciar a vida do grupo; o segundo confere expressão religiosa à unidade moral e cultural do grupo e é mais corretamente descrito como monolatria, monoteísmo étnico mais do que pan-humano. Os seguidores de religiões do primeiro tipo são, como diz Karl Barth, "aliados não confiáveis" do estado; os do segundo são seus servidores fiéis.

[8] Ver ibid., p. 36-38.
[9] Ver adiante, epílogo.
[10] Para a ideia de Deus como servidor da nação, ver Yuval Noah Harari, *21 Lessons for the 21st Century* (New York: Spiegel & Grau, 2018), p. 127-39.

A Nova Direita Europeia — "génération identitaire" na França, "identitäre Bewegung" na Alemanha e na Áustria, "generation identity" na Grã-Bretanha — é o mais influente movimento político identitário no Ocidente das últimas duas décadas ou mais ou menos isso. E também está, do ponto de vista filosófico, entre os mais sofisticados. De modo semelhante a seus equivalentes russos e *dessemelhante* da maioria de seus equivalentes americanos, os representantes da Nova Direita Europeia rejeitam não apenas a suposta decadência e o vazio da cultura ocidental mas também o capitalismo e a primazia da razão instrumental, que supostamente sustentam essa decadência e vazio.[11] Mas o principal inimigo desses identitários não é a cultura ocidental dominante; não são nem mesmo os imigrantes não brancos que, na narrativa identitária, ameaçam arruinar a Europa. O principal inimigo são os globalistas cosmopolitas multiculturais e liberais. Foram eles que abriram de par em par os portões da Europa para aquilo que o escritor e polemista francês Renaud Camus denomina "contracolonização", "a grande desculturação", ou "a grande substituição", três termos para a ideia de que cidadãos do Oriente Médio, norte-africanos e africanos subsaarianos, na sua maioria muçulmanos e todos eles não brancos, estão gradualmente substituindo a maioria branca, a dos portadores da civilização cristã ou formada à feição do cristianismo.[12] O principal inimigo na Nova Direita Europeia são os globalistas, mas o principal valor é a integridade da etnocultura europeia.[13]

Os identitários europeus são na maioria cristãos, com frequência jovens católicos conservadores; até mesmo alguns identitários seculares se

---

[11] Ver Alain de Benoist, *View from the Right: A Critical Anthology of Contemporary Ideas*, trad. Robert A. Lindgren (London: Arktos, 2017), vol. 1, p. xxviii-xxxi; Alain de Benoist, *Wir und die anderen*, trad. Silke Lührmann (Berlin: Junge Freiheit, Verlag, 2008), p. 110-17. Ver também Mark Lilla, "Two Roads for the French Right", *New York Review of Books*, 20 de dez., 2018.

[12] Para a categoria da "grande substituição" ver Renaud Camus, *Le Grand Remplacement* (Paris: Reinharc, 2011). Para a recepção dessa obra em países de língua alemã, ver Martin Sellner, "Der Grosse Austausch in Deutschland und Österreich", p. 189-221. Para uma versão anterior de temores similares na Grã-Bretanha (1968), ver o discurso "Rios de sangue", de Enoch Powell, em: <telegraph.co.uk/news/0/enoch-powells-rivers-blood-speech/>. Acesso em: 8 de out. de 2020.

[13] Para um resumo da argumentação de que a Europa se definiu como cristã — a cristandade — em oposição ao islamismo, ver Kwame Anthony Appiah, *The Lies That Bind: Rethinking Identity* (New York: Liveright Publishing Corporation, 2018), p. 192-95.

consideram cristãos ateus, insistindo no caráter cristão do Ocidente laico.[14] Seu lema é: "Ou a Europa será cristã ou deixará de existir". Mas quando se analisa o conteúdo da visão social deles, a fé cristã que os identitários europeus, juntamente com seus equivalentes nos Estados Unidos e na Rússia, reivindicam para si mesmos foi esvaziada e transformada num marcador de identidade e num instrumento de lutas políticas. Os dois pilares centrais do movimento identitário vão ruir se forem assentados numa fundamentação que é *substancialmente* cristã.

O primeiro pilar dos movimentos identitários é a *primazia da identidade etnocultural*. "Primeiro vem o colo materno, a casa do pai, a aldeia, a região, o país, a nação, o estado-nação e, por último, a humanidade", escreve Caroline Sommerfield, a principal filósofa da Nova Direita.[15] Algum progresso desse tipo no desenvolvimento moral individual é provavelmente verdadeiro. Mas para Sommerfield, a ordem da expansão da sensibilidade moral é também a ordem da primazia antropológica e moral entre os crescentes círculos de identidade. "Nós nos identificamos com a humanidade como filhos de Deus", escreve ela, "mas fazemos isso de uma forma que nos permite encaixar essa identidade no conjunto de círculos de identidade." A identidade de uma pessoa como "imagem de Deus" e "filho de Deus" é encaixada em outras identidades, e não o contrário. Somos primeiramente membros de nossa comunidade nativa — casa, região geográfica, e assim por diante — e apenas *secundariamente* membros de uma diversificada comunidade humana ou igreja, o único povo de Deus que fala muitas línguas.

O primeiro pilar do identitarismo — a primazia da identidade nativa — é determinante, mas exige o segundo pilar, que é de apoio, sem o qual o edifício do identitarismo colapsaria. O segundo pilar é a *legitimidade da violência visando a proteção do grupo*. Essa não é uma versão de justificação da violência baseada na guerra justa, cujo progenitor é Agostinho, o norte-africano pai da igreja. É uma justificação da violência a partir de uma "soberania da identidade", cujo defensor é o pensador russo Ivan

---

[14] Ver Ernst van den Hemel, "Post-secular Nationalism: The Dutch Turn to the Right and Cultural Religious Reframing of Secularity", *Social Imaginaries in a Globalizing World*, ed. Hans Alma, Guy Vanheeswijck (Berlim: De Gruyter, 2017), p. 247-64.

[15] Para o relato dos dois pilares eu me valho de correspondência pessoal com Caroline Sommerfield. Ver o livro dela *Wir erziehen: Zehn Grundsätze* (no prelo).

Ilyin, de meados do século 20.[16] A teoria da guerra justa, em sua melhor versão, é uma defesa da *vida do povo* mais que uma identidade cultural e trata-se de uma aplicação concreta do amor pelo inimigo.[17] Em todas as suas versões essa teoria se apoia no que se considera serem compromissos morais universais, que obrigam tanto o amigo como o inimigo. A justificação da violência pela "soberania da identidade do grupo" é uma teoria de resistência ao mal que definitivamente rejeita não apenas o amor pelo inimigo mas também as reivindicações universais de justiça que transcendem a comunidade. A demanda de sobrevivência da ameaçada identidade do grupo é suficiente para "justificar" até mesmo ações violentas — como a guerra — que Ilyin acreditava ser sempre um pecado. "Minha oração é como uma espada. E minha espada é como uma oração", escreveu ele, ligando a religião à pecaminosa, mas necessária, violência.[18]

Os dois pilares do identitarismo se apoiam firmemente no alicerce do paganismo clássico mais do que no alicerce da fé cristã. Considere a primazia da identidade nativa, o mais importante dos dois pilares. Alain de Benoist, o mais distinto filósofo do movimento identitário e um pagão confesso, escreve: "O pensamento pagão, que está fundamentalmente ligado às raízes e ao lugar como sendo o centro preferido em torno do qual a identidade pode se cristalizar, só pode rejeitar todas as formas de

[16] Iwan Iljin, *Über den gewaltsamen Widerstand gegen das Böse*, trad. Sasa Rudenko (Wachtendonk Edition Hagia Sophia, 2018).

[17] Sobre a guerra justa e o amor pelos inimigos, ver Oliver O'Donovan, *The Just War Revisited* (New York: Cambridge University Press, 2003), p. 1-18. Sommerfield segue Carl Schmidt, que acreditava que a ordem de amar os inimigos se aplica apenas a inimigos pessoais, mas não a inimigos políticos (*The Concept of the Political*, trad. George Schwab [Chicago: The University of Chicago Press, 1996], p. 51-52). Mas essa não é com certeza a posição do Novo Testamento ou da igreja primitiva. Não é nem sequer a posição de Pio II, o papa da última Cruzada. Numa carta ao sultão Mehmed II em 1641, uns oito anos *depois* do brutal saque de Constantinopla, ele escreveu: "Nós não saímos em vossa busca por ódio nem ameaçamos vossa pessoa, embora sejais um inimigo de nossa religião e imponhais aos cristãos duros ataques armados. Somos inimigos de vossas ações, não de vossa pessoa. Como Deus ordena, nós amamos nossos inimigos e oramos pelos nossos perseguidores" (Aneas Silvius Paccolomini [Pius II], *Epistola ad Mahomatem [Epístola a Maomé]*, ed. e trad. Albert R. Bacca [New York: Peter Lang, 1990], p. 2; ver Miroslav Volf, *Allah. A Christian Response* [New York: Harper-Collins, 2011], p. 40-47).

[18] Conforme citado em Timothy Snyder, "Ivan Ilyin, Putin's Philosopher of Russian Fascism", *New York Review Daily*, 2 de mar., 2019, p. 5.

universalismo religiosas e filosóficas. O universalismo, em contrapartida, encontra sua base no monoteísmo judaico-cristão".[19] O Deus único é por definição o Deus de todos os humanos, e a relação desse Deus único com todas as pessoas é o fundamento da humanidade comum delas, e isso torna insignificante, na interpretação de Alain de Benoist, a particularidade e unicidade de cada um. Em Gênesis 1, a noção da "imagem de Deus" expressa exatamente essa relação que nega a diferença entre Deus e humanos, acredita ele: essa imagem estabelece a igualdade e humanidade comum de todos, mas força cada um a "abolir sua própria história".[20] Em contraste com seu relato das consequências do monoteísmo e de acordo com seu paganismo, de Benoist insiste na primazia de histórias particulares: "Goethe é universal por ser *antes* alemão; Cervantes é universal por ser *primeiramente* espanhol".[21] O que todos os seres humanos têm em comum é secundário em relação àquilo que os distingue individualmente; o que é primário para cada um são as raízes biológicas, a língua compartilhada, os costumes compartilhados, o território compartilhado — em suma, a identidade social compartilhada.

O versículo do Novo Testamento mais extensamente citado, João 3.16, afirma que Deus amou o *mundo* com amor autossacrificial para que por meio de Cristo "todos" tenham vida eterna (Jo 1.7). Alain de Benoist quer que muitos deuses de diversos grupos etnoculturais retornem e substituam esse Deus único e a "ideologia do Mesmo" em cujas origens esse Deus se encontra e cuja forma corrente é o "regime de direitos" e o "monoteísmo de mercado".[22] Mas se de Benoist conseguir seu intento e o "renascimento dos deuses"[23] acontecer, ele não trará a libertação do "totalitarismo do

---

[19] Alain de Benoist, *On Being a Pagan*, trad. John Graham (North Augusta, SC: Arcana Europa, 2018), p. 143. A ideia de que "todos os seres humanos, independentemente de suas características pessoais, independentemente de qual possa ser o contexto particular de sua existência, são portadores de uma alma que mantém um relacionamento uniforme com Deus" constitui a "ideologia do Mesmo", escreve de Benoist em *View from the Right*. Nesse livro também estão ligadas a crença num Deus único e a afirmação de uma humanidade igual de todos os seres humanos: "Todos os homens são por natureza iguais na dignidade de terem sido criados à imagem daquele que é o único Deus" (de Benoist, *View from the Right*, p. xix).
[20] De Benoist, *On Being a Pagan*, p. 145.
[21] Ibid., p. 112, itálicos acrescentados. Ver também de Benoist, *Wir und die anderen*.
[22] De Benoist, *View from the Right*, p. xxix.
[23] De Benoist, *On Being a Pagan*, p. 233.

Mesmo", mas sim o terror das diferenças irreconciliadas. Alguém poderia argumentar que, em certo sentido, os deuses haviam retornado durante a guerra na ex-Iugoslávia, reconfigurados segundo o modelo de monoteísmo étnico, e que os deuses estão retornando agora em muitas partes do mundo. É por isso que escrevi *Exclusão e abraço*, e é por isso que o livro continua sendo relevante nos dias de hoje.

Exclusão e abraço trata de identidade, mas não é identitário. A crítica identitária do capitalismo e da cultura de sociedades pós-industriais contemporâneas é deficitária. Juntamente com muitos outros críticos, os identitários deixam de reconhecer uma preocupação moral por trás da economia de mercado bem como do individualismo contemporâneo.[24] De qualquer modo, a primazia da razão instrumental, a forma corrente da economia de mercado e da globalização, e a tendência para a superficialidade em sociedades pós-industriais são males debilitantes que precisam de um tratamento sério. A meu ver, a prática do abraço e a teologia que a sustenta é uma dimensão da vida verdadeira, uma espécie de vida promulgada por Jesus Cristo, o Verbo que se fez carne, e por ele viabilizada. Um compromisso com Cristo como a verdadeira vida apresenta um contraste com o descaso por aquilo que mais importa nas sociedades contemporâneas, hiperindividualistas, impulsionadas pelo mercado e com a obsessão pela melhoria e multiplicação dos meios de vida e a indiferença em relação aos próprios fins desses meios.[25] Os identitaristas — pelo menos os europeus — e eu concordamos que uma alternativa se faz necessária. Também concordamos sobre a importância de específicas culturas, línguas e modos de pertencimento, tais como família, grupo étnico, comunidade religiosa ou nação. Em suma, concordamos sobre a *necessidade* de uma "casa". Mas um enorme abismo se abre entre nós acerca da natureza das identidades grupais, sua pureza, seus métodos de superar conflitos centrados na identidade e, acima de tudo, acerca da relação delas com a humanidade comum. Nós discordamos sobre a *natureza* de "casa".

---

[24] Sobre isso, ver Charles Taylor, *The Ethics of Authenticity* (Cambridge: Harvard University Press, 1991), p. 95-96.
[25] Ver Miroslav Volf e Matthew Croasmun, *For the Life of the World: Theology That Makes a Difference* (Grand Rapids: Brazos, 2019).

Quando eu estava escrevendo *Exclusão e abraço*, a ideia de humanidade comum era de modo geral aceita; no texto eu podia simplesmente supor essa ideia. Mas já não posso fazê-lo. E os identitaristas da Nova Direita não são os únicos a contestá-la; alguns da esquerda também já estão fazendo isso[26]— e daí decorre a falta de um horizonte compartilhado e universos morais concorrentes, e isso exatamente quando o Novo Regime Climático cresce rápido atravessando nossos limites com uma vingança.[27] O que eu podia supor então agora precisa ser defendido. Não é possível fazer essa defesa nesta introdução; só posso apresentar seu mais simples esboço. De Benoist está certo: a crença num Deus único e a afirmação de humanidade comum e de dignidade igual estão interligadas. De Benoist também está errado: igualdade aqui não é mesmice; pressupõe diferenças. Cada ser humano compartilha igualmente uma humanidade comum, mas cada um é humano de uma forma única.[28] A unicidade assim como a igualdade estão enraizadas no Deus único. A simultânea afirmação de igualdade humana e diferenças humanas é uma característica de todos os monoteísmos, mas ela é de modo especial congruente com versões do monoteísmo trinitário no qual a unidade e as diferenças divinas são igualmente primordiais.[29]

Antropologias universalistas que associam a humanidade comum com a posse de certas capacidades, sobretudo com a posse da razão, tendem a depreciar as diferenças. Uma vez que essas capacidades são vistas como

---

[26] Para a contestação afro-americana da humanidade comum, ver, por exemplo, Calvin L. Warren, *Ontological Terror: Blackness, Nihilism, and Emancipation* (Durham: Duke University Press, 2018). A posição de Sylvia Wynter, resumida na rubrica "gêneros do ser humano", é mais matizada (ver *Sylvia Wynter: On Being Human as Praxis*, ed. Katherine McKittrick [Durham, NC: Duke University Press, 2015]). Para uma afirmação teológica afro-americana da primazia da humanidade comum, ver, por exemplo, Howard Thurman, *Jesus and the Disinherited* (Boston: Beacon Press, 1976), p. 104-5.

[27] O fraseado é uma adaptação com alterações do texto de Bruno Latour, *Down to Earth: Politics in the New Climatic Regime*, trad. Catherine Porter (Cambridge: Polity Press, 2018), p. 10.

[28] Para uma posição sobre Deus e naturezas individuais influenciada por Duns Scotus, ver John Hare, *God's Call: Moral Realism, God's Commands, and Human Autonomy* (Grand Rapids: Eerdmans, 2001), p. 77-78; sobre o próprio Duns Scotus, ver John Hare, *God and Morality: A Philosophical History* (Oxford: Blackwell Publishing, 2007), p. 111-15. Para uma aplicação desse argumento à necessidade de uma "casa", ver Natalia Marandiuc, *The Goodness of Home: Human and Divine Love and the Making of the Self* (New York: Oxford University Press, 2018).

[29] Ver o apêndice.

dimensões da humanidade normativa, os seres humanos que supostamente não as têm, ou as têm num grau menor, são considerados sub-humanos. Admitindo-se que as capacidades humanas diferem, antropologias universalistas baseadas em capacidades sempre acabam negando a humanidade (igual) de alguns seres humanos.[30] A mesma coisa se aplica ainda mais àquelas, sobretudo implicitamente adotadas, antropologias universalistas que associam a humanidade a certas práticas culturais. Antropologias teístas podem prescindir do apelo a capacidades compartilhadas e, em vez disso, fundamentam a humanidade comum e a igualdade numa *relação de Deus* com os seres humanos. A imutável e incondicionalmente amorosa relação de Deus com cada um nascido de um ser humano fundamenta sua humanidade comum e igualdade.[31] O único Deus trino é o Deus de todos os seres humanos, cada um deles uma criatura dinâmica de um determinado tempo, lugar e cultura, *e* cada um também moldado igualmente como uma imagem do Deus pleromático, cada um igualmente um irmão ou irmã de Cristo.

Em *Exclusão e abraço* pressupus algum relato semelhante da natureza e derivação da humanidade comum. Os dois fios entrelaçados da argumentação principal são inteiramente dedicados à natureza da identidade e dos conflitos centrados na identidade. O fio da identidade insiste *contra* identidades "puras" e "duras", identidades das quais foi expulsa a alteridade e para dentro das quais a alteridade não tem permissão de entrar, e insiste *a favor de* identidades "maleáveis" e "formadas dialogicamente". O fio dos conflitos centrados na identidade se apoia na convicção de que o amor pelo inimigo, recriado no abraço de Deus dado em Cristo à humanidade pecadora, é fundamental para a fé cristã e a vida no mundo: a incondicionalidade do amor

---

[30] Isso também se aplica a Immanuel Kant, embora de uma forma limitada. Falando da capacidade de fazer escolhas racionais, que para ele fundamenta uma dignidade igual, ele se referiu à habilidade de fazer escolhas racionais, não à qualidade de raciocinar enquanto se faz alguma escolha concreta (ver Allen Wood, *Kant's Ethical Thought* [Cambridge: Cambridge University Press, 1999], p. 132). De qualquer modo, existem, provavelmente, seres humanos que não têm nenhuma capacidade de fazer escolhas racionais. A abordagem de Kant baseada nas capacidades não tem recursos de espécie alguma para afirmar a humanidade deles e sua igual dignidade.

[31] Para uma versão dessa posição, ver Nicholas Wolterstorff, *Justice: Rights and Wrongs* (Princeton: Princeton University Press, 2010). Para uma descrição evolucionária de humanidade comum, ver Nicholas Christakis, *Blueprint: Evolutionary Origins of a Good Society* (New York: Little, Brown Spark, 2019).

divino exige e viabiliza a correspondente incondicionalidade do amor humano. Os dois fios se encontram na alegação de que o compromisso com Deus revelado em Jesus Cristo e realizado pelo Espírito deve regular a manutenção de limites constituintes da identidade e outros tipos de relações entre pessoas com identidades diversas.

Os dois fios da argumentação do livro procuram corroborar reivindicações que quase constituem o exato anverso dos dois pilares do identitarismo. Sua tese principal é esta: "A vontade de nos doar aos outros e 'acolhê-los', de adaptar nossas identidades e criar espaço para eles, vem antes de qualquer julgamento acerca desses outros, excetuado o julgamento de identificá-los em sua humanidade". Mas *Exclusão e abraço* não é um tratado anti-identitário. É um esboço de uma visão de como negociar importantes tensões constitutivas do mundo moderno — entre egos e entre comunidades diversas, bem como entre localidade, etnicidade, particularidade e globalidade, cosmopolitismo e universalidade — que se reacenderam num mundo que parece estar numa rota para a autodepreciação, até mesmo para a autodestruição.[32] No fundamento dessa visão está um horizonte universal compartilhado do projeto de Deus com o mundo revelado em Jesus Cristo, o Verbo e o Cordeiro, por meio do qual os mundos foram criados e reconciliados com Deus.[33] Esse projeto é o de transformar o mundo na casa de Deus e, por consequência, na casa das criaturas de Deus — cada criatura sendo única e "localmente enraizada" e cada uma, precisamente em sua unicidade e enraizamento limitados, constitutivamente aberta a todas as outras, habitando nelas e sendo por elas habitada.

---

[32] Sobre a tensão na rota da autodestruição, ver Latour, *Down to Earth*.
[33] Sobre Cristo e a criação, ver Rowan Williams, *Christ the Heart of Creation* (London: Bloomsbury Continuum, 2018).

1

A cruz, o ego e o outro

Imagens de três cidades

Quando Los Angeles explodiu na primavera de 1992, uma carta-convite estava sobre a minha escrivaninha em Pasadena. Eu era convidado a ir para a cidade da "grandeza prussiana", Potsdam, e proferir uma palestra no congresso da alemã "Gesellschaft für Evangelische Theologie". O tema era oportuno: "O Espírito de Deus e o povo de Deus nas sublevações culturais da Europa". No folheto sobre o congresso eu li:

> A esperança no surgimento de uma "nova democracia" na Europa que inspirou tanta gente no Oriente e no Ocidente [...] não se concretizou. Em vez disso, um conflito nacional cada vez mais inflamado — incluindo confrontação armada — vem ocorrendo em muitos países e sociedades do antigo bloco oriental. Na Iugoslávia, há uma guerra desenfreada na qual religiões e confissões religiosas cristãs também estão envolvidas. Ao mesmo tempo, no Ocidente grassa uma indiferença europeia da qual grupos neonacionalistas e neofascistas tiram proveito. E na Alemanha reunificada brotam perigos para a democracia que até pouco tempo atrás ninguém teria imaginado possíveis: um flagrante e manifesto movimento de Direita Radical ostentando uma hostilidade militante contra estrangeiros.

Ao convidarem a mim, um nativo de um lugar que costumava fazer parte da Iugoslávia e que agora é um estado independente chamado Croácia, os organizadores do congresso estavam à procura de uma voz proveniente de uma parte do mundo que costumava ser a Europa Oriental e que ainda estava buscando uma nova identidade.

Quando aceitei o convite, eu não tinha nenhuma noção da missão, nem mesmo uma ideia clara sobre o que falar. Durante os oito meses intermediários até o evento, imagens de três cidades ficaram invadindo minha mente com a clara intenção de ali levar uma errática vida própria. Na maioria das vezes, eu conseguia controlar essas intrusas, ou abafando-as ou às vezes refletindo sobre elas. Estimuladas por impulsos visuais provenientes de telas de televisão e capas de revistas e jornais, elas emergiam inesperadas no meio de uma reunião de professores, na pausa durante uma conversa no jantar, no silêncio da noite. Bombas caindo no meio de uma multidão pacientemente esperando pelo pão que era escasso, muito escasso. Gente correndo pelos "becos da morte" para escapar de franco-atiradores: Sarajevo. Cenas de Rodney King sendo espancado por policiais brancos e de Reginald Denny sendo arrastado para fora de seu caminhão por membros de uma gangue de negros, fotos de gente correndo para todas as direções com bens saqueados como formigas gigantes, imagens de chamas devastando quarteirões inteiros: Los Angeles. E depois Berlim: *skinheads* nazistas marchando pela cidade, as mãos de vez em quando erguidas numa saudação hitleriana, gritando "Ausländer raus!" [Fora, estrangeiros!].

O fato de as imagens intrusas virem de Sarajevo, Los Angeles e Berlim não era nenhuma obra do acaso. Essas cidades representavam, respectivamente, meu país de origem, a localização de minha residência e o lugar onde eu devia falar sobre os protestos culturais e sociais na Europa. O que elas tinham em comum, porém, no ano de 1992, era mais do que meros acidentes de minha biografia. Elas estavam conectadas por uma história de cruéis conflitos culturais, étnicos e raciais.

Essa não era a única história dessas cidades, é óbvio. Acaso croatas católicos, sérvios ortodoxos, muçulmanos e judeus não conviveram pacificamente lado a lado durante séculos, exatamente como fizeram suas numerosas igrejas, mesquitas e sinagogas? Acaso não há *alguma* verdade no mito oficial de Los Angeles como uma cidade na qual cada um de seus duzentos grupos culturais e étnicos "traz seu próprio *éthos*, suas artes, ideias e habilidades para uma comunidade que acolhe e estimula a diversidade e se torna mais forte por extrair dela o melhor", todos esses grupos constituindo "um mosaico, com cada uma das cores distinta, vibrante e essencial para o todo"?[1] Acaso Berlim não era a cidade onde o muro que separava o Oriente do Ocidente havia ruído?

[1] "L. A. 2000: A City of the Future", Comitê de Los Angeles, 2000, delegado pelo gabinete do prefeito de Los Angeles Tom Bradley, 1988, conforme citação de Judith Tiersma, "Beauty for Ashes", *Theology News and Notes* 38, n. 4 (1992): p. 17.

Apesar dessas narrativas de harmonia, há também uma história sombria associada a essas cidades. Já em 1920 o croata agraciado com o Prêmio Nobel de Literatura, Ivo Andrić, achou simbólico o fato de os sinos das igrejas e mesquitas de Sarajevo serem discordantes quando batiam as horas. Essa "discordância" dizia algo sobre diferença; e diferença na Bósnia, escreveu ele, estava "sempre perto do ódio, e muitas vezes se identificava com ele".[2] Em Los Angeles, antes de eclodir a convulsão de 1992, aconteceu a revolta de 1965, desencadeada por um policial rodoviário da Califórnia perseguindo um homem negro fora da rodovia, mas causada por séculos de preconceito e opressão racial. Por último, foi em Berlim que os demônios do Terceiro Reich engendraram a "solução final" e partiram para a execução dela com prussiana veemência, disciplina e zelo.

As imagens dessas três cidades quase me impuseram o tema da palestra em Potsdam: eu trataria dos conflitos entre culturas. Como as diversas imagens sugeriam, conflitos culturais não são de modo algum uma característica de sociedades que ainda não provaram as "bênçãos" da modernização. Eu bem sabia que não devia descartá-los como explosões de uma barbárie minguante à margem de uma modernidade, fora isso, pacífica. Guerras mais sutis, mas concretas, entre grupos de culturas rivais ameaçam rasgar o tecido da vida social em numerosas nações do Ocidente.

Longe de serem aberrações, as três cidades aos poucos emergiam ante meus olhos como símbolos do mundo de hoje. Quando o muro ideológico e militar que separava o Oriente do Ocidente veio abaixo, quando as restrições do megaconflito chamado "Guerra Fria" foram revogadas e a importância de esferas globais de influência havia muito estabelecidas decresceu, inúmeros pequenos conflitos abafados se reacenderam em outras tantas "guerras quentes". Numa edição especial do *Los Angeles Times* de 8 de junho de 1992, intitulada "O novo tribalismo", Robin Wright relatou:

> Na Geórgia, as pequenas Abecásia e Ossétia do Sul estão ambas buscando sua separação, enquanto os curdos querem extrair um país da Turquia. O Quebec francês se aproxima de uma separação do Canadá, enquanto os mortos na rebelião muçulmana na Caxemira contra a Índia dominada por hinduístas ultrapassam a marca dos 6.000. No Cazaquistão, um conflito

---

[2] Rupert Neudeck, "Europa am Ende? Das gute Beispiel: Albanien", *Orientierung* 57, n. 10 (1993): p. 120.

que até parece um trocadilho opõe etnias de *cazaques* contra *cossacos* russos, enquanto escoceses na Grã-Bretanha, tútsis em Ruanda, bascos e catalães na Espanha e tuaregues em Mali e no Níger buscam graus diversos de autonomia ou estatuto de Estado. Um conjunto perturbador de núcleos de conflitos étnicos no mundo atual [...] ilustra drasticamente como, dentre todas as características do mundo pós-Guerra Fria, as mais constantemente problemáticas resultam ser os ódios tribais que dividem a humanidade pela raça, a fé e a nacionalidade. "A explosão da violência intercomunitária é a principal questão a ser enfrentada pelo movimento em defesa dos direitos humanos. E controlar os abusos cometidos em nome de grupos étnicos ou religiosos será nosso primeiro desafio em anos vindouros", disse Kenneth Ross, diretor executivo em exercício da organização Human Rights Watch.[3]

O artigo prosseguia indicando mais de cinquenta pontos mundo afora — inclusive países ocidentais — onde a violência havia se consolidado entre povos que ocupam o mesmo território mas diferem em etnia, raça, língua ou religião.[4]

O fim da Guerra Fria obviamente não produziu esses conflitos. Eles estavam lá o tempo todo, desempenhando um papel de estabilidade no sangrento drama global do mundo moderno. Os conflitos podem passar por ciclos de ressurgimento e remissão, dependendo principalmente de condições internacionais; convulsões em grande escala "criam um cenário em que demandas étnicas parecem oportunas e realistas".[5] Na visão de um atento estudioso de conflitos étnicos e culturais, Donald L. Horowitz, pelo menos durante o século passado esses conflitos foram "onipresentes".[6]

Uma visada sobre o mundo confirmou minha decisão de tomar conflitos culturais como tópico de minha palestra no congresso de Postdam. Uma formulação mais clara do problema me ocorreu só depois de eu passar umas seis semanas na Croácia devastada pela guerra no outono de 1992 — seu território ocupado, suas cidades e aldeias destruídas, e seu

---

[3] Robin Wright, "The New Tribalism", *Los Angeles Times*, 8/6/1992, H1.
[4] Robert D. Kaplan, *The Ends of the Earth: A Journey at the Dawn of the 21st Century* (New York: Random House, 1996), p. 7s.
[5] Donald L. Horowitz, *Ethnic Groups in Conflict* (Berkeley: University of California Press, 1985), p. 3ss.
[6] Ibid., p. 5.

povo morto ou expulso. Lá em certo sentido para mim ficou claro o que eu sempre soube: o problema de conflitos étnicos e culturais são parte de um problema maior de identidade e de alteridade. Lá o problema de identidade e de alteridade, lutando e sangrando e queimando, invadiu candente a minha consciência.

Um mundo sem o outro

Eu estava cruzando a fronteira croata pela primeira vez desde que a Croácia havia declarado sua independência. Insígnias nacionais e bandeiras aparecendo sobretudo no "portal para a Croácia" eram apenas sinais visíveis do que eu podia sentir como uma cobrança no ar: eu estava saindo da Hungria e entrando em espaço croata. Tive uma sensação de alívio — algo como o que uma pessoa hispânica ou coreana deve sentir naquelas áreas do centro-sul de Los Angeles onde são cercados por sua própria gente; algo como o que negros da África do Sul devem ter sentido depois que o Apartheid foi desmantelado. Naquilo que costumava ser a Iugoslávia praticamente se esperava que a gente pedisse desculpas por ser croata. Agora eu estava livre para ser quem sou.

Todavia, quanto mais tempo ia passando no meu país, mais cercado eu me sentia. Naquela altura, percebia uma calada expectativa de que eu explicasse por que, como croata, eu ainda tinha amigos na Sérvia e não falava com repulsa sobre o atraso da cultura bizantino-ortodoxa deles. Estou habituado à colorida circunvizinhança de múltiplas etnias. Filho de um "casamento misto", tenho em minhas veias sangue checo, alemão e croata; fui criado numa cidade que o antigo Império dos Habsburgos havia transformado num ponto de encontro de muitos grupos étnicos e morei na multicultural (e cheia de tensões) cidade de Los Angeles. Mas a nova Croácia, como alguma deusa ciumenta, queria todo o meu amor e lealdade. Eu devia ser totalmente croata, caso contrário não seria um bom croata.

Era fácil explicar essa exigência excessiva de lealdade. Depois da assimilação forçada sob o regime comunista, a sensação de pertencimento étnico e de distinção cultural tinha inevitavelmente de se reafirmar. Além disso, a necessidade de posicionar-se contra um poderoso e destrutivo inimigo que havia tomado um terço do território croata, dele varrendo toda a população croata e destruindo quase completamente algumas de suas cidades, deixava pouco espaço para o luxo de lealdades divididas.

As explicações faziam sentido e me davam razões para acreditar que a incômoda preocupação com o caráter nacional era uma fase temporária, um mecanismo de defesa cujos serviços já não seriam necessários assim que o perigo passasse. Contudo, as inquietantes perguntas permaneciam. Acaso eu não percebia na face da oprimida Croácia alguns traços que os croatas desprezavam em seus invasores? Não seria possível que o inimigo tivesse tomado parte da alma croata juntamente com boa parte do solo da Croácia?

Durante minha estadia na Croácia, li a reflexão de Jacques Derrida sobre a Europa, *The Other Heading* [O outro *caput*]. Tecendo comentários sobre sua própria identidade europeia, ele escreve em seu conhecido estilo intrincado:

> Sou europeu, sou sem dúvida um intelectual europeu, e gosto de me lembrar disso, gosto de lembrar isso para mim mesmo, e por que eu negaria isso? Em nome do quê? Mas não sou, nem me sinto, europeu sob todos os aspectos, isto é, europeu da cabeça aos pés [...]. Ser uma parte, pertencendo como "uma parte plena", deveria ser incompatível com pertencer "dos pés à cabeça". Minha identidade cultural, aquela em nome da qual eu falo, não é apenas europeia, não é idêntica consigo mesma, e eu não sou "cultural" da cabeça aos pés, "cultural" em todas as partes.[7]

A identidade da Europa consigo mesma, prosseguiu Derrida, é totalitária. Embora mais adiante eu me distancie das reflexões pós-modernas sobre a identidade, a observação de Derrida não é pertinente? O passado da Europa está repleto da pior violência cometida em nome da identidade europeia (e tendo como objetivo a prosperidade europeia!). A Europa colonizou e oprimiu, destruiu culturas, e impôs sua religião em nome de sua identidade consigo mesma — em nome de sua própria absoluta religião e civilização superior. Pense apenas na descoberta da América e em suas consequências genocidas, tão magistralmente analisadas no clássico ensaio de Tzvetan Todorov *A conquista da América* — uma triste história de desumanização, depredação e destruição de milhões.[8] E não faz muito

---

[7] Jacques Derrida, *The Other Heading: Reflexions on Today's Europe*, trad. P. A. Brault e M. B. Naas (Bloomington: Indiana University Press, 1992), p. 82s.

[8] Tzvetan Todorov, *The Conquest of America: The Question of the Other*, trad. Richard Howard (New York: Harper-Collins, 1984).

tempo que a Alemanha procurou conquistar e exterminar em nome de sua pureza, sua identidade consigo mesma. Hoje, pensei eu enquanto lia Derrida na cidade croata de Osijek, onde muitas casas exibiam cicatrizes de bombardeios sérvios, hoje a região dos Balcãs arde em chamas em nome da identidade sérvia consigo mesma e sua imagem simétrica, a identidade croata consigo mesma. Acaso não poderia a vontade de identidade estar fornecendo combustível para boa parte daqueles mais ou menos cinquenta conflitos mundo afora?

Vários tipos de "limpeza" cultural exigem que coloquemos a identidade e a alteridade no centro da reflexão teológica sobre realidades sociais. Foi isso que eu pedi em minha palestra em Potsdam,[9] e isso é o que pretendo defender neste volume. Mas será que estou dando demasiada importância à identidade? Alguém poderia argumentar que alguns eventos na minha terra natal e na cidade onde morei — a guerra dos Balcãs e as convulsões de Los Angeles — me levaram a sofrer de miopia. Alguém talvez até pudesse sugerir que estou fascinado demais com algumas tendências culturais, criadas em oficinas da moda intelectual parisiense, nas quais tudo parece girar em torno "do outro" e "do mesmo". Será que não seria melhor manter os problemas de identidade e alteridade nas margens de nossa reflexão, reservando o lugar central para os direitos humanos, a justiça econômica e o bem-estar ecológico? No fim das contas, não é isso que uma longa e honrada tradição do pensamento social, cristã bem como não cristã, ensina?

Bem, tudo depende. Também poderia ser que os acidentes de minha biografia clarearam minha visão. E poderia ser que os intelectuais de Paris, embora possam estar absolutamente errados acerca de alguns pontos, talvez apesar de tudo estivessem tratando de algo importante com suas falas sobre identidade e alteridade; de fato, poderia ser que com a ajuda dessas categorias eles estivessem tratando do fundamental problema filosófico e social do "um" e dos "muitos" que envolveu pensadores de diversas culturas e durante muitos séculos.[10] Quanto a direitos, justiça e ecologia, o tema da identidade e alteridade não precisa — e de fato não *deve* — suprimi-los. Seu lugar apropriado está no centro de nosso interesse (embora o

---

[9] Miroslav Volf, "Exclusion and Embrace. Theological Reflexions in the Wake of 'Etnic Cleansing'", *Journal of Ecumenical Studies* 29, n. 2 (1992): p. 230-48.

[10] Anindita Niyogi Balslev, *Cultural Otherness: Correspondence with Richard Rorty* (Shimla: Indian Institute of Advanced Study, 1991), p. 3.

que "direitos", "justiça" e "bem-estar ecológico" significam e o que significa para eles estar no centro sempre dependerá em parte da cultura da pessoa que está refletindo sobre eles). Mas juntamente com esses três, seria necessário abrir espaço para um quarto tema — o da identidade e alteridade — e os quatro deveriam ser entendidos numa relação mútua entre si.

Antes de apresentar um esboço de como pretendo abordar a questão, peço permissão para inserir brevemente minhas anotações autobiográficas num quadro maior de alguns debates em filosofia política. Essas anotações indicam uma mudança de interesse do universal para o particular, do global para o local, da igualdade para a diferença, uma mudança inspirada pela percepção de que a "universalidade" só está disponível a partir de dentro de uma determinada "particularidade"; de que preocupações globais devem ser buscadas localmente; de que a ênfase na igualdade só faz sentido como uma forma de estar a serviço das diferenças.

Num importante ensaio intitulado "A política do reconhecimento", Charles Taylor distingue a tipicamente moderna "política de dignidade igual" e a recentemente descoberta "política da diferença" (ou identidade). A política da dignidade igual procura estabelecer o que é "universalmente o mesmo, uma cesta idêntica de direitos e imunidades".[11] Não é assim no caso da política da diferença. "Com a política da diferença", escreve Taylor,

> o que se pede que reconheçamos é a identidade única deste indivíduo ou grupo, o caráter distintivo que tem sido ignorado, disfarçado, assimilado por uma identidade majoritária dominante. E essa assimilação é o pecado capital contra o ideal da autenticidade.[12]

As políticas da diferença se apoiam em duas persuasões básicas. Primeira, a identidade de uma pessoa é inevitavelmente marcada pelas particularidades do meio social em que ele ou ela nasce e se desenvolve. Identificando-se com figuras parentais, grupos de colegas, professores, autoridades religiosas e líderes comunitários, a pessoa não se identifica com eles simplesmente como seres humanos, mas também com o investimento deles em determinada língua, religião, determinados costumes,

---

[11] Charles Taylor, "The Politics of Recognition", *Multiculturalism: Examining the Politics of Recognition*, ed. Amy Gutmann (Princeton: Princeton University Press, 1994), p. 38.
[12] Ibid.

suas construções de gênero e diferença racial, e assim por diante.[13] Segunda, uma vez que a identidade é parcialmente formada pelo reconhecimento que recebemos do meio social em que vivemos, "o não reconhecimento ou o falso reconhecimento pode causar dano, pode ser uma forma de opressão, aprisionando alguém num falso, distorcido e inferior modo de ser".[14]

---

[13] Christian Bittner e Anne Ostermann, "Bruder, Gast oder Feind? Sozialpsychologische Aspekte der Fremdenbeziehung", in *Die Fremden*, ed. O. Fuchs (Düsseldorf: Patmos, 1988), p. 105ss. Vamik Volkan, *The Need to Have Enemies and Allies: From Clinical Practice to International Relationships* (Northvale: Jason Aronson, 1988), p. 49s., 90ss.

[14] Taylor, "The Politics of Recognition", p. 25. Três breves comentários parecem oportunos acerca da natureza de culturas particulares que fornecem uma matriz para a emergência do ego. Seguindo o exemplo de Michael Walzer (*Thick and Thin: Moral Arguments at Home and Abroad* [Notre Dame, IN: University of Notre Dame Press, 1994]), essas culturas particulares serão aqui livremente chamadas "tribos". Primeiro, *complexidade*: se identidades tribais são forjadas na interação com outras tribos (A. L. Epstein, *Ethos and Identity: Three Studies in Ethnicity* [London: Travistock, 1978]), então não existe nada que seja a "essência" de uma tribo, nenhuma "identidade pura" para a qual se possa apelar. Exatamente como as pessoas individuais com quem interajo ("outros significantes") tornam-se uma parte de quem eu sou, assim também grupos com os quais meu grupo interage são parte de quem meu grupo é.

Em segundo lugar está a força das identidades tribais: em situações de conflito uma determinada identidade grupal pode tornar-se uma identidade definitiva, incluindo em si e integrando toda uma gama de outras identidades; cada membro do grupo deve identificar-se completamente com o grupo. Em circunstâncias normais, todavia, uma determinada identidade grupal é, na maioria das vezes, uma dentre várias identidades alternativas e possivelmente rivais entre si. Sobretudo em sociedades contemporâneas, o ego é fragmentado, dividindo-se não apenas entre várias identidades grupais (tais como gênero, nação, etnia, religião), mas também entre vários papéis sociais, até mesmo entre seus vários valores (Zygmunt Bauman, *Life in Fragments: Essays in Postmodern Morality* [Oxford: Blackwell, 1995]). Em consequência disso, as tribos (pós-)modernas estão "constantemente num *status nascendi* mais do que num *status essendi*, regeneradas por repetitivos rituais simbólicos dos seus membros, mas não persistindo mais do que o poder de atração desses rituais" (Zygmunt Bauman, *Intimations of Postmodernity* [London: Routledge, 1992], p. 198). Qualquer identidade tribal determinada é, portanto, parcialmente uma questão de escolha. Ela pode ser fraca ou forte, dependendo não só de um possível contexto conflituoso, mas também das escolhas feitas tanto pelo indivíduo em questão bem como por sua família. Ela pode até ser em grande parte abandonada em prol de alguma outra identidade tribal (Michel Maffesoli, "Jeux De Masques: Postmodern Tribalism", *Design Issues* 4, ns. 1–2 [1988]: p. 141-51).

Em terceiro lugar, a permanência de identidades tribais: será que a interpretação dinâmica de pertencimento cultural sugere que, em algum ponto, as lealdades "tribais" poderiam desaparecer completamente? Poderiam. A questão é saber se desaparecerão. A resposta é negativa. As funções psicossociais que elas desempenham são importantes

Os dois pressupostos das políticas da diferença explicam sua lógica interna. A crescente consciência da heterogeneidade cultural causada por avanços econômicos e tecnológicos de proporções planetárias explica por que a identidade "tribal" está hoje se afirmando como uma força poderosa, especialmente em casos em que a heterogeneidade cultural é acompanhada por extremos desequilíbrios de poder e riqueza. Talvez não seja nenhum exagero afirmar que o futuro do nosso mundo dependerá de como vamos lidar com a identidade e a diferença. A questão é urgente. O guetos e campos de batalha no mundo inteiro — nas salas de visita, nos centros urbanos ou no topo das cordilheiras — comprovam de modo incontestável a importância dela.

Acordos sociais, agentes sociais

Como devemos abordar os problemas da identidade e da alteridade e dos conflitos que se intensificam em torno deles? Soluções foram sugeridas de acordo com as seguintes linhas:

(1) *Opção universalista*: Deveríamos controlar a desenfreada proliferação de diferenças e apoiar a difusão de valores universais — valores religiosos ou valores iluministas — pois só eles podem garantir o convívio pacífico de seres humanos; a afirmação de diferenças sem valores comuns levará para o caos e a guerra mais do que para uma rica e frutífera diversidade.

(2) *Opção comunitária*: Deveríamos celebrar características comunitárias e promover a heterogeneidade, colocando-nos do lado dos exércitos menores das culturas nativas; a difusão de valores universais levará à opressão e ao tédio mais do que à paz e prosperidade.

(3) *Opção pós-moderna*: Deveríamos fugir de valores universais bem como de identidades particulares e refugiar-nos da opressão na radical indeterminação de indivíduos e formações sociais; deveríamos criar espaços nos quais as pessoas possam continuar criando "egos mais amplos e mais livres" mediante a aquisição de novas e a perda de antigas identidades

demais e é muito difícil achar candidatos alternativos viáveis para exercer essas funções (Walzer, *Thick and Thin*, p. 81). "Tribos" continuarão sendo geradas e mantidas. Por isso, até mesmo em sociedades modernas os "egos" continuarão sendo egos situados, "tribais".

— caprichosas, erráticas, vagantes, ambivalentes e fragmentadas, sempre de mudança e nunca fazendo mais do que se movimentar.

Embora sob muitos aspectos radicalmente diferentes, essas três "soluções" compartilham uma concentração comum em *acordos sociais*. Elas oferecem propostas sobre como uma sociedade (ou toda a humanidade) deveria organizar-se para acomodar indivíduos e grupos convivendo com diversas identidades — uma sociedade que preserva valores universais, ou que promove a pluralidade de identidades comunitárias particulares, ou que oferece uma estrutura para que pessoas individuais cuidem livremente de fazer e desfazer sua própria identidade. Essas propostas implicam importantes perspectivas acerca de pessoas que vivem nessas sociedades, mas seu interesse principal não está em agentes sociais, e sim em acordos sociais. Contrastando com isso, vou me concentrar aqui em agentes sociais.[15] Em vez de refletir sobre o tipo de sociedade que deveríamos criar para acomodar a heterogeneidade individual ou comunitária, vou explorar *que tipo de pessoa devemos ser* a fim de viver em harmonia com os outros. Meu pressuposto é que egos são contextualizados; são femininos ou masculinos, judeus ou gregos, ricos ou pobres — em geral, mais de um desses aspectos ao mesmo tempo ("femininos gregos ricos"), tendo muitas vezes identidades híbridas ("judias-gregas" e "masculinas-femininas"), e às vezes migrando de uma identidade para outra. As questões que vou explorar acerca desses egos contextualizados são: Como eles deveriam considerar sua identidade? Como deveriam se relacionar com o outro? Como deveriam cuidar de fazer a paz com o outro?

Por que estou abdicando de uma discussão de acordos sociais? Falando de modo simples, embora eu tenha fortes preferências, não tenho nenhuma proposta inequívoca a apresentar. Nem sequer tenho certeza de que teólogos *qua* teólogos são as pessoas mais adequadas para fazer isso. O que eu quero dizer não é que a fé cristã não tem nenhuma relação com acordos sociais. Ela evidentemente tem. Tampouco quero dizer que a reflexão sobre acordos sociais não tem importância, visão essa às vezes defendida com base num argumento falacioso de que acordos sociais se resolvem sozinhos se temos o tipo certo de agentes sociais. Participar de acordos sociais é essencial. Mas são economistas cristãos, cientistas políticos, sociólogos e assim por diante, em cooperação com teólogos, em

---

[15] Ver também o epílogo.

vez de os próprios teólogos sozinhos, que deveriam tratar dessa questão porque eles estão mais bem equipados para fazer isso — um argumento que Nicholas Wolterstorff apresentou de modo convincente em seu ensaio "Teologia pública ou aprendizado cristão".[16] Quando não estão atuando como auxiliares de economistas, cientistas políticos, sociólogos e assim por diante — e faz parte da responsabilidade deles atuarem dessa maneira — os teólogos deveriam concentrar-se menos em acordos sociais e mais *no fomento do tipo de agentes sociais capazes de imaginar e criar sociedades justas, autênticas e pacíficas, e na concepção de um clima cultural no qual esses agentes possam prosperar.*

Características importantes de sociedades contemporâneas, e não simplesmente as competências de teólogos, exigem uma constante reflexão teológica sobre agentes sociais. Zygmunt Bauman argumentou que a *modernidade* se destaca "pela tendência de deslocar responsabilidades morais afastando-as do ego moral na direção de agências supraindividuais construídas e gerenciadas socialmente, ou por meio da responsabilidade flutuante no seio de um burocrático 'governo de ninguém'".[17] A seu modo, a *pós-modernidade* cria um clima no qual a evasão da responsabilidade moral é um estilo de vida. Tornando os relacionamentos "fragmentários" e "descontínuos", ela fomenta "o descompromisso e a evitação do comprometimento".[18] Se Bauman estiver certo acerca da modernidade e pós-modernidade, então a reflexão sobre a natureza de agentes sociais e de seu mútuo engajamento é urgentemente necessária. Repito, isso não implica menosprezar os acordos sociais. É provável que em parte sejam precisamente os acordos sociais modernos e pós-modernos que criem um contexto no qual surgem os problemas contemporâneos envolvendo a natureza dos agentes sociais e de suas obrigações. Os acordos sociais condicionam os agentes sociais; e os agentes sociais moldam os acordos sociais.

Mas o que deveria moldar os agentes sociais para que eles por sua vez possam criar acordos sociais sadios em vez de simplesmente ser moldados por eles? De que posição estratégica deveríamos refletir sobre a natureza do ego num engajamento com o outro?

---

[16] Nicholas Wolterstorff, "Public Theology or Christian Learning", em *A Passion for God's Reign: Theology, Learning, and the Christian Self*, ed. Miroslav Volf (Grand Rapids: Eerdmans, 1998), p. 65-88.
[17] Bauman, *Life in Fragments*, p. 99.
[18] Ibid., p. 156.

A cruz no centro

Em *A política de Jesus*, John Howard Yoder argumentou contra "os modernos especialistas em ética que têm pressuposto que a única maneira de partir da história do evangelho para chegar à ética, de Belém a Roma ou a Washington ou a Saigão, era deixar para trás a história".[19] Seu ponto era bom. Com frequência, deixar para trás a história resulta numa estéril imitação. Se, todavia, decidirmos não deixar a história para trás, o que na história deveria fornecer "a substância da orientação na ética social"?[20] A resposta de Yoder: "Apenas num ponto, apenas num assunto — mas neste caso de modo consistente e universal — Jesus é nosso exemplo: na sua cruz".[21] Por estranho que pareça, a maior parte do livro seminal de Yoder não é sobre a cruz. Consiste em uma perspicaz análise de alguns textos bíblicos centrais, sobretudo do Evangelho de Lucas. Yoder insinua que outros aspectos da vida de Jesus, além de sua paixão, deveriam servir como exemplos para cristãos, embora a cruz seja a chave para a leitura desses outros aspectos da vida dele. Mas como deveríamos entender a cruz? Mais especificamente, o que nos diz a cruz acerca da natureza do caráter cristão em relação ao outro?[22]

As contribuições mais significativas nos últimos anos sobre as implicações da cruz para a vida no mundo foram feitas por Jürgen Moltmann. Breves passagens em *O Espírito da vida* (1991) contêm seu pensamento mais maduro nessa questão, embora não sejam um substituto à altura dos exaustivos argumentos em *O Deus crucificado* (1989), *Trindade e reino de Deus* (1980) e *O caminho de Jesus Cristo* (1989). Um enfoque importante do pensamento de Moltmann sobre a cruz pode ser resumido na noção de *solidariedade*. Os sofrimentos de Cristo na cruz não são apenas sofrimentos dele; são "os sofrimentos dos pobres e dos fracos, que Jesus divide em seu próprio corpo e em sua própria alma, em solidariedade com eles".[23] E

---

[19] John Howard Yoder, *The Politics of Jesus. Vicit Agnus Noster* (Grand Rapids: Eerdmans, 1972).
[20] Ibid., p. 115.
[21] Ibid., p. 97.
[22] Ao explorar aqui a relação entre a cruz e o ego em relação ao outro, não estou sugerindo que a cruz não tem outro significado além de oferecer o *modelo* para o caráter do ego cristão. A cruz servirá melhor como o modelo se ela tiver servido antes como o *fundamento*.
[23] Jürgen Moltmann, *The Spirit of Life: A Universal Affirmation*, trad. Margaret Kohl (Minneapolis: Fortress, 1992), p. 130.

uma vez que Deus estava em Cristo, "mediante sua paixão Cristo insere na história da paixão deste mundo a eterna comunhão de Deus e a justiça divina e a retidão que cria a vida".[24] Na cruz, Cristo "identifica Deus com as vítimas da violência" bem como identifica "as vítimas com Deus, de modo que elas são postas sob a proteção de Deus e com ele recebem os direitos dos quais foram privadas".[25]

Esses temas cristológicos e trinitários tecidos em torno da "paixão de Deus" soarão familiares para os que conhecem as obras anteriores de Moltmann. Porém, em *O Espírito da vida* ele enfatiza um aspecto da cruz que anteriormente deixou de desenvolver. O tema da solidariedade com as vítimas[26] é complementado pelo tema da *expiação* em benefício dos perpetradores.[27] Como os oprimidos devem ser libertados do sofrimento causado pela opressão, assim também os opressores devem ser libertados da injustiça cometida por meio da opressão. Tentando resgatar alguns aspectos da leitura teológica tradicional acerca da cruz e ao mesmo tempo permanecendo fiel à essência libertacionista de sua obra anterior, Moltmann argumenta que a cruz é "a divina expiação para o pecado, para a injustiça e a violência sobre a terra".[28] Como a solidariedade com as vítimas, a expiação para os perpetradores brota do coração do Deus trino, cujo próprio ser é amor (1Jo 4.8). Moltmann escreve:

> Na cruz de Cristo esse amor [i.e., o amor de Deus] está ali para os outros, para pecadores — os recalcitrantes — inimigos. A recíproca doação no seio da Trindade é evidenciada na doação de si mesmo por Cristo num mundo que está em contradição com Deus; e essa doação de si mesmo arrasta todos os que creem nele para a vida eterna do amor divino.[29]

Sem querer desconsiderar (muito menos, descartar) o tema da solidariedade divina com as vítimas, eu vou tomar e desenvolver aqui o tema da autodoação divina em benefício dos inimigos e a recepção deles na eterna comunhão com Deus. O próprio Moltmann esboçou as implicações sociais

[24] Ibid., p. 131.
[25] Ibid.
[26] Ibid., p. 129-31.
[27] Ibid., p. 132-38.
[28] Ibid., p. 136.
[29] Ibid., p. 137.

de sua teologia da cruz e da Trindade sobretudo a partir do tema da solidariedade. Como Deus sofre com as vítimas, protege-as e confere a elas os direitos dos quais foram privadas, argumentou ele, assim também deveríamos fazer nós. Contrastando com isso, eu sublinho mais o significado social do tema da autodoação: como Deus não abandona os ateus à maldade deles, mas entrega sua divindade por eles a fim de recebê-los na comunhão divina mediante a expiação, assim também deveríamos fazer nós — quem quer que sejam nossos inimigos e quem quer que possamos ser nós.[30]

Se a alegação de que Cristo morreu "pelos ímpios" (Rm 5.6) é a "afirmação fundamental do Novo Testamento", como Jon Sobrino corretamente afirma em *Jesus, o Libertador*,[31] então o tema da solidariedade, embora indispensável e com razão restaurado do oblívio por Moltmann e outros, deve ser um subtema do tema abrangente do amor que se doa a si mesmo. Sobretudo quando se refere a "lutar ao lado de", mais do que simplesmente "sofrer juntamente com", a solidariedade não pode ser separada da doação de si mesmo. Todos os *sofredores* podem achar conforto na solidariedade do Crucificado; mas apenas aqueles que lutam contra o mal seguindo o exemplo do Crucificado irão descobri-lo ao lado deles. Reivindicar o conforto do Crucificado e ao mesmo tempo rejeitar seu caminho é preconizar não apenas uma graça barata, mas é também uma ideologia enganosa. Dentro do tema abrangente da doação de si mesmo, todavia, o tema da solidariedade deve ser plenamente afirmado, pois ele sublinha de modo correto a parcialidade da compaixão divina para com as pessoas "aflitas e exaustas" (Mt 9.36).

Em que medida é de fato central o tema da divina doação de si mesmo em benefício da humanidade pecadora e a humana doação de si mesmo uns pelos outros? Em *The Real Jesus* [O Jesus verdadeiro], Luke Timothy Johnson argumentou que os Evangelhos canônicos "são singularmente consistentes num aspecto essencial da identidade e missão de Jesus". Ele continua:

> O foco fundamental dos Evangelhos não recai sobre os maravilhosos feitos de Jesus nem sobre suas sábias palavras. Seu foco compartilhado incide

---

[30] Em *The Gifting God: A Trinitarian Ethics of Excess* (New York: Oxford University Press, 1996), Stephen Webb desenvolve o tema da doação moldada na Trindade no contexto da discussão das economias de "troca" e "excesso".

[31] Jon Sobrino, *Jesus the Liberator: A Historical-Theological Reading of Jesus of Nazareth*, trad. P. Burns e F. McDonagh (Maryknoll, NY: Orbis, 1993), p. 231.

sobre a *natureza* de sua vida e morte. Todos eles revelam o mesmo *padrão* de radical obediência a Deus e amor abnegado por outras pessoas. Todos os quatro Evangelhos também concordam que o discipulado deve seguir o mesmo *padrão messiânico*. Eles não enfatizam a realização de certos feitos ou o aprendizado de certas doutrinas. Insistem em uma vida condizente com o mesmo padrão de vida e morte mostrado por Jesus.[32]

Johnson identifica a mesma narrativa do amor de doação de si mesmo em Jesus Cristo no centro de todo o Novo Testamento, não apenas nos Evangelhos. O significado do ministério de Jesus está em sua parte final, e a abreviada história do final é o modelo que os cristãos deveriam imitar. No Novo Testamento como um todo, conclui Johnson, "Jesus é o servo sofredor cuja morte é um radical ato de obediência a Deus e uma expressão de amoroso cuidado por seus seguidores".[33] E isso não se aplica exclusivamente aos seguidores. Como insiste o apóstolo Paulo, Cristo morreu pelos "pecadores", os "ímpios" e "inimigos" (Rm 5.6-10).

Uma boa maneira de dizer a mesma coisa sobre a centralidade da doação de si mesmo seria observar exatamente como estão descritos no Novo Testamento os dois rituais fundamentais da igreja: o batismo, que marca o início da vida cristã e, portanto, determina sua totalidade; e a Ceia do Senhor, cuja reiterada celebração representa num rito o que está exatamente no âmago da vida cristã. O batismo é uma identificação com a morte de Cristo (Rm 6.3); crucificados com Cristo por meio do batismo, os cristãos vivem "pela fé no Filho de Deus", que os amou e se entregou por eles (Gl 2.20). Na Ceia do Senhor os cristãos lembram Aquele que deu seu corpo "por eles" para que eles fossem feitos à sua imagem (1Co 11.21,24).

Não é necessário elaborar esse ponto. Indiscutivelmente, o amor que se doa a si mesmo evidenciado na cruz e exigido por ela está no âmago da fé cristã. Como Moltmann com razão enfatizou, essencialmente, o amor de Cristo que se doa a si mesmo está enraizado no amor do Deus trino que se doa a si mesmo.[34] A encarnação desse amor divino num mundo de pecado aponta para a cruz;[35] inversamente, a cruz não tem nenhuma importância

---

[32] Luke Timothy Johnson, *The Real Jesus: The Misguided Quest for the Historical Jesus and the Truth of the Traditional Gospels* (San Francisco: HarperSanFrancisco, 1996), p. 157s.
[33] Ibid., p. 165s.
[34] Moltmann, *The Spirit of Life*, p. 137.
[35] Sobrino, *Jesus the Liberator*, p. 239.

a não ser como decorrência do amor divino (nenhum valor em si mesma ou por si mesma). O teólogo ortodoxo Dumitru Stăniloae fala por toda a tradição cristã quando destaca "duas verdades além das quais não há nenhuma outra verdade", a saber, "a santa Trindade como modelo supremo de amor e comunhão interpessoal, e o Filho de Deus que vem, torna-se homem e vai rumo ao sacrifício".[36]

Uma reflexão genuinamente cristã sobre os tecidos sociais deve enraizar-se no amor que se doa a si mesmo da divina Trindade como manifestado na cruz de Cristo; todos os temas centrais dessa reflexão deverão ser ponderados a partir da perspectiva do amor de Deus que se doa a si mesmo. Este livro procura explicar o que a autodoação divina pode significar para a construção da identidade e para o relacionamento com o outro numa condição de inimizade. Uma forma mais geral de expressar o que estou buscando seria dizer que o livro é uma tentativa de refletir sobre questões sociais com base na mesma decisão que Paulo tomou quando proclamou o evangelho aos coríntios — "nada saber entre vós, senão a Jesus Cristo e este crucificado" (1Co 2.2). Exposto de modo polêmico com um eco da última linha de Nietzsche em *Ecce Homo*, meu programa é: "O Crucificado contra Dionísio" — o santo da pós-modernidade,[37] "O Crucificado contra Prometeu" — o santo da modernidade.[38]

O escândalo e a promessa

O impulso de apegar-se a Prometeu, a Dionísio, ou a algum outro deus pagão e rejeitar o Crucificado será forte, mas eu insistiria para que o leitor não desistisse antes de considerar o que de fato digo sobre a doação de si mesmo (Capítulo 4) e como relaciono isso à justiça e à verdade (Capítulos 5 e 6). As pensadoras feministas, por exemplo, têm suas boas razões para suspeitas. Doar era o que as mulheres, como mães e esposas, supostamente deviam fazer para que os homens, como filhos e maridos, pudessem usufruir ao máximo o que recebessem. Muitas mulheres tendem a doar tanto de si mesmas que correm o perigo de acabar quase perdendo seu ego. Em

---

[36] Dumitru Stăniloae, *7 Dimineti cu Parintele Staniloae*, ed. Soriu Dumitrescu (București: Anastasi, 1992), p. 186.

[37] Friedrich Nietzsche, *Ecce Homo: How One Becomes What One Is*, trad. R. J. Hollingdale (London: Penguin, 1979), p. 104.

[38] Karl Marx, *Werke: Ergänzungsband*, vol. 1 (Berlin: Diez Verlag, 1968), p. 262.

resposta a essas suspeitas, alguém poderia argumentar que os problemas não estão na "autodoação", mas sim no fato de os homens, acomodados, se considerarem dispensados da autodoação que esperam das mulheres. Não seria um mundo de *recíproca* doação de si mesmo, poderia continuar a resposta, "um mundo melhor do que qualquer outro que se possa conceber" porque seria um mundo de amor perfeito? A resposta é boa, desde que a condição de reciprocidade seja assumida. Mas uma das razões pelas quais podemos conceber um mundo muito melhor do que aquele em que habitamos é que a condição de reciprocidade é tão raramente assumida. A doação de si mesmo não é correspondida com outra doação de si mesmo, mas com exploração e brutalidade. Talvez o que algumas feministas contestam não seja tanto a ideia de autodoação, mas sim o fato de que, *num mundo de violência*, a doação de si mesmas seria apresentada como a postura cristã. Com essa objeção elas não estão sós. Caso não estejamos na ponta receptora da autodoação — se somos fracos, explorados ou vitimados — *todos nós vamos protestar*. Num mundo de violência, a cruz, esse eminente símbolo contracultural situado no centro da fé cristã, é um escândalo.

Em sua essência, porém, o escândalo da cruz num mundo de violência não é o *perigo* associado com a doação de si mesmo. A maior agonia de Jesus não foi ele ter sofrido. O sofrimento pode ser suportado, até abraçado, se ele trouxer o fruto que se almeja, como bem mostra a experiência de dar à luz. O que transformou a dor do sofrimento em agonia foi o *abandono*. Jesus foi abandonado pelas pessoas que confiavam nele e pelo Deus em quem ele confiava. "Deus meu, Deus meu, por que me desamparaste?" (Mc 15.34). Deus meu, Deus meu, por que minha obediência radical à tua vontade conduziu à dor e à desgraça da cruz? O supremo escândalo da cruz é com muita frequência uma incapacidade de doação de si mesmo para produzir frutos positivos: você se entrega pelo outro — e a violência não cessa mas destrói você; você sacrifica sua vida — e reforça o poder do perpetrador. Embora a doação de si mesmo muitas vezes resulte na alegria da reciprocidade, ela deve lidar com a dor e a violência. Quando a violência acontece, o próprio ato de doação de si mesmo se transforma num grito ante a sombria face de Deus. Essa face sombria confrontando o ato de doação de si mesmo é um escândalo.

O escândalo da cruz é uma razão suficiente para desistir dela? Não há nenhum jeito genuinamente cristão para contornar o escândalo. Em última análise, as únicas opções disponíveis são rejeitar a cruz e com ela a essência da fé cristã ou assumir a própria cruz e seguir o Crucificado — e sempre escandalizar-se de novo ante esse desafio. Como relata o Evangelho de Marcos, os primeiros discípulos seguiram Jesus e se escandalizaram (14.26ss.). No entanto, continuaram contando a história da cruz, inclusive o relato de como eles abandonaram o Crucificado. Por quê? Porque *precisamente no escândalo eles descobriram uma promessa*. Servindo e doando a vida por outros (Mc 10.45), lamentando e protestando ante a sombria face de Deus (15.34), eles se encontraram na companhia do Crucificado. No túmulo vazio dele viram a prova de que o grito de desespero se transformará numa canção de alegria e que a face de Deus acabará "brilhando" sobre um mundo redimido.

Desde o princípio, as *mulheres* se mostraram mais competentes para descobrir a promessa no escândalo. Pouco antes de ser preso Jesus disse aos seus discípulos no Evangelho de Marcos: "Todos vós vos escandalizareis" (14.27). Ele estava se dirigindo aos seus discípulos *do sexo masculino*. Todos eles protestaram que nunca o negariam (14.31). *Todos* o negaram. Quem nunca o negou nem o abandonou foram as *mulheres*. É bem verdade que, sendo mulheres numa cultura patriarcal, elas não tinham grande importância para os inimigos de Jesus e, portanto, tinham pouco a temer. Mas há muito mais em jogo aqui. Como ressalta Elisabeth Schüssler Fiorenza, logo depois que Marcos comenta que havia ali também "algumas mulheres, observando de longe" (15.40), ele diz das mulheres algo que nunca lemos sobre os discípulos do sexo masculino: como Jesus veio ao mundo para servir e dar sua vida (Mc 10.45), da mesma forma *elas* o "acompanhavam e serviam" (15.41); ficando ao lado dele junto à cruz, elas são retratadas como as "exemplares discípulas de Jesus".[39] Partindo dessa observação, Elisabeth Moltmann-Wendel com razão defendeu um desenvolvimento do tema da autodoação dentro da teologia feminista da cruz.[40] Todas as outras teologias poderiam muito bem acatar a ideia, plenamente conscientes de que a doação de si mesmo não apenas trará alegria e cura, mas também continuará sendo uma fonte de risco, mesmo depois de termos estabelecido todas as salvaguardas contra seu uso indevido.

---

[39] Elisabeth Schüssler Fiorenza, "The Twelve", *Women Priests: A Catholic Commentary on the Vatican Declaration*, ed. Leonard Swidler e Ariene Swidler (New York: Paulist, 1977), p. 119.
[40] Elisabeth Moltmann-Wendel, "Zur Kreuzestheologie heute: Gibt es eine feministische Kreuzestheologie?", *Evangelische Theologie* 50, n. 6 (1990), p. 554.

A dor e o frequente fracasso do caminho da cruz são um escândalo para todos os seres humanos, em todas as épocas. Todavia, a cruz é um escândalo peculiar na *era moderna* com sua "visão da raça humana, finalmente libertada do império do destino e dos inimigos do progresso, avançando a passos firmes e seguros no caminho da verdade, virtude e felicidade".[41] A lógica interna da cruz exige a aceitação de duas convicções que são profundamente contrárias a alguns sentimentos básicos da modernidade. Primeiro, a modernidade se baseia na crença de que as fissuras do mundo podem ser reparadas e de que *o mundo pode ser curado*. Ele aguarda a criação do paraíso no fim da história e nega a expulsão dele no início da história.[42] Colocada entre as fissuras do mundo para servir de ponte entre o vão criado pelas fissuras, a cruz salienta que o mal é irremediável. Antes da aurora do mundo novo de Deus, não podemos remover o mal de modo a dispensar a cruz. Nenhuma das grandes receitas que prometem consertar as fissuras é confiável. Qualquer progresso que de fato aconteça também "continua acumulando destroços que arremessa diante dos pés" do anjo da história, como escreveu Walter Benjamin[43] em suas "Teses sobre o conceito de História".

Segundo, a modernidade depositou suas elevadas esperanças nas estratégias gêmeas de *controle social* e *pensamento racional*. "O plano certo e o argumento final pode ser, deve ser, e será descoberto" é o credo da modernidade.[44] A "sabedoria da cruz", em contrapartida, ensina que a salvação definitiva não vem nem de um "milagre" do plano certo nem da "sabedoria" do argumento final (1Co 1.18-25). Não podemos e não devemos dispensar o "plano" e o "argumento". Mas se o "plano" e o "argumento" não quiserem criar feridas mais profundas do que aquelas que visam curar, o "plano" e o "argumento" precisarão eles mesmos também ser curados pela "fraqueza" e "loucura" do amor que se doa a si mesmo. Essa "fraqueza" é "mais forte" que o controle social, e essa "loucura" é "mais sábia" que o pensamento racional.

---

[41] Steven Lukes, *The Curious Enlightenment of Professor Caritat: A Comedy of Ideas* (London: Verso, 1995) p. 29s.

[42] Bernard-Henri Lévy, *Gefährliche Reinheit*, trad. Maribel Königer (Wien: Passagen Verlag, 1995), p. 91ss, p. 199ss.

[43] Walter Benjamin, *Illuminations: Essays and Reflections*, trad. Harry Zohn (New York: Schocken, 1968), p. 257.

[44] Zygmunt Bauman, *Postmodern Ethics* (Oxford: Blackwell, 1993), p. 9.

Em sua correspondência com a filósofa indiana Anindita Balslev, Richard Rorty estabeleceu um contraste entre uma "cultura de resistência" e uma "cultura de esperança social"; a primeira é não moderna e a segunda é tipicamente moderna. A cultura de resistência pressupõe que "as condições da vida humana são e sempre serão frustrantes e difíceis", ao passo que a cultura de esperança social "se concentrará em torno de sugestões visando uma drástica mudança na maneira como as coisas são feitas — será uma cultura de revolução permanente".[45] Será que a "sabedoria da cruz" que eu aqui defendo sugere uma "cultura de resistência" porque ela abandonou a "esperança utópica"? Diferindo de Rorty, eu acredito que a "esperança utópica" em si deve ser abandonada, não apenas suas "garantias filosóficas", tais como foram tentadas em filosofias marxistas da História. Mas quando já morreu a esperança que se apoia no "controle" e na "razão" e é incapaz de enxergar o "insuportável" e o "irremediável", então no meio de um mundo "insuportável" e do "irremediável" uma nova esperança no amor de doação de si mesmo pode nascer. Essa esperança é a promessa da cruz, fundamentada na ressurreição do Crucificado.

Temas e passos

Aqui estão os traços distintivos da tentativa de explicar neste livro a promessa da cruz. Apresento-os seguindo a *lógica interna* da minha argumentação em vez de traçar o roteiro de sua apresentação. O Capítulo 4 desenvolve o argumento básico, otimamente resumido na injunção de Paulo aos Romanos: "Portanto, acolhei-vos uns aos outros, como também Cristo nos acolheu" (15.7). Para descrever o processo de "acolhimento", empreguei a metáfora do "abraço". A metáfora parece bem adequada para juntar os três temas inter-relacionados que são centrais para a minha proposta: (1) a mutualidade do amor de doação de si mesmo na Trindade (a doutrina de Deus), (2) os braços estendidos de Cristo na cruz para os "ímpios" (a doutrina de Cristo), (3) os braços abertos do "pai" recebendo o "pródigo" (a doutrina de salvação). Em algumas culturas a metáfora não funciona (como percebi muito bem quando, num congresso no Sri Lanka onde fiz uma palestra, surgiu uma discussão entre um bispo africano, que defendia a metáfora, e um teólogo norte-europeu, que achava que ela era

---

[45] Balslev, *Cultural Otherness*, p. 21.

demasiado íntima). Porém, nada importante mudaria se a metáfora fosse excluída do livro. A meu ver, a metáfora ajuda (ver a seção intitulada "O drama do abraço", p. 187) mas não é essencial; o pensamento mais fundamental que ela quer expressar é importante: *a vontade de nos doarmos aos outros e de os "acolhermos", de reajustarmos nossas identidades a fim de criar espaço para eles, é anterior a qualquer julgamento sobre os outros, com exceção daquele de identificá-los em sua humanidade*. A vontade de abraço precede qualquer "verdade" acerca dos outros e qualquer construção da "justiça" deles. Essa vontade é absolutamente indiscriminada e rigorosamente imutável; ela transcende o mapeamento moral do mundo social em "bom" e "mau".

Mas o que dizer sobre a verdade e a justiça? De que maneira elas ainda são quiçá relevantes? Essa questão eu exploro na Parte II (Capítulos 5—7). Esses capítulos são dedicados ao grande triângulo que domina não apenas a filosofia social,[46] mas também a literatura bíblica profética e apostólica: verdade, justiça e paz (ver Zc 8.16 e Ef 6.14-16). Enquanto enfatizo a primazia da "vontade de abraço", *meu pressuposto é que a luta contra o engano, a injustiça e a violência é indispensável*. Mas como deve ser travada a luta? Como devem ser identificadas a "verdade" e a "justiça"? Negativamente, meu argumento é quase nietzschiano: há demasiada injustiça na busca obstinada da verdade: há demasiada desonestidade na luta inflexível da justiça. A percepção nietzschiana da argumentação negativa é, todavia, apenas o anverso de minha argumentação positiva, que se apoia diretamente na "sabedoria da cruz": dentro de contextos sociais, a verdade e a justiça são indisponíveis fora da *vontade de abraçar* o outro. Eu imediatamente continuo argumentando, todavia, que *o abraço em si mesmo* — a reconciliação *plena* — não pode acontecer até que a verdade seja dita e a justiça seja feita. Há uma dialética assimétrica entre a "graça" da doação de si mesmo e a "exigência" de verdade e justiça. A graça tem a primazia: mesmo se a *vontade* de abraço — o abrir os braços para abraçar o outro — é indiscriminado, o *abraço* propriamente dito é condicional. No Capítulo 7 essa dialética assimétrica (juntamente com outras razões) me leva a insistir na não violência humana, embora "concedendo" a Deus a prerrogativa de

---

[46] Michel Foucault, *Power/Kowledge: Selected Interviews and Other Writings 1972-1977*, trad. Colin Gordon et al. (New York: Pantheon Books, 1980), p. 93.

exercer violência contra "falsos profetas" e "bestas" se eles se não admitem ser redimidos pelas feridas que infligiram ao Crucificado.

A prática do "abraço", com sua concomitante luta contra o engano, a injustiça e a violência só é inteligível no contexto de um poderoso, contagioso e destrutivo mal que eu denomino "exclusão" (Capítulo 3) e só é possível para cristãos se, em nome do Messias crucificado de Deus, nos distanciamos de nós mesmos a fim de criar espaço para o outro (Capítulo 2).

À medida que avanço, percebo duas características formais no livro. A primeira diz respeito aos meus não teológicos *parceiros de diálogo*. Do começo ao fim da obra convoco dois tipos de pensadores: os que são tipicamente modernos e os que são tipicamente pós-modernos (embora eu tenha plena consciência de como essas designações são contestadas). Por trás de minha escolha dos principais parceiros de diálogo está a crença de que as sociedades contemporâneas estão presas numa ambiguidade, e que essa ambiguidade se origina sobretudo no fato de que é exatamente a modernidade que continua gerando os aspectos mais conspícuos da condição pós-moderna: "o pluralismo, a variedade, a contingência e a ambivalência institucionalizados".[47] As sociedades modernas não são muito "modernas" (se é que alguma vez de fato foram), e não são muito "pós-modernas (se é que um dia serão). No entanto, essas duas formas de pensamento moldam profundamente a interação cultural dos dias de hoje. Daí minha decisão de convocá-las.

A segunda característica diz respeito a um aspecto do meu *método*, especialmente o uso de textos bíblicos em relação ao tema teológico da "doação de si mesmo e recepção do outro". A maioria dos capítulos contêm exaustivas interpretações de alguns textos bíblicos fundamentais. Esse é o meu jeito de participar no salutar reavivamento da "teologia bíblica" no âmbito da teologia sistemática.[48] Como argumentei seguindo Luke Johnson, no centro do Novo Testamento está a narrativa da morte e ressurreição de Jesus Cristo entendidas como um ato de obediência para com Deus e uma expressão de amor de doação de si mesmo pelos ímpios, e também

---

[47] Bauman, *Intimations of Postmodernity*, p. 187.
[48] Michael Welker, *God the Spirit*, trad. John F. Hoffmeyer (Minneapolis: Fortress, 1994); Michael Welker, *Schöpfung und Wirklichkeit* (Neukirchen-Vluyn: Neukirchener Verlag, 1995); ver também Miroslav Volf, *Captive to the Word of God* (Grand Rapids: Eerdmans, 1987), p. 296.

como o modelo a ser imitado por seus seguidores.[49] Essa narrativa, por sua vez, só é inteligível como parte da narrativa maior das interações de Deus com a humanidade registrada na totalidade das Escrituras cristãs. É essa narrativa abrangente que fornece o contexto apropriado para a interpretação dos "não sistemáticos e polidogmáticos" conteúdos de textos bíblicos.[50] Sem essa narrativa abrangente (ou alguma outra que a substituísse) os textos se "desintegrariam", não podendo nem mesmo executar a "dança de orientações conflitantes",[51] quanto mais guiar de modo normativo a fé e a vida cristã. Por isso, combino a reflexão sobre um tema extraído da narrativa abrangente (o "abraço") e seus vários subtemas ("exclusão", "arrependimento", "perdão", "justiça", "verdade", "paz", etc.) com análises detalhadas de textos selecionados que tratam desses temas. O resultado é uma complexa e imprevisível dinâmica entre os temas derivados da narrativa abrangente e a riqueza interna dos textos bíblicos, uma riqueza que não se pode reduzir a um tema único nem certamente a algum sistema fechado.

---

[49] Sobre imitação, ver o epílogo.
[50] Jon Levenson, "Why Jews Are Not Interested in Biblical Theology", *Judaic Perspectives on Ancient Israel*, ed. Jacob Neusner et al. (Philadelphia: Fortress, 1987), p. 296.
[51] Burke O. Long, "Ambitions of Dissent: Biblical Theology in a Postmodern Future", *Journal of Religion* 76, n. 2 (1996): p. 288.

PARTE I

2

Distanciamento e pertencimento

Cumplicidade

Na introdução a *Cultura e imperialismo*, Edward S. Said escreve que no processo de escrever seu livro ele teve um profundo e perturbador *insight*, a saber, que "muito poucos artistas britânicos ou franceses que eu admiro discordaram das noções de raças 'subordinadas' ou 'inferiores' tão predominantes entre agentes que punham em prática essas ideias como uma questão normal na administração governamental na Índia ou na Argélia". "Apreciáveis e admiráveis obras de arte e erudição", continua ele, se envolviam "aberta e escancaradamente" com o processo imperial.[1] Autores que deveriam ser uma consciência da cultura eram apenas um eco sofisticado de seus desprezíveis preconceitos, apesar de seus nobres ideais humanistas. Pode muito bem ser que devêssemos nos surpreender não com os escritores, mas com a surpresa de Said. Não deveria ele ter suspeitado desde o princípio que o verniz da eloquente autoapresentação humanista poderia encobrir uma realidade muito mais tosca?[2] Friedrich Nietzsche observou em *Genealogia da moral* que os artistas com demasiada frequência têm sido "suaves bajuladores ou de interesses pessoais ou de forças recém--chegadas ao poder".[3] De qualquer modo, quer estejamos desapontados quer sejamos cínicos acerca da cumplicidade de artistas envolvidos no processo imperial, como cristãos devemos ter cautela quando se trata de apontar um dedo acusador. Nós tivemos nossa quota de cumplicidade no

---

[1] Edward W. Said, *Culture and Imperialism* (New York: Alfred A. Knopf, 1993) p. xiv.
[2] Como se pode ler em sua obra *Representations of the Intellectuals* (New York: Pantheon, 1994), Said tem consciência da propensão de artistas e intelectuais a ecoar opiniões reinantes. O que ele afirma é que deveríamos ter razão em nossas expectativas de que os bons farão algo melhor que isso.
[3] Friedrich Nietzsche, *The Birth of Tragedy and the Genealogy of Morals*, trad. Francis Golffing (Golden City: Doubleday, 1956), p. 236.

processo imperial. Embora Frantz Fanon não seja o guia mais confiável nesse assunto, ele não está totalmente errado quando em *Os condenados da terra* repreende a igreja nas colônias por ser a "Igreja dos estrangeiros" e implantar "influências estrangeiras no coração do povo colonizado".[4] "Ela não convoca os nativos para os caminhos de Deus", escreve ele, "mas para os caminhos do homem branco, do senhor, do opressor."[5] É claro que isso não é tudo o que devemos dizer sobre o impacto do esforço missionário entre populações indígenas, não é nem sequer a coisa mais importante. Lamin Sanneh corretamente mostrou que, de modo paradoxal, insistindo na tradução do evangelho para a língua nativa, missionários estrangeiros estabeleceram "o processo indígena por meio do qual a dominação estrangeira foi questionada".[6] Ele sugeriu que as missões cristãs são "mais bem vistas como um movimento de tradução, com consequências para a revitalização vernacular, a mudança religiosa e a transformação social, do que como um veículo para a dominação cultural ocidental".[7] Contudo, apesar dessas subversões da dominação estrangeira, a cumplicidade — consciente ou inconsciente — das igrejas cristãs com o processo imperial continua sendo um fato inegável.

Em certo sentido, até mais preocupante que a cumplicidade em si é o padrão de comportamento no qual ela está inserida. Nosso aconchego com a cultura ao redor nos tornou tão cegos em relação a muitos de seus males que, em vez de questioná-los, apresentamos nossa própria versão deles — em nome de Deus e sem nenhum prurido de consciência. Aqueles que se recusam a participar de nossa mímica nós os estigmatizamos como sectários. Pondere esta pungente acusação que H. Richard Niebuhr faz em *As origens sociais das denominações cristãs* (1929) na questão de raça:

> A linha da cor foi traçada tão incisivamente pela igreja que sua proclamação do evangelho da irmandade de judeus e gregos, de escravos e libertos, de brancos e negros às vezes tem o som triste da ironia, e às vezes soa aos

---

[4] Frantz Fanon, *The Wretched of the Earth*, trad. Constance Farrington (New York: Grove Weidenfeld, 1963), p. 43.
[5] Ibid., p. 42.
[6] Lamin Sanneh, "Christian Missions and the Western Guilt Complex", *The Christian Century* (1987), p. 332.
[7] Ibid., p. 334.

ouvidos como hipocrisia inconsciente — mas outras vezes há nela o grito amargo do arrependimento.[8]

Ainda nos dias de hoje, muitos negros batistas ou metodistas sentem-se mais próximos de muçulmanos negros do que de seus irmãos de fé brancos.[9] Ou pense no grande cisma ocorrido na igreja, selado em 1054 e hoje escancarado como sempre. Ele simplesmente redobra e reforça, do ponto de vista religioso, a linha limítrofe traçada entre a cultura grega e a latina, entre Oriente e Ocidente. Como escravas de sua cultura, as igrejas foram tão insensatas a ponto de se considerarem como soberanas.[10]

O compromisso predominante com sua cultura serve às igrejas da pior maneira em situações de conflito. As igrejas, supostos agentes de reconciliação, são na melhor das hipóteses impotentes e na pior delas cúmplices no conflito. A pesquisa empírica conduzida por Ralph Premdas em vários países demostrou "que as antipatias intercomunitárias presentes na sociedade em geral se refletem nas atitudes de igrejas e seus seguidores".[11] Embora o clero seja muitas vezes convidado a pronunciar-se, "a impulsão reconciliadora logo se evapora depois do esforço inicial".[12] As razões mais importantes do fracasso são as "relações entrelaçadas de igreja e

---

[8] H. Richard Niebuhr, *The Social Sources of Denominationalism* (Hamden: The Shoe String Press, 1954), p. 263.
[9] Cf. Teresa Berger, "Ecumenism: Postconfessional? Consciously Contextual?", *Theology Today* 53, n. 2 (1996), p. 213s.
[10] O deslizamento para a cumplicidade com o que há de ruim em nossa cultura seria muito mais difícil se as culturas não nos moldassem tão profundamente. Num sentido significativo nós somos as nossas culturas e, portanto, achamos difícil nos distanciarmos da cultura em que habitamos para avaliar seus vários elementos. A dificuldade, todavia, torna o distanciamento de nossa própria cultura em nome do Deus de todas as culturas muito mais urgente. O juízo que fazemos não precisa ser sempre negativo, é óbvio. Como argumentei em outra parte, não existe um único modo cristão correto de nos relacionarmos como um todo com uma determinada cultura em que habitamos. Só existem várias maneiras de aceitar, transformar, rejeitar ou substituir vários aspectos de uma determinada cultura de dentro para fora. Miroslav Volf, "Christliche Identität und Differenz: Zur Eigenart der christlichen Präsenz in den modernen Gesellschaften", *Zeitschrift für Theologie und Kirche* n. 3 (1955): p. 371ss.; Miroslav Volf, "Theology, Meaning and Power", in *The Future of Theology: Essays in Honor of Jürgen Moltmann*, ed. Miroslav Volf et al. (Grand Rapids: Eerdmans, 1996), p. 101.
[11] Ralph Premdas, "The Church and Ethnic Conflicts in the Third World", *The Ecumenist* 1, n. 4 (1996): p. 55.
[12] Ibid., p. 55s.

setor cultural que se extravasam em políticas partidárias marcadas pela mobilização de ódio coletivo e fanatismo cultivado".[13] Juntamente com seus paroquianos, membros do clero ficam muitas vezes "presos nas reivindicações de sua própria comunidade étnica ou cultural" e assim atuam como "legitimadores de um conflito étnico", apesar de seu genuíno desejo de levar a sério o chamado evangélico ao ministério da reconciliação.[14]

Às vezes até mesmo um genuíno desejo de reconciliação está ausente. A identidade cultural se insinua com vigor religioso; compromissos cristãos e culturais se misturam.[15] Essa sacralização da identidade cultural é inestimável para as partes em conflito porque pode transmutar o que é de fato um assassínio num ato de piedade. Cegos à traição da fé cristã que tanto a sacralização da identidade cultural quanto as atrocidades que ela legitima representam, os "santos" assassinos podem até ver a si mesmos como valentes defensores da fé cristã. Comunidades cristãs, que deveriam ser o "sal" da cultura, são com demasiada frequência tão insípidas como tudo o que as cerca.

"Se o sal vier a tornar-se insípido, como lhe restaurar o sabor?", perguntou Jesus retoricamente (Mc 9.50). A sensação de desastre paira sobre a pergunta. Visto que não se pode torná-lo salgado outra vez, "para nada mais presta senão para, lançado fora, ser pisado" (Mt 5.13). No entanto, o próprio aviso sobre ser lançado fora pede "o grito amargo do arrependimento", como disse Niebuhr, e convida a uma guinada. *De que* devemos nos afastar parece evidente: é da escravidão à nossa cultura, muitas vezes associada a um farisaísmo cego. Mas *o que* devemos buscar? De que modo deveríamos viver hoje como comunidades cristãs confrontando-se com o "novo tribalismo" que está fraturando nossas sociedades, separando povos e grupos culturais e fomentando conflitos cruéis? Qual deveria ser a relação das igrejas com as culturas que elas habitam? A resposta está, proponho, em cultivar a relação apropriada entre o distanciamento da cultura e o pertencimento a ela.

Mas o que significa distanciamento? O que significa pertencimento? Distanciamento em nome do quê? Pertencimento em que medida? Muitas profundas questões teológicas estão envolvidas nas respostas a essas

[13] Ibid., p. 56. Ver também epílogo.
[14] Ibid.
[15] Jan Assmann, *Das kulturelle Gedächtnis: Schrift, Erinnerung und politische Identität in frühen Hochkulturen* (München: C. H. Beck, 1992), p. 157ss.

perguntas. Vou explorá-las examinando que tipo de relacionamento entre identidade religiosa e identidade cultural está implícito, primeiro, no chamado original de Abraão e, segundo, em sua apropriação cristã. Na seção final vou discutir que tipos de postura para com "os outros" uma construção cristã de identidade cultural implica e que tipo de comunidade a igreja precisa ser se quiser apoiar essas posturas.

Partir...

Exatamente na fundação da fé cristã assoma a imponente figura de Abraão.[16] Ele "é o pai daqueles que têm fé" (Rm 4.11, NVT). O que fez Abraão merecer esse título? "Fé" é a resposta que o apóstolo Paulo deu. Abraão estava olhando para dentro do abismo do não ser, enquanto contemplava "seu próprio corpo amortecido" bem como o "amortecimento do ventre de Sara" (Rm 4.19, RC). Não havia nada a que sua esperança pudesse se agarrar. No entanto, na presença do Deus "que vivifica os mortos e chama à existência as coisas que não existe" (Rm 4.17), Abraão "creu no SENHOR" (Gn 15.6), que lhe prometeu que ele teria um herdeiro — e tornou-se "o pai de todos nós" (Rm 4.16).

Todavia, antes de lermos que Abraão "creu" (Gn 15.6), Gênesis registra que ele "partiu" (12.4). Deus disse a Abraão:

> Sai da tua terra, da tua parentela e da casa de teu pai e vai para a terra que te mostrarei; de ti farei uma grande nação, e te abençoarei, e te engrandecerei o nome. Sê tu uma bênção! Abençoarei os que te abençoarem e amaldiçoarei os que te amaldiçoarem; em ti serão benditas todas as famílias da terra. (12.1-3)

Sendo Sara estéril (Gn 11.30), a ordem de partir colocou Abraão diante de uma escolha difícil: ele iria ou pertencer a seu país, sua cultura e sua família, permanecendo no conforto de sua inconsequência, ou, arriscando tudo, iria partir e tornar-se grande — uma bênção para "todas as famílias da terra".[17] Se ele quiser ser uma bênção, não pode ficar; deve partir,

---

[16] Ver Karl-Josef Kuschel, *Abraham: Sign of Hope for Jews, Christians, and Muslims*, trad. John Bowden (New York: Continuum, 1995).
[17] Walter Brueggemann, *The Land: Place as Gift, Promise, and Challenge in Biblical Faith*, Overtures to Biblical Theology (Philadelphia: Fortress, 1977) p. 15ss.

cortando os laços que tão profundamente o definiam. A única garantia de que a aventura não o fará secar como uma planta arrancada era a palavra de Deus, a despojada promessa do divino "Eu" que se inseriu em sua vida de um modo tão implacável como desconfortável. Se ele partisse, teria de ir embora "sem saber aonde ia" (Hb 11.8); somente se a promessa divina se realizar, a terra de seus ancestrais que ele deixou emergirá como a terra da expulsão, uma terra para onde foram Adão, Eva e Caim depois de expulsos da presença de Deus. Abraão escolheu partir. A coragem de romper seus laços familiares e culturais e abandonar os deuses de seus antepassados (Js 24.2) motivada por sua lealdade a um Deus de todas as famílias e todas as culturas foi a revolução abraâmica original. A partida da terra onde ele nasceu, tanto quanto a confiança de que Deus lhe dará um herdeiro, fez de Abraão o ancestral de todos nós.

A narrativa do chamado de Abraão evidencia que sair do emaranhado da rede de relações culturais herdadas é um correlato de fé no Deus único. Como Jacob Neusner salientou,

> as grandes tradições monoteístas insistem na trivialidade da cultura e etnia, formando comunidades transcendentais, transnacionais ou transétnicas [...]. O judaísmo, o cristianismo e o islamismo pretendem superar a diversidade em nome de um único Deus dominante, que traz uma mensagem singular para uma humanidade que na visão do céu é única.[18]

Como argumentarei mais adiante, a meu modo de ver, o discurso sobre a "trivialidade da cultura" e sobre como "superar a diversidade" é forte demais quando tomado pelo seu valor nominal (e há motivos para acreditar que Neusner não quer dizer o que diz num sentido profundo). Seu ponto principal, todavia, é muito pertinente: a lealdade máxima dos que são filhos de Abraão só pode ser devida ao Deus de "todas as famílias da terra", não a determinado país, determinada cultura ou determinada família com suas divindades locais. A unicidade de Deus implica a universalidade de Deus, e a universalidade pressupõe a transcendência no que diz respeito a qualquer cultura específica. Abraão é o progenitor de um povo que, como

---

[18] Jacob Neusner, "Christmas and Israel: How Secularism Turns Religion into Culture", in *Christianity and Culture in the Crossfire*, ed. David Hoekema et al. (Grand Rapids: Eerdmans, 1997), p. 51-52.

diz Franz Rosenzweig, "mesmo quando tem uma casa [...] não pode ter a posse plena dessa casa. É apenas um 'estrangeiro e morador'. Deus diz isso: 'A terra é minha'".[19]

Ser um filho de Abraão e Sara e responder ao chamado do Deus deles significa empreender um êxodo, começar uma viagem, tornar-se um estrangeiro (Gn 23.4; 24.1-9). É um erro, a meu ver, queixar-se demais do fato de o cristianismo ser "estrangeiro" em determinada cultura, como fez Choan-Seng Song, por exemplo, em sua obra *Third-Eye Theology* [Teologia do terceiro olho] acerca do lugar do cristianismo "no mundo asiático".[20] Obviamente há maneiras erradas de ser um estrangeiro, como quando uma cultura estrangeira (digamos uma das culturas ocidentais) é idolatrada e proclamada como o evangelho em outra cultura (digamos uma das culturas asiáticas). Mas a solução para o fato de ser um estrangeiro de uma maneira errada não é a naturalização plena; é ser um estrangeiro da maneira *correta*. Muito à semelhança de judeus e muçulmanos, os cristãos nunca podem ser em primeiro lugar asiáticos ou americanos, russos ou tutsis, e depois cristãos. Exatamente no âmago da identidade cristã está uma integral mudança de lealdade, passando de uma determinada cultura com seus deuses ao Deus de todas as culturas. Uma resposta a um chamado daquele Deus implica uma reorganização de toda uma rede de lealdades. Como o chamado dos primeiros discípulos de Jesus mostra bem, "as redes" (economia) e "o pai" (comunidade) devem ser deixados para trás (Mc 1.16-20). A partida é parte integrante da identidade cristã. Uma vez que Abraão é o nosso ancestral, a fé está sempre pelo menos um pouco "em discordância com o lugar", como diz Richard Sennett em *The Conscience of the Eye* [A consciência do olhar].[21]

No clima cultural de hoje, o tipo de partida de Abraão talvez seja censurado por duas frentes opostas, mesmo sendo elas unificadas em alguns aspectos importantes. Por um lado, ele poderia ser desafiado por

---

[19] Franz Rosenzweig, *The Star of Redemption*, trad. William W. Hallo (New York: Holt, Rinehart, Winston, 1971), p. 300. Devo a referência a Rosenzweig ao estudioso judeu Michael S. Kogan. Referindo-se à citação de Rosenzweig ele escreveu numa carta endereçada a mim: "Isso faz que o leitor judeu se sinta muito estrangeiro — em casa em lugar nenhum a não ser no abraço divino".

[20] Choan-Seng Song, *Third-Eye Theology*, ed. rev. (Maryknoll, NY: Orbis, 1991), p. 9.

[21] Richard Sennett, *The Conscience of the Eye: The Design and Social Life of Cities* (London: Faber and Faber, 1993), p. 6.

ser demasiado orientado para um objetivo, demasiado linear, não suficientemente radical; por outro, poderia ser descartado por ser demasiado independente, demasiado distante, num certo sentido demasiado radical. O primeiro desafio parte de pensadores pós-modernos, tais como Gilles Deleuze. Uma maneira de descrever o pensamento dele é dizer que ele transformou a "partida" num programa filosófico; a função "nômade" para ele funciona como uma categoria filosófica central. "Nômades estão sempre no meio", escreve Claire Parnet explicando Deleuze.[22] Eles não têm local fixo, antes vagam de um lugar para outro, sempre partindo e sempre chegando. "Não há ponto de partida assim como não há meta a atingir", enfatiza Deleuze;[23] cada lugar de chegada é um ponto de partida.[24] De fato, não há nem sequer um sujeito estável, divino ou humano, que poderia orientar as partidas. A gente está sempre, pura e simplesmente, partindo, fluindo como um riacho, para usar uma das imagens preferidas de Deleuze, juntando-se a outros riachos e mudando nesse processo, desterritorializando-os ao mesmo tempo que a gente é desterritorializada por eles (57).[25]

Contraponha isso à vida "nômade" de Abraão. Recusando-se a seguir a corrente, Abraão decidiu *partir* respondendo ao *chamado de Deus*. Tanto o chamado como a decisão de obedecer pressupõem um agente atuando, um sujeito relativamente estável. Além disso, a partida de Abraão teve um ponto inicial — seu país, seus parentes, a casa de seu pai; e havia um objetivo definido — a criação de um povo ("uma grande nação") e a tomada de posse de um território ("a terra que te mostrarei"). Partir aqui significa um estado temporário, não um fim em si mesmo; uma partida de um lugar específico, não de todos os lugares.[26] E é dessa maneira que deve ser se o discurso sobre partidas quiser ser inteligível. Partidas sem algum sentimento

---

[22] Gilles Deleuze e Claire Parnet, *Dialoge*, trad. Bernd Schwibs (Frankfurt A. M.: Suhrkamp Verlag, 1980), p. 37.

[23] Ibid., p. 10.

[24] As imagens do "errante" ou "andarilho" provavelmente expressariam melhor a ideia que Deleuze quer transmitir; a rota dos nômades é muito mais planejada e previsível do que ele sugere. Zygmunt Bauman (*Life in Fragments: Essays in Postmodern Morality* [Oxford: Blackwell, 1995], p. 94ss.) usou a imagem de "errante" e "andarilho", ao lado de "turista" e "jogador", para analisar a natureza da cultura pós-moderna (ibid., p. 94ss.).

[25] Deleuze e Parnet, *Dialoge*, p. 57.

[26] Jill Robins, *Prodigal Son/Elder Brother: Interpretation and Alterity in Augustine, Petrarch, Kafka, and Levinas* (Chicago: The University of Chicago Press, 1991), p. 107.

de uma origem e um destino não são partidas; são em vez disso apenas uma incessante itinerância, exatamente como riachos que fluem em todas as direções ao mesmo tempo não são riachos, mas um charco no qual todo movimento chegou a um descanso mortal. Acontece, é óbvio, que a interação social não segue as prescrições da teoria de Deleuze, pelo menos ainda não. Embora Deleuze tenha dificuldade em refletir sobre a agência humana, as pessoas de fato atuam como agentes: elas têm objetivos, *fazem* que as coisas aconteçam, e muitas vezes essas coisas são más. Que podem fazer aqueles que desejam partir sem querer chegar a fim de resistir ao malfeitor? Sem subjetividade, intencionalidade e orientação para objetivos, eles serão levados pela corrente da vida, ditosamente aceitando qualquer trajeto que a vida lhes reserve, sempre dizendo e aceitando tudo, inclusive todos os delitos que aqueles que têm objetivos escolhem cometer.[27] Contra sua intenção,[28] Deleuze teria de dizer "sim" sem ser capaz de dizer "não", algo parecido com o "todo-contente" asno nietzschiano que sempre diz "sim".[29] Não, pai Abraão, melhor ficar com sua família e em seu país do que seguir o chamado de Deleuze para ir em frente!

"Fique dentro da rede de suas relações" — isso é o que os críticos do outro lado aconselhariam a Abraão. Esse conselho poderia vir daquelas feministas que, ao contrário de Simone de Beauvoir em *O segundo sexo*, consideram separação e independência males a superar em vez de bens que se deve lutar por conseguir.[30] Aos olhos delas, Abraão poderia aparecer como um macho paradigmático, ansioso para separar-se ("partir"), garantir sua independência e glória ("grande nação"), esmagar os que se opõem a ele ("amaldiçoar"), ser benevolente com os que o louvam ("abençoar") e por fim estender seu poder até os confins da terra ("todas as famílias"). Abraão é todo transcendência e nada de imanência, a transcendência de um separado e conquistador masculino "eu" subscrita pela imponente transcendência do divino "Eu". Esse ego transcendente é "fálico" e destrutivo, continuaria a argumentação. Não deveria cada

---

[27] Manfred Frank, *Was ist Neostrukturalismus?* (Frankfurt: Suhrkamp, 1984), p. 404, 431.
[28] Gilles Deleuze, *Nietzsche und die Philosophie*, trad. Bernd Schwibs (Hamburg: Europaische Verlagsanstalt, 1991), p. 195ss.
[29] Friedrich Nietzsche, *Thus Spoke Zarathustra: A Book for Everyone and No One*, trad. R. J. Hollingdale (London: Penguin, 1969), p. 212.
[30] Simone de Beauvoir, *The Second Sex*, trad. H. M. Parshley (New York: Vintage Books, 1952).

filho de Abraão contar com a possibilidade de que seu pai será chamado a levá-lo "à terra de Moriá" e "oferecê-lo ali em holocausto" (Gn 22.2), sem nenhuma garantia de que Deus providenciará um cordeiro como substituto?[31] Uma revolução "antifálica" deve derrubar o independente e violento ego, situá-lo na rede dos relacionamentos e ajudá-lo a recuperar sua imanência. "Imanência", escreve Catherine Keller em *From a Broken Web* [A partir de uma rede rompida], "é o modo como os relacionamentos são parte de quem eu sou."[32] O novo, ela sugere, não vem através da história heroica de egos separados que respondem a um chamado transcendental ("inquieta errância masculina"), mas é criado "com novos relacionamentos e no âmbito deles".[33]

Deveria Abraão ter permanecido "no âmbito de seus relacionamentos"?[34] Note, primeiro, que a partida de Abraão não significa a negação de relacionalidade. Ele não é apenas um solitário ego moderno, inquieto e errante. A modernidade procura "emancipação sem nenhuma ligação com o outro";[35] Abraão está *ligado a Deus* do modo mais radical que se possa imaginar. Em visível contraste com os construtores da torre de Babel que queriam tornar-se famosos (Gn 11.4), Abraão será *tornado famoso por Deus*, a cujo chamado ele obedeceu (12.2).[36] Relacionado com Deus, Abraão é, além disso, não "um animal alado que paira acima da vida mas nela não pousa", como Nietzsche escreve sobre o ideal ascético do filósofo.[37] Pelo contrário, ele *está cercado por uma comunidade errante*. Diferentemente da Penélope da *Odisseia* de Homero, Sara não fica em casa esperando e tecendo enquanto Abraão está viajando e lutando.

---

[31] Jean-François Lyotard e Eberhard Gruber, *Ein Bindestrich: Zwischen "Jüdischen um "Christlichem"* (Düsseldorf: Parerga, 1995), p. 22.

[32] Catherine Keller, *From a Broken Web: Separation, Sexism, and Self* (Boston: Beacon, 1986), p. 18.

[33] Ibid.

[34] Em *From a Broken Web*, Catherine Keller não comenta a história de Abraão, e eu não disponho de nenhum meio de saber o que ela teria dito se tivesse escolhido comentá-la. O que segue *não* é uma defesa de Abraão contra Keller. A própria proposta dela, radicada como está em pensamento do processo, não visa negar a transcendência, mas desafiar "a polarização épica de nossas criativas espontaneidades a uma sedentária urdidura feminina (imanência sem transcendência) e a uma inquieta errância masculina (transcendência sem imanência)" (ibid., p. 45).

[35] Lyotard e Gruber, *Ein Bindestrich*, p. 20.

[36] Brueggemann, *The Land*, p. 18.

[37] Nietzsche, *The Birth of the Tragedy and the Genealogy of Morals*, p. 243.

Uma vez que Abraão deixou sua terra natal "para sempre" sem intenção de voltar para o "ponto de partida",[38] Sara o acompanhou, e o relacionamento dele com ela, mesmo se ela estava subordinada a ele, ajudou a definir Abraão. Sara não é simplesmente o imanente outro da transcendência errante de Abraão; se é mesmo que ela significa imanência, então essa é uma imanência da transcendência *comum* deles. Por fim, Abraão e Sara devem afastar-se de "dentro do campo de suas relações ancestrais" se quiserem permanecer *no início de uma história* de um povo peregrino, o corpo do povo judeu. Sem uma partida, nenhum desses *novos* inícios teria sido possível. Novidade, resistência e história, isso tudo exige transcendência.

Mesmo se admitimos que a partida abraâmica foi necessária e salutar, estamos ainda diante da questão de como o povo que identifica sua origem com a partida de Abraão deveria se relacionar com culturas e povos ao seu redor. Uma vez que vou tratar dessa questão como um cristão mais do que simplesmente um companheiro que compartilha a fé abraâmica, vou passar da imponente figura de Abraão, o ancestral comum de judeus, cristãos e muçulmanos, para o apóstolo Paulo e sua reflexão sobre o cumprimento da promessa de Deus a Abraão em Jesus Cristo (Gl 3.16). Essa mudança de interesse passando da história de Abraão para a sua apropriação cristã primitiva significa que vou explorar a relação dos filhos cristãos de Abraão com a cultura mediante o exame da transformação da partida abraâmica original.

... sem ir embora

Em contraste com Abraão, o apóstolo Paulo *não* foi acompanhado por uma esposa crente (1Co 9.5), *não* foi progenitor de um povo, muito menos de um povo com um território. Em vez disso, ele insistia na irrelevância religiosa de vínculos genealógicos e na suficiência exclusiva da fé. Seu horizonte abrangia o mundo inteiro, e ele mesmo era um missionário itinerante, proclamando o evangelho de Jesus Cristo — a semente de Abraão que cumpriu a promessa de Deus de que, por intermédio de Abraão, "serão abençoados

---

[38] Emmanuel Lévinas, "The Trace of the Other", in *Deconstruction in Context: Literature and Philosophy*, ed. Mark C. Taylor (Chicago: The University of Chicago Press, 1986), p. 348.

todos os povos" (Gl 3.8) — e lançando as fundações de uma comunidade multiétnica.

Por que a mudança da genealogia física para a espiritualidade da fé, da particularidade de um "povo" para a universalidade do multiculturalismo,[39] da localidade da terra para a globalidade do mundo? Eis o modo como o estudioso judeu Daniel Boyarin em *A Radical Jew* [Um judeu radical] descreve o dilema original de Paulo, dilema esse que foi resolvido mediante a conversão:

> Um entusiasmado judeu do primeiro século, falante de grego, um certo Saulo de Tarso, está caminhando por uma estrada, com a mente muito turbulenta. A Torá, na qual ele crê firmemente, alega ser o texto do único Deus verdadeiro de todo o mundo, que criou o céu e a terra e toda a humanidade, e no entanto seu principal conteúdo é a história de um Povo particular — quase uma família — e as práticas que ela prescreve são, muitas delas, práticas que distinguem a particularidade dessa tribo, sua tribo.[40]

Deixando de lado a questão da adequação ou não da narrativa fictícia da conversão de Paulo, a descrição de Boyarin de um problema que a própria venerável tradição religiosa de Paulo lhe legou, um cidadão bicultural de um mundo muilticultural, é correta. A crença num Deus único

---

[39] Jacob Neusner (*Children of the Flesh, Children of the Promise: A Rabbi Talks with Paul* [Cleveland: Pilgrim, 1995]) argumentou que, entendido de modo apropriado, Israel é uma entidade transcendental, sobrenatural, "uma religião circunscrita e étnica tanto quanto o cristianismo"; ela é "formada por obra e ordem de Deus, e quer seus membros tenham se unido por nascimento ou por escolha, essa entidade é uniforme e única" (p. xii). Na linguagem do judaísmo, argumenta ele, *Israel* se refere a "uma entidade precisamente do mesmo tipo que *igreja* ou *corpo místico de Cristo* na linguagem do cristianismo" (p. 5). O argumento parece plausível, mas questões subsistem. Será que o fato de que um rabino dirá "nós somos Israel em virtude do nascimento (físico) no seio de Israel" (p. 41), ao passo que um teólogo cristão nunca poderia dizer "nós somos cristãos em virtude do nascimento (físico) no seio de uma família cristã", não indica uma diferença importante entre Israel e a igreja que torna a igreja muito mais diferente de um "grupo étnico" do que é Israel? Neusner não apresentou nenhuma explicação sobre como a afiliação por nascimento, mesmo se acompanhada por uma afiliação por escolha, não vai resultar numa comunidade que é significativamente "étnica" embora ela possa falar muitas línguas e divergir em costumes.

[40] Daniel Boyarin, *A Radical Jew: Paul and the Politics of Identity* (Berkeley: University of California Press, 1994), p. 39.

implica a unidade da raça humana como destinatária das bênçãos desse Deus.[41] No entanto, para desfrutar plenamente das bênçãos desse Deus a pessoa tinha de ser membro de uma "tribo" particular.[42]

Uma solução para o dilema, não disponível para um filho de Abraão e Sara, era ver as diferentes religiões apenas como manifestações da única divindade, como normalmente acontecia entre homens e mulheres eruditos no período helenístico.[43] A particularidade não teria então de ser um escândalo; cada cultura poderia achar o Deus único e o fundamento de uma unidade mais profunda de outras culturas mergulhando nas profundezas de seus próprios recursos culturais; quanto mais fundo se mergulhasse, tanto mais perto de Deus e um do outro se chegaria — uma visão semelhante àquela proposta por John Hick em *Uma interpretação da religião*.[44] Todavia, como o exemplo de Hick mostra, para funcionar essa solução deve operar com um Deus incognoscível, que está sempre por trás de cada uma e de todas as manifestações concretas culturais e religiosas de Deus.[45] O problema é que um Deus incognoscível é um deus inerte, exaltado num trono tão alto (ou escondido tão profundamente nas fundações do ser) que esse deus deve delegar para as divindades tribais a execução de todo o trabalho que qualquer deus que se preze tem de executar. Crer num deus por trás de todas as manifestações concretas se aproxima, portanto, do não crer em um deus único: cada cultura acaba adorando suas próprias divindades tribais, o que equivale a dizer que todos acabam, como diz Paulo, escravizados a "deuses que, por natureza, não o são" (Gl 4.8).

A solução para a tensão criada pela universalidade de Deus e a particularidade cultural da revelação de Deus deveria, portanto, ser buscada num Deus que é único e que *não está oculto* atrás de religiões concretas.

---

[41] Devo admitir que as implicações sociais dessa teórica unidade humana nem sempre "acontecem como se espera", e o monoteísmo é usado em vez disso para justificar a exclusão étnica; todavia, o monoteísmo deveria — às vezes isso acontece — levar ao reconhecimento da igualdade humana. Robert Gnuse, "Breakthrough or Tyranny: Monotheism's Contested Implications", *Horizon* 34, n. 1 (2007): p. 91.

[42] N. T. Wright, *The Climax of the Covenant. Christ and the Law in Pauline Theology* (Minneapolis: Fortress, 1992), p. 170.

[43] Martin Hengel: *Judaism and Hellenism: Studies in Their Encounter in Palestine During the Early Hellenistic Period*, trad. John Bowden (London: SCM, 1974): p. 261.

[44] John Hick, *An Interpretation of Religion: Human Responses to the Transcendent* (New Haven: Yale University Press, 1989).

[45] Ibid., p. 246-49.

O único Deus que Paulo, o judeu, poderia considerar era o Deus de Abraão e Sara. E, no entanto, foi precisamente a crença nesse único e verdadeiro Deus que criou o problema original — esse Deus estava ligado a particularidades de uma entidade social concreta, os judeus. Em seu âmago essa entidade social concreta é formada "apelando-se para uma origem comum com Abraão e Sara", e a ela foi confiada a Torá como a revelação da vontade de Deus.[46]

Enquanto tentava resolvê-lo em Gálatas 3.1—4.11, a solução que Paulo encontrou para o problema que tocava o próprio âmago de sua crença religiosa contém três simples, mas monumentais movimentos entrelaçados (que eu desenvolvi a partir da análise de N. T. Wright em *The Climax of the Covenant* [O ápice da aliança]). Primeiro, *em nome de um Deus único, Paulo relativiza a Torá*: a Torá, que é incapaz de produzir uma família humana única e unida demandada pela crença no Deus único,[47] não pode "ser a expressão final e permanente da vontade do Deus único".[48] Embora ainda importante, a Torá não é necessária para a filiação na aliança. Segundo, *em prol da igualdade, Paulo descarta a genealogia*: a promessa "tinha de ser

---

[46] Neusner, *Children of the Flesh, Children of the Promise*, p. xii.

[47] Para os meus fins aqui não é essencial entrar no debate sobre exatamente por que, na visão de Paulo, a Torá é incapaz de produzir uma família humana única. No capítulo "A semente e o mediador" de *The Climax of the Covenant*, Wright argumentou que isso acontece porque a Torá de Moisés foi "dada aos judeus e somente aos judeus" (p. 173). Opondo-se a essa visão, Neusner corretamente sublinhou que a Torá é "a vontade de Deus revelada em prol da humanidade" (*Children of the Flesh, Children of the Promise*, p. 6). Na mesma medida, da perspectiva judaica "não é o povo de Deus — que nós constituímos — que forma um canal exclusivo da graça divina. É Deus que assume uma presença onde a palavra de Deus vive. Israel não é eleito porque Deus escolheu Israel. Israel é eleito porque a Torá define Israel, e a Torá é o agente da graça de Deus para a humanidade. Israel é a contrapartida de Adão, exatamente como Cristo, para o cristianismo, é a contrapartida de Adão" (p. 62). Em outra parte de *The Climax of the Covenant*, Wright argumentou que a Torá não pode ser "o meio pelo qual [Israel] ou preserva sua filiação na aliança da bênção *ou* se torna [...] o meio de abençoar o mundo de acordo com a promessa de Adão", porque "Israel como um todo deixou de observar a perfeita Torá" (p. 146). Seguindo o exemplo de uma escola mais tradicional de interpretação, Hans-Joachim Eckstein argumentou que, na visão de Paulo, nem Israel nem os gentios poderiam cumprir a Torá, que de fato não foi dada originalmente, de modo algum, como uma via de salvação (*Verheißung und Gesetz: Eine exegetische Untersuchung zu Galater 2,15—4,7* [Tübingen: J. C. B. Mohr (Paul Siebeck), 1996]). Para as duas interpretações cristãs, a Torá teve de ser relativizada para que a bênção de Adão pudesse abranger todas as nações.

[48] Wright, *The Climax of the Covenant*, p. 170.

feita pela fé, para que pudesse estar de acordo com a graça: caso contrário, haveria alguns que herdariam não pela graça mas por direito, pela raça".[49] Terceiro, *em prol de todas as famílias da terra Paulo abraça Cristo*: o Cristo crucificado e ressuscitado é a "semente" de Abraão em quem "não pode haver judeu nem grego; nem escravo nem liberto; nem homem nem mulher" (Gl 3.28). Em Cristo todas as famílias da terra são abençoadas em termos iguais sendo introduzidas na "prometida família única de Abraão".[50]

A solução de Paulo para a tensão entre universalidade e particularidade é genial. Sua lógica é simples: a unicidade de Deus exige a universalidade dele; a universalidade de Deus implica a igualdade humana; a igualdade humana implica acesso igual para todos às bênçãos do Deus único; o acesso igual é incompatível com a atribuição de significado religioso à genealogia; Cristo, o descendente de Abraão, é o cumprimento da promessa genealógica feita a Abraão como também é o fim da genealogia como o *locus* de acesso a Deus;[51] a fé em Cristo substitui o nascimento no seio de um povo. Como consequência disso, todos os povos podem ter acesso ao único Deus de Abraão e Sara em termos iguais, nenhum por direito e todos pela graça. Falando de modo abstrato, a irrelevância religiosa da genealogia e a necessidade da fé na "semente de Abraão" estão em correlação com a crença no Deus único de todas as famílias da terra, que chamou Abraão para que ele partisse.

A solução de Paulo pode ser genial, mas qual o preço da genialidade? Será que ele não nos deixa com a transcendência abstrata de um sujeito, muito mais separados do que o pai Abraão jamais foi de todos os laços comunitários e físicos, e vinculados apenas ao único Deus transcendente? Será que Paulo não esbanja diferença e particularidade a fim de ganhar igualdade e universalidade, tornando assim a igualdade vazia e a universalidade abstrata? Isso é o que Boyarin acusa Paulo de fazer, embora ele reconheça ao mesmo tempo a *necessidade* do tipo de movimento que Paulo fez. Em vez de simplesmente objetar que Paulo não levou o projeto

---

[49] Ibid., p. 68.
[50] Ibid., p. 166.
[51] Para Paulo isso não implica que agora não há nenhuma distinção entre Israel e os gentios. Em Romanos Paulo argumenta dizendo que "a graça de Deus é estendida aos gentios" *e que* "Deus não violou a aliança com Israel" (Richard Hays, *New Testament Ethics: Community, Cross, New Creation* [Harper: San Francisco, 1996], p. 582s.).

igualitário até as últimas consequências,[52] Boyarin, ciente da importância de identidades comunitárias, censura Paulo por afirmar a igualdade às custas da diferença.[53] A solução de Paulo, argumenta Boyarin, se baseava no "dualismo da carne e do espírito, de modo que enquanto o corpo é particular, marcado pela prática como judeu ou grego, e pela anatomia como masculino ou feminino, o espírito é universal".[54] Comentando a passagem de Gálatas 3.26-28, a Carta Magna do igualitarismo e universalismo paulinos, Boyarin escreve: "No processo do batismo no espírito as marcas de etnia, gênero e classe são apagadas na ascensão para uma univocidade e universalidade da essência humana que está além e fora do corpo".[55] Não se deve levar em conta que Paulo ocasionalmente afirme particularidades culturais; as bases em que as afirma — a universalidade do espírito desencarnado — no fim levarão ao apagamento de particularidades, pois essas são todas enraizadas na corporeidade. Embora a solução paulina oferecesse uma "possibilidade de escapar das lealdades tribais [...], ela também continha as sementes de uma prática imperialista e colonizadora";[56] em Paulo, "o universalismo, mesmo em seu grau máximo de liberalismo e benevolência, foi uma força poderosa ensejando coercitivos discursos

---

[52] A objeção padrão levantada contra Paulo nas últimas décadas é que ele ainda é particularista demais, e mesmo em seu melhor momento — em Gálatas 3.28 — seu igualitarismo se detém no limite da fé cristã. Ele está indevidamente privilegiando a maneira cristã de salvação e, com isso, negando a igualdade radical. O problema dessa objeção é que até agora nenhuma alternativa convincente para superar o particularismo foi proposta. Ninguém mostrou como alguém pode ater-se de modo inteligente a um universalismo não particularista. E isso por uma boa razão. Acontece que todas as alegações de universalidade devem ser feitas a partir de uma perspectiva particular. Logo, é compreensível por que para os cristãos bem como para os judeus "a implementação do universal ágape de Deus necessariamente implica particularidade. A particularidade é sempre um 'escândalo', mas é também uma maneira de chegar ao universal", como Douglas H. Hall corretamente enfatizou numa polêmica com Rosemary Radford Ruether (*God and the Nations* [Minneapolis: Fortress, 1995], p. 107).

[53] A crítica que Boyarin faz a Paulo deveria estar inserida não tanto no âmbito dos movimentos americanos de libertação dos anos de 1960, que tinham a ver com a igualdade, quanto no âmbito das preocupações com as "políticas identitárias" dos anos de 1990, que tinham a ver com o respeito pelas culturas distintas (Louis Menand, "The Culture Wars", *The New York Review of Books* 41 [1994]: p. 18). O subtítulo de seu livro é revelador: "Paul and the Politics of Identity" [Paulo e as políticas identitárias].

[54] Boyarin, *A Radical Jew*, p. 7.

[55] Ibid., p. 24.

[56] Ibid., p, 234.

de uniformidade, negando [...] a judeus, mulheres e outros os direitos de manter sua diferença".[57]

Boyarin, todavia, representa de modo exagerado os paralelos entre Paulo e alguns temas culturais platônicos, sobretudo a crença de que "o compromisso com 'o Único' implicava um desdém pelo corpo, e o desdém pelo corpo impunha um apagamento da 'diferença'".[58] O "Único" em quem Paulo procura situar a unidade de toda a humanidade é *não uma transcendência desencarnada, mas o crucificado e ressuscitado Jesus Cristo.* O "princípio" da unidade tem um *nome*, e esse nome designa a pessoa com um *corpo que sofreu na cruz*. Em séculos subsequentes teólogos cristãos defensavelmente transformaram a particularidade do corpo de Cristo na fundação da reinterpretação da tradição platônica. Como diz Agostinho, ele achou nos neoplatônicos que "No início era o Verbo, e o Verbo estava com Deus, e o Verbo era Deus", mas ele lá *não* achou que "o Verbo se fez carne e habitou entre nós".[59] A fundamentação da unidade e da universalidade na escandalosa *particularidade do corpo sofredor* do Messias de Deus é o que torna o pensamento de Paulo em sua estrutura tão profundamente diverso das espécies de crenças na importância absoluta do espírito universal indiferenciado que faria alguém sentir-se "envergonhado de estar no corpo" e incapaz de "conseguir falar sobre sua raça ou seus pais ou seu país de origem".[60]

Considere, primeiro, o alicerce da comunidade cristã, a cruz. Cristo une diferentes "corpos" num só corpo, não simplesmente em virtude da singularidade de sua pessoa ("um único líder — um único povo") ou de sua visão ("um único princípio ou lei — uma única comunidade"), mas sobretudo mediante seu sofrimento. É profundamente significativo que, como escreve Ellen Charry, "judeus e gentios são transformados num só corpo dos filhos de Deus sem consideração pela etnia, nacionalidade, gênero, raça ou classe" precisamente na "cruz de Cristo".[61] Verdade, o apóstolo Paulo escreve: "Porque nós, embora muitos, somos unicamente um pão, um só corpo; porque todos participamos do único pão" (1Co 10.17). Na superfície, a singularidade do pão parece fundamentar a unidade do

---

[57] Ibid., p. 233.
[58] Ibid., p. 231.
[59] Agostinho, *Confissões*, livro VII, §9.
[60] Boyarin, *A Radical Jew*, p. 229.
[61] Ellen T. Charry, "Christian Jews and the Law", *Modern Theology* 11, n. 2 (1995): p. 190

corpo. E, no entanto, o único pão significa o corpo *crucificado* de Jesus Cristo, o corpo que se recusou a permanecer uma singularidade encerrada em si mesma e se abriu para que outros possam livremente compartilhar dele. A vontade pessoal singular e o princípio ou lei impessoal singular — duas variações do transcendente "Único" — impõem a unidade pela supressão e inclusão da diferença; o Messias crucificado cria unidade mediante sua doação de si mesmo. Longe de ser a afirmação do único contra muitos, a cruz é a *doação de si mesmo do único em prol de muitos*. A unidade aqui não é o resultado de uma "violência sagrada", que oblitera a particularidade de "corpos", mas um fruto do sacrifício de si mesmo de Cristo, que elimina a inimizade entre eles. De uma perspectiva paulina, o muro que divide não é tanto "a diferença" quanto a *inimizade* (cf. Ef 2.14). Consequentemente, a solução não pode ser "o Único". Nem a imposição de uma vontade singular nem a regra de uma lei única remove a inimizade. A hostilidade pode ser "eliminada" mediante a doação de si mesmo. A paz é conquistada "por intermédio da cruz" e "pelo sangue" (Ef 2.13-17).

Considere, em segundo lugar, uma designação central para a comunidade criada pela doação de si mesmo de Cristo, "o *corpo* de Cristo":

> Porque, assim como o corpo é um e tem muitos membros, e todos os membros, sendo muitos, constituem um só corpo, assim também com respeito a Cristo. Pois, em um só Espírito, todos nós fomos batizados em um corpo, quer judeus, quer gregos, quer escravos, quer livres. E a todos nós foi dado beber de um só Espírito. (1Co 12.12-13)

O Cristo ressuscitado, em quem judeus e gregos estão unidos por meio do batismo, não é um refúgio espiritual para escapar da corporeidade pluralizante, um espaço espiritual puro ao qual só tem acesso a indiferenciada uniformidade de uma essência humana universal. Melhor, o batismo em Cristo cria um povo como o diferenciado corpo de Cristo. Diferenças corporais inscritas são reunidas, não removidas. O corpo de Cristo vive como uma complexa interação de corpos diferenciados — judeus e gentios, homens e mulheres, escravos e libertos — daqueles que compartilharam do sacrifício de si mesmo de Cristo. O movimento paulino não vai da particularidade do corpo para a universalidade do espírito, mas de corpos separados para a comunidade de corpos inter-relacionados — o *corpo único no espírito* com muitos *membros diferenciados*.

O Espírito não apaga diferenças inscritas corporalmente mas permite acesso ao corpo único de Cristo a pessoas com essas diferenças nos mesmos termos. O que o Espírito de fato apaga (ou pelo menos releva) é uma relação estável construída socialmente entre diferenças e funções sociais. Os dons do Espírito são conferidos sem levar em conta essas diferenças. Contra a expectativa cultural de que as mulheres se calem e se submetam aos homens, nas comunidades paulinas elas falam e lideram porque o Espírito lhes confere dons para falar e liderar. O Espírito cria igualdade desintegrando diferenças ao introduzir alguém no corpo de Cristo pelo batismo ou ao distribuir dons espirituais. A diferenciação do corpo tem importância, mas não para o acesso à salvação e ação na comunidade. Consequentemente, ao contrário de Plotino, Paulo não se envergonha de sua genealogia (ver Rm 9.3); ele simplesmente não tem vontade de atribuir a ela qualquer importância religiosa.

Para o entendimento de identidades, as consequências do movimento paulino dos (diferenciadores mas internamente indiferenciados) corpos em direção ao (unificador mas internamente diferenciado) corpo de Cristo são imensas. Enquanto brevemente exploro aqui essas consequências, vou tirar a discussão do contexto específico de relações judaico-cristãs.[62] Na teologia cristã, o judaísmo e o povo judeu têm um lugar único — gentios cristãos são apenas "ramos de oliveira brava" enxertados para participar "da seiva da oliveira [judaica]" (Rm 11.17) — e podem, portanto, não ser tratados na rubrica da relação entre fé cristã e identidades grupais, que é meu interesse específico aqui.

Quais são as implicações da espécie paulina de universalismo? Cada cultura pode reter sua própria especificidade cultural; os cristãos não precisam "perder sua identidade cultural de judeus ou gentios e tornar-se uma única humanidade nova que não é nem uma coisa nem outra".[63] Ao mesmo tempo, nenhuma cultura pode preservar suas próprias divindades tribais; a religião deve ser desetnicizada para que sua etnicidade possa ser dessacralizada. Paulo despojou cada cultura de supremacia para conferir legitimidade a todas elas na família mais ampla das culturas. Pela fé, alguém

---

[62] Hays, *New Testament Ethics*.
[63] William S. Campbell, *Paul's Gospel in an Intercultural Context: Jew and Gentile in the Letter to the Romans*, Studies in the Intercultural History of Christianity, ed. Richard Friedli et al. (Frankfurt: Peter Lang, 1991), p. vi.

deve "partir" de sua cultura porque a lealdade suprema é atribuída a Deus e ao Messias de Deus que transcendem todas as culturas. E, no entanto, precisamente devido à suprema lealdade a Deus de *todas* as culturas e a Cristo que oferece seu "corpo" como uma casa para todo mundo, os filhos cristãos de Abraão podem "partir" de sua cultura sem ter de deixá-la (em contraste com o próprio Abraão, que teve de deixar sua "terra" e sua "parentela"). A partida já não é uma categoria espacial; ela pode se dar *dentro do espaço cultural que alguém habita.* E ela não envolve nem uma tentativa tipicamente moderna de fazer desse inferno mundano um novo céu nem um agitado movimento tipicamente pós-moderno que tem medo de chegar em casa. Nunca apenas distanciamento, uma partida genuinamente cristã é sempre também presença; nunca apenas trabalho e luta, é sempre já descanso e alegria.[64]

Será que o resultado dessa espécie de partida é alguma "terceira raça", como sugeriu o primitivo apologista cristão, Aristides, ao dividir a humanidade em gentios, judeus e, agora, cristãos? Mas nesse caso, como Justo L. González observa em *Out of Every Tribe and Nation* [De todas as tribos e nações], nós teríamos de enfrentar "a paradoxal noção de que, no meio de um mundo dividido pelo racismo, Deus criou outra raça".[65] Não, a interioridade da partida *exclui* uma terceira raça cosmopolita, igualmente próxima de todas as culturas e igualmente distante de todas elas. O distanciamento adequado de uma cultura não leva os cristãos para fora dessa cultura. Os cristãos não são os internos que saíram voando para uma nova "cultura cristã" e se tornam externos em relação a sua própria cultura; mais apropriadamente, quando responderam ao chamado do evangelho eles puseram, por assim dizer, um pé fora de sua cultura enquanto o outro ficou firmemente plantado nela. Eles estão distantes, e ainda assim pertencem. *A diferença deles é interna em relação à cultura.*[66] Devido a sua internalidade — sua imanência, seu pertencimento — as particularidades, inscritas no corpo, não são apagadas; devido a sua diferença — sua transcendência, seu distanciamento — a universalidade pode ser afirmada.

---

[64] Lyotard e Gruber, *Ein Bindestrich*, p. 16.

[65] Justo L. González, *Out of Every Tribe and Nation: Christian Theology at the Ethnic Roundtable* (Nashville: Abingdon, a992), p. 110.

[66] Miroslav Volf, "Soft Difference: Theological Reflections on the Relation Between Church and Culture in 1Peter", *Ex Auditu* 10 (1994), p. 18s.

O distanciamento bem como o pertencimento são essenciais. Pertencer sem distanciar-se é destrutivo: eu afirmo minha identidade exclusiva como croata e quero ou moldar a todos à minha imagem ou eliminá-los do meu mundo. Mas distanciamento sem pertencimento isola: eu nego minha identidade como um croata e me retiro de minha própria cultura. Mais frequentemente, porém, eu fico preso nas ciladas da contradependência. Eu nego minha identidade croata só para afirmar de forma ainda mais contundente minha identidade como um membro desta ou daquela seita anticroata. E assim um isolacionista "distanciamento sem pertencimento" desliza para um destrutivo "pertencimento sem distanciamento". O distanciamento de uma cultura nunca deve degenerar numa fuga dessa cultura, mas deve ser uma forma de viver numa cultura.

Essa, então, foi a criativa reapropriação feita por Paulo da revolução abraâmica original. Em nome do Deus único de Abraão, Paulo expandiu um povo particular que se tornou a única universal e multicultural família de povos. Um eloquente testemunho dessa radical reinterpretação dos relacionamentos entre religião e identidade cultural é a aparentemente insignificante substituição de uma única palavra num texto de Gênesis: a promessa de que Abraão herdará a *terra* (12.1) torna-se em Paulo a promessa de que ele herdará o *mundo* (Rm 4.13).[67] Um novo universo de significado na mudança de "terra" para "mundo" possibilitou, nas palavras de Boyarin, "que o judaísmo se tornasse uma religião do mundo".[68] O chamado abraâmico original para partir de seu país, deixando parentes e a casa do pai, permaneceu; o que Paulo tornou possível foi partir sem ir embora. Consequentemente, enquanto a partida original de Abraão é vivida no corpo único do povo judeu, a partida cristã é vivida nos muitos corpos de diferentes povos situados no corpo único de Cristo.

Cultura, catolicidade e ecumenicidade

Vamos pressupor que os cristãos podem partir sem ir embora, que o distanciamento deles sempre envolve pertencimento e a espécie de pertencimento deles assume a forma de distanciamento. Que serviços positivos o distanciamento fornece? Respondendo, vamos considerar as razões pelas

---

[67] Wright, *The Climax of the Covenant*, p. 174.
[68] Boyarin, *A Radical Jew*, p. 280.

quais os cristãos deveriam distanciar-se de sua própria cultura. A resposta sugerida pelas histórias de Abraão e seu descendente, Jesus Cristo, é a seguinte: em nome de Deus e do prometido mundo novo de Deus. Existe uma realidade que é mais importante do que a cultura à qual pertencemos. É Deus e o novo mundo que Deus está criando, um mundo no qual gente de todas as nações e tribos, com seus bens culturais, se juntarão em volta do Deus trino, um mundo no qual todas as lágrimas serão enxugadas e já não haverá sofrimento (Ap 21.4). Os cristãos se distanciam de sua própria cultura porque cedem sua total lealdade a Deus e ao futuro prometido por ele.

O distanciamento nascido da lealdade a Deus e ao futuro dele — um distanciamento que deve apropriadamente ser vivido como uma diferença interna — presta dois serviços importantes. Primeiro, ele *cria em nós espaço* para receber o outro. Considere o que acontece quando uma pessoa se torna cristã. Paulo escreve: "E, assim, se alguém está em Cristo, é nova criatura" (2Co 5.17). Quando Deus chega, ele traz consigo todo um mundo novo. O Espírito de Deus penetra os mundos fechados em si mesmos que habitamos. O Espírito nos recria e nos coloca na estrada em direção a nos tornarmos o que eu gosto de chamar uma "personalidade católica", um microcosmo pessoal da nova criação escatológica.[69] Uma personalidade católica é uma personalidade enriquecida pela alteridade, uma personalidade que é o que é porque muitos outros se refletiram nela de uma maneira particular. O distanciamento de minha própria cultura que resulta de eu ter nascido pelo Espírito cria uma fissura em mim pela qual os outros podem entrar. O Espírito destrava as portas do meu coração dizendo: "Você não é apenas você; os outros também são parte de você".

Uma personalidade católica requer uma *comunidade católica*. Como o evangelho foi pregado a muitas nações, a igreja criou raízes em muitas culturas mudando-as bem como sendo profundamente moldada por elas. No entanto, as muitas igrejas em diversas culturas são uma só, exatamente como o Deus trino é único. Nenhuma igreja numa determinada cultura pode se isolar das outras igrejas de outras culturas, declarando-se suficiente para si mesma e para sua própria cultura. Cada igreja deve estar aberta a todas as outras igrejas. Nós muitas vezes pensamos em uma igreja local como parte da igreja universal. Bem procederíamos se também

---

[69] Miroslav Volf, "Catholicity of 'Two or Three': The Church Reflections on the Catholicity of the Local Church", *The Jurist* 52, n. 1 (1992): p. 525-46.

invertêssemos a alegação. Cada igreja local é uma comunidade católica porque, num sentido profundo, todas as outras igrejas são uma parte, todas elas moldam — ou deveriam moldar — a identidade dela. Todas as igrejas juntas formam uma comunidade ecumênica mundial, de modo que a igreja de uma determinada cultura é uma comunidade católica. Cada igreja deve então dizer: "Eu não sou apenas eu; todas as outras igrejas, enraizadas em diversas culturas, também fazem parte de mim". Cada uma precisa de todas para ser propriamente ela mesma.

Tanto a personalidade católica bem como a comunidade católica na qual ela está inserida sugerem uma *identidade cultural católica*. Um modo de conceber uma identidade cultural é postular um estável cultural "nós" em oposição a um igualmente estável "eles"; ambos são completos em e por si mesmos. Eles interagiriam um com o outro, mas apenas como totalidades encerradas em si mesmas, suas relações mútuas sendo externas à identidade de cada um. Esse entendimento essencialista da identidade cultural, todavia, não é apenas opressivo — exige-se o uso da força para manter à distância tudo o que é estranho — mas é também insustentável. Como enfatiza Edward Said, todas as culturas são "híbridas [...] e sobrecarregadas, ou emaranhadas e sobrepostas com coisas que costumavam ser consideradas elementos estranhos".[70] O distanciamento em relação à nossa própria cultura, que nasce do Espírito da nova criação, deveria afrouxar a preensão que nossa cultura exerce sobre nós e nos capacitar a viver com sua indispensável fluidez e afirmar seu inevitável hibridismo. Outras culturas não são uma ameaça à prístina pureza de nossa identidade cultural, mas são uma potencial fonte do seu enriquecimento. Habitadas por gente que tem a coragem não apenas de pertencer, as culturas que se interseccionam e se sobrepõem contribuem mutuamente para a dinâmica vitalidade de cada uma.

A segunda função do distanciamento forjada pelo Espírito da nova criação não é menos importante: ela *implica um julgamento contra o mal em cada cultura*. Eu disse que uma personalidade católica é uma personalidade enriquecida por múltiplas outras. Mas uma personalidade católica deveria integrar todas as alteridades? Pode alguém sentir-se em casa com tudo em cada cultura? Com o assassinato, o estupro e a destruição? Com uma idolatria nacionalista e a "limpeza étnica"? Qualquer noção de

[70] Said, *Culture and Imperialism*, p. 317.

personalidade católica que só fosse capaz de integrar, mas não de distinguir, seria grotesca. Há incomensuráveis perspectivas que teimosamente se recusam a se dissolver numa síntese pacífica;[71] há atos perversos que não se podem tolerar. A prática do "julgamento" não pode ser abandonada (ver Capítulo 3). Não pode haver uma nova criação sem julgamento, sem a expulsão do mal e da besta e do falso profeta (Ap 20.10), sem a eliminação da noite pela luz e da morte pela vida (Ap. 21.4; 25.5).[72]

O julgamento, porém, deve começar "pela casa de Deus" (1Pe 4.17) — pelo ego e sua própria cultura. Ao longo da discussão do ideal ascético, Nietzsche salientou que aqueles que desejam empreender uma nova partida devem "antes de tudo subjugar a tradição e os deuses em si mesmos".[73] De modo semelhante, aqueles que buscam superar o mal devem combatê-lo em primeiro lugar no próprio ego. O distanciamento criado pelo Espírito abre os olhos para o autoengano, a injustiça e o poder destrutivo do ego. Ele também nos conscientiza de que, como salientou Richard Sennett, as identidades grupais "não ajudam nem podem ajudar a criar egos coerentes e completos; elas nascem de fissuras no tecido social mais amplo; contêm as contradições dele e suas injustiças".[74] Uma personalidade verdadeiramente católica deve ser uma *personalidade evangélica* — uma personalidade levada ao arrependimento e moldada pelo evangelho e engajada na transformação do mundo.

A luta contra a falsidade, a injustiça e a violência tanto no ego como no outro é impossível sem distanciamento. "Como pode alguém evitar cair no atoleiro do senso comum, se não for tornando-se um estrangeiro para seu próprio país, sua língua, seu sexo e identidade?", retoricamente pergunta Julia Kristeva.[75] É óbvio que ser um estrangeiro pura e simplesmente é uma postura um tanto patética, beirando a insanidade. Se eu cortar todos os vínculos que me conectam com alguma tradição moral e linguística, torno-me um "ego" indeterminado, exposto a qualquer conteúdo arbitrário.

---

[71] Richard J. Mouw, "Christian Philosophy and Cultural Diversity", *Christian Scholar's Review* 17 (1987): p. 114s.

[72] Miroslav Volf, *Work in the Spirit: Toward a Theology of Work* (New York: Oxford University Press, 1991), p. 120s.

[73] Nietzsche, *The Birth of the Tragedy and the Genealogy of Morals*, p. 251.

[74] Richard Sennett, "Christian Cosmopolitanism", *Boston Review* 19, n. 5 (1994), p. 13.

[75] Julia Kristeva, "A New Type of Intellectual: The Dissident", in *The Kristeva Reader*, ed. Toril Moi (Oxford: Blackwell, 1986), p. 298.

Em consequência disso, simplesmente flutuo, incapaz de resistir a qualquer coisa porque não me encontro em lugar nenhum.[76] Os filhos de Abraão não são estrangeiros pura e simplesmente, todavia. A "estranheza" resulta não primeiramente do ato negativo de cortar todos os vínculos, mas do ato positivo de ceder lealdade a Deus e ao futuro prometido de Deus. Quando saem de sua cultura, eles não flutuam em algum espaço indeterminado, olhando para o mundo de toda parte ou de qualquer parte. Mais propriamente com um pé plantado em sua própria cultura e o outro no futuro de Deus — diferença interna — eles têm uma posição estratégica da qual podem perceber e julgar o ego e o outro não simplesmente baseados em seus próprios termos, mas também à luz do novo mundo de Deus — um mundo no qual uma grande multidão "de todas as nações, tribos, povos e línguas" está reunida "diante do trono e diante do Cordeiro" (Ap 7.9).

Batalhando contra o mal, especialmente contra o mal no seio de sua própria cultura, a personalidade evangélica precisa de uma *comunidade ecumênica*. Na luta contra o regime nazista, a Declaração de Barmen conclamou as igrejas a rejeitar todos os "outros senhores" — o estado racista e sua ideologia — e empenhar sua lealdade somente a Jesus Cristo, "que é a única Palavra de Deus que temos de ouvir e na qual temos de confiar e à qual temos de obedecer na vida e na morte". A conclamação é tão importante hoje como foi então. No entanto, ela é demasiado abstrata. Subestima nossa capacidade de deturpar a "única Palavra de Deus" para servir nossas próprias ideologias comunitárias e estratégias nacionais. As imagens de sobrevivência e prosperidade comunitárias com as quais nossa cultura com demasiada facilidade nos alimenta embaçam nossa visão da nova criação de Deus — então nós pensamos, por exemplo, que os Estados Unidos são uma nação cristã e que a democracia é o único mecanismo político realmente cristão. Inconscientes de que nossa cultura subverteu nossa fé, perdemos uma perspectiva da qual poderíamos

---

[76] Tzvetan Todorov corretamente ressaltou que ser um exilado só é produtivo "se alguém pertence a duas culturas simultaneamente, sem se identificar com nenhuma delas". Se uma sociedade inteira consistir em exilados, o diálogo de culturas cessa: é substituído pelo ecletismo e o comparatismo, pela capacidade de amar tudo um pouco, de simpatizar frouxamente com cada opção sem jamais abraçar nenhuma. "A heterologia", conclui ele, "que torna audíveis as diferenças de vozes, é indispensável; a polilogia é insípida." *The Conquest of America: The Question of the Other*, trad. Richard Howard (New York: HarperCollins, 1984), p. 251.

julgar nossa própria cultura. Para manter pura a lealdade a Jesus Cristo, precisamos nutrir um compromisso com a comunidade multicultural de igrejas cristãs. Precisamos ver a nós mesmos e o nosso entendimento do futuro de Deus com os olhos de cristãos de outras culturas, ouvir vozes de cristãos de outras culturas a fim de garantir que a voz de nossa cultura não sufocou a voz de Jesus Cristo, "a única Palavra de Deus". O compromisso de Barmen com a autoridade de Cristo deve ser suplementado com o compromisso com a comunidade ecumênica de Cristo. Os dois não são iguais, mas ambos são necessários.

Permita-me sugerir um texto que confessa a necessidade de uma comunidade ecumênica na luta contra o "novo tribalismo". Vou seguir o formato da Declaração de Barmen:

"Foste morto e com o teu sangue compraste para Deus os que procedem de toda tribo, língua, povo e nação" (Ap 5.9). "Não pode haver judeu nem grego; nem escravo nem liberto; nem homem nem mulher; porque todos vós sois um em Cristo Jesus" (Gl 3.28).

Todas as igrejas de Jesus Cristo, espalhadas em diversas culturas, foram redimidas para Deus pelo sangue do Cordeiro para formar uma única comunidade de fé multicultural. O "sangue" que as vincula como irmãs é mais precioso que o "sangue", a língua, os costumes, as lealdades políticas ou os interesses econômicos que as possam separar.

Rejeitamos a falsa doutrina, como se a igreja devesse empenhar sua lealdade à cultura que habita e à nação a que pertence acima do compromisso com irmãos e irmãs de outras culturas e nações, servos do único Jesus Cristo, seu Senhor comum, e membros da nova comunidade de Deus.

Em situações de conflito os cristãos muitas vezes se veem cúmplices na guerra, em vez de agentes da paz. Achamos difícil nos distanciar de nosso próprio ego e de nossa própria cultura, e assim repercutimos suas opiniões dominantes e arremedamos suas práticas. Mantendo viva a visão do futuro de Deus, precisamos estender os braços sobre as linhas de fogo e dar as mãos a nossos irmãos e irmãs do outro lado. Precisamos deixar que nos arranquem do recinto de nossa cultura e de seu peculiar conjunto de preconceitos para que possamos ler de novo a "única Palavra de Deus". Dessa forma nós talvez possamos nos tornar outra vez o sal deste mundo carregado de conflitos.

As duas funções positivas do distanciamento de alguém para longe da própria cultura que eu destaquei ensejam duas objeções. A primeira diz respeito à noção de "identidade híbrida". Acaso não chegamos nós a um ponto em que precisamos fechar as portas não apenas ao que é maldade, mas também àquilo que é estranho, porque se mantivermos as portas abertas nossa casa logo deixará de ser exclusivamente nossa e nós já não conseguiremos distinguir a casa e a rua? Falando de modo mais abstrato, a identidade — mesmo a identidade híbrida — não pressupõe a manutenção de limites? Uma segunda objeção vai na direção oposta e diz respeito à luta contra o mal: enquanto a primeira objeção insiste que sou demasiado frouxo com a identidade cultural, a segunda insiste que sou demasiado rígido com a responsabilidade moral. Que direito tenho eu de insistir que alguém pode distinguir entre escuridão e luz e que essa pessoa deve lutar contra as trevas em nome da luz? Se agirmos com essas rigorosas distinções, será que não corremos o perigo de demonizar e destruir qualquer coisa que possa nos desagradar? Eu não contestaria a preocupação por trás da primeira objeção e argumentaria contra a segunda que é impossível bem como indesejável não distinguir entre escuridão e luz. No capítulo seguinte vou elaborar essas duas alegações.

3

Exclusão

A guerra na ex-Iugoslávia (1991-1995) aumentou o já enorme vocabulário do mal com a expressão "limpeza étnica". A alteridade étnica é sujeira que deve ser removida do corpo étnico, poluição que ameaça a ecologia do espaço étnico. Os outros serão confinados em campos de concentração, mortos e jogados em valas comuns, ou expulsos; monumentos de sua identidade cultural e religiosa serão destruídos; inscrições de suas memórias coletivas serão apagadas; os lugares onde moravam serão saqueados e depois queimados e depois arrasados por retroescavadeiras. Para os que foram expulsos, nenhum retorno será possível. A terra pertencerá exclusivamente aos que botaram os outros para fora — fora de sua construção coletiva de egos bem como fora da terra. Gente de sangue "puro" e cultura "pura" viverá na terra que foi varrida dos outros. Um batalhão de políticos, militares e acadêmicos "zeladores da família étnica" há de empregar seus comunicacionais, marciais e intelectuais esfregões, mangueiras e raspadeiras para de novo higienizar "o ego étnico" e reorganizar seu próprio espaço. O resultado disso: um mundo sem o outro. O preço: rios de sangue e lágrimas. O lucro: com exceção dos avolumados recursos financeiros de senhores da guerra e aproveitadores da calamidade, só perdas, de todos os lados.

Neste capítulo vou examinar a prática da "exclusão", para a qual a "limpeza étnica" se tornou a mais forte metáfora atualmente. O capítulo, porém, não é tanto sobre "eles lá fora" quanto sobre "nós bem aqui" onde quer que estejamos; não tanto sobre o outro quanto sobre o ego. Este capítulo tampouco trata apenas da exclusão de comunidades "étnicas" e de outras espécies de comunidades, mas também da supressão da contextualidade do *ego*, sem a qual as exclusões de comunidades não seriam tão problemáticas. Meu primeiro passo será apontar para a grave tensão interna na tipicamente moderna narrativa da inclusão, uma narrativa que serve de pano de fundo para grande parte da crítica contemporânea da exclusão.

O dúbio triunfo da inclusão

Considerem-se as típicas reações do Ocidente à limpeza étnica. Como observa Michael Ilgnatieff, o discurso ocidental tendeu a "descrever todos os combatentes como selvagens não europeus".[1] A santidade fingida com que o termo "selvagens" é muitas vezes proferido é profundamente perturbadora, mas dada a intensidade e o poder destrutivo da vontade balcânica de exclusão, o uso do epíteto pode ser compreensível. Claramente, a ofensa moral que ele expressa é apropriada. No entanto, há algo insidioso envolvendo o epíteto — "selvagens". Pois ele descreve não simplesmente como "eles" e "nós" não devemos nos comportar, mas também implicitamente "eles" são retratados como uma espécie de povo que "nós" não somos. O adjetivo "não europeus" (no sentido de "não ocidentais") sublinha o desejo de distanciamento entre "nós" e "eles" já contido no substantivo "selvagens": nós somos os cidadãos morais e civilizados; eles são os bárbaros perversos. A ofensa moral legítima transformou-se em autoenganosa presunção moral.

O desejo de distanciar "a Europa" — "o Ocidente" e "a modernidade" — da prática da limpeza étnica é, todavia, motivado por algo mais que o simples mecanismo de deslocamento pelo qual colocamos o mal e a barbárie junto aos outros de modo a atribuir o bem e a civilização a nós mesmos. Isso tem tanto a ver com certos aspectos de nossa filosofia da história quanto com a nossa percepção moral de nós mesmos. O que faz a limpeza étnica parecer tão "não moderna" e "não ocidental" é que ela discorda totalmente da principal história conhecida que nós gostamos de contar acerca da moderna democracia ocidental — uma história de progressiva "inclusão". Aqui está uma versão dessa narrativa de democracias liberais modernas como foi descrita por Alan Wolfe:

> Dizem que outrora essas sociedades eram governadas por elites privilegiadas. Círculos governamentais restringiam-se àqueles dos corretos gênero, berço, educação e exclusividade social. Tudo isso muda como resultado

[1] Michael Ilgnatieff, "Homage to Bosnia", *The New York Review* 41, n. 8 (1994): p. 5.

das múltiplas forças geralmente identificadas pelo termo democracia. Primeiro, as classes médias, depois os homens trabalhadores, depois as mulheres, depois as minorias raciais, todos conquistaram não apenas direitos econômicos como também direitos políticos e sociais.[2]

Apresentando o caso de um modo ligeiramente diferente, assim que as sociedades "segmentadas hierarquicamente" deram lugar ao que os sociólogos chamam de sociedades "funcionalmente diferenciadas", a inclusão se tornou a norma geral: todas as pessoas devem ter acesso a todas as funções e, portanto, todas devem ter igual acesso à educação, a todos os empregos disponíveis, à tomada de decisão política, e coisas semelhantes.[3] A história das democracias modernas trata da inclusão progressiva e em contínua expansão, trata de "acolher em vez de [...] excluir".[4] Em contrapartida, as histórias de limpeza étnica tratam das formas mais brutais de exclusão, tratam de expulsar em vez de acolher. Por isso elas nos chocam como "não modernas", "não europeias", "não ocidentais".

Mas até que ponto a história moderna do triunfo da inclusão é adequada? Faço essa pergunta como alguém do lugar que pretende ajudar a construir e melhorar mais do que como um intruso que pretende destruir e substituir completamente. Para uma pessoa, tal como eu mesmo, que experimentou "todas as bênçãos" do regime comunista, a sugestão de que não há nenhuma verdade na narrativa liberal de inclusão, e a alegação de que suas consequências são sobretudo um desastre, parecem não apenas não convincentes mas também perigosas. De maneira semelhante, majoritariamente as mulheres e as minorias não desejariam perder os direitos que agora têm; e os críticos das democracias liberais prefeririam viver numa democracia a viver em qualquer uma das alternativas disponíveis. O progresso da "inclusão" é algo importante que devemos celebrar acerca da modernidade.

Contudo, embora a narrativa da inclusão seja, em grande medida, verdadeira, como algum espelho mágico que proporciona à imagem de quem o olha uma plástica facial instantânea, ela também foi construída em parte

---

[2] Alan Wolfe, "Democracy versus Sociology: Boundaries and Their Political Consequences", in *Cultivating Differences: Symbolic Boundaries and the Making of Inequality*, ed. Michele Lamont e Marcel Fournier (Chicago: The University of Chicago Press, 1992), p. 309.
[3] Ver Niklas Luhmann, *Funktion der Religion* (Frankfurt: Suhrkamp, 1977), p. 234ss.
[4] Wolfe, "Democracy versus Sociology", p. 309.

para "fazer-nos achar que a história de algum modo corresponde a um entendimento mais positivo do potencial humano", como Alan Wolfe corretamente sublinha.[5] Mas como ficaria a cara se o espelho perdesse sua magia? Como ficaria a cara num espelho que não foi feito para lisonjear a nossa vaidade? Nos espelhos feitos nas oficinas de trabalho semiescravo da "submodernidade"[6] e empunhados pela mão explorada e calejada do "outro", na cara da modernidade aparece uma mancha horrível, adquirida mediante a prolongada prática do mal. Aqueles que são convenientemente deixados de fora da moderna narrativa de inclusão, porque perturbam a integridade do "final feliz" de sua trama, exigem uma longa e grotesca contranarrativa da exclusão.

Em *The Invention of the Americas* [A invenção das Américas], Enrique Dussel argumentou que o próprio nascimento da modernidade implica uma exclusão de proporções colossais. Embora seja sem dúvida uma mudança de época europeia, a modernidade é inimaginável sem a longa e vergonhosa história da Europa com a não Europa que começou no ano de 1492.[7] Não é preciso narrar de novo aquela história aqui; basta considerar brevemente suas vítimas mais brutalizadas, os escravos africanos. Dussel escreve:

> No famoso *triângulo da morte*, navios partiam de Londres, de Haia ou de Amsterdã com produtos europeus, tais como armas e ferramentas de ferro, e trocavam esses bens nas costas ocidentais da África por escravos. Depois trocavam esses escravos na Bahia, na hispânica Cartagena, em Havana, em Porto Príncipe e em portos das colônias do sul da Nova Inglaterra por ouro, prata e produtos tropicais. Os empresários acabavam depositando todo aquele valor, ou sangue humano coagulado na metáfora de Marx, nos bancos de Londres e nas despensas dos Países Baixos. Assim a modernidade exerce seu curso civilizatório, modernizante, humanizante, cristão.[8]

A bárbara conquista, a colonização e a escravização do "outro" não europeu, legitimadas pelo mito da difusão da luz civilizatória — essa é uma não

---

[5] Ibid.
[6] Jürgen Moltmann, *Public Theology and the Future of Modern World* (Pittsburgh: ATS, 1995).
[7] Enrique Dussel, *The Invention of the Americas: Eclipse of "the Other" and the Myth of Modernity*, trad. M. D. Barber (New York: Continuum, 1995).
[8] Ibid., p. 122-23.

europeia contranarrativa da exclusão suprimida pela moderna narrativa da inclusão. E essa contranarrativa não é nenhuma infeliz trama secundária que, se fosse extirpada, deixaria intactos o ritmo e a forma da narrativa de inclusão. O inegável progresso da inclusão alimentava-se da persistente prática da exclusão.[9]

Devemos resistir à tentação de redimir a narrativa moderna da inclusão apontando práticas excludentes em outros lugares, tais como o antigo sistema de castas na Índia, a prática moderna da eugenia na China[10] ou a "limpeza cultural" no Sudão, onde muçulmanos arrebanham e transferem crianças de regiões cristãs e animistas, para citar apenas três exemplos um tanto disparatados. E não podemos redimir a narrativa de inclusão observando que a conquista, colonização e escravização pertencem todas a um passado distante do Ocidente. "Segregação", "holocausto", "apartheid" são equivalentes ocidentais da "limpeza étnica" dos Balcãs de um passado mais recente que se equiparam em crueldade desumana com qualquer coisa que encontramos fora dos limites do Ocidente. Há demasiada "limpeza" na história do Ocidente em relação ao horror acerca da limpeza étnica nos Balcãs para expressar legitimamente alguma coisa que não seja uma afronta moral a *nós mesmos*. A exclusão implicada na "limpeza étnica" como uma metáfora não se refere à barbárie "então" em oposição à civilização "agora"; não se refere ao mal "lá fora" em oposição ao bem "aqui". Exclusão é a barbárie *dentro* da civilização, é o mal *entre* o bem, o crime contra o outro *exatamente dentro dos muros do ego*.

---

[9] Meu ponto não é que existe algo distintamente moderno acerca da narrativa da exclusão, digamos, algo na "lógica" da modernidade que tornou a história moderna da exclusão qualitativamente diferente de muitas histórias pós-modernas de exclusão. Em *The Discourse of Race in Modern China*, Frank Dikötter apresenta provas abundantes de "uma mentalidade que integrou o conceito de civilização à ideia de humanidade, retratando os grupos estrangeiros que moravam fora dos confins da sociedade chinesa como distantes selvagens à beira da bestialidade. Os nomes dos grupos de fora eram escritos em caracteres com um radical animal, um hábito que persistiu até os anos de 1930: os Di, uma tribo do norte, eram assemelhados ao cachorro, ao passo que os Man e os Min, povos do sul, compartilhavam os atributos de répteis" (Frank Dikötter, *The Discourse of Race in Modern China* [Stanford: Stanford University Press, 1992], p. 4). Meu ponto é que existe algo profundamente enganoso se o relato da modernidade é apresentado como uma evolução da inclusão sem dar atenção à narrativa oculta da exclusão.

[10] Frank Dikötter, "Throw-Away Babies", *Times Literary Supplement* (12 de jan., 1996): p. 4-5.

Alguém poderia argumentar que a barbárie dentro da civilização e o mal no meio do bem surgem de uma inconsistência. Nós simplesmente precisamos prosseguir com o programa da inclusão, poderia a argumentação continuar, até que o último bolsão de exclusão tenha sido conquistado. A exclusão seria então uma doença e a inclusão um remédio puro. Poderia acaso acontecer, todavia, que o próprio remédio estivesse adoecendo o paciente com uma nova forma da própria doença que ele visava curar? Eu penso que esse é o caso. Um prolongado olhar num bom espelho — um espelho que se recusa a refletir o que o olhar vaidoso deseja ver — revelaria não apenas uma mancha horrível num rosto inocente, mas também uma certa aura de maldade que brota de sua própria inocência. Como Friedrich Nietzsche e neonietzschianos (tais como Michel Foucault) salientaram, a exclusão é muitas vezes o mal perpetrado pelo *"bem"* e a barbárie produzida pela *civilização*.

Numa profunda leitura dos Evangelhos em *Assim falou Zaratustra*, Nietzsche ressaltou a conexão entre a "bondade" autoconsciente dos inimigos de Jesus e a prossecução de sua morte; a crucificação foi o feito dos "bons e justos", não dos perversos, como poderíamos ter suposto. Os "bons e justos" não conseguiam entender Jesus porque o espírito deles estava "aprisionado na boa consciência deles" e eles o crucificaram porque interpretaram como mal o fato de ele rejeitar as noções deles de bem.[11] Os "bons e justos", insiste Nietzsche, *têm* de crucificar aquele que concebe uma virtude alternativa porque eles já possuem o conhecimento do bem; eles *têm* de ser hipócritas porque, vendo-se como bons, precisam personificar a ausência do mal. Como moscas venenosas, "eles picam" e fazem isso "em total inocência".[12] A exclusão tanto pode ser um pecado de "uma boa consciência" como de "um mau coração". E a advertência de Nietzsche de que "qualquer mal que os caluniadores do mundo possam praticar, *o mal que os bons praticam é o mal mais nocivo*" pode não ser inteiramente inadequada.[13]

---

[11] Friedrich Nietzsche, *Thus Spoke Zarathustra: A Book for Everyone and No One*, trad. J. R. Hollingdale (Londons: Penguin, 1969), p. 229. Merold Westphal, *Suspicion and Faith: The Religious Uses of Modern Atheism* (Grand Rapids: Eerdmans, 1993) p. 262s.

[12] Nietzsche, *Thus Spoke Zarathustra*, p. 204.

[13] Friedrich Nietzsche, *Ecce Homo: How One Becomes What One Is*, trad. R. J. Hollingdale (Londons: Penguin, 1979), p. 100.

Que dizer dos "racionais" e dos "civilizados"? Será que eles são algo melhor do que os "bons e justos"? Grande parte da obra de Michel Foucault consiste em uma tentativa de explicar a sombra excludente que de modo obstinado rastreia a história de inclusão da modernidade. *História da loucura*, seu primeiro livro, rastreia a história da irracionalidade na era da razão.[14] Como revela Foucault, trata-se de uma história "da razão subjugando a irracionalidade, arrancando dela sua verdade como loucura, crime ou enfermidade",[15] uma narrativa que relega os irracionais — "pobres vagabundos, criminosos e 'mentes perturbadas'"[16] — às regiões dos excluídos não humanos cujo habitante simbólico é o leproso.

Posteriormente em *Vigiar e punir* ele resume seu ponto da seguinte forma: o mecanismo da exclusão funciona mediante uma estratégia duplamente repressiva de "divisão binária" (louco/sadio; anormal/normal) e "atribuição coercitiva" (fora/dentro).[17] No mesmo livro, cujo foco é "o nascimento da prisão" mas cujo tema é um mais geral "poder de normalização" social, ele enfatiza, todavia, que a exclusão não é simplesmente uma questão de ejeção repressiva, mas de formação produtiva. "Ao contrário da alma representada pela teologia cristã", escreve Foucault, o indivíduo moderno "não nasce em pecado e sujeito à punição, mas nasce antes de métodos de punição, supervisão e restrição."[18] Uma série de "mecanismos carcerários", que funcionam permeando toda a sociedade, exercem "um poder de normalização"[19] e tornam as pessoas dóceis e produtivas, obedientes e úteis. Como um poder de normalização, a exclusão reina por meio de todas as instituições que podemos associar com a civilização inclusiva — por meio do aparato estatal, de instituições educacionais, da mídia e das ciências. Esses meios moldam os cidadãos "normais" com normais conhecimentos, valores e práticas, e com isso ou assimilam ou ejetam o anormal "outro". O ego moderno, afirma Foucault resumindo sua

---

[14] Michel Foucault, *Madness and Civilization: A History of Insanity in the Age of Reason*, trad. Richard Howard (Newa York: Random House, 1988).
[15] Ibid., p. ix-x.
[16] Ibid., p. 7.
[17] Michel Foucault, *Discipline and Punish: The Birth of the Prison*, trad. Alan Sheridan (New York: Vintage Books, 1979), p. 199.
[18] Ibid., p. 29.
[19] Ibid., p. 308.

obra, é indiretamente constituído mediante a exclusão do outro.[20] É claro que não foi diferente com o ego pré-moderno; ele também foi construído por uma série de exclusões.

Se para Nietzsche os "bons e justos" são hipócritas assassinos de seus rivais, para Foucault a "civilização" é uma suave destruidora daquelas coisas dentro e fora de si mesma que ela constrói como barbárie. Mesmo que alguém não se sinta plenamente persuadido por Nietzsche e Foucault — como eu certamente não me sinto — eles corretamente chamam a atenção para o fato de que o ego "moral" e "civilizado" com demasiada frequência se apoia na exclusão daquilo que ele interpreta como o "imoral" e "bárbaro" outro. O outro lado da história da inclusão é uma história de exclusão. No próprio espaço onde a inclusão celebra seu triunfo ecoa o riso zombeteiro da vitória excludente. A indignação moral ante a brutal exclusão em lugares como a ex-Iugoslávia ou Ruanda é apropriada; a censura moral das multiformes maneiras de exclusão em toda parte — inclusive nas melhores práticas do Ocidente — também é apropriada.

A lógica da história moderna de inclusão sugere que "deixar fora" é ruim e "acolher" é bom. Mas será que isso é sempre correto? Considere-se a crítica de Foucault à modernidade de outro ângulo. Pode-se plausivelmente argumentar que Foucault não é em primeiro lugar um crítico do projeto moderno de inclusão, mas seu coerente advogado. O *páthos* de sua crítica da narrativa oculta da exclusão é o anverso de um profundo anseio por inclusão — sua própria espécie radical de inclusão. O desmascaramento de "divisões binárias", de "atribuições coercitivas" e do "poder de normalização", isso tudo visa ampliar o espaço do "interior" tomando de assalto os muros que o protegem. Foucault compartilha uma aversão a limites com outros pensadores pós-modernos, tais como Jacques Derrida ou Gilles Deleuze. Quando comenta a natureza da pós-modernidade, Alan Wolfe observa com razão que

> a essência da abordagem é questionar os presumidos limites entre grupos: de significantes, pessoas, espécies ou textos. Aquilo que à primeira vista parece ser uma diferença é reinterpretado, descoberto como sendo pouco mais que uma distinção enraizada no poder ou um lance num jogo

[20] Michel Foucault, "The Political Technology of Individuals", *Technologies of the Self*, ed. Luther H. Martin et al. (Amherst: University of Massachusetts Press, 1988), p. 146.

retórico. As diferenças, em outras palavras, nunca têm um *status* fixo em si mesmas e por si mesmas; não existe *ou-isso-ou-aquilo* (tampouco existem *nem-isso-nem-aquilo*).[21]

Um consistente impulso rumo à inclusão procura detonar todos os limites que dividem e neutralizam todos as forças que formam e moldam o ego. Correspondentemente, o "programa" social que informa a obra teórica de Foucault consiste, rigorosamente falando, em uma *ausência de um programa* expresso como o objetivo de mostrar "às pessoas que elas são muito mais livres do que se sentem".[22] A radical indeterminação da liberdade negativa é um correlato estável de um coerente impulso rumo à inclusão que anula todos os limites.

Será, porém, que essa indeterminação radical não mina de dentro para fora a ideia de inclusão? Acredito que sim. Sem limites nós saberemos somente contra o que lutamos, mas não pelo que lutamos. Uma luta inteligente contra a exclusão exige categorias e critérios normativos que nos habilitem a distinguir entre identidades e práticas repressivas que devem ser subvertidas e identidades e práticas não repressivas que devem ser afirmadas.[23] Segundo, "nenhum limite" significa não só "nenhuma agência inteligente", mas também no fim "nenhuma vida". Mirando Foucault, Manfred Frank escreve em *Neostrukturalismus* [Neoestruturalismo]:

> É impossível (e pouco atraente até mesmo por pura fantasia) lutar contra toda a ordem e defender uma pura, abstrata não ordem. Pois, muito semelhante ao mítico *tohuwabohu*, uma não ordem seria uma criatura sem nenhum atributo, um lugar onde não se poderia distinguir nada e onde nem felicidade ou prazer nem liberdade ou justiça poderiam ser identificados.[24]

A ausência de limites cria a não ordem, e a não ordem não é o fim da exclusão, mas o fim da vida.

---

[21] Wolfe, "Democracy versus Sociology", p. 310.

[22] Rex Martin, "Truth, Power, Self: An Interview with Michel Foucault", in *Technologies of the Self*, ed. Luther H. Martin et al. (Amherst: University of Massachusetts Press, 1988), p. 10.

[23] Allison Weir, *Sacrificial Logics: Feminist Theory and the Critique of Identity* (New York: Routledge, 1996).

[24] Manfred Frank, *Was ist Neostrukturalismus?* (Frankfurt: Suhrkamp, 1984), p. 237.

Foucault poderia, é claro, parar antes de permitir a invasão das águas do caos; poderia recusar-se a anular *todos* os limites. Mas se todos os limites são arbitrários e se necessariamente implicam a opressão, como Foucault parece sugerir, esse lance equivaleria a entrelaçar a dominação no próprio tecido da vida social e uma trágica aceitação da permanência da opressão. *Uma coerente busca da inclusão coloca um cidadão diante da impossível escolha entre um caos sem limites e a opressão com os limites.* Essa é uma das principais lições do pensamento de Foucault.[25]

Se plausível, o meu relato das contradições internas na busca da inclusão sugere que a luta contra a exclusão é minada por dois riscos importantes. O primeiro é o de gerar novas formas de exclusão mediante a própria oposição às práticas excludentes: nosso zelo "moral" e "civilizador" nos leva a erigir novos e opressores limites bem como nos cega ao fato de que estamos fazendo isso. O segundo risco deriva da tentativa de escapar do primeiro. Consiste em cair no abismo da não ordem onde a luta contra a exclusão implode sobre si mesma porque, na ausência de limites, somos incapazes de nomear aquilo que é excluído ou de dizer por que aquilo não devia ser excluído. Em benefício das vítimas da exclusão, temos de evitar os dois riscos. Uma adequada reflexão sobre a exclusão deve satisfazer duas condições: (1) ela deve ajudar a nomear a exclusão como um mal com confiança porque isso nos capacita a imaginar limites não excludentes que mapeiem identidades não excludentes; ao mesmo tempo (2) ela não pode enfraquecer nossa capacidade de detectar tendências excludentes em nossos julgamentos e práticas.

---

[25] Para evitar essa alternativa, poder-se-ia interpretar a desconstrução dos limites de Foucault como uma estratégia mais que uma posição de princípio filosófico. Num mundo no qual "os juízes da normalidade estão presentes em toda parte" (Foucault, *Discipline and Punish*, p. 304) e "o poder de normalização" foi normalizado (p. 296), Foucault está combatendo limites, nada mais que isso; ele não está lutando contra todos os limites, mas estes limites específicos — limites desnecessários e opressivos. A imediata resposta poderia ser perguntar se, em sociedades contemporâneas, um problema mais fundamental que o excesso de julgamento não é a incapacidade de fazer o *tipo certo* de julgamento. Não poderíamos estar passando "ao interior de uma curiosa, sentimental inversão de *O processo* de Kafka, quando se percebe que o *tribunal* está sempre sobrecarregado e culpado", como diz Michael Wood em *America in the Movies* ([New York: Columbia University Press, 1989], p. 145)? Será que não se abriu um perturbador abismo entre a ofuscante visibilidade do mal e nossa frustrante incapacidade de nomeá-lo, como argumentou Andrew Delbanco em *The Death of Satan* (New York: Farrar, Straus and Giroux, 1995)? Acaso não somos testemunhas de uma paradoxal normalização do *bizarro*, tanto assim que "normal" se tornou uma palavra feia (p. 185)?

O presente capítulo é uma contribuição para esse tipo de entendimento da exclusão. Na sua parte principal vou explorar a anatomia, a dinâmica, a difusão e o poder da exclusão. Na conclusão vou examinar o primeiro e paradigmático ato de exclusão registrado na Bíblia, o assassinato de Abel perpetrado por seu irmão Caim. Mas primeiro preciso fazer algumas importantes distinções sem as quais nossa indignação ante a exclusão se apoiaria em nada mais firme do que a arbitrariedade e a inconstância de nossa própria desaprovação.

Diferenciação, exclusão, julgamento

Despreze todos os limites, declare opressora cada identidade distinta, coloque a etiqueta "exclusão" em cada diferença estável — e você terá uma flutuação sem destino em vez de uma ação com uma visão bem definida, uma atividade aleatória em vez de um engajamento moral e responsável, e, a longo prazo, um torpor de morte em vez da dança da liberdade. Isso é o que argumentei anteriormente. O que não fiz foi indicar como nos engajarmos na luta contra a exclusão sem vender a alma aos demônios do caos. Quero agora tratar dessa questão estabelecendo uma distinção entre *diferenciação* e *exclusão*, o que por sua vez levará a uma distinção entre *exclusão* e *julgamento*, e depois sugerindo um perfil de um ego capaz de fazer julgamentos não excludentes. Esses julgamentos não excludentes feitos por pessoas dispostas a abraçar o outro são o que é indispensável para combater a exclusão com sucesso.

Primeiro, *diferenciação*. No início de seu "breviário do pecado" intitulado *Não era para ser assim*, Cornelius Plantinga chama a atenção para o modo como Gênesis 1 retrata a atividade criativa de Deus como um padrão de "separar" e "juntar".[26] No início há um "vazio sem forma" (Gn 1.2); "tudo no universo está misturado junto", escreve Plantinga, e depois prossegue:

> Então Deus começa a fazer alguma separação criativa: ele separa a luz das trevas, o dia da noite, a água da terra, as criaturas do mar das terrestres [...].
> Ao mesmo tempo Deus junta coisas: junta os humanos com o restante da

[26] Cornelius Plantinga, *Not the Wat It's Supposed to Be: A Breviary of Sin* (Grand Rapids: Eerdmans, 1995), p. 29.

criação como administradores e zeladores dela, consigo mesmo como portadores da imagem dele, e uns com os outros como complementos perfeitos.[27]

Embora haja mais "separação" e "junção" acontecendo em Gênesis 1 do que Plantinga menciona, e elas são realizadas não apenas por Deus mas também pelas criaturas dele, Plantinga apresentou sua ideia. A ideia é boa: conforme está descrito em Gênesis, a criação existe como um intrincado padrão de entidades "separadas-e-juntadas". Falando de modo abstrato mas com precisão, a criação significa, nas palavras de Michael Welker, a "formação e manutenção de uma rede das relações de interdependência".[28] Na discussão seguinte, que vai enfocar os seres humanos, vou usar o termo *diferenciação* para descrever a atividade criativa de "separar-e-juntar" que resulta em padrões de interdependência.

Observe-se que a *diferenciação*, como foi aqui definida, difere da *separação* em si. A *diferenciação* consiste em "separar-*e*-juntar". Por si só, a separação resultaria em seres fechados em si mesmos, isolados e idênticos a si mesmos. Pensadoras feministas corretamente rejeitaram a separação como um ideal. Feministas relacionais, tais como Nancy Chodorow, argumentaram que a separação sempre implica a repressão de relacionamentos existentes (especialmente para a mãe) e, portanto, resulta na dominação de outros.[29] Feministas pós-modernas, tais como Judith Butler e Luce Irigaray, sublinharam que a separação resulta num ego "unitário" e "idêntico a si mesmo", que só pode ser formado expulsando-se do ego tudo o que é não unitário e não idêntico.[30] À sua maneira, essa duas linhas um tanto divergentes do pensamento feminista rejeitam a "identidade" porque ela se apoia na separação. Se a análise de Allison Weir em *Sacrificial Logics* [Lógica sacrificial] estiver certa, o que também une essas duas linhas do pensamento feminista é uma incapacidade de conceber a "identidade" de uma forma que não reprima seus relacionamentos com os outros ou

---

[27] Ibid.
[28] Michael Welker, *Schöpfung und Wirklichkeit* (Neukirchen-Vluyn: Neukirchener Verlag, 1995), p. 24. Tradução minha.
[29] Nancy Chodorow, *The Reproduction of Mothering: Psychoanalysis and the Sociology of Gender* (Berkeley: University of California Press, 1978).
[30] Judith Butler, *Gender Trouble: Feminism and the Subversion of Identity* (New York: Routledge, 1990); Luce Irigaray, *This Sex Which Is Not One*, trad. Catherine Porter com Carolyn Burke (Ithaca, NY: Cornell University Press, 1985).

as diferenças no âmbito do ego.[31] Será que uma noção mais complexa de identidade é possível, uma noção de identidade que não é "pura" mas inclui o outro?

O relato da criação como "separar-e-juntar" mais que simplesmente "separar" sugere que a "identidade" inclui conexão, diferença e heterogeneidade. O ego humano é formado não por meio de uma simples rejeição do outro — por meio de uma lógica binária de oposição e negação — mas por meio de um complexo processo de "acolher" *e* "deixar fora". Somos o que somos não porque somos separados dos outros que estão ao nosso lado, mas porque estamos *tanto* separados *como* conectados, *tanto* distintos *como* relacionados; os limites que marcam nossas identidades são ao mesmo tempo barreiras e pontes. Eu, Miroslav Volf, sou quem sou *tanto* porque sou distinto de minha irmã Vlasta *quanto* porque durante os últimos sessenta e dois anos eu fui moldado por um relacionamento com ela. De modo semelhante, ser "negro" nos Estados Unidos significa estar num certo relacionamento — frequentemente um relacionamento desagradável — com os "brancos".[32] A identidade é uma consequência da distinção com relação ao outro *e* a internalização do relacionamento com o outro; nasce da complexa história da "diferenciação" da qual tanto o ego como o outro participam negociando suas identidades numa interação mútua. Então, como argumentou Paul Ricoeur em *O si-mesmo como um outro*, "a individualidade de si mesmo implica alteridade num grau tão íntimo que uma coisa não pode ser concebida sem a outra".[33]

Segundo, *exclusão*. Se o processo da criação acontece por meio da atividade de "separar-e-juntar", não deveria então o pecado ser descrito como uma espécie de "devastador tufão" que "tanto explode como implode a criação, empurrando-a de volta para o 'vazio sem forma' de onde ela veio", como sugere Plantinga?[34] O "vazio sem forma" pode ser o resultado extremo do pecado se ele sair de qualquer controle, mas o resultado mais imediato do pecado não é tanto desfazer a criação quanto violentamente reconfigurar o padrão de sua interdependência, "separar o que Deus uniu

---

[31] Weir, *Sacrificial Logics*.
[32] K. Anthony Appiah, "Identity, Authenticity, Survival: Multicultural Societies and Social Reproduction", in *Multiculturalism: Examining the Politics of Recognition*, ed. Amy Gutmann (Princeton: Princeton University Press, 1994) p. 154ss.
[33] Paul Ricoeur, *Oneself as Another* (Chicago: The Chicago University Press, 1992), p. 3.
[34] Plantinga, *Not the Way It's Supposed to Be*, p. 30.

e unir o que Deus separou", como declara Plantinga de modo mais correto.[35] Vou atribuir o nome de "exclusão" a essa atividade pecaminosa de reconfigurar a criação, a fim de distingui-la da atividade criativa de "diferenciação".

Que é então exclusão? De uma maneira preliminar e bastante esquemática, pode-se apontar para dois aspectos inter-relacionados da exclusão, aquele que transgride contra "juntar" e o outro que transgride contra "separar". Primeiro, a exclusão pode implicar o corte dos laços que conectam, o ego levando-se a si mesmo para fora do padrão de interdependência e colocando-se numa posição de soberana independência. O outro então emerge ou como um inimigo que deve ser rechaçado do ego e expulso de seu espaço ou como uma nulidade — um ser supérfluo — que pode ser ignorado e abandonado. Segundo, a exclusão pode implicar o apagamento da separação, não reconhecendo o outro como alguém que em sua alteridade pertence ao padrão de interdependência. O outro então emerge como um ser inferior que deve ser assimilado, tornando-se tal qual o ego ou se subjugando ao ego. A exclusão acontece quando a violência da expulsão, assimilação ou subjugação e a indiferença do abandono substituem a dinâmica do acolher e do deixar fora bem como a mutualidade do dar e do receber.

Esse é um esboço esquelético da exclusão. Mais adiante vou rechear o esqueleto com carne. Aqui só preciso observar brevemente como a exclusão difere do projeto e da manutenção de limites. Como sugeri antes, os limites fazem parte do processo criativo da diferenciação. Pois sem limites não haveria identidades separadas, e sem identidades separadas não poderia haver nenhuma relação com o outro. Como diz Elie Wiesel em *From the Kingdom of Memory* [Lá do reino da memória], o encontro com um estranho só pode ser criativo se você "sabe quando recuar".[36] Um estranho, escreve ele, "só pode ser útil como um estranho — a menos que você esteja disposto a ser a caricatura dele. E de si mesmo".[37] Para evitarmos ser caricaturas um do outro e perder-nos no vórtice da desdiferenciação, indo finalmente acabar no "vazio sem forma", devemos

---

[35] Ibid.
[36] Elie Wiesel, *From the Kingdom of Memory: Reminiscences* (New York: Summit Books, 1990), p. 73.
[37] Ibid., p. 65.

nos recusar a considerar limites como excludentes. Em vez disso, o que é excludente são as impenetráveis barreiras que impedem um encontro criativo com o outro.

Terceiro, *julgamento*. Na cultura popular, emitir um julgamento é muitas vezes considerado um ato de exclusão. Uma forte desaprovação de um estilo de vida, um sistema religioso de crença ou um plano de ação — um desentendimento que emprega adjetivos como *errado*, *equivocado* ou *incorreto* e entende que essas são mais que expressões de preferência pessoal ou comum — é interpretada como excludente. Conferindo uma expressão sofisticada a essas atitudes populares, Richard Rorty sugere que uma "atitude de ironia" deveria substituir o "regime do julgamento". Em vez de ingenuamente acreditar que se pode saber o que é certo e o que é errado, a pessoa deveria, como ele diz em *Contingência, ironia e solidariedade*, enfrentar "a contingência de suas crenças e desejos mais centrais", enfrentar o fato de que eles não "se referem a algo fora do alcance do tempo ou do acaso".[38]

Da minha perspectiva, a distinção entre *diferenciação* e *exclusão* visa sublinhar que a contingência não vai, como diz ele, "até o fundo do fundo", que há valores que "o tempo e a mudança" não podem alterar porque "o tempo e a mudança" não os causaram. Não rejeito a exclusão devido a uma preferência contingente por um certo tipo de sociedade, digamos uma sociedade na qual as pessoas "podem realizar suas salvações privadas, criar suas próprias autoimagens, reconstituir suas redes de crença e desejo à luz de quaisquer novas pessoas e livros que por acaso encontram".[39] Rejeito a exclusão porque os profetas, evangelistas e apóstolos me dizem que essa é uma maneira errada de tratar seres humanos, qualquer ser humano, em qualquer parte, e eu estou persuadido de que tenho boas razões para acreditar neles. Uma postura irônica pode ser tudo o que desejam pessoas mimadas pela riqueza, porque ela legitima sua obsessão por "criar suas próprias autoimagens" e "reconstituir suas redes de crença e desejo". Mas uma postura irônica não é claramente o que pessoas passando fome, sofrendo perseguição e opressão podem se permitir.[40] Pois essas pessoas sabem que só podem sobreviver se um julgamento for emitido contra quem

---

[38] Richard Rorty, *Contingency, Irony, and Solidarity* (Cambridge: Cambridge University Press, 1989), p. xv.

[39] Ibid., p. 85.

[40] Cornel West, "The New Cultural Politics of Difference", *The Identity in Question*, ed. John Rajchman (New York: Routledge, 1995), p. 163s.

as explora, persegue e oprime. De qualquer modo, no meu vocabulário *exclusão* não expressa uma preferência; ela nomeia um mal objetivo.

Então, um julgamento que nomeia a exclusão como um mal e a diferenciação como um bem positivo não é em si mesmo um ato de exclusão. É claro que emitimos julgamentos excludentes e os emitimos com muita frequência. Os colonizadores europeus querem mais terra e então julgam os povos indígenas como "bárbaros" para justificar o extermínio e a expulsão deles;[41] os homens buscam justificativas para o seu domínio sobre as mulheres e, portanto, julgam-nas "irracionais" e "instáveis". Aqui o julgamento leva à exclusão e ele mesmo é um ato de exclusão. Mas o remédio para julgamentos excludentes não são com certeza "posturas irônicas". Em vez disso, precisamos de julgamentos mais adequados baseados na distinção entre "diferenciação" legítima e "exclusão" ilegítima e emitidos com aquela humildade que leva em conta a nossa propensão a entender mal e julgar mal porque desejamos excluir.

O ego e seu centro

Mas de que modo emitimos esses julgamentos não excludentes? Que tipo de pessoa será capaz de emiti-los? Que tipo de pessoa será capaz de lutar contra a exclusão sem perpetuar a exclusão mediante a própria luta contra ela?

O argumento de Rorty a favor da "ironia" tem muitos elementos importantes, um dos quais diz respeito à natureza do ego. Diz ele: "Se não há nenhum centro para o ego, então só há diferentes maneiras de tecer novos candidatos a crença e desejo em redes preexistentes de crença e desejo".[42] A postura irônica é própria de um ego sem centro. Seria tentador argumentar em defesa do "julgamento" e contra a "ironia" insistindo que o ego tem um centro e, portanto, há crenças e desejos *certos* e *errados*, não apenas crenças e desejos *antecedentes* e *subsequentes*, e que há maneiras *certas* e *erradas* de tecer crenças e desejos, não apenas *diferentes* maneiras de tecer crenças e desejos. Da minha perspectiva, esse seria um bom argumento, embora seja muito perigoso. Ele direciona toda a atenção para a pergunta sobre o ego ter um centro, enquanto desconsidera a questão muito mais

---

[41] Ronald Takaki, *A Different Mirror: A History of Multicultural America* (Boston: Little, Brown and Company, 1993), p. 39.
[42] Richard Rorty, *Contingency, Irony, and Solidarity*, p. 83s.

importante sobre a *espécie* de centro que o ego deve ter. Vou me concentrar nessa última questão mediante o exame de uma declaração-chave do apóstolo Paulo sobre a natureza da vida cristã: "Estou crucificado com Cristo; logo, já não sou eu quem vive, mas Cristo vive em mim; e esse viver que, agora, tenho na carne, vivo pela fé no Filho de Deus, que me amou e a si mesmo se entregou por mim" (Gl 2.19-20).

Paulo pressupõe um ego centrado, mais precisamente um ego *erroneamente* centrado que precisa ser descentrado e pregado na cruz: "Estou crucificado com Cristo". Embora ele possa não dispor de um centro "objetivo" e "imóvel", *o ego nunca deixa de ter um centro*; está sempre engajado na produção de seu próprio centro. "Tecer" seria uma maneira bastante inocente de descrever essa produção, talvez uma imagem adequada para como os livros de Rorty são escritos, mas não para como os egos humanos são moldados. "Luta" e "violência" se aproximam mais de uma descrição adequada.[43] Os psicólogos dizem que os seres humanos se produzem e se reconfiguram a si mesmos mediante um processo de identificação com os outros e de rejeição dos outros, reprimindo impulsos e desejos, introjetando e projetando imagens do ego e do outro, exteriorizando medos, fabricando inimigos e suportando animosidades, criando e rompendo lealdades, amando e odiando, procurando dominar e deixando-se dominar — e tudo isso não dividido, mas tudo misturado, com "virtudes" muitas vezes dependendo de "vícios" ocultos, e "vícios" procurando uma redenção compensadora em "virtudes" artificiais. Por meio desse intrincado processo o centro do ego vai continuamente se reproduzindo, às vezes se afirmando contra o outro (ego tipicamente masculino), outras vezes aderindo muito intimamente ao outro (ego tipicamente feminino), às vezes atraído pela sedução de palpitantes e agitados prazeres, outras vezes pressionado pela autoridade de uma lei rígida e implacável.

De qualquer modo, o "centramento" acontece, e qualquer que seja o resultado o ego deve ser descentrado, proclama Paulo. O termo que ele usa para descrever esse ato é *crucificado*, uma palavra que conta uma história cujos pontos altos são a Sexta-Feira Santa e a Páscoa. *Destruído* é a palavra que Reinhold Niebuhr usou em *The Nature and Destiny of Man*

---

[43] Vamik Volkan, *The Need to Have Enemies and Allies: From Clinical Practice to International Relationships* (Northvale: Jason Aronson, 1988).

[A natureza e o destino do homem] para traduzir o *crucificado* de Paulo.[44] Esse termo, porém, é demasiado abrangente, pois Paulo tem claro em vista uma vida continuada daquele mesmo ego depois de sua "crucificação". Talvez fosse melhor uma "descentralização" radical, pois em seguida pode acontecer uma nova centralização do mesmo ego.

"Cristo vive em mim", escreve Paulo depois de apresentar o relato de sua própria crucificação. Isso sugere que a descentralização foi apenas o anverso da nova centralização. O ego é tanto "descentralizado" quanto "recentralizado" por um único e idêntico processo, pela participação na morte e ressurreição de Cristo mediante a fé e o batismo. "Porque, se fomos unidos com ele na semelhança de sua morte, certamente, o seremos também na semelhança de sua ressurreição" (Rm 6.5). Sendo "crucificado com Cristo" o ego recebeu um novo centro — o Cristo que vive nele e com quem ele vive. Note-se que o novo centro do ego não é uma "essência" atemporal, profundamente oculta dentro de um ser humano, debaixo de camadas de cultura e história e intocada pelo "tempo e a mudança", uma essência que só espera ser descoberta, desenterrada e libertada. Tampouco esse centro é uma narrativa interior que o eco reverberante do "vocabulário final" e da "história-mestre" da comunidade inscreveu no livro do ego e cuja integridade deve ser protegida contra intrusões editoriais de "vocabulários" rivais e "histórias" concorrentes. O centro do ego — um centro que está tanto dentro quanto fora — é a história de Jesus Cristo, que se tornou a história do ego. Mais precisamente, o centro é Jesus Cristo crucificado e ressuscitado que se tornou parte integrante da própria estrutura do ego.

Que aconteceu com o ego no processo de recentralização? O ego foi simplesmente apagado? Seu próprio centro foi simplesmente substituído por um centro alheio — Jesus Cristo crucificado e ressuscitado? Não exatamente. Pois, se Cristo "vive *em* mim", como diz Paulo, então *eu* devo ter um centro que é distinto de "Cristo, o centro". E assim Paulo continua: "e esse viver que, agora, tenho na carne, vivo..." (Gl 2.20). Pelo processo de descentralização o ego não perdeu seu próprio centro, mas recebeu um novo centro que transformou e reforçou o centro anterior. A recentralização implica não uma auto-obliterante negação do ego que se dissolve em Cristo e assim talvez legitime outras semelhantes dissoluções no "pai", no "marido",

---

[44] Reinhold Niebuhr, *The Nature and Destiny of Man* (New York: Scribner's, 1964), vol. 2, p.108.

na "nação", na "igreja", e casos semelhantes. Pelo contrário, a recentralização estabelece o mais apropriado e invulnerável centro que permite que o ego se imponha a pessoas e instituições que podem ameaçar sufocá-lo.

É muito significativo, porém, que o novo centro seja um *centro descentralizado*. Mediante a fé e o batismo o ego foi recriado à imagem do "Filho de Deus, que me amou e a si mesmo se entregou por mim", escreve Paulo. E o centro do ego está no amor que se doa a si mesmo. Nenhuma "centralidade hegemônica" veda o ego, protegendo sua identidade própria e expulsando e afastando tudo o que ameaça sua pureza. Pelo contrário, o novo centro abre o ego, habilita-o e o predispõe a entregar-se pelos outros e a receber os outros em si mesmo. No capítulo anterior, argumentei que Paulo situa a unidade da igreja não na desencarnada transcendência de um espírito puro e universal, mas sim na escandalosa particularidade do corpo sofredor do Messias de Deus. De modo correspondente, Paulo situa o centro do ego não em alguma "essência" singular e imutável — porque está encerrada em si mesma —, mas num amor que se entrega possibilitado pelo Messias sofredor e modelado nele.

Para os cristãos, esse "centro descentralizado" do amor que se entrega — absolutamente centralizado e radicalmente aberto — é o porteiro que decide acerca do destino da alteridade no limiar do ego.[45] Desse centro, julgamentos sobre a exclusão devem ser emitidos e batalhas contra a exclusão devem ser travadas. E com esse tipo de ego, a oposição à exclusão nada mais é que o lado negativo da prática do abraço. Mas antes de passar para a análise do abraço (Capítulo 4), vou examinar mais de perto a exclusão.

---

[45] A metáfora da porta é útil na medida em que implica uma demarcação necessária, mas é também enganosa na medida em que sugere um nítido e estático limite. Ao analisar a categoria "cristão", o missiólogo Paul Hiebert sugere que lancemos mão das categorias matemáticas de "conjuntos limitados", "difusos" e "centrados". Conjuntos limitados funcionam baseados no princípio "ou/ou": uma maçã ou é uma ou não é uma maçã; não pode ser parcialmente maçã e parcialmente pera. Conjuntos difusos, em contrapartida, não apresentam limites acentuados; as coisas são fluidas não tendo nenhum ponto estável de referência e tendo vários graus de inclusão — como acontece quando uma montanha se funde com as planícies. Um conjunto centrado é definido por um centro e pelo relacionamento das coisas com esse centro, mediante um movimento na direção dele ou partindo dele. A categoria de "cristão", sugere Hiebert, deveria ser entendida como um conjunto centrado. Existe uma linha demarcatória, mas o foco não está em "manter o limite" e sim "na reafirmação do centro". Paul Hiebert, "The Category 'Christian' in the Mission Task", *Internacional Review of Mission* 72 (jul. de 1983): p. 424.

O que é a exclusão? Que forma ela assume? O que a impulsiona? Por que é tão difusa? Por que tão irresistível?

A anatomia e a dinâmica da exclusão

Na teologia cristã, há uma longa tradição de atribuir todos os pecados a uma única forma básica de pecado; alguns proeminentes candidatos são a "sensualidade",[46] o "orgulho"[47] e, mais recentemente, a "violência".[48] Cada uma dessas propostas pode ser criticada por não explicar todos os pecados concretos de todos os seres humanos. O "orgulho", por exemplo, não parece captar com precisão a experiência de muitíssimas mulheres[49] — e todo o esforço de atribuir os pecados à sua raiz comum enfrenta o problema de ser demasiado abstrato.[50] Tendo em mente os perigos da falsa universalidade e abstração, não vou defender aqui a busca do pecado mais fundamental. "Exclusão" é o nome que permeia muitos pecados que cometemos contra os que nos cercam, não o que está na base de todos os pecados.[51]

Uma vantagem de conceber o pecado como a prática da exclusão é que ela chama de pecado o que muitas vezes passa por virtude, especialmente em círculos religiosos. Na Palestina dos tempos de Jesus, os "pecadores" não eram simplesmente os "ímpios" que eram, portanto, do ponto de vista religioso, falidos,[52] mas também os socialmente excluídos, pessoas que

---

[46] Gregory of Nyssa, *On the Making of Man*, in *Nicene and Post-Nicene Fathers*, vol. 5, ed. Philip Schaff, trad. H. A. Wilson (Buffalo: Christian Literature Publishing House, 1893), §18.

[47] Niebuhr, *The Nature and Destiny of Man*, vol. 1, p. 178ss.

[48] Marjorie Hewitt Suchocki, *The Fall to Violence: Original Sin in Relational Theology* (New York: Continuum, 1995).

[49] Daphne Hampson, "Reinhold Niebuhr on Sin: A Critique", *Reinhold Niebuhr and the Issues of Our Time*, ed. R. Harries (Grand Rapids: Eerdmans, 1986); Judith Plaskow, *Sex, Sin and Grace: Women's Experience and the Theology of Reinhold Niebuhr and Paul Tillich* (Washington: University Press of America, 1980).

[50] Jürgen Moltmann, *The Spirit of Life: A Universal Affirmation*, trad. Margaret Kohl (Minneapolis: Fortress, 1992), p. 127.

[51] Para quem estiver interessado em explorar a conexão entre "exclusão" e "orgulho" — aquele frequente candidato a pecado mais básico — poder-se-ia salientar que a exclusão poderia ser considerada, nas palavras de Reinhold Niebuhr, "o lado avesso do orgulho e seu indispensável acompanhante num mundo em que a autoestima é constantemente desafiada pelas conquistas de outros". *The Nature and the Destination of Man*, vol. 2, p. 211.

[52] E. P. Sanders, *Jesus and Judaism* (Philadelphia: Fortress, 1985).

praticavam negócios desprezados, gentios e samaritanos, e aqueles que não praticavam a Lei conforme ela era interpretada por uma seita particular.[53] Uma pessoa "justa" tinha que se separar desses pecadores: a presença deles desonrava as pessoas "justas" porque eles eram considerados imundos. O fato de Jesus sentar-se à mesa com "publicanos e pecadores" (Mc 2.15), um hábito que indiscutivelmente era uma das características centrais de seu ministério, contrariava essa concepção de pecado. Uma vez que aquele que era inocente, sem pecado e totalmente dentro do campo de Deus transgredia os limites sociais que excluíam marginais, esses limites em si mesmos eram perversos, pecaminosos e contrariavam a vontade de Deus.[54] Abraçando os "excluídos", Jesus enfatizou o caráter "pecaminoso" de pessoas e sistemas que os excluíram.

Seria um erro, porém, concluir a partir da compaixão de Jesus para com aqueles que transgrediram barreiras sociais que sua missão foi meramente a de desmascarar os mecanismos que criaram "pecadores" mediante a falsa atribuição de pecaminosidade àqueles que eram considerados socialmente inaceitáveis.[55] Ele não foi nenhum profeta da "inclusão",[56] para quem a principal virtude era a aceitação e o vício capital a intolerância. Em vez disso, ele foi o dispensador de "graça", que não só escandalosamente incluía "qualquer um" na comunhão da "comensalidade aberta"[57] mas também fez a "intolerante" exigência do arrependimento e a "condescendente" oferta de perdão (Mc 1.15; 2.15-17). A missão de Jesus consistiu não apenas em *renomear* o comportamento que era falsamente rotulado de "pecaminoso", mas também em *recriar* as pessoas que de fato pecaram ou sofreram infortúnios. A dupla estratégia de renomear e recriar, enraizada no compromisso com o excluído

---

[53] James D. G. Dunn, "Pharisees, Sinners, and Jesus", *The Social World of Formative Christianity: In Tribute to Howard Clark Kee*, ed. Jacob Neusner et al. (Philadelphia: Fortress, 1988), p. 276-80.

[54] Jerome Neyrey, "Unclean, Common, Polluted, and Taboo: A Short Reading Guide", *Foundations and Facets Forum* 45, n. 4 (1988): p. 79.

[55] Pace Marcus J. Borg, *Meeting Jesus Again for the First Time: The Historical Jesus and the Heart of Contemporary Faith* (San Francisco: HarperSanFrancisco, 1996), p. 46-61.

[56] Luke Timothy Johnson, *The Real Jesus: The Misguided Quest for the Historical Jesus and the Truth of the Traditional Gospels* (San Francisco: HarperSanFrancisco, 1996), p. 43s.

[57] John Dominic Crossan, *The Historical Jesus: The Life of a Mediterranean Jewish Peasant* (San Francisco: HarperSanFrancisco, 1991), p. 261-64; e *Jesus: A Revolutionary Biography* (San Francisco: HarperSanFrancisco, 1994), p. 66-70.

e o pecador, a vítima *e* o perpetrador, é o pano de fundo apropriado contra o qual uma adequada noção de pecado como exclusão emerge.

Primeiro, a *renomeação*. Nenhum alimento, disse Jesus, era impuro (Mc 7.14-23); a divisão entre alimentos puros e impuros cria falsos limites que desnecessariamente separam as pessoas. O fluxo de sangue do corpo de uma mulher não é impuro (Mc 5.25-34, de modo implícito); as leis da pureza para as mulheres são limites falsos que as marginalizam.[58] Falando de modo mais abstrato, mediante o simples ato da renomeação, Jesus neutralizou a crua lógica binária que regula uma parte tão grande da vida social: a sociedade é dividida em X (o superior endogrupo) e não X (o inferior exogrupo), e depois tudo o que não é X (digamos, quem come alimentos diferentes ou tem corpos diferentes) é transformado em não X e desse modo encaixado no inferior exogrupo. A missão da renomeação daquilo que era falsamente rotulado "impuro" visava abolir o distorcido sistema de exclusão — aquilo que as pessoas "denominam puro", — em nome de uma ordem de coisas que Deus, o criador e mantenedor da vida, "purificou" (At 10.15).

Segundo, a *recriação*. Além de eliminar o rótulo *impuro* afixado nas coisas que eram puras, Jesus tornou puras coisas que eram verdadeiramente impuras. Pessoas possuídas por espíritos impuros — espíritos que excluíam pessoas da comunidade, que as tornavam profundamente discordantes de si mesmas e as levavam a procurar a companhia dos mortos — essas pessoas foram libertadas da opressão e reintegradas na comunidade (Mc 5.1-20). Pessoas presas nos laços da transgressão — pessoas que, como os publicanos, prejudicavam outros em benefício próprio, ou pessoas que, como as prostitutas, se rebaixavam para sobreviver, ou pessoas que, como muitos de nós, se propunham perder a própria alma a fim de ganhar um fragmento do mundo — pessoas desse tipo foram perdoadas e transformadas (Mc 2.15-17). A missão da recriação de pessoas impuras transformando-as em pessoas puras visava derrubar as barreiras criadas pela transgressão em nome de Deus, o redentor e restaurador da vida, cujo amor não conhece limites. Com a dupla estratégia de renomear e recriar, Jesus condenou o mundo da exclusão — um mundo no qual os inocentes são rotulados como maus e expulsos e um mundo no qual os culpados não são procurados e trazidos para o seio da comunhão.

---

[58] Judith Romney Wegner, *Chattel or Person? The Status of Women in the Mishnah* (New York: Oxford University Press, 1988), p. 162-67.

No centro de ambas as estratégias para combater a exclusão está a crença de que a fonte do mal não está fora da pessoa, em coisas impuras, mas dentro dela, no coração impuro (Mc 7.15). Contra o pano de fundo das duas estratégias, *a busca da falsa pureza* emerge como um aspecto central do pecado — a pureza imposta de uma pessoa ou comunidade que se isola do mundo contaminado numa hipócrita ausência de pecado e exclui, de seu coração e seu mundo, o outro que elimina barreiras. O pecado é neste caso uma espécie de pureza que quer o mundo purificado do outro em vez do coração purificado do mal que expulsa as pessoas chamando de "impuras" as que são puras e recusando-se a tornar puras as que são impuras. Falando de modo mais formal, o pecado é "a vontade de pureza" que se afastou da vida "espiritual" do ego rumo ao mundo cultural do outro, que se converteu da espiritualidade numa "política" concebida de modo abrangente, como se expressa Bernard-Henri Lévy.[59]

Considere-se a lógica letal da "política da pureza". O sangue deve ser puro: somente sangue alemão deve correr em veias germânicas, livre de toda contaminação não ariana. O território deve ser puro: solo sérvio deve pertencer exclusivamente a sérvios, purificado de todos os intrusos não sérvios. As origens devem ser puras: devemos regressar à prístina pureza do nosso passado linguístico, religioso ou cultural, sacudir o pó da alteridade acumulado durante a nossa marcha através da história.[60] O objetivo deve ser puro: devemos deixar que a luz da razão ilumine cada canto escuro ou então devemos criar um mundo totalmente virtuoso de modo a tornar todo o esforço moral desnecessário. A origem e o objetivo, o interior e o exterior, tudo deve ser puro: pluralidade e heterogeneidade devem dar lugar a homogeneidade e unidade. Um povo, uma cultura, um idioma, um livro, um objetivo: o que não se encaixar nesse pan-abrangente "um" é ambíguo, poluidor e perigoso.[61] Deve ser eliminado. Queremos um mundo puro e queremos empurrar os outros para fora do nosso mundo; nós mesmos queremos ser puros e ejetar a "alteridade" de dentro de nós mesmos. A vontade de pureza contém um programa completo para

---

[59] Bernard-Henri Lévy, *Gefährliche Reinheit*, trad. Maribel Königer (Wien: Passagen, 1995), p. 77.

[60] Donald L. Horowitz, *Ethnic Groups in Conflict* (Berkeley: University of California Press, 1985), p. 72.

[61] Julia Kristeva, *Powers of Horror: An Essay on Abjection*, trad. Leon S. Roudiez (New York: Columbia University Press, 1982), p. 76.

organizar nossos mundos sociais — desde o mundo interior de nosso ego até o mundo exterior de nossa família, vizinhança e nação.[62] É um programa perigoso por ser um programa totalitário, governado por uma lógica que reduz, ejeta e segrega.

Em casos extremos nós matamos e expulsamos. E para garantir que a vingança dos mortos não recaia sobre nós pelas mãos de seus descendentes, nós destruímos suas habitações e seus monumentos culturais. Como os bandidos na história do Bom Samaritano, nós lhes tiramos as roupas, os espancamos e os deixamos fora de nosso espaço próprio quase mortos (Lc 10.30). Isso é exclusão atuando como forma de *eliminação* com uma brutalidade tão descarada em lugares como Bósnia, Ruanda, Sudão e Myanmar. O lado mais benigno da exclusão por eliminação é a exclusão por *assimilação*. Você pode sobreviver, até prosperar, entre nós, se você se tornar como nós; pode preservar sua vida se renunciar à sua identidade. Usando a terminologia empregada por Claude Lévi-Strauss em *Tristes trópicos*, podemos dizer que a exclusão por assimilação se assenta num acordo: nós evitaremos vomitar você (estratégia antropoêmica) se você nos deixar engoli-lo (estratégia antropofágica).[63]

Alternativamente, damo-nos por satisfeitos por atribuir aos "outros" o *status* de seres inferiores. Podemos garantir que eles não podem morar em nossas vizinhanças, conseguir determinados empregos, receber salário ou honra igual; eles devem ficar no seu lugar apropriado, o que quer dizer o lugar que designamos para eles; como dizem os vizinhos de Lucas Beauchamp em *O intruso* de William Faulkner, eles devem ser "pretos" primeiro, e depois nós talvez possamos estar preparados para tratá-los como seres humanos.[64] Nós os subjugamos para poder explorá-los a fim de aumentar nossa riqueza ou simplesmente inflar nosso ego. Essa é a exclusão como *dominação*, disseminada por todo o globo terrestre de formas mais ou menos difusas, porém mais gritante no sistema de castas da Índia e nas políticas do antigo Apartheid da África do Sul.[65]

---

[62] Lévy, *Gefährliche Reinheit*.

[63] Claude Lévi-Strauss, *Tristes Tropiques* (Paris: Libraire Plon, 1955), p. 417ss.

[64] William Faulkner, *Intruder in the Dust* (New York: Random House, 1948), p. 18, 22.

[65] Até mesmo onde a exclusão explícita e pública é proibida por normas formais, a exclusão implícita e privada ainda continua, muitas vezes na forma de uma aversão inconsciente, mas mesmo assim eficaz. Iris Marion Young, *Justice and the Politics of Difference* (Princeton: Princeton University Press, 1990), p. 130ss.

Uma terceira forma de exclusão está se tornando cada vez mais predominante, não apenas no modo como os ricos do Ocidente e do Norte se relacionam com os pobres do resto do mundo,[66] mas também no modo como zonas urbanas ricas se relacionam com os centros urbanos pobres, ou como os sofisticados "criadores de altos valores" se relacionam com a ralé abaixo deles. Essa é a exclusão como *abandono*. A exemplo do sacerdote e do levita na parábola do Bom Samaritano, nós simplesmente vamos para o outro lado da estrada e seguimos em frente, cuidando de nossos afazeres (Lc 10.31-32). Se os outros não têm as mercadorias que queremos nem sabem executar os serviços de que necessitamos, nós nos certificamos de que fiquem a uma distância segura e nos fechamos a eles para que seus corpos macilentos e torturados não possam nos fazer nenhum pedido inconveniente.

Em sua maioria as práticas excludentes não surtiriam nenhum efeito nem funcionariam de modo muito menos suave se não fossem apoiadas por uma linguagem e cognição excludentes. Antes de excluir outros do nosso mundo social, nós os afastamos, por assim dizer, do nosso mundo simbólico. Comentando em *A conquista da América* o genocídio dos espanhóis contra os americanos nativos, Tzvetan Todorov escreve:

> O desejo de riqueza e o impulso de dominar — certamente essas duas formas de aspiração ao poder motivam a conduta dos espanhóis; mas essa conduta também é condicionada pela noção deles sobre os índios como seres inferiores, meio humanos e meio bichos. Sem essa premissa essencial, a destruição não poderia ter acontecido.[67]

Com um pouco mais de nuances do que nos litorais do Novo Mundo do século 16, o padrão de degradação vem se repetindo hoje ao redor de todo o globo terrestre.

Com uma enxurrada de "disfemismos"[68] os outros são desumanizados para que possam ser discriminados, dominados, demovidos ou destruídos. Se eles são estrangeiros, são "sujos", "preguiçosos" e "moralmente não

---

[66] Elsa Tamez, *The Amnesty of Grace: Justification by Faith from a Latin American Perspective*, trad. Sharon H. Ringe (Nashville: Abingdon, 1993), p. 37ss.
[67] Tzvetan Todorov, *The Conquest of America: The Question of the Other*, trad. Richard Howard (New York: HarperCollins, 1984), p. 146.
[68] Dwight Bollinger, *Language—The Loaded Weapon* (White Plains: Longman, 1980).

confiáveis"; se são mulheres, são "prostitutas", e "vagabundas"; se são minorias, são "parasitas", "vermes" e "bacilos nefastos".[69] Em certo sentido, o perigo dos disfemismos é subestimado quando se declara, como faz Zygmunt Bauman, que esses rótulos tiram o outro "da classe de objetos com potencial responsabilidade moral".[70] De modo mais insidioso, eles inserem o outro no universo de obrigações morais de tal maneira que a exclusão não só se justifica como também se torna obrigatória porque o não excluir parece moralmente culpável. A retórica da não humanidade do outro *obriga* o ego a praticar a desumanidade. Os tutsis são *agents corrupteurs* e, portanto, *devem* ser destruídos; as mulheres são "irracionais" e, portanto, *devem* ser controladas.

Se de fato a linguagem e a cognição excludentes — podemos denominar isso "exclusão simbólica" — servem moralmente para aprovar a prática da exclusão, deveríamos ser advertidos que não devemos achar a origem delas na "ignorância", nem ver nisso "uma falta de conhecimento" ou "uma pobreza de imaginação".[71] O mal visto como ignorância pressupõe uma excessiva falta de inocência e gera demasiadas esperanças vãs. Essa visão implica que a corrupção dos malfeitores é, no fundo, uma postura noética que só precisa de um esclarecimento apropriado para ser ultrapassada. Tanto a tradição quanto a experiência cristã nos ensinam que isso é raramente o que acontece. A exclusão simbólica é muitas vezes uma distorção do outro, não simplesmente ignorância a respeito dele; é uma consciente interpretação errônea, não uma simples falta de conhecimento. Nós demonizamos e bestializamos não porque não temos noção das coisas, mas porque *nos recusamos* a saber o que é evidente e *escolhemos* saber o que serve aos nossos interesses. O fato de que, apesar de tudo, acreditamos que nossas distorções são simples verdades não constitui nenhum contra-argumento; isso apenas enfatiza que o mal é capaz de gerar um contexto ideacional para nele poder prosperar sem ser reconhecido.

A "prática da exclusão" e a "linguagem da exclusão" andam de mãos dadas com todo um aparato de reações *emocionais* ao outro, variando do ódio até a indiferença; essas formas de exclusão provocam reações emocionais

---

[69] Herbert Hirsch, *Genocide and the Politics of Memory: Studying Death to Preserve Life* (Chapel Hill: The University of North Carolina Press, 1995), p. 97-108.

[70] Zygmunt Bauman, *Postmodern Ethics* (Oxford: Blackwell, 1993), p. 167.

[71] Andrew Delbanco, *The Death of Satan: How Americans Have Lost the Sense of Evil* (New York: Farrar, Straus and Giroux, 1995), p. 232.

que são sustentadas por elas. Antes que Itzaak Rabin fosse assassinado em 1995, manifestantes israelenses da direita carregavam grandes cartazes nos quais ele era retratado como Yasser Arafat, com um *kefijeh*, uma espécie de lenço, na cabeça e sangue pingando das mãos. A imagem foi gerada pelo ódio e visava gerar ódio, aquela repulsa pelo outro que se alimenta do sentimento de dano ou injustiça sofridos e é alimentada pela humilhação de não se ter sido capaz de impedir isso.[72] Alguns dos mais brutais atos de exclusão dependem do ódio, e se a história comum de pessoas e comunidades não contiver razões suficientes para odiar, os mestres da exclusão vão reescrever histórias e fabricar injúrias a fim de fabricar ódios.

Por estranho que pareça, o dano causado pela *indiferença* pode ser até "maior do que aquele provocado pelo ódio sentido, vivido, praticado".[73] Em *Modernidade e o Holocausto*, Zygmunt Bauman observa que a destruição em massa dos judeus "foi acompanhada não pelo tumulto de emoções, mas pelo profundo silêncio dos despreocupados".[74] Especialmente num cenário em grande escala, no qual o outro fica à distância, a indiferença pode ser mais mortal que o ódio. Enquanto o fogo do ódio se acende na proximidade do outro e depois se apaga, a fria indiferença pode ir se sustentando com o tempo, sobretudo em sociedades modernas. Um "sistema" — político, econômico ou cultural — se insinua entre mim e o outro. Se o outro é excluído, é o sistema que está fazendo a exclusão, um sistema do qual faço parte porque preciso sobreviver e contra o qual não me revolto porque ele não pode ser mudado. Desvio os olhos (ou foco a câmera em algum exótico exemplar de sofrimento, o que equivale a desviar os olhos porque isso ao mesmo tempo satisfaz meu desejo perverso de ver o sofrimento e tranquiliza minha consciência por ter desviado meu coração do sofredor). Vou cuidar da minha vida. Entorpecido pela aparente fatalidade da exclusão que acontece fora da minha vontade, embora com a minha colaboração, passo a ver o horror e a minha implicação nele como algo normal. Raciocino: a estrada de Jerusalém para Jericó sempre está cheia de gente espancada e abandonada semimorta; posso passar — eu *devo* passar

---

[72] Arne Johan Vetlesen, *Perception, Empathy, and Judgement: An Inquiry into the Preconditions of Moral Performance* (University Park: The Pennsylvania State University Press, 1994), p. 252ss.
[73] Ibid.
[74] Zygmunt Bauman, *Modernity and the Holocaust* (Ithaca, NY: Cornell University Press, 1989), p. 74.

— deixando cada um para trás sem grandes preocupações. A indiferença que criou a profecia também cuida de seu cumprimento.

Por que odiamos outros ou desviamos deles o olhar? Por que os assaltamos com a retórica da não humanidade? Por que procuramos eliminá-los, dominá-los ou simplesmente abandoná-los à própria sorte? Às vezes a desumanização e os consequentes maus-tratos contra outros são uma projeção de nosso próprio ódio individual ou coletivo contra nós mesmos; perseguimos outros porque nos sentimos desconfortáveis com o estranhamento dentro de nós mesmos.[75] Outros se tornam bodes expiatórios, inventados por nossos próprios fantasmas como repositórios de nossos pecados e fraquezas para podermos desfrutar da ilusão de nossa pureza e força.[76]

Excluímos também porque nos sentimos desconfortáveis com qualquer coisa que embaça limites estabelecidos, perturba nossa identidade e desmantela nossos mapas culturais simbólicos.[77] Os outros nos afetam como objetos que estão "fora de lugar", como "sujeira" que precisa ser removida para restaurar o sentimento de adequação no nosso mundo. Nas palavras de Bauman, os outros tornam-se então

> o ponto de encontro dos riscos e temores que acompanham o espaçamento cognitivo. Eles resumem o caos que todo espaçamento social almeja firmemente, embora em vão, substituir pela ordem, e a insegurança das regras nas quais as esperanças da substituição foram investidas.[78]

Nós assimilamos e ejetamos estranhos para evitar a perceptível ameaça da invasão de águas caóticas.

Esses dois relatos de exclusão são importantes porque ajudam a explicar por que negros podiam ser linchados só porque eram negros, e por que judeus podiam ser perseguidos só porque eram judeus. No entanto, nenhum dos dois relatos será suficiente. Excluímos não simplesmente porque gostamos da maneira como as *coisas são* (estáveis identidades externas) ou

---

[75] Julia Kristeva, *Fremde sind wir uns selbst*, trad. Xenia Rajewsky (Frankfurt: Suhrkamp, 1990).
[76] Volkan, *The Need to Have Enemies and Allies*.
[77] Mary Douglas, *Purity and Danger: An Analysis of the Concept of Pollution and Taboo* (London: Routledge, 1996).
[78] Bauman, *Postmodern Ethics*, p. 162.

porque detestamos a maneira como *nós somos* (fantasmas de nossa própria identidade), mas porque desejamos o que *os outros têm*. Mais comumente, excluímos porque num mundo de recursos escassos e poder contestado nós queremos assegurar posses e arrancar o poder de outros. Em *A Different Mirror* [Um espelho diferente], Ronald Takaki ressalta que a demonização e a deportação das populações indígenas na América do Norte "ocorreu num contexto econômico de competição pela terra".[79]

O destino da população indígena nas mãos dos colonizadores não é único; é o exemplo extremo de um padrão estável. Séculos atrás, o profeta Isaías anunciou uma sentença contra aqueles que saqueiam e expulsam os outros para que só eles possam ser os donos da terra (Is 5.8).

> Ai dos que ajuntam casa a casa,
>   reúnem campo a campo,
> até que não haja mais lugar,
>   e ficam como únicos moradores no meio da terra!

Nós excluímos porque queremos estar no centro e estar lá sozinhos, controlando "a terra" sozinhos. Para conquistar essa "centralidade hegemônica", acrescentamos conquistas a conquistas e posses a posses. Colonizamos o espaço de vida de outros e os expulsamos. Invadimos a fim de excluir e excluímos a fim de controlar — se possível, fazendo tudo sozinhos.

A necessidade de controlar e o desconforto com a "sujeira" interna e externa vão longe na explicação da prática da exclusão. No entanto, mesmo depois que explicações são apresentadas, a pergunta "por quê" continua teimosamente vindo à tona. Por que queremos controlar tudo sozinhos em vez de compartilhar nossas posses e poder, e criar espaço para outros numa família comum? Por que os outros nos impressionam como "sujeira" e não como "ornamento"? Por que não podemos aceitar nossos fantasmas de modo a ser capazes de abraçar os outros em vez de projetar neles nossa própria indesejada maldade? Em última análise, nenhuma resposta a essas perguntas está disponível, exatamente como nenhuma resposta está disponível para a pergunta acerca da origem do mal. Desde o início, a resposta

---

[79] Ronald Takaki, *A Different Mirror: A History of Multicultural America* (Boston: Little, Brown, 1993), p. 39.

se perdeu no complexo labirinto do "desejo do coração que endurece a vontade contra todas as considerações rivais".[80]

Inocência forjada

Uma descida para dentro do conflituoso submundo do mal revela uma estranha mas persistente anomalia. Se escutamos o que seus habitantes nos dizem acerca de seus inimigos, ficamos impressionados com a feiura e a magnitude da perversidade. Se, porém, deixamos que esses inimigos falem de si mesmos, a feiura se transforma em beleza e a perversidade em inocência; a magnitude continua a mesma. As conflitantes perspectivas dão azo a uma gritante incongruência: num mundo tão evidentemente encharcado na maldade, todos são inocentes ante os próprios olhos. Aqueles que aceitam a culpa se apressam a pôr uma culpa igual ou maior sobre os ombros dos outros. E uma vez que, na distorcida aritmética do pecado, a culpa de um lado e a culpa de outro lado não se somam, mas se anulam mutuamente, a aceitação da culpa se transforma numa clandestina proclamação de inocência. No entanto, todos sabem e todos concordam que alguém deve ser culpado; os olhos de alguns devem estar enganando-os redondamente. Mas os olhos de quem? Os olhos dos perpetradores? Das vítimas? De ambos, quero argumentar, e além disso declarar uma "terceira parte" cúmplice na geração da inocência forjada, aquela bondade quimérica do ego que é em grande medida o anverso da maldade que o ego projeta nos outros.

"Está bem estabelecido que os perpetradores raramente assumem a responsabilidade por seus atos; eles negam suas ofensas", escreve Sharon Lamb em *The Trouble with Blame* [O problema da culpa].[81] Quando se confrontam com o erro cometido, os perpetradores ou respondem com uma negação direta ("Eu não fiz isso!"), ou apresentam justificativas, insistindo, por exemplo, na impossibilidade de ter agido de outra maneira ("Eu não pude evitar isso!"), ou dão uma explicação que os isenta de culpa ("Ela pediu isso!"). Às vezes as desculpas chegam a transformar os perpetradores em vítimas: é *o perpetrador* que se defende e protege

---

[80] Plantinga, *Not the Way It's Supposed to Be*, p. 62.
[81] Sharon Lamb, *The Trouble with Blame: Victims, Perpetrators, and Responsibility* (Cambridge: Harvard University Press, 1996), p. 57.

seus interesses vitais contra o astuto, cruel e maldoso agressor ("Ele é um lobo em pele de ovelha"; "Eu sou uma ovelha em pele de lobo").[82] Confirmando repetidas vezes a antiga sabedoria teológica de que no âmago do pecado está "a persistente recusa a *tolerar* um sentimento de pecado",[83] os perpetradores incansavelmente criam sua própria inocência, e fazem isso mediante a dupla estratégia de negar os malfeitos e reinterpretar a importância moral de suas ações. Essa dupla estratégia é um campo fértil de ideologias pelas quais sistemas e nações procuram mascarar a violência e opressão que perpetram. E essa mesma dupla negação é o material com o qual se inventa a peculiar mistura de fraude e autoengano, por meio da qual os indivíduos procuram evitar responsabilizar-se pelos malfeitos.

Ninguém negará que os perpetradores são culpados; são culpados por definição. Mas o que dizer das vítimas? Não são *elas* inocentes? Sem dúvida alguma, muitas pessoas foram desrespeitadas sem ter cometido nenhum erro. No entanto, mesmo se elas não são culpadas do desrespeito sofrido, devemos chamá-las inocentes? Vamos supor que elas *eram* inocentes antes de serem desrespeitadas. Elas continuarão inocentes depois do ato? Permanecerão inocentes enquanto são arrastadas para dentro do conflito e enquanto o conflito ganha amplitude? Algumas almas heroicas talvez sim, mas e o resto, permanecerá inocente? Além disso, em vez de aderir aos conflitos no início deles, as pessoas muitas vezes se veem sugadas por uma longa história de malfeitos na qual as vítimas de ontem são os perpetradores de hoje e os perpetradores de hoje as vítimas de amanhã. Há inocência numa história como essa? Com os chifres de pequenos e grandes grupos sociais travados, não acabarão os "inocentes" indo ao chão e sendo tidos como "culpados" precisamente porque procuram ser "inocentes"? Quanto mais cruel se torna a batalha tanto mais ela é regida por esta regra: "Quem não está lutando com você está combatendo contra você". Podem as vítimas manter a inocência num mundo de violência?

Em *The Fall To Violence* [A queda na violência], Marjorie Suchocki argumenta que existe "um entrelaçamento da vítima com o violador por

---

[82] Vetlesen, *Perception, Empathy, and Judgement*, p. 256.
[83] Plantinga, *Not the Way It's Supposed to Be*, p. 99.

meio da própria natureza da violação".⁸⁴ A violência apanha numa armadilha a psique da vítima, impulsiona sua ação na forma de reação defensiva, e... rouba-lhe a inocência. Ela escreve: "A nítida divisão do mundo em vítimas e violadores ignora as profundezas da participação de cada pessoa no pecado cultural. Simplesmente não há inocentes".⁸⁵ Pela negação da realidade da inocência absoluta, Suchocki claramente não está sugerindo que deveríamos culpar as vítimas por serem vitimadas. Em vez disso, ela está chamando a atenção para um dos mais insidiosos aspectos da prática do mal. Além de causar dano, a prática do mal continua recriando um mundo sem inocência. O mal gera um novo mal uma vez que os malfeitores moldam as vítimas à sua própria péssima imagem.

Nós nos sentimos desconfortáveis sobre negar a inocência de vítimas. No mínimo porque isso ofende a nossa noção de propriedade: o fardo da culpa não deveria ser acrescentado à pesada carga de sofrimento. Os retratos nietzschianos do lado sórdido dos "fracos" e "desfavorecidos" nos impressionam como algo cruel e insultante. Veja o que ele escreveu sobre "fracassos" e "vítimas" em *Genealogia da moral*:

> No solo encharcado do autodesprezo todas as plantas venenosas vão crescer, mas tudo tão vil, tão furtivo, tão desonesto, tão enjoativamente doce! Aqui os vermes da índole vingativa e *arrière-pensée* pululam, o ar tem o fedor da disposição de ocultar e da emoção reprimida; aqui uma perene rede de maliciosa conspiração é urdida [...]. E que dissimulação, para não deixar transparecer que isso é ódio! Que exibição de generosas atitudes e grandiosas palavras!⁸⁶

Fruto óbvio do autodesprezo, o desdém de Nietzsche pelos "fracos" é profundamente não cristão, tão não cristão quanto qualquer coisa que o grande "anticristo" jamais escreveu. Todavia, não há uma estranha honestidade em suas insultantes caricaturas dos "fracos" — a maioria de nós quando vitimados ou sistematicamente privados de nossos direitos? Nada sugere a inocência das vítimas exceto o nosso profundo desejo de que a pessoa injustiçada não esteja no erro, e a tênue sensação de inocência das

---

⁸⁴ Suchocki, *The Fall to Violence*, p. 147.
⁸⁵ Ibid., p. 149.
⁸⁶ Friedrich Nietzsche, *The Birth of the Tragedy and the Genealogy of Morals*, trad. Francis Golffing (Garden City: Doubleday, 1956), p. 259.

próprias vítimas sustentada pela errônea suposição de que o pecado pelo qual elas sofrem é um vício peculiar de seus opressores.[87]

À distância, o mundo pode parecer nitidamente dividido em perpetradores culpados e vítimas inocentes. Quanto mais nos aproximamos, porém, tanto mais a linha entre os culpados e os inocentes fica borrada, e então podemos ver uma obstinada confusão de pequenos e grandes ódios, desonestidades, manipulações e brutalidades, cada coisa reforçando a outra. Quanto mais atenção prestamos, tanto mais nos impressiona a precisão com que o apóstolo Paulo retrata a humanidade — "todos" somos culpados, "ninguém" está isento (Rm 3.9,20). Ecoando as palavras do salmista, Paulo esvazia as pretensões de inocência e revela pessoas cuja garganta é um "sepulcro aberto" e cuja língua "urde engano", em cujos lábios há "veneno de víbora" e cuja boca é "cheia de maldição e de amargura", cujos pés são "velozes para derramar sangue" e em cujo caminho "há destruição e miséria" (Rm 3.9ss.). Entrelaçados pelos malfeitos cometidos e sofridos, a vítima e o violador estão juntos na trágica autoperpetuante solidariedade do pecado. "Pois todos pecaram e carecem da glória de Deus", conclui o apóstolo Paulo depois de apresentar o inventário dos pecados (Rm 3.23). O "Rito da Reconciliação" (1996) do Conselho das Igrejas da África do Sul, tomado de coragem, fez sua a doutrina da solidariedade no pecado. Depois de citar 1João 1.8, "Se dissermos que não temos pecado nenhum, a nós mesmos nos enganamos, e a verdade não está em nós", o Rito prossegue nomeando e confessando pecados concretos tanto de perpetradores brancos como de vítimas negras.[88]

A "solidariedade no pecado" é perturbadora porque parece apagar distinções e unir precisamente onde as diferenças e disjunções têm máxima importância — onde a dignidade é negada, a justiça é pisoteada e o sangue é derramado. A solidariedade no pecado parece implicar *igualdade de*

---

[87] Niebuhr, *The Nature and Destiny of Man*, vol. 1, p. 226. Às duas explanações acima da tendência de considerar as vítimas como inocentes, pode-se acrescentar a tentação de cometer o que Merold Westphal (*Suspicion and Faith: The Religion Uses of Modern Atheism* [Grand Rapids: Eerdmans, 1993], p. 230) chama de "Falácia de Fonda", isto é, alimentar a expectativa de que "se um lado foi maldoso, o outro lado deve ser bom" (assim denominada em homenagem à famosa viagem de Jane Fonda para Hanói, empreendida com a persuasão de que os erros evidentes dos governos norte-americano e sul-vietnamita são uma razão suficientemente boa para canonizar Ho Chi Minh).

[88] Brigalia Hlophe Bam, ed., *Rite of Reconciliation* (Johannesburg: South African Council of Churches, 1996), p. 2s.

pecado, e a igualdade dos pecados permite que os perpetradores se livrem de sua responsabilidade. O mundo de pecados iguais é um mundo planejado pelos perpetradores. A lógica é simples: se todos os pecados são iguais, então a ação do perpetrador não é pior do que a reação da vítima; todos são perpetradores e todos são vítimas, todos são igualmente maus — e os perpetradores podem deixar a cena do crime livres para repetir o feito com impunidade. Mas será que a solidariedade no pecado implica a *igualdade de pecados*?

Reinhold Niebuhr, que no século 20 contribuiu mais que ninguém para uma reafirmação da doutrina do pecado, achou que sim; todas as distinções entre pecadores "deveriam desaparecer no supremo nível religioso do julgamento", argumentou ele em *The Nature and Destiny of Man*.[89] Ele procurou, todavia, contrabalançar a igualdade dos pecados com a desigualdade da culpa.[90] Se alguém afirma a igualdade dos pecados, então essa ação de equilíbrio é indispensável. Mas, em primeiro lugar, por que afirmar a igualdade dos pecados? Da afirmação "Todos são pecadores" *não se pode deduzir* que "Todos os pecados são iguais";[91] da afirmação "Nenhum dos dois lados é inocente" não se pode concluir que "Os pecados de ambos os lados são iguais". A destruição pelos agressores de uma aldeia e o saqueio de um caminhão pelos refugiados (e com isso ferindo seus colegas refugiados) são igualmente pecados, mas *não* são pecados iguais; a violação do estuprador e o ódio da mulher estuprada são igualmente pecados, mas evidentemente *não* são pecados iguais. A igualdade dos pecados dissolve todos os pecados concretos num oceano de pecaminosidade indiferenciada. Isso é precisamente o que os profetas e Jesus não fizeram. Os julgamentos deles não eram gerais, eram específicos. Eles não condenavam todo mundo ou qualquer indivíduo, exceto os poderosos e os cruéis que oprimem os fracos e esmagam os necessitados. O pecado de expulsar alguém de sua propriedade, de seu trabalho, de seu meio de vida, ou o pecado de empurrar alguém para as margens da sociedade ou além delas, pesa muito na balança deles. Como poderia haver uma solidariedade geral

---

[89] Niebuhr, *The Nature and Destiny of Man*, vol. 1, p. 220.
[90] Ibid., p. 221ss.
[91] William John Wolf, "Reinhold Niebuhr's Doctrine of Man", *Reinhold Niebuhr: His Religious, Social, and Political Thought*, ed. C. W. Kegley e R. W. Bretall (New York: Macmilan, 1956), p. 240.

nesse pecado? Os perpetradores são os pecadores e as vítimas são os alvos dos pecados, não obstante a sua não inocência.

Nem os perpetradores nem as vítimas são inocentes, argumentei eu; à sua maneira, cada um é um transgressor. Não poderia a "terceira parte" — seja como observadores ou como ativistas — ser a melhor candidata à inocência? Talvez. Mas será que os da terceira parte *são* inocentes? Eles acaso se situam em algum território neutro, suspenso acima do mundo agônico da não inocência, supervisionando a luta e depois se envolvendo como se fosse de modo apropriado? Não estão eles, mais apropriadamente, imersos no mesmo mundo mais amplo habitado pelas partes em conflito? Eles mesmos são perpetradores e vítimas, muitas vezes as duas coisas ao mesmo tempo, e projetam as próprias lutas, interesses e expectativas no conflito que observam ou tentam resolver.

A tendência das partes em conflito de se verem como inocentes e verem os outros como culpados corresponde à tendência da terceira parte de ver uma parte como boa e a outra como má. Como se expressa Sharon Lamb, aqueles que estão à margem do conflito querem "ver as vítimas como absolutamente puras e os perpetradores como absolutamente maus".[92] Ou então invertem os papéis: a vítima em última análise é responsável e o perpetrador é de fato uma vítima. A tendência a contrapor os moralmente puros aos moralmente corruptos é compreensível. Precisamos de narrativas moralmente claras para garantir o engajamento moralmente responsável. No entanto, o próprio ato de mapear o mundo da não inocência dentro das categorias exclusivas de "puro" *versus* "corrupto" implica corrupção; "puro" e "corrupto" são constructos que muitas vezes interpretam mal o outro. A razão disso não é simplesmente a falta de informação adequada sobre as partes em conflito. A razão mais profunda é que cada construção de inocência e culpa tem parte na corrupção de quem empreende a construção, porque toda tentativa de evitar a não inocência já está atolada na não inocência. Como não existe nenhum ponto de vista absoluto do qual seres humanos relativos possam emitir julgamentos absolutos, assim também não existe nenhum espaço "puro" do qual seres humanos corruptos possam emitir julgamentos puros sobre pureza e corrupção.

Esporadicamente, os protagonistas se recusam a deixar-se inserir no mundo moral construído em torno da rígida polaridade de "corrupção"

---

[92] Lamb, *The Trouble with Blame*, p. 88s.

e "pureza". A "terceira parte" tende então a retirar-se com repulsa; tranca os dois protagonistas no mundo obscuro da não inocência e os abandona às consequências de seu próprio irredimível mal. Esse abandono também é uma expressão de não inocência. Em primeiro lugar, ele tende a apoiar-se numa interpretação errônea dos outros que não foram suficientemente "flexíveis" para adaptar polaridades morais preconcebidas. Mais importante, o abandono flui do desdém por aqueles que nós nos sentimos justificados a excluir de nossa preocupação por causa de seu comportamento imoral. Esse "piedoso" desdém pelos malfeitores em nome da "bondade" é sob todos os aspectos tão não cristão quanto o "ímpio" desdém de Nietzsche pelos fracos em nome da "força". A suspensão da preocupação para com *qualquer* ser humano é culpável. O mapeamento moral do mundo em categorias excludentes de "puro" e "corrupto" bem como o desdém por aquilo que julgamos corrupto derivam da não inocência.

Não há como escapar da não inocência, seja para perpetradores, seja para vítimas, seja para uma "terceira parte". A prístina pureza é irrecuperável; não pode ser reconquistada nem retrocedendo às origens, nem mergulhando nas profundezas, nem saltando para dentro do futuro. O coração de cada pessoa está manchado pelo pecado; cada ideal ou projeto está infectado pela corrupção; cada atribuição de culpa e inocência está sobrecarregada de não inocência. Isso, penso eu, é o que a doutrina do pecado original nos diz. Na esteira da crença no progresso da modernidade, aquela doutrina foi progressivamente desmantelada. Como corretamente argumentou Bernard-Henri Lévy,[93] as teimosas sombras da modernidade, em parte produzidas pelo cego otimismo dessa mesma modernidade, pedem uma criteriosa recuperação da doutrina do pecado original.

Para onde nos leva a perspectiva da "não inocência"? Ficaremos paralisados contemplando um mundo onde "o belo é feio e o feio é belo"? Passivamente arrastados de um mundo onde nenhum aperfeiçoamento é possível, posto que cada ação é um tiro no escuro? Que lucro traz o reconhecimento da solidariedade no pecado? Além de nos libertar "das desilusões acerca da perfectibilidade de nós mesmos e de nossas instituições",[94] ela fura igualmente as bolhas da presunção do perpetrador e da vítima e protege a todos da perpetuação do mal em nome de uma

---

[93] Lévy, *Gefährliche Reinheit*, p. 91s., 199ss.
[94] Walter Wink, *Engaging the Powers* (Minneapolis: Fortress, 1992), p. 71.

presumida bondade. A solidariedade no pecado destaca que nenhuma salvação se pode esperar de uma abordagem que se apoia fundamentalmente na atribuição moral de culpa e inocência.[95] A questão não pode ser situar a "inocência" ou no mapa intelectual ou no mapa social e avançar para alcançá-la. Em vez disso, a questão é como viver com integridade e trazer regeneração para um mundo de inevitável não inocência que muitas vezes desfila como seu oposto. Aqui está a resposta: em nome da única vítima verdadeiramente inocente e daquilo que ela representou, o Messias crucificado de Deus, nós devemos desmascarar como inevitavelmente pecaminoso o mundo construído em torno de polaridades morais exclusivas — aqui, do nosso lado, "os justos", "os puros", "os inocentes", "os verdadeiros", "os bons", e lá, do outro lado, "os injustos", "os corruptos", "os culpados", "os mentirosos", "os maus" — e depois procurar transformar o mundo num espaço em que justiça e injustiça, bondade e maldade, inocência e culpa, pureza e corrupção, verdade e decepção se cruzem e se intersectem, guiados pelo reconhecimento de que *uma economia da graça imerecida tem primazia sobre a economia dos méritos morais*.[96] Nas condições da difusa não inocência, o trabalho de reconciliação deve proceder pressupondo que, embora o comportamento de uma pessoa possa ser julgado como deplorável, quiçá demoníaco, *ninguém deve jamais ser excluído da vontade de abraço* porque, no nível mais profundo, o relacionamento com os outros não se apoia no desempenho moral deles e, portanto, não pode ser anulado pela falta dele.

Elaine Pagels concluiu *As origens de Satanás* declarando que "na tradição cristã" existe a luta entre "a profundamente humana visão de que a 'alteridade' é ruim e as palavras de Jesus de que a reconciliação é divina".[97] Não quero discutir essa afirmação, pelo menos não no que diz respeito à tradição cristã como um todo. Quero, porém, sugerir que em vez de situar uma falha sísmica entre a declaração de que alguém é "um filho do inferno" (Mt 23.15) e a ordem "amai os vossos inimigos" (Mt 5.44) como

---

[95] Em sua *Systematic Theology* (trad. Geoffrey W. Bromiley [Grand Rapids: Eerdmans, 1991], vol. 2, p. 238), Wolfhart Pannenberg corretamente destaca a função antimoralista da doutrina da universalidade do pecado.

[96] Em *God the Spirit* (trad. John F. Hoffmeyer [Minneapolis: Fortress, 1994], p. 48), Michael Welker corretamente criticou o moralismo social "que confunde a realidade de Deus com a construção de um mercado moral".

[97] Elaine Pagels, *The Origin of Satan* (New York: Random House, 1995), p. 184.

faz Pagels,[98] é mais útil perguntar por que a declaração e a ordem emergem juntas num mesmo evangelho e por que afirmações similares coexistem do começo ao fim do Novo Testamento. A resposta, espero eu, seria que no âmago da fé cristã está a persuasão de que os "outros" não precisam ser percebidos como inocentes para ser amados, mas devem ser abraçados *mesmo quando são identificados como malfeitores*. Lendo isso, lembro que a história da cruz é sobre Deus que deseja abraçar precisamente os "filhos e filhas do inferno". "Pois todos pecaram", argumenta o apóstolo Paulo, "sendo justificados gratuitamente, por sua graça [de Deus], mediante a redenção que há em Cristo Jesus" (Rm 3.23-24). Reflexões sobre questões sociais enraizadas na cruz de Cristo terão de explorar o que essa interdependência da "universalidade do pecado" e a "primazia da graça" pode significar quando são transferidas da esfera da "salvação" para a esfera onde nós — muitos de nós "filhos do inferno" — lutamos e travamos guerras uns contra os outros (ver Capítulos 4—7).

O poder da exclusão

Em *Ubijanje Sarajeva* [A chacina de Sarajevo], um soldado do exército sérvio diz ao seu melhor amigo que mora em Sarajevo, a cidade que, exatamente enquanto eles conversavam, estava sendo triturada por bombas sérvias: "Não há nenhuma escolha. Não há ninguém inocente".[99] As duas alegações parecem inseparáveis: visto que "não há nenhuma escolha" — visto que, como o mesmo amigo dirá depois, "ou somos nós ou são eles" — não pode existir "nenhum inocente". Embora isso tenha um toque de verdade, a lógica é falha. Na vastidão da não inocência cujas fronteiras recuam com o horizonte, *há* escolhas a fazer, escolhas importantes acerca de justiça e opressão, verdade e engano, violência e não violência, acerca da vontade de abraço ou de exclusão, escolhas cruciais sobre a vida e a morte. O mundo da "nenhuma escolha" no qual o comportamento das pessoas é *determinado* por contextos sociais e vitimações passadas *não* é o mundo em que nós habitamos; é um mundo em que os *perpetradores gostariam* que habitássemos porque isso garante uma absolvição prévia para qualquer malfeito que eles desejam cometer. A suspeita é despertada

---

[98] Ibid., p. xvii, 182s.
[99] Željko Vulković, *Ubijanje Sarajeva* (Beograd: Kron, 1993), p. 41.

quando, por trás de um fumegante morteiro, ouvimos as palavras: "Não há nenhuma escolha".

Como é inegável que *"existe* uma escolha", assim também é inegável que nossas escolhas são feitas sob constrangimentos internos e externos, pressões e confinamentos. Nós escolhemos o mal; mas o mal também nos escolhe e exerce seu terrível poder sobre nós. Pondere um exemplo evidentemente extremo — a guerra na ex-Iugoslávia. (Os massacres em Ruanda [1994] e até mesmo os protestos em Los Angeles [1992] poderiam igualmente ilustrar meu ponto.) *Erupção* parece a palavra certa para descrevê-la. Estou me referindo menos à repentinidade com a qual ela irrompeu do que à sua força irreprimível. Ninguém parecia estar no controle. Concordo, as grandes e estratégicas jogadas que começaram a guerra e a mantiveram foram feitas com cuidadosa cautela e engendradas nos centros do poder intelectual, político e militar. Mas deixando tudo isso de lado, parecia haver um insaciável apetite por brutalidade entre as pessoas comuns. Assim que a guerra começou e as condições certas foram mantidas, uma incontrolável reação em cadeia já estava em curso.[100] As pessoas envolvidas eram todas decentes, tão decentes quanto a maioria de nós tende a ser. Rigorosamente falando, muitos não *escolheram* saquear e queimar, estuprar e torturar, nem secretamente gostavam disso. Uma fera adormecida dentro deles foi acordada de seu inquieto sono. E não só dentro deles. Os motivos daqueles que partiram para a luta contra os brutais agressores eram justiça e autodefesa. A fera dentro dos outros, porém, enfureceu a fera dentro deles. Na resistência ao mal, eles foram capturados pelo mal. Em "Depois da catástrofe", escrito logo depois da Segunda Guerra Mundial, Carl Gustav Jung escreveu: "É um fato que não se pode negar: a maldade dos outros torna-se nossa própria maldade porque ela acende algo de mau em nosso coração".[101] O mal engendra o mal, e como fragmentos piroclásticos saindo da boca de um vulcão ele explode e é expelido tanto pelo agressor como pela vítima.

---

[100] Na véspera da Segunda Guerra Mundial, Carl Gustav Jung escreveu: "O que impressiona acerca do fenômeno alemão é que um único homem, que obviamente é um 'possesso', infectou toda uma nação a tal ponto que tudo foi mobilizado e começou a percorrer sua rota rumo à perdição". "Wotam", *Collected Works of C. G. Jung*, ed. H. Read et al. (New York, 1964) p. 185.

[101] Carl Gustav Jung, "After the Catastrophe", *Collected Works of C. G. Jung*, ed. H. Read et al. (New York, 1964), p. 198.

Em *Engaging the Powers* [O engajamento das potestades], Walter Wink trata do problema do mal observando o que ele chama de as "Potestades" e sua perversa transformação no "Sistema de Dominação".[102] As Potestades, afirma ele, não são nem simplesmente instituições e estruturas humanas nem uma ordem de seres angélicos (ou demoníacos). Elas são institucionais tanto quanto espirituais; "possuem uma manifestação exterior, física [...] e uma espiritualidade ou cultura corporativa interior".[103] As Potestades são essencialmente boas, mas quando "querem a todo custo assumir o controle", declara Wink, elas degeneram num Sistema de Dominação. Esse sistema em si não é nem apenas institucional nem espiritual; em vez disso, os "dominadores deste mundo tenebroso" (Ef. 6.12) são a interioridade de instituições e estruturas desvirtuadas e sistemas que oprimem as pessoas.

Sem querer discutir se Wink interpreta corretamente a linguagem bíblica sobre "as potestades", penso que ele acertadamente indica uma complexa realidade transpessoal e sistêmica do mal que domina, ludibria e seduz pessoas a dominar os outros. Vou modificar a terminologia dele e substituir "Dominação" por "Exclusão", pois em regra o propósito da dominação é excluir os outros de bens escassos, tanto econômicos como sociais ou psicológicos. Vou manter, porém, sua ideia-chave: o poder do mal se impõe de modo tão irresistível por meio da operação de um "sistema" transpessoal que é tanto "institucional" como "espiritual". Apanhadas no sistema de exclusão como numa espécie de armadilha invisível, as pessoas se comportam segundo sua lógica perversa.

Como funciona o sistema? Considere primeiro o que se poderia chamar de "cacofonia contextual do mal". Ela permeia instituições, comunidades, nações, épocas inteiras, e é sustentada, como diz Marjorie Suchocki, por "uma multiplamente matizada e espelhada e repetida intencionalidade de propósito que exerce sua influência corporativa".[104] Esse é o mal de baixa intensidade da maneira como "as coisas funcionam" ou da maneira como "as coisas simplesmente são", os vapores excludentes de culturas institucionais ou comunitárias sob as quais muitos sofrem, mas pelas quais ninguém é responsável e acerca das quais todos se queixam, mas que ninguém consegue atacar. Esse mal de baixa intensidade que tudo permeia se

---

[102] Wink, *Engaging the Powers*, p. 33-104.
[103] Walter Wink, "All Will Be Redeemed", *The Other Side* 28 (nov–dez, 1992): p. 17.
[104] Suchocki, *The Fall to Violence*, p. 122.

rejuvenesce engendrando uma crença em sua própria imortalidade e se impõe gerando uma sensação de sua própria inelutabilidade.

Em situações extraordinárias e sob diretores extraordinários, certos temas derivados da "cacofonia contextual" são retomados, orquestrados num belicoso musical e solenemente apresentados. "Historiadores" — nacionais, comunitários ou intérpretes individuais do passado — trombeteiam o duplo tema da glória de outrora e da vitimização do passado; "economistas" entram no coro com os relatos da exploração atual e dos grandes potenciais econômicos; "cientistas políticos" acrescentam o tema do crescente desequilíbrio de poder, da contínua perda de terreno e da perda de controle sobre o que de direito é nosso; "antropólogos culturais" trazem à baila os perigos da perda de identidade e exaltam o valor singular de nossos dons pessoais ou culturais, capazes de genuinamente enriquecer o mundo exterior; "políticos" adotam todos os quatro temas e os entretecem numa estridente ária sobre as ameaças a interesses vitais representadas pelo outro que é, portanto, a própria encarnação do mal; finalmente os "sacerdotes" entram numa solene procissão e acompanham tudo isso com um suavizante canto que oferece a qualquer um cuja consciência possa ter sido perturbada a certeza de que Deus está do nosso lado e de que o nosso inimigo é inimigo de Deus e, portanto, é um adversário de tudo o que é verdadeiro, bom e belo.

À medida que esse belicoso musical é difundido pela mídia com temas estimulantes, criam-se repercussões com a cacofonia contextual do mal que permeia a cultura de uma comunidade, e a comunidade se apanha cantando a música e marchando no ritmo de sua toada. Recusar-se a cantar e marchar, protestar contra a loucura do espetáculo, parece irracional e irresponsável, ingênuo e covarde, traiçoeiro para com seus compatriotas e perigosamente sentimental para com o perverso inimigo. O palco da "pureza étnica" e "erupções" similares do mal — tanto pessoal como comunitário — está montado. Só falta disparar o primeiro tiro, e a reação em cadeia terá início.

Agora rebobine o filme dos acontecimentos que levaram a montar o cenário e faça um corte antes, muito antes de a erupção acontecer. Esqueça que você conhece o desfecho, abandone o lugar de onde você pode observar sinistros diretores em ação, e... entre no bloco inicial. O que você vê? A fé em si mesmo é gerada pelos relatos de glória histórica e explicações plausíveis de fracassos do passado; nasce a esperança no futuro, um futuro no qual nós já não sofreremos injustiça e discriminação, um futuro endossado pelas infalíveis promessas do nosso deus. "Fé" e "esperança" mobilizam energias, e nós começamos a realizar milagres econômicos e a conseguir importantes avanços culturais. Uma sensação de pertencimento e de ser alguém no mundo substitui o andar à deriva e o automenosprezo. Inegavelmente, um verdadeiro renascimento — nacional, comunitário ou pessoal — está a caminho! No entanto, todo esse indiscutível bem é criado por um projeto ímpio e desumano e para ele canalizado! No seio desse evidente bem-estar encontra-se uma irreconhecível corrupção.

Muitas vezes se salientou que o poder do mal se apoia no poder do "discurso imperial", o poder pelo qual malfeitores procuram criar uma ilusão de que "tudo vai bem"[105] quando de fato tudo não vai nada bem; a ruína está prestes a acontecer (cf. Jr 6.13-15; Ez 13.8-16). Mas, podemos perguntar, por que as pessoas acreditam nos malfeitores? Por que acreditam no "espírito mendaz de uma comunidade, de um povo, que determina a opinião pública", para citar Michael Welker?[106] Porque foram cegados por um "mau espírito"? Isso é parte da resposta. A outra parte, a mais importante, é que o mal é capaz não só de criar uma ilusão de bem-estar, mas também de *moldar a realidade* de tal maneira que a mentira sobre o "bem-estar" parece uma clara verdade. Grande parte do poder do mal está na *perversa verdade que ele conta sobre o distorcido bem-estar que ele cria*. A essa real sensação de bem-estar das pessoas, apesar de muito doentes, Jesus estava se referindo quando disse: "Os sãos não precisam de médicos" (Mc 2.17). A *verdade* sobre a sensação de *bem-estar* as mantém cativas da mentira sobre sua doença.[107]

Por que essa discrepância entre estar bem e estar doente? Por que somos tão dóceis, até entusiastas cativos do sistema de exclusão? Por que há tão pouca necessidade de vigilância e força? Por que os sutis mecanismos são tão eficientes, para usar uma frase de Michel Foucault?[108] Porque nosso próprio ego foi moldado pelo clima do mal em que vivemos. O mal se insinuou em nossa própria alma e nos governa da própria fortaleza erigida para nos guardar dele.

---

[105] Dale Aukerman, *Reckoning with Apocalypse: Terminal Politics and Christian Hope* (New York: Crossroads, 1993), p. 53.
[106] Welker, *God the Spirit*, p. 85.
[107] Ibid., p. 112ss.
[108] Maurice Blanchot, *Michel Foucault*, trad. Barbara Wahlster (Tübingen: Edition Diskord, 1987), p. 38; Michel Foucault, *Discipline and Punish*.

Em Romanos 7.14-20, Paulo fala da incapacidade dos seres humanos de fazer o bem que querem e de sua escravidão a fazer o mal que não querem. O ego está dividido no ego mais fraco que conhece e quer o bem e no ego mais forte dominado pelo pecado, que faz o mal. A pessoa é então capaz de querer, mas não de fazer o que é certo. Nossa maior tragédia diante do mal é, todavia, que com demasiada frequência, ao contrário do fictício Sêneca da obra de Steven Lukes *A curiosa iluminação do Professor Caritat*, nós "queremos querer o que queremos" precisamente quando o que queremos é o mal.[109] Um mal particular não apenas "habita" em nós para que façamos o que odiamos (Rm 7.15); ele nos colonizou de uma forma tão radical que parece já não sobrar nenhum espaço moral dentro do ego onde nos poderia ocorrer a ideia de odiar o que queremos porque isso é um mal.[110] Estamos presos pelo mal não apenas com pleno consentimento mas também sem uma ideia de discordância e sem uma expectativa de libertação. Tendo o funcionamento interior de nossa vontade sob seu controle, o mal pode prescindir de sua força e governar pela sedução. E assim, paradoxalmente, nós nos sentimos livres apenas na prisão do mal irreconhecível.

Por que não oferecemos uma resistência mais vigorosa ao colonizador? Por que o deixamos capturar a fortaleza de nossas vontades? Se o tivéssemos rechaçado e resistido a ele, teríamos subvertido o poder do mal consagrado no sistema de exclusão. Mesmo se os vapores malignos das culturas podem penetrar no ego e mesmo se as estruturas — instituições, comunidades, nações — são mais pecaminosas do que os indivíduos que as incluem,[111] o sistema precisa de pessoas que o façam "respirar" com o espírito do mal. Se as pessoas se submetem, não é porque elas são *forçadas*

---

[109] Steven Lukes, *The Curious Character of Professor Caritat: A Comedy of Ideas* (London: Verso, 1995), p. 238.

[110] Nesta seção não estou apresentando uma descrição de um fenômeno geral do pecado e seu poder (como Paulo faz em Romanos 7); estou, na verdade, refletindo sobre o poder das manifestações concretas do mal. Disso decorre que não estou sugerindo que o mal particular que passou a habitar o ego não possa ser de modo algum diagnosticado, a não ser de uma perspectiva da fé (digamos, por meio da abertura dos olhos efetuada pelo Espírito Santo), mas antes estou dizendo que muitas vezes isso não pode ser percebido por aqueles cujo ego é moldado por aquele mal particular. Um terceiro observador pode perceber esse mal tal qual ele é.

[111] Reinhold Niebuhr, *Moral Man and Immoral Society: A Study in Ethics and Politics* (New York: Scribner's, 1960).

a submeter-se, mas porque existe algo no tecido do ego delas que está em sintonia com a lógica da exclusão.

Uma razão proposta para essa ressonância é uma ansiedade acerca de nossa mortalidade.[112] Mas, como Suchocki destacou, os jovens são capazes de atos da mais brutal violência sem minimamente pensar na mortalidade.[113] Em vez disso, ela supõe que a ansiedade nasce da mais fundamental propensão à violência.[114] Mas por que a violência? Ela explica isso chamando a atenção para a inata agressividade (ou assertividade) indispensável na luta pela sobrevivência. Mas a questão é por que a assertividade se transforma em violência. Em sua *Teologia sistemática*, Wolfhart Pannenberg sugeriu que se busque a raiz do pecado no desejo de identidade — a vontade instintiva de ser quem somos — que está inscrita na própria estrutura de nosso ego.[115] Embora essencialmente sadia, a vontade de ser quem somos carrega consigo o germe de sua própria doença. Pannenberg descreve esse germe como a tendência de o ego "de fato tornar-se a base infinita e o ponto de referência para todos os objetos, usurpando assim o lugar de Deus".[116] Ele está certo acerca do desejo de identidade, embora eu ache que o problema se instaura muito antes de o ego alimentar desejos de "infinitude" e "totalidade" (a menos que se veja em *cada* transgressão de um limite uma implícita busca do infinito).

A formação e negociação da identidade sempre implica o estabelecimento de limites, a colocação do ego como algo distinto do outro. Como diz Gillian Rose em *Love's Work* [O trabalho do amor], "uma alma que é ilimitada é tão louca quanto outra que tem limites cimentados".[117] O deslizamento para a exclusão pecaminosa acontece já no processo de "colocar limites em volta da alma" sem os quais um ego é inimaginável, e não apenas no ponto onde o ego insiste em ser "toda a realidade" e em usar "tudo" simplesmente como um meio de autoafirmação, como declara Pannenberg em *Anthropology* [Antropologia].[118] Para que a exclusão aconteça,

---

[112] Jürgen Moltmann, *The Coming of God: Christian Eschatology*, trad. Margaret Kohl (Minneapolis: Fortress, 1996), p. 112s.
[113] Suchocki, *The Fall to Violence*, p. 83s.
[114] Ibid., p. 82-99.
[115] Pannenberg, *Systematic Theology*, vol. 2, p. 260s.
[116] Ibid., p. 261.
[117] Gillian Rose, *Love's Work: A Reckoning with Life* (New York: Schocken, 1996), p. 105.
[118] Pannenberg, *Systematic Theology*, p. 85.

basta que o ego simplesmente lute para preservar a integridade do seu território, enquanto concede aos outros — especialmente aos distantes outros — o pleno direito de fazer o que lhes aprouver com o resto do universo. O estabelecimento e a manutenção de limites exigem assertividade. Num ambiente de bens escassos habitado por uma pluralidade de atores cujas vidas são entrelaçadas, a assertividade de um indivíduo confronta a assertividade de outro indivíduo, e portanto o primeiro indivíduo se torna uma ameaça percebida e real para o segundo indivíduo. Acima de tudo, a ameaça não tem tanto a ver com a vida do outro quanto com seus limites e, portanto, com sua organização interior do ego.[119] Este é o ponto no qual a assertividade sadia do ego muitas vezes resvala para a violência contra o outro.

A tendência à violência é, além disso, reforçada por uma inevitável ambiguidade do ego. O ego é construído dialogicamente. O outro já faz parte do ego desde o início. Eu sou o que sou em relação ao outro; ser croata é, entre outras coisas, ter sérvios como vizinhos; ser branco nos Estados Unidos é entrar em toda uma história de relação com afro-americanos (mesmo que você seja um imigrante recente). Daí que a vontade de ser o que somos, se for sadia, deve implicar a vontade de deixar o outro habitar o ego; o outro deve fazer parte de quem eu sou, assim como eu farei parte do outro para ser eu mesmo. O resultado disso é que uma tensão entre o ego e o outro é construída dentro do próprio desejo de identidade; o outro em contraste com o qual eu preciso me afirmar é o mesmo outro que deve permanecer parte de mim mesmo se eu quiser ser eu mesmo. Mas o outro muitas vezes não é do jeito que eu quero que ele seja (digamos, ele é agressivo ou simplesmente mais talentoso) e está me pressionando para me tornar o ego que eu não quero ser (sofrendo por suas incursões ou por minha própria inferioridade). E, no entanto, preciso integrar o outro na minha própria vontade de ser eu mesmo. Por isso, deslizo para a violência: em vez de me reconfigurar a mim mesmo para criar espaço para o outro, procuro remodelar o outro em quem eu quero que ele seja a fim de que em relação ao outro eu possa ser quem eu quero ser.

Ameaças à organização do ego pelo outro bem como à natureza antípoda da vontade de ser quem se é explicam por que o deslizamento para a exclusão é tão fácil, mesmo que ela *não* seja inerente à própria natureza

---

[119] Wilfried Härle, *Dogmatik* (Berlin: Walter de Gruyter, 1995), p. 469s.

de nossa humanidade.[120] A separação necessária para constituir e manter uma identidade dinâmica do ego em relação ao outro desliza para a exclusão que procura preservar a identidade às custas do outro. O poder externo do pecado — o sistema de exclusão — prospera tanto no poder quanto na impotência interna, o irresistível poder da vontade de ser quem se é, e a impotência de resistir ao deslizamento para a exclusão do outro. O desejo de identidade poderia também explicar por que tantas pessoas se deixam transformar tão passivamente em alvos de pecado — por que se deixam excluir. Não é simplesmente porque elas podem não ter uma vontade suficientemente forte para ser quem são, mas porque é possível satisfazer a vontade de ser quem se é *entregando-se ao outro*. O problema delas não é tanto a exclusão do outro da vontade delas de ser quem são, mas uma paradoxal exclusão do *próprio* ego delas da vontade de ser quem são — o que teólogas feministas chamam de "difusão do ego".[121] Em regra, a exclusão do ego da vontade de ser quem se é acontece como resultado de atos de exclusão que nós sofremos. Por isso, mais que um pecado, é um mal que clama por remédio. A exclusão do ego da vontade de ser quem se é não apenas prejudica o ego, mas também propicia o deslizamento para a exclusão da parte do outro, facilitando assim mais prejuízos do ego.

Espremidos entre o sistema de exclusão e as tendências excludentes do ego, será que somos condenados ao desespero? Como pode concretizar-se o êxodo da "casa da servidão" para a terra prometida quando os cavalos e as carruagens do faraó estão nos *dois lados* do mar Vermelho? De fato, como pode o êxodo concretizar-se quando nós mesmos *somos* faraós governando na terra da exclusão, da qual deveríamos ser libertados? Em última análise, a esperança para um novo êxodo está exatamente onde estava a esperança do primeiro êxodo: no "forte vento" de Deus (Êx 14.21). Determinante para a fé cristã é a crença de que o Espírito do Messias crucificado é capaz de criar a terra prometida a partir do próprio território que o faraó sitiou. O Espírito entra na fortaleza do ego, descentraliza o ego moldando-o à imagem do Cristo que se doou a si

---

[120] Christoph Gestrich, *Die Wiederkehr des Glanzes in der Welt: Die christliche Lehre von der Sünde und ihrer Vergebung in gegenwärtiger Verantwortung* (Tübingen: J. C. B. Mohr [Paul Siebeck], 1989), p. 74s.

[121] Valerie Saiving, "The Human Situation: A Feminine View", *Womanspirit Rising: A Feminist Reader in Religion*, ed. Carol A. Christ e Judith Plaskow (San Francisco: Harper, 1979), p. 37s.

mesmo, e liberta sua vontade para que ele possa resistir ao poder de exclusão pelo poder do Espírito do abraço. É na fortaleza do frágil ego que o novo mundo do abraço é primeiro criado (2Co 5.17). É por meio do aparentemente inerte poder do Espírito — o Espírito que sopra mesmo fora dos muros da igreja — que os egos são libertados da impotência a fim de combater o sistema de exclusão em toda parte — em estruturas, na cultura e no ego.

O ataque de Caim

Nenhum outro texto da Bíblia descreve melhor a anatomia, a dinâmica e o poder da exclusão do que a história de Caim e Abel (Gn 4.1-16). Na superfície é uma narrativa sobre um irmão matando outro irmão. Mas Caim pode ser tomado como uma alusão aos quenitas, os descendentes de Caim e vizinhos do sul de Israel. A história de Caim e Abel é então não apenas um exemplo de rivalidade entre dois irmãos, mas também narra a estrutura do encontro entre "eles" e "nós" — os quenitas que relutavam em aceitar uma graça especial que os israelitas haviam recebido de Deus, como fica evidente nas bênçãos do regime do rei Davi.[122]

Se, como parece provável, "Caim" faz alusão aos quenitas, a história poderia facilmente funcionar como uma narrativa autocomplacente de vizinhos orgulhosos no auge de sua glória buscando incriminar outros: a difícil vida nômade dos quenitas na árida planície do sul é um sinal do julgamento de Deus por malfeitos cometidos por eles contra o inocente Israel. No entanto, como argumentou Walter Dietrich, o fulcro da história é precisamente minar a autocomplacência.[123] Não temos aqui uma descompromissada parábola que "nós" podemos contar sobre nossa relação com "eles" e com isso retratar-nos como "Abel" e cunhá-los com a efígie de "Caim". A narrativa se situa no contexto da história primeva. Como argumentou Claus Westermann, a intenção da história primordial é destacar que *cada ser humano* é potencialmente Caim e Abel, exatamente como

---

[122] Thomas Willi, "Der Ort von Genesis 4:1-16 innerhalb der althebräischen Geschichtschreibung", *Isaac Leo Seeligman Volume: Essays on the Bible and the Ancient World*, ed. Alexander Rofé e Yair Zakovitch (Jerusalem: E. Rubenstein's, 1983).

[123] Walter Dietrich, "'Wo ist dein Bruder?' Zu Tradition und Intention von Genesis 4", *Beiträge zur Alttestamentlichen Theologie: Festschrift für Walter Zimmerli zum 70. Geburtstag*, ed. Herbert Donner et al. (Göttingen: Vandenhoeck & Ruprecht, 1977).

cada ser humano é Adão e Eva.[124] A inveja e o assassinato de Caim não prefiguram como "eles" (os quenitas ou, na clássica interpretação cristã, os judeus) se comportam diferentemente de "nós" (Israel ou a igreja), mas como *todos os seres humanos* tendem a se comportar em relação aos outros.

Em *Coisas ocultas desde a fundação do mundo*, René Girard sugeriu que o significado pleno da história emerge quando reconhecemos que, diferentemente dos típicos textos mitológicos, que assumem a perspectiva dos perpetradores para legitimar os feitos deles, a história de Caim e Abel assume a perspectiva da vítima e condena o perpetrador.[125] Girard está certo, embora sua maneira de apresentar as coisas ignore uma das dimensões mais importantes da história. Pois na história primeva, a narrativa sobre um assassino "eles" é uma narrativa sobre um assassino "nós". Caim é "eles", *e* Caim é "nós"; "Caim" são todos os filhos e filhas de Adão e Eva em relação a seus irmãos e irmãs. A narrativa assume a perspectiva da vítima não apenas para condenar o perpetrador, como alega Girard, mas ao mesmo tempo para opor-se à tendência da vítima de se transformar em perpetrador. Sua grandeza está precisamente no fato de *combinar* um julgamento claro contra o perpetrador com o compromisso de protegê-lo do furor da vítima "inocente". Deus ao mesmo tempo implacavelmente interroga e condena Caim (Gn 4.15) e amavelmente põe sobre ele um sinal protetor (4.6-12).

Formalmente, Caim e Abel são iguais. São dois irmãos, nascidos dos mesmos pais; envolvem-se em duas ocupações igualmente respeitáveis, as vocações complementares de pastor de ovelhas e de lavrador da terra; eles oferecem a Deus sacrifícios igualmente apropriados: uma oferta de animais, outra oferta de frutos. A igualdade dos irmãos é enfatizada até mesmo por um recurso literário: em 4.2-5 os nomes dos dois se alternam quatro vezes: Abel, Caim, Caim, Abel, Abel, Caim. O efeito é que nenhum deles assume o centro do palco.[126]

No entanto, a igualdade formal dos dois tanto esconde como intensifica uma desigualdade que define o relacionamento deles desde o começo.

---

[124] Claus Westermann, *Genesis 1—11: A Commentary*, trad. John J. Scullion (Minneapolis: Ausburg, 1984), p. 318.

[125] René Girard, *Things Hidden Since the Foundaion of the World*, trad. S. Bann e M. Metteer (Stanford: Stanford University Press, 1987), p. 146s.

[126] Ellen van Wolde, "The Story of Cain and Abel: A Narrative Study", *Journal for the Study of the Old Testament* 52 (1991): p. 29.

A mãe saudou o nascimento do primeiro filho com uma exclamação cheia de orgulho e alegria: "Adquiri um varão com o auxílio do SENHOR" (4.1) e inscreveu sua exuberância no nome de seu primogênito: Caim, nome de honra, que significa "produzir", "dar à luz". O nascimento do segundo foi um acontecimento natural, e ele recebeu um nome cujo significado o distinguiu como inferior: Abel, "sopro", "mera efemeridade", "inutilidade", "nulidade". A ocupação de ambos era igualmente respeitável, mas Caim era um agricultor rico, um grande proprietário de terras, ao passo que Abel era um pobre coitado, dono de uma terra infértil apenas suficiente para manter um pequeno rebanho.[127] Cada um buscou uma forma igualmente respeitável de fazer sua oferenda a Deus, mas o "grande" Caim ofereceu apenas o "fruto da terra" (4.3), enquanto Abel (profundo conhecedor de sua dependência de Deus?) ofertou as melhores porções ("gordura") dos melhores animais ("primícias do seu rebanho") (4.4).[128] Adequadamente, Deus notou a diferença, e levou em consideração a oferenda de Abel, mas não a de Caim (v. 4-5). Perante Deus, ambos poderiam ter facilmente sido iguais (a consideração divina por um de forma alguma exclui a consideração pelo outro). No entanto, precisamente nesse ponto a mais profunda desigualdade entre eles emergiu. O reconhecimento *dessa* desigualdade inverteu a "ordem de desigualdades" entre Caim e Abel que Eva e Caim estabeleceram (4.4-5). A reação de Caim a essa inversão divina constitui o cerne da narrativa.

[127] Isso é o que sugere o Professor Hartmut Gese da Universidade de Tubinga numa transcrição inédita de suas aulas sobre Gênesis.
[128] Juntamente com muitos estudiosos contemporâneos (Pinchas Lapide, *Von Kain bis Judas: Ungewohnte Einsichten zu Sünde und Schuld* [Gütersloh: Gütersloher Verlagshaus], 1994), p. 12; Gordon J. Wenham, *Genesis 1—15*, Word Biblical Commentary, vol. 1 [Waco: Word Books, 1987], p. 103; Willi, "Der Ort von Genesis 4:1-16", p. 101) eu sigo os comentadores mais antigos, tanto judeus como cristãos (ver Hb 11.4; 1Jo 3.12), que consideram significativa a menção às "primícias" e à "gordura" na oferenda de Abel (V. Aptowitzer, *Kain und Abel in der Agada, den Apokryphen, der hellenistischen, christlichen und muhammedanischen Literatur* [Wien: R. Löwit, 1922], p. 37ss.). A diferença no tipo de relacionamento com Deus sugerida por Abel oferecer o que tinha de melhor em seu rebanho explica o comportamento de outra forma inexplicável de Deus, que, como juiz justo, não pode simplesmente por puro capricho levar Abel em consideração e apreciar suas oferendas, e não fazer isso em benefício de Caim (Gn 4.4-5). Para identificar a desigualdade entre Caim e Abel na "inexplicável" ação de Deus para com eles Westermann (*Genesis 1—11*, p. 297) corretamente ressalta a "inexplicabilidade" da desigualdade — a vida é assim mesmo — mas erroneamente situa a inexplicabilidade na escolha de Deus.

O problema inicial da narrativa é a igualdade formal e o pertencimento comum (irmãos com vocações complementares) em relação à inevitável diferença de eles serem o primeiro e o segundo, o rico e o pobre, o honrado e o desprezado, o considerado e o desconsiderado. Desde o princípio, todas as relações humanas estão repletas de tensão entre igualdade e diferença, e nesse tensionado contexto a relação entre o ego e o outro deve ser negociada. Fora do Jardim de Deus, instala-se a rivalidade que leva os protagonistas ainda mais longe "ao oriente do jardim" (3.24; 4.16). Visto que o trabalho humano é ameaçado pelo fracasso, visto que etiquetas de preço são inevitavelmente afixadas a diferenças, e visto que o reconhecimento pode ser concedido ou negado pelo juiz supremo, o ego vai se engajar numa luta enquanto procura manter sua identidade e afirmar-se em detrimento do outro. Essa tendência abre a porta para a terra da exclusão, um lugar onde exclusões são perpetradas e os próprios excludentes vivem excluídos — "banidos"[129] — "da presença", embora jamais do contínuo cuidado de Deus (v. 14-16).

Primeiro surgiu a inveja pelo fato de Abel, que era claramente um "joão-ninguém", ser levado em consideração, e ele, Caim, que era claramente "alguém na vida", ser desconsiderado — e isso por Deus, com seu julgamento incontestável. Depois veio a raiva, aquela "oposição passional",[130] contra Deus e contra Abel. A raiva é dirigida contra Deus não porque Deus agiu injustamente com Caim,[131] mas porque foi justamente a *justiça* que insultou a grandeza de Caim. A raiva é dirigida contra Abel não porque Abel merecesse ser criticado — embora haja um jeito não inocente de ser inocente, como ressalta Joaquin Monegro do "Abel Sanchez" de Miguel de Unamuno[132] — mas porque a oferenda de Abel realmente *era* aceitável, ao passo que a de Caim não era. Caim confrontou-se com as medidas de Deus sobre o que verdadeiramente importa e o que é verdadeiramente grande. Como não podia mudar essas medidas e se recusou a mudar-se a si mesmo, ele excluiu de sua vida tanto Deus como Abel. A raiva foi o primeiro elo de uma cadeia de exclusões. Em vez de Caim erguer os

---

[129] J. J. Rabinowitz, "The Susa Tables, the Bible, and the Aramaic Papyri", *Vetus Testamentum* 11 (1961): p. 56.
[130] Plantinga, *Not the Way It's Supposed to Be*, p. 165.
[131] Westermann, *Genesis 1—11*, p. 297.
[132] Miguel de Unamuno, *Abel Sanchez and Other Stories*, trad. Anthony Kerrigan (Chicago: Henry Regnery Company, 1956), p. 58s.

olhos para Deus, "descaiu-lhe o semblante" (4.5) e ele rompeu sua comunhão com Deus. Em vez de dar ouvidos a Deus, tornou-se surdo aos avisos divinos (4.6-7); com sua proposta "Vamos ao campo" ele impediu a comunidade de exercer o julgamento de seu ato (4.8); no fim, executou o ato extremo de exclusão: "sucedeu que se levantou Caim contra Abel, seu irmão, e o matou" (4.8).

O ato assassino de Caim foi descrito como "sem sentido".[133] Não foi; assassinatos raramente são. Ele foi controlado por uma lógica perfeita, se as premissas de Caim estavam certas. Premissa 1: "Se Abel é quem Deus declara que ele é, então eu não sou quem me considero ser". Premissa 2: "Eu sou quem me considero ser". Premissa 3: "Eu não posso mudar a declaração de Deus sobre Abel". Conclusão: "Portanto, Abel não pode continuar existindo". A identidade de Caim foi construída desde o início em relação a Abel; ele era grande em relação à "nulidade" de Abel. Quando Deus declarou que Abel era "melhor", Caim tinha ou de reajustar radicalmente sua própria identidade, ou eliminar Abel. O ato de exclusão tem suas próprias "boas razões". O poder do pecado se apoia menos no irreprimível impulso de uma emoção do que na persuasividade dos bons motivos, gerada por um ego pervertido a fim de manter sua própria falsa identidade. Obviamente, esses motivos só são convincentes para o ego. Deus não teria sido convencido, e é por isso que Caim se cala quando Deus pergunta: "Por que andas irado?" (v. 6). A Deus Caim teria sido obrigado a dar uma resposta que não contivesse nenhum motivo, a mesma resposta que o muito mais perverso protagonista do romance *O silêncio dos inocentes* de Thomas Harris tentou, visando persuadir o oficial Starling a aceitá-la como a explicação de seus próprios horríveis crimes: Estou com raiva "porque sou mau".[134]

Caim é impermeável às advertências de Deus contra entregar-se à raiva. A lógica do pecado se mostra mais forte que a injunção de praticar o bem. Isso é exatamente o que deveríamos esperar, pois a lógica do pecado foi desde a origem designada para superar a obrigação de praticar o bem. O conhecimento do pecado é impotente diante do pecado. Como um animal perigoso, o pecado "jaz à porta", "à espreita", "rondando" e "desejando"

---

[133] Erich Zenger, "'Das Blut deines Bruders schreit zu mir' (Gn 4:10): Gestalt und Aussageabsicht der Erzählung von Kain und Abel", *Kain und Abel-Rivalität und Brudermord in der Geschichte des Menschen*, ed. Dietmar Bader (München: Schnell & Steiner, 1983), p. 17.

[134] Thomas Harris, *The Silence of the Lambs* (New York: St. Martin's, 1988), p. 21.

atacar e destruir;[135] para proteger-se é preciso não apenas conhecer o animal, mas procurar "dominá-lo" (v. 7), como sugere o insucesso de Caim de agir desse modo. Logo, nem o conhecimento de que o conhecimento do pecado não consegue dominá-lo não é suficiente. Sendo apenas um legislador e conselheiro, Deus era impotente. Mais que uma falta de conhecimento, o pecado é uma orientação errada da vontade, que gera seu próprio desconhecimento. Em grande medida, só Caim estava em condições de dominar o pecado. E, no entanto, seria um erro pensar que ele "livremente escolheu" pecar, sem restrição alguma a não ser a liberdade de sua própria vontade. Cometer um pecado não é simplesmente fazer uma escolha errada; é também sucumbir a um poder maligno. Antes do crime, Caim era tanto uma potencial presa quanto um potencial dominador de um predador chamado "pecado"; Caim assassinou por que foi presa daquilo que ele se recusou a dominar.

A vontade de pecar fornece não apenas "boas razões" para o ato, mas também cria as condições nas quais o ato permaneceria oculto e, se descoberto, a culpa poderia ser evadida. Primeiro, temos a *geografia* do pecado. A cena do crime é "o campo" fora da esfera pública (4.8), onde não se pode conseguir nenhum socorro, não há nenhuma testemunha e nenhum julgamento comunitário pode ser executado. Pode ser que uma "face fazendo face a uma face" seja "atravessada por um momento de compromisso", como argumenta Arne Vetlesen, ecoando Emmanuel Lévinas.[136] Mas uma face fazendo face à face que cometeu uma injustiça contra ela num lugar deserto é atravessada pela suprema tentação: o "agora é tua chance" eclipsa o "não matarás", escrito na face do outro.[137] A perfeita geografia do pecado é "o exterior", onde o malfeito pode acontecer despercebido e desimpedido.

Segundo, temos a *ideologia* do pecado. Caim responde à pergunta "Onde está Abel, teu irmão?" com uma mentira: "Não sei" (4.9). Implicitamente, ele nega o crime. Depois acrescenta que, não sendo "tutor" de seu irmão (v. 9), ele não tem a responsabilidade de saber onde seu irmão está. E como se não bastasse, o comentário sobre não ser responsável pelo irmão é uma sutil tentativa de ridicularizar a pergunta visando desviar-se

---

[135] Victor P. Hamilton, *The Book of Genesis: Chapters 1—17*, NICOT (Grand Rapids: Eerdmans, 1990), p. 227.

[136] Vetlesen, *Perception, Empathy, and Judgement*, p. 202.

[137] Emmanuel Lévinas, *Ethics and Infinity*, trad. Richard A. Cohen (Pittsburgh: Duquesne University Press, 1985), p. 87, 89.

de seu desafio: "Será que um guardião (de ovelhas) precisa de um guardião?".[138] A ideologia do pecado funciona para negar tanto o ato quanto a responsabilidade por ele, de preferência com um toque de humor. No entanto, a "ideologia do pecado" raramente é apenas um instrumento de evasão, planejado para silenciar o exterior que acusa; os perpetradores a empregam também como um instrumento de autoengano para calar a consciência interior.

De certo modo, as consequências do assassinato correspondem ao próprio assassinato em si. Com esse crime, Caim roubou de si mesmo não apenas um irmão mas também a possibilidade de pertencimento.[139] A terra encharcada com o sangue do irmão tornou-se inóspita e já não lhe dará boas colheitas (4.12); ele matou, e agora pode ser morto (4.14); ele se recusou a erguer seu olhar para Deus (4.6), e agora tem de se esconder da face de Deus (4.14). Com seu próprio ato de exclusão ele se excluiu de todos os relacionamentos — com a terra embaixo, com Deus em cima, com as pessoas ao seu redor. Nenhum pertencimento é possível, só o distanciamento. O distanciamento aqui não caracteriza um estilo de vida de um nômade comum, mas denota a pura transcendência ("errante") e a apreensiva fuga ("fugitivo"). Por que essa errância leporina, podemos nós perguntar? Por que o banimento para a terra do imprevisível e do medo, governada pela prática da exclusão que beira o caos? Porque o pertencimento é a casa, e a casa é o irmão, que já não existe.

Para ter um irmão é preciso *ser* um irmão e ser *tutor* de um irmão. Será que existe esperança para Caim, que tinha um irmão mas que não era um irmão[140] e que matou o irmão que ele deveria "tutorear"? Na narrativa, a esperança está em Deus e na intervenção de Deus nas ações de Caim. A intervenção de Deus antes do malfeito — "Por que andas irado?" (4.6) — foi ineficaz; Caim se afastou de Deus. A intervenção, todavia, ressalta que, embora Caim tivesse "boas razões", ele não tinha nenhum direito de ficar furioso. Depois do malfeito, a segunda intervenção de Deus — "Onde está Abel, teu irmão?" (4.9) — aparentemente não conseguiu muita coisa; só

---

[138] Wenham, *Genesis 1—15*, p. 106.

[139] Zenger, "'Das Blut deines Bruders schreit zu mir'", p. 19.

[140] Como Ellen Wolde enfatizou, Abel é regularmente chamado irmão de Caim, ao passo que Caim nunca é chamado irmão de Abel. Caim tem um irmão, mas não é um irmão, ao passo que Abel é um irmão, mas não tem um irmão (van Wolde, "The Story of Cain and Abel", p. 33, 36).

provocou uma negação de autojustificação. Mais uma vez, porém, a pergunta de Deus deixou claro que a vida numa comunidade significa compartilhar um espaço social comum e ser responsável pelo outro. A terceira intervenção foi uma palavra irada de julgamento — "Que fizeste?" (4.10). Aqui aprendemos por que Deus continuou fazendo perguntas. Javé, o Deus que ouve os gemidos dos oprimidos, viu a iminência do assassinato e alertou contra ele; Deus, que assiste os assediados e brutalizados, ouviu o clamor do sangue inocente e julgou o perpetrador.

O julgamento divino efetuou o que as perguntas não fizeram: arrancou uma resposta de Caim. Aqui os comentadores se dividem indagando se Caim se queixou do peso da sentença ("minha punição ultrapassa o que posso suportar") ou se admitiu a gravidade de sua transgressão ("minha iniquidade é demasiado grande para ser perdoada"), ou se fez as duas coisas. Seja como for, além de perceber o perigo da caótica terra da exclusão para a qual foi enviado em razão de seu malfeito, Caim reconheceu sua responsabilidade perante Deus. A quarta e última intervenção de Deus foi uma resposta tanto ao reconhecimento da responsabilidade quanto ao peso da punição. Na terra da exclusão, "pôs o SENHOR um sinal em Caim", não para estigmatizá-lo como um perpetrador, mas para protegê-lo como uma potencial vítima.[141] O "sinal" pode simbolizar um sistema de diferenciação que protege contra a "violência mimética" de todos contra todos, como sugeriu Girard.[142] Mais importante que a diferenciação, porém, é a *graça* que a sustenta. O mesmo Deus que não considerou a insuficiente oferenda de Caim, mostrou bondade para com o assassino cuja vida corria perigo. Deus não abandonou Caim ao ciclo de exclusão que o próprio Caim havia desencadeado. Marcado pelo sinal de Deus, Caim pertencia a Deus e foi protegido por Deus mesmo quando foi morar longe "da presença do SENHOR" (4.16).

Nós deixamos Caim protegido nos primórdios da história; na Sexta-Feira Santa vamos encontrá-lo redimido. Caim, aquele que pôs em prática o exato oposto do abraço, aquele cujo corpo partiu "totalmente predisposto contra o corpo do outro com uma intenção de [...] matá-lo",[143] estará

---

[141] Lapide, *Von Kain bis Judas*, p. 14.
[142] Girard, *Things Hidden Since the Foundation of the World*, p. 146.
[143] Z. D. Gurevitch, "The Embrace: On the Element of Non-Distance in Human Relations", *The Sociology Quarterly* 31, n. 2 (1990): p. 199.

próximo e será abraçado pelo Crucificado. Será que o abraço do Crucificado curará Caim da inveja, do ódio e do desejo de matar? No conto "Abel Sanchez" de Unamuno, Joaquín Monegro diz a sua mulher Antonia, uma santa, que ela não conseguiu curá-lo porque ele não a amava.[144] Em certo sentido, o mesmo se pode dizer de cada Caim: o abraço do Crucificado não o curará se ele não aprender a amar aquele que o abraça. Caim, o antítipo que "assassinou a seu irmão", será curado por Cristo, o protótipo que "deu a sua vida por nós", somente se ele se dispuser a caminhar seguindo as pegadas de Cristo (cf. 1Jo 3.11-17).

[144] De Unamuno, *Abel Sanchez and Other Stories*, p. 175.

4

Abraço

Um homem que deixou Sarajevo antes da guerra em 1992 e aderiu ao exército sérvio que estava bombardeando a cidade disse durante uma conversa telefônica com seu melhor amigo, que permaneceu na cidade e teve seu apartamento destruído por uma bomba: "Não há escolha. É nós ou eles".[1] Ele quis dizer: "Ou nós moramos neste lugar ou eles vão habitá-lo; ou nós vamos destruí-los ou eles nos destruirão; não há outra opção disponível".

Em todas as guerras, grandes ou pequenas, travadas em campos de batalhas, em ruas urbanas, em salas de visita ou em salas de professores, encontramos a mesma polarização excludente: "nós contra eles", "o ganho deles, a nossa perda", "é nós ou eles". Quanto mais intenso o conflito, tanto mais desaparece a rica textura do mundo social e emerge a polarização excludente em torno da qual se alinham todo pensamento e toda prática. Nenhuma outra escolha parece disponível, nenhuma neutralidade possível, e, portanto, nenhuma inocência sustentável. Se você não sai de todo esse mundo social, você é engolido por sua hórrida polarização. É muito trágico, mas com o passar do tempo a polarização acha um jeito de transformar-se em seu exato oposto — um "nós e eles" que une as partes divididas numa perversa comunhão de ódio mútuo e luto pelos mortos.

"Não há escolha", diz o homem de Sarajevo ecoando a lógica interna das polarizações excludentes. Mas será que ele está certo? A lógica interna das polarizações excludentes é irresistível? Pode de fato haver situações em que "não há escolha", embora não devêssemos nos esquecer de que destruir o outro em vez de sermos nós mesmos destruídos é em si mesmo uma escolha. Na maioria dos casos, porém, a escolha não é limitada por um inevitável "ou nós ou eles". Se houver vontade, coragem e imaginação, a total polarização poderá ser superada. Os que são apanhados

[1] Željko Vulkovič, *Ubijanje Sarajeva* (Beograd: Kron, 1993), p. 42.

no vórtice da mútua exclusão podem resistir à atração dele, podem redescobrir seu pertencimento comum e até se abraçar. Pessoas com interesses conflitantes, perspectivas que se chocam e culturas diferentes *podem* evitar o deslizamento para dentro do ciclo da desenfreada violência e, em vez disso, manter seus vínculos e até fazer sua vida em conjunto prosperar. No presente capítulo, vou explorar o que é necessário para superar a polarização do "ou nós ou eles" e para viver como uma comunidade. Vou examinar as questões entrelaçadas de como estabelecer e sustentar a paz entre o ego e o outro num mundo ameaçado pela inimizade. Em termos ligeiramente diferentes, vou procurar mapear um modo de vida sob a ameaça da inimizade, e usar a metáfora do "abraço" para mostrá-lo.

A tese central do capítulo é que a recepção por Deus da humanidade hostil em sua comunhão divina é um modelo de como os seres humanos devem se relacionar com o outro. Em quatro seções centrais, vou explicar essa tese mediante a análise do "arrependimento", do "perdão", da "criação de espaço em si mesmo para o outro" e da "cura da memória" como quatro elementos essenciais no movimento da exclusão para o abraço. Em seguida vou descrever os elementos-chave estruturais de um abraço bem-sucedido. Por último, depois de comentar o significado político do abraço, vou finalizar o capítulo com uma reflexão teológica sobre a história do Filho Pródigo, uma história de abraço (Lc 15.11-32). Antes de apresentar meu tema explicando por que penso que as maneiras tipicamente modernas e pós-modernas de interpretar a vida social ao redor da "liberdade" são unilaterais e, portanto, inadequadas, preciso fazer um comentário explicativo sobre de que ângulo vou abordar o tema.

Lendo as Escrituras cristãs, eu percebo que grande parte de sua mensagem está escrita de baixo para cima, da perspectiva daqueles que, em certo sentido, sofrem nas mãos dos poderosos. Os profetas hebreus transformam a injustiça sofrida pelas "pessoas sem peso" na lente principal através da qual eles veem os poderosos e, em nome de Deus, eles exigem que os poderosos corrijam seus métodos. Os evangelistas e os apóstolos instruem seus marginalizados irmãos em Cristo sobre como relacionar-se uns com os outros e com o mundo inóspito e hostil na qualidade de seguidores do Crucificado. Vou tentar seguir essa tradição, em parte porque penso que isso é o que um teólogo cristão deve fazer e em parte porque comecei a trabalhar neste projeto visando dar uma explicação para mim mesmo sobre como eu, na qualidade de membro de um povo que sofreu uma agressão brutal, devo reagir. Desenvolvendo primeiramente o pensamento dos evangelistas e apóstolos, no presente capítulo vou dirigir-me principalmente àqueles de nós que se veem como "vítimas" mostrando por que faz sentido imitar o amor abnegado do Deus trino num mundo de inimizade. Mais adiante, nos Capítulos 5 e 6, vou focalizar principalmente os "perpetradores": pedindo verdade e justiça, vou recorrer à tradição profética, uma vez que as reivindicações dos profetas contra enganadores e opressores não podem ser negligenciadas se se quiser conseguir uma paz duradoura. Em grande medida, porém, meu texto também se fundamenta na crença de que é melhor não dar muita importância à polarização entre "vítima" e "perpetrador". Essa inegável e inegavelmente hórrida polaridade — a polaridade que nos leva a perguntar se pode existir um inferno pior do que o inferno que os perpetradores criam para suas vítimas — é enfrentada mediante a prática da doação de si mesmo moldada na vida do Deus trino e mediante o engajamento na luta pela verdade e justiça no contexto desse tipo de amor.

As ambiguidades da libertação

Nas últimas décadas as categorias dominantes na reflexão teológica sobre as realidades sociais têm sido as noções correlativas da "opressão" e da "libertação". Aqueles que estão familiarizados com o cenário teológico imediatamente associam essas noções com as diversas teologias da libertação. Mas também teólogos que trabalham com metodologias diferentes e preferem apoiar agendas sociais mais conservadoras atuam pelo menos tacitamente com as mesmas categorias, embora de uma forma um tanto diferente. As categorias foram concebidas para garantir que a dignidade humana seja respeitada e a justiça para todos seja mantida. Pois a dignidade e a justiça são hoje interpretadas em termos de liberdade, aquele poderosíssimo conceito social dos últimos três séculos.[2]

Com a Revolução Americana e a Francesa, a ideia de liberdade emergiu como o pilar das democracias liberais. Todos são iguais e todos são livres para buscar seus interesses e desenvolver sua personalidade à sua própria maneira, desde que respeitem a mesma liberdade nos outros. Essa

---

[2] Charles Taylor, *Philosophy and the Human Sciences*, Philosophical Papers, vol. 2 (Cambridge: Cambridge University Press, 1985), p. 318ss.

liberdade é inalienável; não é conferida por outros e não pode ser tirada por eles. Melhor, se o exercício da liberdade não interfere na liberdade de outros cidadãos, a liberdade deve ser respeitada, mesmo se a sociedade em geral achar repugnantes as buscas de seus membros individuais. A liberdade é o bem mais sagrado. Quando essa liberdade inalienável é negada por um estado totalitário ou suprimida por uma cultura dominante, nós falamos de opressão; quando é desmantelada a prisão que impede que as pessoas façam o que querem fazer e sejam quem querem ser, nós falamos de libertação.[3]

Esse é pelo menos um tosco esboço de como muitos ocidentais (e um número crescente de não ocidentais) enxergam a opressão e a libertação.

Há uma outra, hoje mais marginal, tradição de pensamento ocidental sobre a liberdade. Iniciada por pensadores socialistas, ela hoje é particularmente atraente no mundo não ocidental. Que pode significar a liberdade de eu ser meu próprio comandante e buscar meus próprios interesses, pergunta essa tradição, se eu não consigo achar nenhum emprego para me manter e evitar que minha família passe fome? Que pode significar a liberdade para eu desenvolver minha personalidade, se tenho de trabalhar de sol a sol até que seja espremida de mim minha última gota de força? A liberdade ou de ser explorado ou de ser abandonado para morrer de fome? Consequentemente, pensadores socialistas declararam que a noção liberal de liberdade é vazia. Eles insistiram que a concentração na noção negativa de liberdade cria a espécie de dinâmica social que esvazia a liberdade de significado. A liberdade, portanto, nunca significa simplesmente a ausência de interferência externa na vontade do indivíduo de fazer ou não fazer o que ela ou ele quer, como afirma a tradição hobbesiana; a liberdade é o poder real de viver a vida com dignidade, de ser um artesão de seu próprio destino. Quando pessoas são mantidas numa abjeta pobreza e no analfabetismo, enquanto outras enriquecem e "desenvolvem suas personalidades" às custas dos mais pobres, nós falamos de opressão; quando estruturas e pessoas que perpetuam a impotência são substituídas

---

[3] No ensaio "What Is Wrong with Negative Liberty", Charles Taylor argumentou de modo convincente contra a teoria de que "a moderna noção de liberdade negativa que dá importância à garantia do direito de cada pessoa de realizar-se à sua maneira" não pode contentar-se com a noção de liberdade como a "ausência de obstáculos externos" (ibid., p. 211ss.).

por estruturas que permitem que as pessoas se sustentem por si próprias e tenham sua própria voz, nós falamos de libertação.[4]

Tanto os projetos liberais como os socialistas — as duas maiores visões da organização da vida social nas condições da modernidade — estão centrados na ideia da liberdade. Como observou Zygmunt Bauman em *Ética pós-moderna*,

> a grande ideia no âmago da inquietação moderna, a lanterna orientadora pousada na proa do navio da modernidade, foi a ideia da emancipação: uma ideia que extrai seu significado do que ela nega e contra o qual ela se rebela — das algemas que ela quer fraturar, das feridas que ela quer curar — e deve sua sedução à premissa da negação.[5]

Os portões de ferro do cárcere social devem ser destruídos; os escravos devem tornar-se donos de si mesmos. Cada projeto social construído em torno da noção de liberdade tende, portanto, a operar com o par estável de "opressão" e "libertação". A opressão é a negatividade, a libertação é sua negação, a liberdade a resultante positividade.

Tente, porém, aplicar as categorias da opressão e da libertação em muitas instituições concretas de conflitos, tais como os estados multiétnicos da ex-Iugoslávia ou metrópoles multiculturais como Los Angeles. De certa forma elas se encaixam bem demais. Parecem quase feitas sob medida para croatas, muçulmanos e sérvios, para afro-americanos, latinos e anglos. Se o enredo for escrito sobre o esquema de "oprimidos" ("vítimas") e "opressores" ("perpetradores"), cada parte encontrará boas razões para reivindicar o maior fundamento moral de vítima; cada uma se perceberá como oprimida pela outra, e todos se verão a si mesmos como engajados na luta pela libertação. As categorias de opressão e libertação oferecem um uniforme de combate, não um terno de gala ou um vestido para um jantar; elas são boas para lutar, mas não para negociar ou celebrar — pelo menos não até que os opressores tenham sido conquistados e os prisioneiros libertados.

---

[4] As duas noções de liberdade esboçadas aqui correspondem aproximadamente às liberdades "negativa" e "positiva" tais como foram analisadas no famoso ensaio de Isaiah Berlin, "Two Concepts of Liberty" (*Four Essays on Liberty* [London: Oxford University Press, 1969], p. 118-72.

[5] Zygmunt Bauman, *Postmodern Ethics* (Oxford: Blackwell), 1993), p. 225.

Alguém poderia objetar que se nos colocássemos acima dos imediatos interesses das partes em conflito seríamos capazes de dizer quem são as vítimas oprimidas e quem são os opressivos vitimadores. Não seria perverso argumentar que "opressor" é apenas o rótulo incriminatório que uma autodenominada vítima afixa no seu inimigo, ou que "vítima" é simplesmente o nome que uma pessoa, tão opressora quanto qualquer outra, gosta de usar visando obter uma vantagem social? Embaçar as categorias de "oprimido" e "opressor" não seria um escárnio para os milhões que sofreram nas mãos dos violentos — mulheres agredidas, escravos explorados e desumanizados, dissidentes torturados, minorias perseguidas? Certamente seria. As categorias não podem ser descartadas. E, no entanto, o esquema "opressão/libertação" continua prejudicado por problemas irresolvidos e profundamente perturbadores.

Deixando de lado a paradoxal tendência da linguagem da vitimização a minar o funcionamento da intervenção humana e a desempoderar as vítimas,[6] e a aprisioná-las dentro das narrativas de sua própria vitimização,[7] quero enfatizar dois problemas adicionais envolvendo o esquema "opressão/libertação". Primeiro, em geral, os conflitos são confusos. De fato, são muito confusos. Não se trata simplesmente de que se pode interpretar as narrativas do encontro entre as partes conflitantes como histórias de maldade evidente de um lado e de bondade indiscutível do outro. Não acontece muitas vezes que Efraim tem ciúme de Judá e Judá oprime Efraim (Is 11.13)? Não acontece com frequência que indivíduos "oprimem uns aos outros, cada um, ao seu próximo" (Is 3.5)? Como vamos separar os que são inocentes dos que são condenáveis nas intricadas histórias de indivíduos, sem falar das narrativas de nações e culturas inteiras? Quanto mais se prolongar o conflito, tanto mais ambas as partes se veem sugadas pelo vórtice da mutuamente estimulante vitimização, na qual uma parte parece mais virtuosa só porque, sendo mais fraca, tem menos oportunidades de ser cruel. Se organizarmos nosso engajamento moral em torno das categorias "opressão/libertação", precisaremos de narrativas claras de culpa e

---

[6] Roberta C. Bondi, *To Pray and to Love* (Minneapolis: Fortress, 1991), p. 82; Jean Bethke Elshtain, *Democracy on Trial* (New York: BasicBooks, 1995), p. 50s.

[7] Ellen Charry, "Literature as Scripture: Privileged Reading in Current Religious Reflection", *Soundings* 74, ns. 1–2 (1991): p. 65-99.

inocência.[8] Não conseguindo encontrar uma vítima inocente, todavia, nós teremos nas mãos duas escolhas igualmente desagradáveis: ou sair do engajamento com repulsa moral (dando com isso um tácito apoio à parte mais forte), ou impor narrativas morais claras com partidarismo moral (e, portanto, participar do autoengano ideológico de uma das partes).

Mas que dizer sobre casos em que os acertos e erros estão claramente inscritos na história comum das partes conflitantes (tais como entre os nazistas e os judeus na Segunda Guerra Mundial)? Não deveríamos aqui nos agarrar às categorias "opressão/libertação"? O uniforme de combate que as categorias fornecem não é precisamente aquilo de que *precisamos*? Isso me leva ao segundo problema com as categorias "opressão/libertação". O que acontece quando, armado com a crença na retidão de sua própria causa, um lado vence? Como vão viver os oprimidos libertados com seus opressores conquistados? A "libertação dos opressores" é a resposta que o esquema "opressão/libertação" sugere. Mas ela é persuasiva? Será que isso não revela uma cegueira ideológica por não se conseguir aceitar a ideia de que, quando as vítimas se tornam *libertadoras*, são elas, e não somente os opressores, que talvez precisem mudar? E. M. Cioran, esse "cético aristocrata", observou com perspicácia o fato perverso de que os grandes perseguidores são muitas vezes "recrutados entre os mártires que não foram bem decapitados".[9] Dizendo isso de um modo um pouco mais positivo, os libertadores são conhecidos por não se despirem de seus uniformes militares. "À medida que a história avança", escreve Bauman em *Vida em fragmentos*,

> a injustiça tende a ser compensada pela injustiça-com-inversão-de-papel. São somente os vencedores, enquanto sua vitória permanecer inconteste, que confundem, ou interpretam erroneamente, aquela compensação como

---

[8] Em sua polêmica contra a ênfase que a teologia da igreja coloca na "reconciliação" o *Documento Kairós* sublinha que há "conflitos em que um lado está certo e o outro está errado"; "há conflitos que só podem ser descritos como lutas entre justiça e injustiças, bem e mal, Deus e o diabo". Eu com certeza não discutiria isso. Desejo apenas ilustrar o ponto principal que estou apresentando. Argumentando que o conflito racial da África do Sul foi um conflito entre o "bem" e o "mal", o *Documento Kairós* sublinha que essas nítidas categorizações são necessárias se a linguagem de "opressão/libertação" quiser ter sentido. Robert McAfee Brown, ed., *Kairos: The Prophetic Challenge to the Church* (Grand Rapids: Eerdmans, 1990), p. 38.

[9] E. M. Cioran, *A Short History of Decay*, trad. Richard Howard (London: Quarter Books, 1990), p. 4.

o triunfo da justiça. A moralidade superior é com demasiada frequência a moralidade dos superiores.[10]

As *categorias* "opressão/libertação" parecem inadequadas para promover a reconciliação e manter a paz entre pessoas e grupos de pessoas. Embora as categorias em si sejam indispensáveis, devemos resistir a transformar o binômio "oprimido/opressor" no abrangente esquema pelo qual alinhamos o nosso engajamento social. Consequentemente, devemos rejeitar a "liberdade" como a suprema meta social.[11]

Seria possível argumentar que em alguns casos a reconciliação não é aquilo de que se precisa, pelo menos não *antes* que seja feita justiça, como insistiu o *Documento Kairós*.[12] Embora o argumento tenha força, poderemos nós avançar rumo à justiça se a meta suprema não for a reconciliação? Não foi esse o *insight* fundamental que levou à formação da Comissão da Verdade e Reconciliação depois da abolição do regime do Apartheid?

O pai da teologia da libertação na América Latina, Gustavo Gutiérrez, estava certo ao insistir que o amor, não a liberdade, é supremo. A "raiz mais profunda da escravidão", enfatizou ele na introdução à edição revisada de sua *Teologia da libertação*, "é o rompimento da amizade com Deus e com os outros seres humanos, e, portanto, não pode ser eliminada a não ser mediante o amor gratuito e redentor do Senhor que recebemos pela fé e na comunhão com o outro".[13] De modo semelhante, para o avô de todas as teologias de libertação, Jürgen Moltmann, a meta suprema de todos os seres humanos não é o "reino da liberdade". Antes, o reino da liberdade é um *processo* rumo ao reino de Deus, que é o reino do *amor*. Como ele argumentou em *Trindade e reino de Deus*, a liberdade do Deus trino não é nem simplesmente a ausência de interferência nem autodomínio, mas sim "amor vulnerável".[14] O mesmo acontece com a autêntica liberdade hu-

---

[10] Zygmunt Bauman, *Life in Fragments: Essays in Postmodern Morality* (Oxford: Blackwell, 1995), p. 183s.

[11] Stanley Hauerwas, *After Christendom? How the Church Is to Behave if Freedom, Justice, and a Christian Nation Are Bad Ideas?* (Nashville: Abingdon, 1991), p. 50ss.

[12] Brown, *Kairos*, p. 38; ver também os Capítulos 4 e 5 abaixo.

[13] Gustavo Gutiérrez, *A Theology of Liberation: History, Politics, and Salvation*, 2ª ed., trad. Caridad Inda e John Eagleson (Maryknoll, NY: Orbis, 1988), p. xxxviii; Nicholas Wolterstorff, *Until Justice and Peace Embrace* (Grand Rapids: Eerdmans, 1983), p. 53s.

[14] Jürgen Moltmann, *The Trinity and the Kingdom: The Doctrine of God*, trad. Margaret Kohl (San Francisco: HarperCollins, 1981) p. 56.

mana. Ela consiste em ser um amigo de Deus e compartilhar da glória do Deus trino, que nada mais é que puro amor.[15]

Todavia, fazer o amor sobrepor-se à liberdade não significa abandonar o *projeto* da libertação. O Santo de Israel, o Deus de Jesus Cristo, está do lado dos pobres e oprimidos; é um Deus que ouve os suspiros dos que não têm voz e os gritos dos que não têm poder, um Deus que liberta. Mas insistir na primazia do amor sobre a liberdade significa transformar o projeto de libertação, libertá-lo da tendência de ideologizar relações de atores sociais e perpetuar o antagonismo entre eles. Precisamos inserir o projeto de libertação numa estrutura mais ampla daquilo que chamei em outro lugar "uma teologia do abraço".[16]

Adeus às grandes narrativas

Será que não fui demasiado impaciente com a primazia da "liberdade"? Não poderia ser que o grande culpado não é a primazia da liberdade, mas sim a Grande Ideia da Emancipação? Em vez de questionar a primazia da liberdade, não deveríamos criticar a busca da emancipação *universal*? Um coro de pensadores pós-modernos, em que pesem suas dissonâncias, entoou intrincadas melodias que comunicam essa mensagem.

Tome, por exemplo, a crítica da modernidade de Jean-François Lyotard (embora Michel Foucault ou Gilles Deleuze também pudessem ser úteis para o meu objetivo aqui). Escreve ele:

> O pensamento e a ação dos séculos 19 e 20 são regidos por uma Ideia (no sentido kantiano): a Ideia da emancipação. Ela é, naturalmente, emoldurada de maneiras muito diferentes, dependendo do que denominamos as filosofias da história, as grandes narrativas que tentam organizar a massa de acontecimentos: a narrativa cristã da redenção do pecado original por meio do amor; a narrativa *Aufklärer* da emancipação da ignorância e da escravidão por meio do conhecimento e do igualitarismo; a narrativa especulativa da realização da ideia universal por meio da dialética do concreto; a narrativa da emancipação marxista da exploração e alienação por meio

---

[15] Ibid., p. 219ss.
[16] Miroslav Volf, "Exclusion and Embrace. Theological Reflection in the Wake of 'Ethic Cleansing'", *Journal of Ecumenical Studies* 29, n. 2 (1992): p. 230-48.

da socialização do trabalho; e a narrativa capitalista da emancipação da pobreza por meio do desenvolvimento tecnológico. Entre essas narrativas há fundamentos para o litígio e até para a divergência. Mas em todas elas as constatações que se originam dos acontecimentos estão situadas no curso de uma história cujo fim, mesmo que permaneça fora de alcance, é chamado liberdade universal, a realização da humanidade.[17]

Observe-se a função das versões da "grande ideia" ou da "grande narrativa". Ela estabelece a liberdade como o único objetivo da história universal e depois força as múltiplas correntes da história rumo ao grande rio que flui para aquele objetivo. Pois a Grande Ideia, a promessa de liberdade é ao mesmo tempo a fonte de legitimação e o horizonte do progresso.[18]

Se a modernidade se alimenta da promessa de liberdade contida nas "grandes narrativas", a pós-modernidade é definida pela incredulidade acerca dessas narrativas.[19] Primeiro, porque cada uma dessas grandes narrativas falhou. Para tomarmos apenas dois exemplos, a grande narrativa dominante diz que o mercado, se simplesmente puder operar sem interferência de bem-intencionados mas errados reformadores sociais, libertará a humanidade da pobreza, mas os crescentes milhões de destituídos prova o contrário; outra grande narrativa afirma que todos os proletários eram comunistas e todos os comunistas eram proletários, mas os tanques em Budapeste (1956), em Praga (1968) e em Pequim (1989) provam o contrário. Segundo, as grandes narrativas falam de uma libertação universal, mas são formuladas de um ponto de vista particular. A declaração dos direitos humanos proclama o ideal universal de cidadania, por exemplo, mas é promulgada em nome de uma entidade cultural particular — "Nós, o povo francês...".[20]

A *universalidade* das grandes narrativas é a razão principal do fracasso delas, insiste Lyotard. Culturas e subculturas — ecoando Ludwig Wittgenstein, ele as chama "jogos de linguagem" — são intrinsecamente plurais, heterogêneas, incomensuráveis. As grandes narrativas buscam suprimir a

---

[17] Jean-François Lyotard, *The Postmodern Explained: Correspondence 1982–1985*, trad. Don Barry et al. (Minneapolis: University of Minnesota Press, 1993), p. 24s.
[18] Ibid., p. 81s.
[19] Jean-François Lyotard, *The Postmodern Condition: A Report on Knowledge*, trad. Geoff Bennington e Brian Massumi (Minneapolis: University of Minnesota Press, 1984), p. xxiv.
[20] Lyotard, *The Postmodern Explained*, p. 31.

riqueza de "jogos de linguagem" — as pequenas narrativas — e comprimi--las num único molde. Todas essas tentativas de *totalizar* a linguagem numa "unidade real" são ilusões universalistas cujo preço terrível é o reino do terror.[21] Em vez de roteirizar grandes narrativas que alimentam a nostalgia do reino "do todo e do único", nós precisamos preservar a heterogeneidade dos jogos de linguagem: mediante a prática da "permanente divergência" devemos garantir que todos os consensos permaneçam fluidos, nunca finais e universais, sempre temporais e locais.[22] "Vamos declarar guerra à totalidade", escreve Lyotard em *A condição pós-moderna*, "vamos ser testemunhas do não apresentável; vamos ativar as diferenças e honrar o nome."[23]

Ao ser indagado em nome do que nós deveríamos declarar guerra contra a totalidade, Lyotard apela para a "justiça" — um valor, diz ele, "que não está fora de moda e que não é suspeito".[24] Mas, podemos nós protestar, será que a justiça não abrange heterogêneos jogos de linguagem? O que aconteceu com a incomensurabilidade de princípio deles? Cada jogo de linguagem não tem sua própria descrição de justiça? Tateando em busca de uma não universal, não consensual ideia de justiça, Lyotard insiste no "reconhecimento da especificidade e autonomia da multiplicidade e intraduzibilidade dos emaranhados jogos de linguagem, na recusa a reduzi-los; com uma regra, que não obstante seria uma regra geral, 'vamos jogar... e vamos jogar em paz'".[25] Enquanto ouvimos o chamado a reconhecer a autonomia da heterogeneidade, ouvimos o rangido da porta dos fundos se abrindo, e o que Lyotard expulsou pela porta da frente volta correndo para dentro. Ele não está mascateando algo muito parecido com a grande narrativa de liberdade do Iluminismo sob o rótulo de justiça não universal?

---

[21] Lyotard, *The Postmodern Condition*, p. 81.

[22] Lyotard sugere que aprendeu a estratégia da divergência permanente — ou "paralogia" — do modo como a ciência moderna funciona; ela teoriza "sua evolução como descontínua, catastrófica, irretificável e paradoxal" (ibid., p. 60). O modelo de ciência seria aquele de uma *permanente* revolução. Richard Rorty corretamente objetou que "dizer que a 'ciência visa' empilhar paralogia sobre paralogia equivale a dizer que a 'política visa' empilhar revolução sobre revolução. Nenhuma inspeção da preocupação da ciência moderna ou da política contemporânea poderia mostrar qualquer coisa desse tipo". "Habermas and Lyotard on Post-modernity", *Praxis International* 4, n. 1 (1984): p. 33.

[23] Lyotard, *The Postmodern Condition*, p. 81s.

[24] Ibid., p. 66.

[25] Jean-François Lyotard, *Das postmoderne Wissen*, trad. Otto Pfersmann (Bremen: Passagen Verlag, 1982), p. 131.

No fim de *A condição pós-moderna*, Lyotard sonha com a tecnologia do computador fornecendo "livre acesso aos bancos de memória e dados", oferecendo assim a todos os jogadores dos jogos de linguagem uma "informação perfeita a qualquer momento dado".[26] Substituindo-se "informação" por "meio de produção", o projeto de Lyotard de criar uma esfera pública para a discussão livre parece duvidosamente parecido com o "reino de liberdade" de Karl Marx, aquele incorrigível roteirista de grandes narrativas.[27] Propondo-se apagar todas as grandes narrativas da emancipação, Lyotard acaba escrevendo o roteiro de uma "antigrande narrativa" que se parece com alguma combinação de projetos liberais e socialistas.

Poderíamos simplesmente ignorar essa anomalia — inconsistência a rigor ela não é[28] — se ela não implicasse problemas mais sérios que envolvem a ideia de emancipação de Lyotard. Considere-se o que acontece quando alguém tenta substituir o moderno esquema de "opressão/libertação" pelo modelo pós-moderno de incomensuráveis "jogos de linguagem". Como argumentou Jürgen Habermas, jogos de linguagem cruzados e sequenciais têm a infeliz característica de que julgamentos de validade não são possíveis *entre* eles.[29] Acabamos ficando com um panteão de deuses sem esperança de conhecer como decidir entre reivindicações rivais porque não há critérios vinculadores para todos (embora cada deus seja capaz de oferecer suas boas *razões* para envolver-se na luta). Nas palavras de Richard Rorty, que nesse ponto concorda com Lyotard, nós não podemos apresentar "nenhuma razão 'teórica' para seguir um determinado rumo social em vez de outro".[30]

Incapazes de resolver diferenças por meio do raciocínio, os deuses vão inevitavelmente lutar. Dada a incomensurabilidade dos jogos de linguagem, não nos surpreende apanhar Lyotard argumentando que "falar é lutar" e atribuindo os atos de fala ao "domínio de uma agonística geral".[31]

[26] Lyotard, *The Postmodern Explained*, p. 67.
[27] Albrecht Wellmer, "On the Dialectic of Modernism and Postmodernism", *Praxis International* 4, n. 4 (1984): p. 358.
[28] É possível promover os mesmos fins que são legitimados pelas grandes narrativas de emancipação sem recorrer a uma grande narrativa que legitima esses fins.
[29] Jürgen Habermas, "The Entwinement of Myth and Enlightenment: Re-reading *Dialectic of Enlightenment*", *New German Critique* 26 (1982): p. 29.
[30] Rorty, "Habermas and Lyotard on Post-modernity", p. 40.
[31] Lyotard, *The Postmodern Condition*, p. 10.

Mas ele interpreta essa luta como "jogo", e coloca todos os jogos sob a regra geral de que eles devem ser praticados "em paz".³² O problema é que as crianças não vão ficar em seus quartos separados; elas jogam juntas e... brigam. Quando o jogo se torna sério, quando uma parte viola o que a outra parte acha que são as regras do *fair play*, e jogadores são carregados para fora do campo, a continuação do jogo "em paz" equivaleria à perpetuação da injustiça? Como seriam persuadidos a continuar jogando "em paz" os jogadores que (da perspectiva deles) foram injustiçados? Por que *deveriam* persuadir-se? Acaso o jogo tranquilo entre diferenças não acaba com "grandes diferenças" engolindo as "pequenas diferenças"? O convite para "jogar em paz" não se aproxima demais daquela espécie de afirmação nietzschiana da vida, que é um paraíso para os fortes, mas um inferno para os fracos, porque ela celebra o modo como as coisas são, o que significa dizer o modo que os fortes impuseram a elas?

Lyotard tenta superar a violência que as grandes narrativas impingem às pequenas narrativas, mas acaba ficando sem recursos para impedir que os pequenos e grandes ditadores agridam violentamente suas inúmeras vítimas. "A perfeita informação a qualquer momento"³³ para todos os jogadores não é certamente um desses recursos. Pois a perfeita informação sempre continuará sendo um objetivo inatingível, e mesmo se algum dia ele fosse atingido, permaneceria uma disparidade entre a capacidade das pessoas de usar essa informação em seu proveito próprio. Consequentemente, a luta entre os fortes e os fracos continuará, e na ausência de critérios abrangentes aplicáveis à luta os fracos continuarão sendo os perdedores. Contra a vontade de Lyotard, uma perversa espécie de emancipação ergue sua cabeça horrível depois que ele desconstruiu as grandes narrativas de emancipação: a emancipação dos poderosos para oprimir impunemente os impotentes.

Lyotard, porém, acertadamente desmascara as tentativas de reconciliação final baseadas na totalização sistemática. A pluralidade das culturas e subculturas, a pluralidade das "formações poder/discurso" e dos "jogos de linguagem" é irredutível. Mas isso não é porque os jogos de linguagem são em princípio incomensuráveis, como ele afirma. Eles não são. Uma vez que os atores sociais habitam um mundo comum, seus jogos de linguagem

---

³² Lyotard, *Das Postmoderne Wissen*, p. 131.
³³ Lyotard, *The Postmodern Condition*, p. 67.

são permeáveis, e a comunicação entre eles é possível.[34] A *incomensurabilidade* não é universal mas sempre local, temporal e parcial, exatamente como a comensurabilidade. Não, o que tem no meio do caminho da reconciliação não é alguma incomensurabilidade, mas um fato mais profundamente perturbador: juntamente com novos entendimentos e acordos de paz, novos conflitos e discordâncias são permanentemente gerados.

A questão crucial, portanto, não é como realizar a reconciliação final. Esse problema messiânico não deve ser tirado das mãos de Deus. A única coisa pior do que o fracasso de algumas grandes narrativas modernas de emancipação teria sido o sucesso delas! Simplesmente mediante a tentativa de realizar sua tarefa messiânica, elas já fizeram uma parte demasiado grande da obra do anticristo. Desmascarando projetos antimessiânicos que oferecem salvação universal, Lyotard nos ajuda a fazer o tipo de pergunta certa, que não é como conseguir a reconciliação final, mas *de que recursos precisamos para viver em paz na ausência da reconciliação final*.

Da crítica pós-moderna da emancipação ("*Adieu* às grandes narrativas") podemos aprender que devemos nos engajar na luta contra a opressão, mas também renunciar a todas as tentativas de uma reconciliação final; caso contrário, acabaremos perpetuando a opressão. Das limitações inerentes nos projetos de libertação ("As ambiguidades da libertação") podemos aprender que a luta contra a opressão deve ser norteada por uma visão de reconciliação entre oprimidos e opressores; caso contrário, ela acabará em "injustiça-com-inversão-de-papel". Tanto o projeto moderno de emancipação como sua crítica pós-moderna sugerem que uma teologia responsável deve ser concebida para facilitar uma *reconciliação não definitiva no meio da luta contra a opressão*. Qualquer outra coisa equivaleria a uma sedutora ideologia de uma falsa libertação que se mostraria mais inútil precisamente para aqueles em cujo nome ela foi promulgada, para aqueles que mais precisam dela.

Se o *projeto* final da reconciliação estiver claramente errado, deveria então a *esperança* numa reconciliação final ser abandonada? Será que a "grande narrativa" acerca da "grande Ceia do Cordeiro" é uma ilusão perigosa que alimenta sonhos totalitários e, portanto, apoia a prática totalitária? Mas como poderia o cristianismo viver sem metáforas tais como "o reino de Deus", "a nova criação", ou "o céu"? E que mais poderiam essas

---

[34] Walter Reese-Schäfer, *Lyotard zur Einführung* (Wien: Julius Verlag, 1989), p. 96.

metáforas designar se não um bem-estar numa paz universal e eterna — *shalom* — cuja perda forneceria a prova cabal de que as "pretensões" descaradamente imodestas dessas metáforas eram falsas? Para a fé cristã, desistir da *esperança* numa reconciliação final — uma reconciliação que não pode ser superada nem desfeita — significaria desistir de si mesma. Tudo depende, porém, de como entendemos a reconciliação final e sua implicação para a vida num mundo de inimizade. Vou apresentar aqui três breves negações. Primeira, a reconciliação final não é uma obra de seres humanos, mas sim do Deus trino. Segunda, ela não é um apocalíptico fim do mundo, mas sim o escatológico novo começo deste mundo.[35] Terceira, a reconciliação final não é uma "totalidade" fechada em si mesma, pois ela se apoia num Deus que é um amor perfeito. A esperança nessa reconciliação final não totalitária é o pano de fundo contra o qual os cristãos se envolvem na luta pela paz em condições de inimizade e opressão.

Recorrendo aos recursos disponíveis na proclamação de Jesus do reino de Deus, em sua morte na cruz e na natureza do Deus trino, vou defender aqui a luta por *uma reconciliação não final embasada numa visão da reconciliação que não pode ser desfeita*. Vou argumentar que a reconciliação com o outro só será bem-sucedida se o ego, guiado pela narrativa do Deus trino, estiver preparado para receber o outro em si mesmo e realizar um reajustamento de sua identidade à luz da alteridade do outro. A ideia de "reajustamento" pode sugerir igual aceitabilidade de todas as identidades e uma simetria de poder entre elas. Mas presumir essa aceitabilidade e simetria universais como dadas seria tornar-se refém de uma perniciosa ideologia. Vou, portanto, explorar o que se faz necessário para lutar pela reconciliação não final mediante um reajustamento de identidades dinâmicas na condição de uma difusa desigualdade e um mal manifesto.

A política do coração puro

Uma das histórias mais tristes da guerra na ex-Iugoslávia envolve uma mulher muçulmana. Veja aqui como ela a conta:

[35] Jürgen Moltmann, *The Coming of God: Christian Eschatology*, trad. Margaret Kohl (Minneapolis: Fortress, 1996), p. 11ss.

Sou muçulmana e tenho trinta e cinco anos. Ao meu segundo filho que tinha acabado de nascer, dei o nome de "Jihad". Assim ele não esqueceria o testamento de sua mãe — vingança. A primeira vez que levei meu filho ao peito, eu lhe disse: "Que este leite o sufoque, se você esquecer". Assim seja. Os sérvios me ensinaram a odiar. Durante os dois últimos meses não havia nada em mim. Nenhuma dor. Nenhuma amargura. Somente ódio. Ensinei essas crianças a amar. Ensinei. Sou professora de literatura. Nasci em Ilijash e lá quase morri. Meu aluno, Zoran, o único filho do meu vizinho, urinou na minha boca. Enquanto os barbudos vândalos ao redor se riam, ele me disse: "Você não serve para nada mais, sua muçulmana fedorenta...". Não sei dizer se antes ouvi o grito ou senti o golpe. Meu ex-colega, um professor de física, gritava como um louco: "Ustasha, ustasha...". E ia me batendo. Em qualquer parte que conseguia. Eu me tornei insensível à dor. Mas minha alma? Ela dói. Ensinei-os a amar e o tempo todo eles estavam se preparando para destruir tudo o que não é a fé ortodoxa. Jihad—guerra. Esse é o único jeito...[36]

Um jornalista sérvio, Željko Vukovič, de cujo livro *Ubijanje Sarajeva* tomo essa história, comenta: "Quantas mães na Bósnia juraram ensinar a seus filhos o ódio e a vingança! Quantos pequenos muçulmanos, sérvios e croatas vão crescer ouvindo essas histórias e aprendendo lições semelhantes!".[37] Quantas crianças mundo afora, poderíamos continuar perguntando, estão crescendo com "jihad", "guerra", "cruzada", "vingança", "ódio" inscritos não apenas no nome mas entrelaçados no próprio tecido da vida delas! Para que a reconciliação aconteça, as inscrições de ódio devem ser cuidadosamente apagadas e os fios da trama da violência delicadamente removidos. Essa, penso eu, é uma importante lição da proclamação do reino de Deus feita por Jesus. Deixe-me explicar.

Embora os destinatários da mensagem de Jesus fossem claramente não apenas as massas dos destituídos e impotentes que compunham as camadas mais baixas da sociedade palestina, há poucas dúvidas de que a maioria deles tinha bons motivos para considerar-se inocentes "vítimas" da opressão.[38] Politicamente, a população palestina sofria pela perda da soberania nacional para os romanos, bem como pela tensa relação entre a

---

[36] Vuković, *Ubijanje Sarajeva*, p. 134.
[37] Ibid.
[38] Gerd Theissen, *Sociology of Early Palestinian Christianity*, trad. John Bowden (Philadelphia: Fortress, 1978), p. 31-76.

aristocracia judaica, a monarquia de Herodes e as forças de ocupação romanas. Economicamente, a maioria estava presa entre as elites romanas e as elites domésticas, cada uma competindo com a outra para expandir sua fortuna, em parte explorando grandes segmentos da população com pesados fardos de impostos. Finalmente, com o domínio político dos romanos veio a pressão para a assimilação da cultura estrangeira. Os judeus, que com bons motivos se orgulhavam de uma antiga e nobre tradição religiosa e esperavam a futura conversão de todos os gentios, devem ter-se ressentido profundamente das impostas incursões da cultura helenística em seu espaço cultural e religioso. Dominada, explorada e tendo sua identidade cultural ameaçada, a maioria dos habitantes da Palestina foi vitimada, independentemente de eles pertencerem às classes mais baixas ou às médias.

Dado o contexto de difusa opressão, não surpreende que a proclamação do reino de Deus feita por Jesus tenha encontrado um eco extraordinário. Frustrações e aspirações políticas, econômicas e culturais se uniram para injetar um extraordinário potencial social no conceito do reino de Deus. Deus derrubará de seus tronos os invasores estrangeiros e as elites locais; Deus libertará o povo de toda opressão e porá um fim a todos os regimes terrenos. Sonhos de um futuro em que Deus somente governará com verdade e justiça eram alimentados pelas duras realidades da dominação, exploração e supressão cultural. Tornando o "reino de Deus" a marca central de sua mensagem e "os pobres" os principais beneficiários de sua boa-nova,[39] Jesus conferiu uma inconfundível vertente política a todo o seu ministério. Como poderiam seus ouvintes deixar de registrar as implicações políticas de seu sermão programático no qual ele afirmou que o espírito de Deus o ungiu "para proclamar libertação aos cativos e restauração da vista aos cegos, para pôr em liberdade os oprimidos, e apregoar o ano aceitável do Senhor" (Lc 4.18-19)!?

Realmente novo e surpreendente no ministério de Jesus, todavia, não eram nem as implicações políticas de sua mensagem nem o especial interesse que ele mostrava para com "os pobres". Esse interesse é precisamente o que nós esperaríamos de um patético líder político da periferia; para ser um líder você precisa de poder social, para ter poder social você precisa de seguidores, para ter seguidores você precisa abraçar a causa

---

[39] Joachim Jeremias, *New Testament Theology: The Proclamation of Jesus*, trad. John Bowden (New York: Scribners, 1971), p. 103-21.

dos descontentes, que no caso de Jesus teriam sido a grande maioria no fundo do amontoado das camadas da sociedade. Mas Jesus não tinha nenhuma aspiração à liderança política[40] e fez mais, muito mais do que esperaríamos de um político. Sem dúvida, ele acendeu a esperança no coração dos oprimidos e exigiu uma radical mudança dos opressores, como qualquer reformador social faria. Mas ele também gravou no âmago de sua "plataforma" a mensagem do amor incondicional de Deus e a necessidade do arrependimento das pessoas.[41] Da perspectiva das sensibilidades ocidentais contemporâneas, essas duas coisas juntas — amor divino e arrependimento humano — *oferecidas às vítimas* representam os mais escandalosos e (ao mesmo tempo) mais esperançosos aspectos da mensagem de Jesus.

O que nos incomoda, obviamente, não é o amor incondicional, que passamos a esperar, mas o chamado ao *arrependimento*.[42] Se Jesus estivesse exigindo "uma radical alteração da rotina e do rumo da vida individual, seus objetivos, atitudes e motivações fundamentais,[43] como às vezes o arrependimento é descrito, nós talvez nem contestássemos, embora insistíssemos que ele deveria ter poupado os pobres e desafiado os poderosos. Mas ele pediu mais que uma alteração radical. Arrepender-se significa fazer uma reviravolta com profundas consequências morais e religiosas. O arrependimento implica não simplesmente alguém reconhecer que cometeu um erro grave, mas sim alguém reconhecer que *pecou*. Jesus

---

[40] Gerd Theissen, *The Shadow of the Galilean: The Quest for the Historical Jesus in Narrative Form*, trad. John Bowden (London: SCM Press, 1987), p. 95.

[41] E. P. Sanders argumentou que o "arrependimento" não fazia parte do anúncio original de Jesus, mas ele "deve ser entendido" em sua mensagem (*Jesus and Judaism* [Philadelphia: Fortress, 1985], p. 111). Bruce Chilton e J. I. H. McDonald responderam que a "renúncia penitente" está "implícita numa resposta positiva ao Reino como extremamente valioso" (*Jesus and the Ethics of the Kingdom* [Grand Rapids: Eerdmans, 1987], p. 41). Meu ponto teológico mais amplo sobre a importância do arrependimento não depende, todavia, do lugar do arrependimento na pregação do Jesus histórico. Desde que se possa interpretar *a plateia dos Evangelhos* como os "oprimidos", os mesmos tipos de implicações teológicas derivariam da posterior inserção do arrependimento no anúncio original de Jesus.

[42] O chamado ao arrependimento não incomodou os contemporâneos de Jesus tanto quanto nos incomoda a nós no século 21, porque o arrependimento era "um aspecto convencional da teologia primordial do judaísmo" (McDonald, *Jesus and the Ethics of the Kingdom*, p. 41).

[43] James D. G. Dunn, *Jesus' Call to Discipleship* (Cambridge: Cambridge University Press, 1992), p. 20.

declarou de modo explícito que ele veio não "chamar justos, e sim pecadores" (Mc 2.17), e os evangelistas relatam que ele estava engajado na prática de perdoar os pecados (cf. Mc 2.5).

Não obstante a declaração de Jesus de que o reino pertence unicamente aos pobres, sua fala referindo-se a eles como pecadores provoca em nós uma erupção de suspeitas. Será que ele não tem nada mais confortante e construtivo para dizer "aos pobres" do que insultá-los chamando-os de pecadores? Em que medida ele é diferente do "sacerdote ascético" da *Genealogia da moral* de Nietzsche, que se transforma num curandeiro "do rebanho enfermo" envenenando a mente das ovelhas com a crença de que elas são culpadas por seus infortúnios?[44] O primeiro passo apropriado para a cura do rebanho não deveria ter sido uma retumbante mensagem de que o rebanho *tinha sido levado a* adoecer? Em vez de chamar os pecadores ao arrependimento, não deveria Jesus ter desmascarado a interpretação ideológica dos "pobres" como pecadores e desafiado as práticas opressoras que essas interpretações serviam para legitimar?

Note-se que Jesus não deixou de fazer exatamente isso: ele atacou os mecanismos religiosos que produziam pecados onde não havia pecado algum. Sua rejeição das leis da pureza (Mc 7.1-23), por exemplo, "corta fundo na carne da classificação sectária de justo e pecador".[45] Limites simbólicos traçados por falsas crenças religiosas que atribuem pecaminosidade ao que é inocente devem ser eliminados, insistiu Jesus. Além disso, ele mostrou uma extraordinária sensibilidade ao fato de que as pessoas sofrem não apenas porque pecaram, mas também porque pecados são cometidos contra elas. Seu sermão programático, por exemplo, menciona explicitamente "cativos" que precisam ser libertados (porque foram encarcerados *equivocadamente*) e "oprimidos" que precisam ser deixados em paz (porque foram tratados *injustamente*). Ele não acrescentou nada à miséria dos sofredores carregando-os com a culpa do próprio sofrimento deles. Usando a terminologia de Nietzsche, Jesus não era nenhum ardiloso "sacerdote ascético" que explorava as desgraças alheias, mas sim um profeta que denunciava a opressão e suas legitimações ideológicas (cf. Mt 23).

---

[44] Friedrich Nietzsche, *The Birth of the Tragedy and the Genealogy of Morals*, trad. Francis Golffing (Garden City: Doubleday, 1956), p. 262ss.
[45] Dunn, *Jesus' Call to Discipleship*, p. 75.

Num sentido limitado mas importante, o evangelho que Jesus proclamou foi uma boa-nova para "as vítimas do pecado".[46]

Todavia, Jesus conclamou ao arrependimento não apenas aqueles que falsamente declararam pecaminoso o que era inocente e pecaram contra suas vítimas, mas também *as próprias vítimas da opressão*. É inaceitável dividir os ouvintes de Jesus nitidamente em dois grupos e afirmar que para os oprimidos o arrependimento significa uma nova esperança, ao passo que para os opressores significa uma mudança radical. Nada sugere essa categorização de pessoas no ministério de Jesus, embora diferentes pessoas devam se arrepender de diferentes espécies de pecados. O caráter verdadeiramente revolucionário na proclamação de Jesus reside precisamente na *conexão entre a esperança que ele oferece aos oprimidos e a radical transformação que exige deles*. Embora alguns pecados tenham sido imputados a eles, outros pecados deles eram reais; embora sofressem nas mãos de outros, eles também cometeram seus próprios pecados. É sobretudo a *eles* que Jesus ofereceu o perdão divino. De modo bastante significativo, também são eles, e não os farisaicos membros do *establishment*, que aceitaram a sua oferta. Pois, em geral, o reino de Deus entra no mundo pelas portas dos fundos dos casebres de empregados, não pelo portão principal das mansões dos patrões.

Por que o chamado ao arrependimento inclui os oprimidos (além dos opressores que são incomparavelmente transgressores maiores)? Por que o discurso do pecado *deles* e do perdão? Porque pequenos "Jihads" junto com as mães e os pais deles precisam não apenas de ajuda material e psicológica como também de libertação do compreensível mas ainda assim desumano ódio em que o coração deles é mantido aprisionado. Falando de modo mais geral e mais teológico, as vítimas precisam arrepender-se porque a mudança social que corresponde à visão do reino de Deus — o mundo novo de Deus — não pode acontecer sem uma *mudança do coração e do comportamento delas*. Sabe-se que muitos falsos profetas usaram a mensagem do arrependimento para estabilizar a ordem da opressão: "a religião da alma em pecado" servia para desviar a atenção da "economia dos negócios escusos" e das "políticas de poder cruel". Seríamos, porém, imprudentes se deixássemos esse ultrajante abuso nos cegar ante a

---

[46] Raymond Fung, "Good News to the Poor—A Case for a Missionary Movement", *Your Kingdom Come: Mission Perspectives* (Geneva: World Council of Churches, 1980), p. 85ss.

extraordinária importância social do arrependimento da vítima. Se ele nos cegasse, a nosso modo seriamos nós culpados do mesmo pecado de que são culpados os falsos profetas — perpetuaríamos a velha ordem da opressão falsamente nos declarando ao mesmo tempo a vanguarda da nova ordem de liberdade. Deixe-me elaborar o que pode ser chamado "a nova política do coração puro".

Não é fácil saber do que Jesus pediu que seus ouvintes se arrependessem; ele fala com frequência de pecadores, mas raramente de seus pecados. O consenso social de seus contemporâneos sobre o que era considerado pecado não ajuda muito; não podemos pressupor que Jesus compartilhava das generalizadas noções de pecado, porque sabemos que ele desafiou seus contemporâneos sobre essa questão. Assim, temos de inferir do que ele queria que as pessoas se arrependessem analisando como ele queria elas vivessem; o pecado aparece aqui como uma falha em viver a vida de discipulado tal qual ela é descrita no Sermão do Monte.[47] Este não é o lugar para apresentar uma explicação exaustiva da implícita teologia de Jesus sobre o pecado. Dois focos proeminentes de sua mensagem, todavia, ilustram bem a relevância social do arrependimento — seu ensino sobre a riqueza e a violência. Jesus disse: "Não podeis servir a Deus e às riquezas", e "amai os vossos inimigos e orai pelos que vos perseguem" (Mt 6.24; 5.44). A devoção à riqueza e o ódio pelos inimigos são pecados dos quais os seguidores de Jesus devem se arrepender. Especialmente para as indefesas vítimas da opressão — que dispõem de meios limitados para servir à riqueza porque elas não têm nada e mal podem fazer uso de uma espada porque não há muitas espadas por aí — as duas injunções se traduzem numa crítica contra a *inveja* e a *inimizade*. Alguém poderia sentir-se tentado a objetar: Que possível importância política poderiam ter essas atitudes privadas dos desfavorecidos e indefesos? Essas pessoas desafortunadas poderiam ser mais sadias se se livrassem de seus sentimentos negativos, poderia aconselhar um psiquiatra. Mas por que um profeta aconselharia os desfavorecidos a se *arrependerem* desses sentimentos? Mais especificamente, que possível sentido social poderia ter esse arrependimento?

No decurso de sua crítica ao caráter de autoperpetuação da modernidade, Zygmunt Bauman aponta para a tendência de conflitos que nascem

---

[47] Joachim Gnilka, *Jesus von Nazaret: Botschaft und Geschichte* (Friburgo: Herder, 1993), p. 212.

de condições de desigualdade a gerarem ciúme nos privilegiados e inveja nos desprivilegiados. Comentando em *Ética pós-moderna* a importância social da inveja, ele escreve:

> O impacto mais seminal da inveja consiste [...] em transformar "as ideias do dominador" nas "ideias dominantes". Assim que tiver sido socialmente construído o elo entre a posição privilegiada e certos valores, os desprivilegiados são estimulados a procurar compensar sua humilhação por meio da exigência daqueles valores para si mesmos — reforçando com isso o poder sedutor que esses valores têm.[48]

A astuta observação de Bauman sobre a inveja se aplica igualmente bem à inimizade. O aspecto mais seminal da inimizade, poderíamos argumentar, usando o vocabulário de Bauman, consiste na transformação das práticas violentas do dominador em práticas dominantes. Assim que tiver sido estabelecido o elo entre violência e *status* social, as vítimas serão estimuladas a procurar compensar a opressão sofrida com meios violentos. O impacto social da inveja e da inimizade, isoladas ou combinadas, é reforçar os valores e práticas dominantes que, em primeiro lugar, causam e perpetuam a opressão. A inveja e a inimizade mantêm os desprivilegiados e os fracos acorrentados à ordem dominante — mesmo quando eles conseguem derrubá-la! É óbvio que, com demasiada frequência, eles não querem derrubar a ordem dominante; como diz Bauman, eles exigem que "as cartas sejam novamente embaralhadas, mas não querem outro jogo. Não culpam o jogo, culpam somente a mão mais forte do adversário".[49] Os valores e práticas dominantes só podem ser transformados se o controle que exercem sobre o coração daqueles que sofrem por causa deles for quebrado. É aqui que entra o arrependimento. Arrepender-se significa resistir à sedução dos valores e práticas pecaminosos e deixar que a nova ordem do reino de Deus seja estabelecida no coração.[50] Uma vítima ar-

---

[48] Bauman, *Postmodern Ethics*, p. 216.
[49] Ibid.
[50] A igreja primitiva foi surpreendentemente bem-sucedida na resistência aos valores dominantes, tais como a obsessão pela riqueza e o poder. Gerd Theissen observou uma "democratização" das antigas práticas de caridade no início da igreja: os mais pobres dos pobres atuavam não apenas como destinatários mas também como *sujeitos* da ajuda beneficente. Trabalhavam arduamente, até jejuavam, para satisfazer as necessidades de *outros*,

repender-se significa não permitir que o opressor determine os termos sob os quais o conflito social é posto em prática, os valores em torno dos quais o conflito está se alastrando e os meios pelos quais ele é combatido. O arrependimento desse modo fortalece as vítimas e enfraquece os opressores. E "humaniza" as vítimas precisamente por protegê-las de arremedar ou desumanizar os opressores. Longe de ser um sinal de aquiescência à ordem dominante, o arrependimento cria um porto do mundo novo de Deus no meio do mundo velho, e assim a transformação do velho se torna possível. De que pecados, então, devem as vítimas ser libertadas? De que deve arrepender-se a mulher muçulmana que deu a seu filho o nome "Jihad"? Ela não deve com certeza arrepender-se da violência e humilhação que sofreu, como se ela tivesse culpa por ter sido brutalmente violentada e absurdamente humilhada; os perpetradores, e somente eles, é que devem arrepender-se desse fato terrível. Quiçá, junto com a maioria das vítimas, ela precise de ajuda para aprender como resistir à tendência de culpar-se a si mesma. Mas ela e muitas outras vítimas — todos nós quando somos vítimas — precisamos nos arrepender do que os perpetradores fazem com nossa alma. As vítimas precisam se arrepender do fato de que com demasiada frequência elas imitam o comportamento dos opressores, deixam-se moldar pela imagem espelhada do inimigo. Precisam arrepender-se também do desejo de desculpar seu próprio comportamento reagente ou mediante a alegação de que elas não são responsáveis por ele ou mediante a declaração de que essas reações são uma indispensável condição de libertação. Sem arrependimento por esses pecados, a plena dignidade humana das vítimas não será restaurada, e a necessária mudança social não acontecerá.

Alguém poderia objetar que as vítimas não devem arrepender-se por aquilo que os perpetradores fizeram com a constituição moral de suas almas mais do que devem se arrepender por aquilo que os perpetradores fizeram com a integridade de seus corpos. "Os sérvios me ensinaram a odiar", declarou a mulher muçulmana. Em grande medida, eles ensinaram

uma proeza impossível sem uma liberdade soberana em relação à sedução da riqueza. Os mesmos impressionantes sinais do reino de Deus são visíveis em muitas comunidades cristãs empobrecidas em todo o mundo hoje em dia. "'Geben ist seliger als nehmen' (Apg 20:35): Zur Demokratisierung antiker Wohltätermentalität im Urchristentum", *Kirche, Recht und Wissenschaft: Festschrift für Oberkirchenrat i. R. Prof. Dr. Albert Stein zum siebzigsten Geburtstag*, ed. Andrea Boluminski (Neuwied: Luchterhand Verlag, 1995).

isso; o tipo de violência e desgraça que ela sofreu gera o ódio. E, no entanto, mesmo sob o massacre de extrema brutalidade, um reino interior de liberdade para moldar o ego deve ser defendido como um santuário da humanidade individual. Embora as vítimas possam sentir-se incapazes de impedir que o ódio ganhe vida, pelo seu próprio bem elas podem e devem recusar-se a nutri-lo e lutar para extirpá-lo. Se as vítimas não se arrependerem hoje, elas se tornarão amanhã perpetradoras que, em seu autoengano, procurarão inocentar seus malfeitos por conta de sua própria vitimização.[51]

É claro que algo muito maior do que uma mudança no coração dos desfavorecidos precisa acontecer para que a ordem dominante mude. Como poderíamos esquecer as lições sobre as dimensões estruturais do pecado que a tradição marxista descobriu e agora se tornaram sabedoria social bem-vinda? Além disso, o controle tenaz dos valores e práticas dominantes deve ser quebrado também no coração dos privilegiados; *eles* certamente precisam se arrepender. Isso, porém, parece tão óbvio que poderia quase deixar de ser mencionado se não fosse pela maquinaria ideológica que os privilegiados usam para roteirizar narrativas que afastam a culpa para longe deles mesmos. Os Evangelhos insistem que o arrependimento não é apenas necessário para os opressores, mas que para eles o arrependimento significa mais do que simplesmente purificar desejos e corrigir procedimentos, mais até do que fazer uma compensação em prol dos que eles prejudicaram. Como a história de Zaqueu hiperbolicamente declara, o arrependimento implica restituir "quatro vezes mais" e dar aos pobres metade das riquezas de quem se arrepende (Lc 19.8). Um arrependimento genuíno dos opressores provocará a "injustiça" da restituição superabundante, e isso busca neutralizar a injustiça da violação original.

---

[51] Sharon Lamb, *The Trouble with Blame: Victims, Perpetrators, and Responsibility* (Cambridge: Harvard University Press, 1996), p. 54. Como um todo, Lamb se concentra não no que a violação do perpetrador faz com o caráter moral da vítima, como eu faço aqui, mas em recuperar a capacidade de perpetradores bem como de vítimas de assumir responsabilidade e culpa. O argumento dela, cuja premissa é a crença de que "nós não responsabilizamos suficientemente os perpetradores pelos males que eles infligem", é que "quando começamos a responsabilizar os perpetradores por suas ações (e eles começam a considerar-se responsáveis), as vítimas podem lançar um olhar realista sobre si mesmas, e nós podemos nos sentir livres para reconhecer parte da asserção, livre-arbítrio e, sim, culpa, que também pertence às vítimas" (ibid., p. 8).

Da perspectiva aqui desenvolvida, o discurso sobre a pecaminosidade e o arrependimento das vítimas não tem nada a ver com a atribuição da culpa que legitima ações políticas correspondentes. Ele claramente *não* implica, por exemplo, que são apenas "valores familiares ruins" que mantêm os pobres escravizados à pobreza (como se estruturas econômicas e políticas não tivessem nenhuma relação com o ciclo da pobreza) ou que na ajuda dispensada aos pobres nós deveríamos distinguir entre os merecedores, que devem ser ajudados, e os não merecedores, que não devem ser (como se as pessoas precisassem merecer sua própria sobrevivência mediante a qualidade de seu caráter). Em vez disso, o discurso sobre a necessidade do arrependimento das vítimas tem a ver com a criação daquela espécie de agentes que são moldados pelos valores do reino de Deus e, portanto, estão capacitados a participar do projeto de uma autêntica transformação social.[52] A importância do caráter dos agentes sociais é uma relevante lição *política* que podemos aprender da alegação teológica de Jesus de que o primeiro ato de qualquer ser humano em resposta à chegada do reino de Deus é purificar o próprio coração, uma resposta cujo efeito pode ser uma salutar mudança política, mas cuja profunda razão reside na salvadora graça de Deus.

Em *O bode expiatório* René Girard argumentou que a identificação da vítima nos Evangelhos como um inocente bode expiatório tem a relevância de uma revelação.[53] Sem querer minimizar a singular importância da descoberta de que os opressores muitas vezes se envolvem com bodes expiatórios, quero propor que, da perspectiva dos Evangelhos, o argumento mais geral de Girard sobre a inocência da vítima tem a relevância do obscurecimento. O que tem a relevância de uma revelação é a insistência de Jesus na necessidade de arrependimento *de ambas as partes: dos opressores e dos oprimidos* — pelo menos sua insistência tem essa relevância nas sociedades contemporâneas. Jesus combina um profundo compromisso de ver "os oprimidos

---

[52] A ideia de que a transformação social das pessoas mais que a adequada atribuição de culpa está no âmago do arrependimento reflete o fato de que a proclamação do arrependimento feita por Jesus foi motivada não tanto pelo temor da vinda do juízo final quanto pelo entusiasmo diante da aproximação do reino de Deus (ver Mt 13.44). Peter Stuhlmacher, *Biblische Theologie des Neuen Tentaments. Grundlegung: Von Jesus zu Paulus*, vol. 1 (Göttingen: Vandenhoeck & Ruprecht, 1992), p. 95.

[53] René Girard, *The Scapegoat*, trad. Yvonne Freccero (Baltimore: John Hopkins University Press, 1986). Ver também abaixo, Capítulo 7.

libertados" com uma aguda consciência de que os oprimidos — de que *nós!* — precisamos do arrependimento, uma radical reorientação das atitudes e ações básicas em resposta à chegada da salvação de Deus. "Bem-aventurados os pobres" e "Bem-aventurados os puros" são bem-aventuranças inseparavelmente interligadas (Mt 5.3,8). Sem uma "política do coração puro" todas as políticas de libertação tropeçam nos próprios pés — o filho que foi nomeado "Jihad" irá inspirar outra mãe com um ódio tão puro que ela também inscreverá "vingança" na identidade de seu próprio filho.[54]

A prática do perdão

O arrependimento genuíno pode ser um dos atos mais difíceis para uma pessoa, sem falar numa comunidade, praticar. Há bons motivos para isso. A tradição cristã concebe o arrependimento genuíno não como uma possibilidade humana, mas como um dom de Deus. Não se trata apenas de que nós não gostamos de estar errados, mas de que quase invariavelmente os outros também não estão completamente certos. Como Carl Jung observou depois da Segunda Guerra Mundial, a maioria das confissões se apresentam com uma mistura de arrependimento, autodefesa e até alguma volúpia por vingança.[55] Admitimos a transgressão, justificamo-nos e atacamos, tudo ao mesmo tempo.

Quando nós claramente somos os agressores, não importa o tamanho da nossa ofensa — se ao menos a admitimos — queremos ressaltar a não inocência do lado que vitimamos e procuramos arrastar as vítimas para dentro do charco da indiferenciada pecaminosidade comum que exige uma equilibrada e recíproca confissão do pecado. A dificuldade com que a Igreja Evangélica da Alemanha fez sua deficiente confissão depois da Segunda Guerra Mundial (a Declaração de Culpa de Stuttgart, adotada em 18-19 de outubro de 1945) é um bom exemplo. A resistência ao arrependimento será ainda maior se nós nos considerarmos desprivilegiadas e impotentes vítimas. Como seremos capazes de confessar nossa transgressão sem buscar nos justificar mediante a indicação da transgressão que sofremos, uma transgressão

---

[54] Geiko Müller-Fahrenholz, *Vergebung macht frei: Vorschliige für eine Theologie der Versöhnung* (Frankfurt: Otto Lambeck, 1996), p. 129ss. Müller-Fahrenholz usa essa história para enfatizar a necessidade de perdão, não de arrependimento, como eu faço.

[55] Carl Gustav Jung, "Epilogue to 'Essay on Contemporary Events'", *Collected Works of C. G. Jung*, ed. H. Read et al. (New York: Pantheon Books, 1964), p. 240s.

que minimiza qualquer transgressão que possamos ter cometido e oferece uma boa dose de explicações de por que a cometemos? Quer agressores, quer vítimas, o arrependimento genuíno exige que nos isolemos, por assim dizer, da malha de pequenos e grandes atos perversos que caracterizam uma parte tão grande de nossas relações sociais, que nos recusemos a explicar o nosso comportamento e acusar outros e que simplesmente assumamos a responsabilidade pela nossa transgressão. "*Eu* pequei por pensamentos, palavras e obras", como diz o Livro da Oração Comum.

Comentando a Declaração de Culpa de Stuttgart, Jürgen Moltmann sublinha tanto a dor quanto a promessa de uma confissão genuína:

> Uma pessoa que assim admite sua culpa e cumplicidade torna-se indefesa, atacável e vulnerável. Fica lá, enlameada e deprimida. Todos podem apontar para ela e desprezá-la. Mas ela se torna livre da alienação e da determinação de suas ações por outros; ela volta para si mesma e entra na luz da verdade que a liberta [...].[56]

A libertação mediante a confissão — libertação da "supressão de culpa, e de uma obtusa crença no destino", da "armadura de insensibilidade e distanciamento em que nos havíamos trancado", como a descreve Moltmann[57] — talvez seja a mais penosa de todas as libertações. Mas quando tivermos dado esse difícil primeiro passo de arrependimento nós teremos percorrido uma boa parte do caminho rumo à reconciliação. O passo seguinte é o perdão.[58]

---

[56] Jürgen Moltmann, "Forty Years After the Stuttgart Declaration", *Case Study 2: The Forgiveness and Politics Study Project*, ed. Brian Frost (London: New World Publications, 1987), p. 43.

[57] Ibid.

[58] Não estou sugerindo que existe uma necessária sequência temporal entre o arrependimento e o perdão de tal sorte que, digamos, alguém primeiro se arrepende e depois oferece e recebe o perdão. Teologicamente falando, faz bem quem insistir na prioridade do perdão: ele já deve estar em ação antes que o arrependimento possa acontecer, como argumentou Kyle A. Pasewark em sua resenha de *An Ethic for Enemies*, de Shriver ("Remembering to Forget: A Politics of Forgiveness", *Christian Century* 112 [5-12 de jul., 1995]: p. 685). Meu interesse aqui não é tanto analisar a sequência de passos no ciclo da reconciliação quanto indicar vários elementos desse ciclo. Além disso, a terminologia de "passos" não deveria induzir ninguém a pensar que o arrependimento e o perdão são atos que acontecem de uma vez por todas. Em *Embodying Forgiveness: A Theological Analysis* (Grand Rapids: Eerdmans, 1995), L. Gregory Jones acertadamente argumentou em defesa do perdão como um "ofício", "um meio de vida".

Mas será o perdão algo mais fácil? No fundo do coração de cada vítima avoluma-se a raiva contra o perpetrador, raiva inflamada pelo sofrimento não redimido. Os salmos de imprecação parecem aflorar aos lábios das vítimas muito mais facilmente do que a oração de Jesus na cruz. Talvez elas preferissem orar assim: "Pai, não os perdoes, porque eles sabiam o que faziam!". Todavia, o poderoso impulso emocional para a vingança não é a única razão pela qual resistimos a perdoar. Nosso calmo sentimento de justiça envia a mesma mensagem: o perpetrador *merece* o rancor; perdoar seria injusto. Como se expressa Lewis Smedes em *Perdoar e esquecer,* o perdão é um ultraje "contra a moral linha dura que paga as suas dívidas".[59] Se os perpetradores estivessem arrependidos, o perdão surgiria mais facilmente. Mas com demasiada frequência eles não estão. E assim ambos, a vítima e o perpetrador, estão aprisionados no automatismo da exclusão mútua, incapazes de perdoar ou se arrepender, e unidos numa perversa comunhão de mútua inimizade. Em vez de querer perdoar, nós instintivamente procuramos vingança. Um desaforo não ficará sem troco por muito tempo; ele exige pagamento imediato em espécie. O problema com a vingança, todavia, é que ela nos escraviza. Como enfatizou Hannah Arendt em *A condição humana,* a vingança

> atua na forma de reagir contra uma transgressão original, por meio da qual, longe de pôr um fim às consequências do primeiro delito, todos ficam presos no processo, permitindo que a reação em cadeia contida em cada ação percorra seu curso sem entraves; [...] [a vingança] prende ambos, o perpetrador e a vítima, num implacável automatismo do processo de ação, que por si só não terá nunca um fim.[60]

Os infinitos giros da espiral da vingança — "violência se alimenta de vingança; vingança, de violência"[61] — têm suas boas razões que parecem entrelaçadas no próprio tecido das realidades sociais. A razão principal tem a ver com uma falta de sincronia entre as perspectivas dos atores sociais. Quando uma parte se enxerga como quem simplesmente procura

---

[59] Lewis B. Smedes, *Forgive and Forget: Healing the Hurts We Don't Deserve* (San Francisco: Harper & Row, 1984), p. 124.
[60] Hannah Arendt, *The Human Condition: A Study of the Central Dilemmas Facing Modern Man* (Garden City: Doubleday, 1959), p. 216.
[61] Donald W. Shriver Jr., *An Ethic for Enemies: Forgiveness in Politics* (New York: Oxford University Press, 1995), p. 19.

justiça ou até se contenta com algo menos que justiça, a outra parte pode interpretar essa mesma ação como uma vingança ou a perpetração de uma injustiça. Como a justiça pretendida é traduzida pela outra parte num ato de injustiça, uma "justa" vingança leva a uma "justa" contravingança. Podemos chamar essa primeira razão para a espiral da vingança "o dilema da parcialidade" — a incapacidade das partes presas num conflito de concordar sobre a importância moral de suas ações.

A outra razão para a espiral da vingança está na sequência temporal em que os atos estão necessariamente inseridos. Hannah Arendt denominou isso "o dilema da irreversibilidade" — a incapacidade de "desfazer o que alguém fez, embora ele não tivesse, ou não pudesse ter, sabido o que estava fazendo".[62] Se nossos atos ou suas consequências pudessem ser desfeitos, a vingança não seria necessária. A anulação deles, se houvesse vontade para isso, seria suficiente. Mas nossas ações são irreversíveis. Nem Deus pode alterá-las. E, assim, a necessidade da vingança parece irreprimível. A única saída do dilema da irreversibilidade, insistiu Arendt, é pelo *perdão*. O perdão é também a única saída do dilema da parcialidade, acrescentaria eu. Um ato genuinamente livre que "não se limita simplesmente a reagir",[63] o perdão quebra o poder do passado relembrado e transcende as alegações da afirmada justiça e assim faz a espiral da vingança parar de chofre, rangendo os freios. Essa é a importância do perdão.

"O descobridor do papel do perdão na esfera das relações humanas foi Jesus de Nazaré", afirmou Hannah Arendt.[64] Apropriado ou não, o título de "descobridor" enfatiza corretamente a centralidade do perdão na proclamação de Jesus. O clima de difusa opressão no qual ele pregava estava cheio de desejos de vingança. O princípio "Se alguém bater em você, revide! Se alguém roubar seu casaco, queime a casa dele!" parecia ser a única maneira de sobreviver;[65] o tipo de vingança de Lameque, que revida setenta e sete vezes cada golpe recebido, parecia, paradoxalmente, a única maneira de extirpar a injustiça (Gn 4.23-24). Mas Jesus, invertendo radicalmente a lógica de Lameque, pediu que seus seguidores não apenas abdicassem da vingança, mas que perdoassem tantas vezes quantas Lameque procurava

---

[62] Arendt, *The Human Condition*, p. 212s.
[63] Ibid., p. 216.
[64] Ibid., p. 214s.
[65] Theissen, *The Shadow of the Galilean*, p. 88.

vingar-se (Mt 18.21). A injustiça da opressão deve ser combatida com a criativa "injustiça" do perdão, não macaqueando a injustiça da vingança.

Pendendo da cruz para a qual foi mandado por um juiz injusto, Jesus se tornou o exemplo supremo de seu próprio ensinamento. Ele orou: "Pai, perdoa-lhes..." (Lc 23.34). Comentando essa oração, Jürgen Moltmann escreve:

> Com essa oração de Cristo a religião universal da vingança é superada e anula-se a lei universal da retaliação. No nome do Crucificado, de agora em diante somente o perdão impera. O cristianismo que tem o direito de apelar para ele é a religião da reconciliação. Perdoar quem ofendeu alguém é um ato da mais alta soberania e de grande liberdade interior. No perdão e na reconciliação, as vítimas são superiores aos perpetradores e se libertam da compulsão de praticar atos de maldade.[66]

Mas será que Moltmann não está criando alternativas falsas? Será que não existe nada além da escolha entre a vingança e o perdão? Por que simplesmente não abrir mão de *ambos* e optar pela justiça — devolvendo aos ofensores nem mais (como quereria a vingança) nem menos (como exigiria o perdão) que a ofensa deles? Por que não "olho por olho e dente por dente", como diz a *lex talionis*, aquele princípio que procura limitar o conflito mediante a imposição de uma exata medida de "revide"? Observe-se, porém, que a própria ideia do perdão implica uma afirmação da justiça. A Oração do Senhor deixa isso claro. Quando oramos: "perdoa-nos as nossas dívidas, assim como nós temos perdoado aos nossos devedores" (Mt 6.12), deixamos implícito que *devemos* algo a Deus e que outras pessoas *devem* algo a nós. O que devemos e o que nos é devido só pode ser estabelecido pela aplicação do princípio da justiça. Logo, se não há justiça, não há perdão.

Mas se houver justiça, por que nesse caso se exige perdão? Porque a rigorosa justiça restauradora nunca pode ser satisfeita. Se o dilema da parcialidade fecha a tampa do caixão dessa justiça, o dilema da irreversibilidade atarraxa os parafusos que prendem essa tampa. Uma vez que "nenhum ato pode ser anulado", como disse Nietzsche, no mínimo a ofensa original permanece. Dentro da estrutura da justiça, a culpa é eterna e, portanto,

---

[66] Jürgen Moltmann, *Das Kommen Gottes: Christliche Eschatologie* (Gütersloh: Christian Kaiser, 1995), p. 29.

conclui Nietzsche, "todas as punições também devem ser eternas".[67] E, no entanto, um inferno eterno para os algozes que a lógica de Nietzsche exigia não poderia pôr ordem nas coisas para quem foi vitimado, como a sagacidade de Dostoiévski percebeu.[68] Não podemos pensar em nada que possa corrigir a ofensa original. Além disso, assim que saímos da esfera do pensamento puro e ingressamos na esfera das relações sociais concretas, em regra, muitas outras coisas continuam incorretas além da ofensa original. Nesta esfera existem ofensas para as quais não se pode fazer nenhuma compensação, e mesmo quando se pode fazer uma compensação as disputas sobre que tipo de compensação é apropriado tornam a compensação improvável e sua justiça é contestada. Na estrutura da rigorosa justiça reparadora, nenhuma reconciliação é possível. Pelo contrário, a busca dessa justiça aprofundará o conflito e reinstaurará a "compulsão de atos perversos". Daí a necessidade do perdão.

Repito, o perdão não é um substituto da justiça. O perdão não é um mero desabafo do raivoso ressentimento da vítima, nem uma mera mitigação da angústia arrependida do perpetrador, um perdão que não exige nenhuma mudança do perpetrador e nenhuma correção de erros. Pelo contrário: cada ato de perdão entroniza a justiça; ele chama a atenção para a violação dela precisamente mediante a oferta da abdicação de suas reivindicações.[69] Além disso, o perdão proporciona um quadro de referência no qual é possível empreender uma busca fecunda de uma justiça entendida de forma adequada. "Somente aqueles que estão num estado de honestidade mediante a confissão de seus pecados a Jesus não se envergonham de dizer a verdade sempre que for preciso dizê-la", afirmou Dietrich Bonhoeffer em *Discipulado*.[70] Somente aqueles que estão perdoados e estão dispostos a perdoar serão capazes de buscar incessantemente a justiça sem jamais cair na tentação de pervertê-la em injustiça, poderíamos acrescentar.

---

[67] Friedrich Nietzsche, *Thus Spoke Zarathustra: A Book for Everyone and No One*, trad. R. J. Hollingdale (London: Penguin, 1969), p. 162.

[68] Fyodor Dostoevski, *The Brothers Karamazov*, trad. R. Pevear e L. Volokhonski (San Francisco: North Point, 1990), p. 245.

[69] Michael Welker, "Gewaltverzicht und Feindesliebe", *Einfach von Gott reden: Ein theologischer Diskurs. Festschrift für Friedrich Mildenberger zum 65. Geburtstag*, ed. Jürgen Roloff e Hans G. Ulrich (Stuttgart: W. Kohlhammer, 1994), p. 246.

[70] Dietrich Bonhoeffer, *The Cost of Discipleship*, trad. R. H. Fuller (New York: Mcmillan, 1963), p. 155.

Como, porém, encontrar a força para perdoar? Devemos nos persuadir de que o perdão é invariavelmente bom para a saúde mental e espiritual ao passo que a vingança é ruim? Devemos dizer a nós mesmos que, dada a natureza do mundo, é mais sábio perdoar do que ser apanhado numa giratória espiral de vingança? Mesmo que sejam válidos, será que esses argumentos atingem uma emoção tão poderosa como o desejo de vingança? Será que eles, de modo mais significativo, dão suficiente atenção ao fato de que o desejo de vingança, longe de ser simplesmente uma paixão irracional de uma psique doente e desajustada, flui "de uma necessidade de restaurar 'algo que falta' — uma sensação de uma integridade física e emocional que é estilhaçada pela violência", como corretamente argumentou Susan Jacoby em *Wild Justice* [Justiça selvagem]?[71] Como vamos saciar nossa sede de justiça e acalmar nossa paixão pela vingança de modo a praticar o perdão?

Nos salmos de imprecação, torrentes de raiva puderam fluir livremente, canalizadas apenas pela robusta estrutura de uma oração ritual.[72] De modo muito estranho, esses salmos podem apontar para uma saída da escravidão da vingança para chegar à liberdade do perdão. Essa sugestão obviamente não vai funcionar se considerarmos os salmos de imprecação como ameaças indiretas proferidas publicamente contra inimigos poderosos que não poderiam ser enfrentados diretamente — momentos "numa teia de palavras e ações intrigantes em que o salmista está totalmente envolvido", como argumentou Gerald T. Sheppard.[73] Em parte devido a uma falsa preocupação de que esses salmos possam "dissipar e neutralizar o desejo concreto de retaliar, punir ou tomar o poder de outra pessoa",[74] Sheppard interpreta mal o caráter específico desses salmos como discurso. Eles são *orações*. E todo mundo, exceto os modernos para quem Deus não tem importância, sabe que o primeiro destinatário das orações é Deus. Independentemente de qualquer outra coisa que esses salmos possam ter provocado naqueles que os ouviam (e eu não duvido de que eles funcionaram também nesse nível), eles traziam a indignação e

---

[71] Susan Jacoby, *Wild Justice: The Evolution of Revenge* (New York: Harper & Row, 1983), p. 298.

[72] Christoph Barth, *Introduction to the Psalms* (New York: Scribners, 1966), p. 43ss.

[73] Gerald T. Sheppard, "'Enemies' and the Politics of Prayer in the Book of Psalms", *The Bible and the Politics of Exegesis*, ed. D. Jobling et al. (Cleveland: Pilgrim, 1992), p. 74.

[74] Ibid., p. 71.

a raiva dos oprimidos contra a injustiça à presença do Deus de justiça, que é o Deus dos oprimidos.[75]

Para os seguidores do Messias crucificado, a principal mensagem dos salmos de imprecação é esta: a raiva tem seu lugar perante Deus[76] — não numa forma de confissão refletidamente administrada e aparada, mas como uma irrefletida explosão vinda das profundidades da alma. Não se trata de um mero desabafo catártico de uma agressão reprimida perante o Onipotente que deveria se preocupar. De um modo muito mais significativo, expondo a raiva descontrolada perante Deus nós colocamos tanto o nosso inimigo injusto quanto o nosso ego vingativo face a face com o Deus que ama e faz justiça. Oculto nos escuros recintos do nosso coração e alimentado pelo sistema de trevas, o ódio cresce e procura infectar tudo com sua infernal vontade de exclusão. À luz da justiça e do amor de Deus, todavia, ele recua e a semente para o milagre do perdão é plantada. O perdão tropeça porque eu excluo o inimigo da comunidade de seres humanos ao mesmo tempo que me excluo da comunidade de pecadores. Mas ninguém pode permanecer por muito tempo na presença do Deus do Messias crucificado sem superar essa dupla exclusão — sem transferir o inimigo da esfera da monstruosa inumanidade para a esfera da humanidade compartilhada e sem transferir-se a si mesmo da esfera da orgulhosa inocência para a esfera da pecaminosidade comum. Quando alguém sabe que o torturador não triunfará eternamente sobre a vítima (Capítulo 8), ele ou ela está livre para redescobrir a humanidade daquela pessoa e imitar o amor de Deus por ele. E quando alguém sabe que o amor de Deus é maior que qualquer pecado, ele ou ela está livre para se ver à luz da justiça de Deus e assim redescobrir seu próprio estado de pecado.[77]

---

[75] Patrick D. Miller, *They Cried to the Lord: The Form and Theology of Biblical Prayer* (Minneapolis: Fortress, 1994), p. 106ss; Bernd Janowski argumentou de modo persuasivo que o "inimigo" nesses salmos não é apenas "um oponente pessoal", mas "um representante de um poder caótico" ("Dem Löwen gleich, gierig nach Raub: Zum Feindbild in den Psalmen", *Evangelische Theologie* 55, n. 2 [1995]: p. 163ss.). Os salmos de imprecação, portanto, mais que a vingança pessoal, buscam a justiça.

[76] Ibid., p. 173.

[77] Situar-nos na presença de Deus não é, naturalmente, tudo aquilo de que precisamos para aprender a perdoar. Precisamos também nos situar numa comunidade de perdão, uma comunidade que nos ajudará a aprender o ofício do perdão (Jones, *Embodying Forgiveness*). A oração dos salmos de fato opera em parte essa situação comunitária, porque são as orações rituais do povo de Deus.

Na presença de Deus nossa raiva causada pela injustiça pode dar lugar ao perdão, que por sua vez tornará possível a busca da justiça para todos (ver Capítulo 5). Se o perdão acontecer ele será apenas um eco do perdão concedido pelo justo e amoroso Deus — o único perdão que em última análise importa porque, embora tenhamos de perdoar, num sentido muito real "somente Deus" pode ou perdoar ou reter pecados (Mc 2.7).

Espaço para o outro: Cruz, Trindade, Eucaristia

O "perdão" resume grande parte do significado da cruz[78] — para os cristãos o símbolo supremo ao mesmo tempo do poder destrutivo do pecado humano e da grandeza do amor de Deus. Embora Jesus possa nunca ter proferido a oração "Pai, perdoa-lhes, pois não sabem o que fazem" (Lc 23.34),[79] essas palavras estão indelevelmente gravadas na história da paixão, na verdade em toda a vida dele rumo à cruz. Como essa oração deixa claro, a crucificação de Cristo foi mais que simplesmente um exemplo do sofrimento de uma pessoa inocente. O sofrimento de um inocente *como tal* não tem valor redentor, nem para os próprios sofredores nem para alguma outra pessoa. É trágico, mais que redentor, porque apenas faz crescer os já transbordantes rios de sangue e lágrimas correndo pela história humana. Mais que apenas o sofrimento passivo de uma pessoa inocente, a paixão de Cristo é a agonia de uma alma torturada e um corpo destroçado oferecidos como *uma oração pelo perdão dos torturadores*. Sem dúvida, essa oração aumenta a agonia da paixão. Como Dietrich Bonhoeffer viu claramente, o perdão em si é uma forma de sofrimento;[80] quando perdoo eu não apenas sofri uma violação mas também suprimi as legítimas reivindicações da justiça retributiva. Ao pé da cruz nós aprendemos, porém, que num mundo de fatos irreversíveis e julgamentos partidários a redenção do sofrimento passivo da vitimização não pode acontecer sem o sofrimento ativo do perdão.

---

[78] Este não o lugar para desenvolver uma teologia completa da cruz; vou apenas esboçar algumas das características do testemunho do Novo Testamento da morte de Cristo. Em particular, vou evitar todas as tentativas de explicar a "lógica" da redenção (ver Capítulo 7). Aqui estou interessado na elaboração da importância social de alguns aspectos do que aconteceu na cruz, não na explicação do porquê e de precisamente como isso aconteceu.
[79] Importantes manuscritos antigos não contêm essas palavras.
[80] Bonhoeffer, *The Cost of Discipleship*, p. 100.

ABRAÇO

O perdão é necessário, mas será suficiente? O perdão é o limite entre a exclusão e o abraço. Cura as feridas que os atos de poder da exclusão infligiram e derruba os muros da hostilidade que divide. Contudo, ele deixa um distanciamento entre as pessoas, um espaço vazio de neutralidade, que lhes permite ou seguir seus caminhos separados naquilo que às vezes é denominado "paz" ou entregar-se a um mútuo abraço e restaurar a comunhão interrompida. "Seguir o próprio caminho" é o sonho mais arrojado que muitas pessoas presas no vórtice da violência conseguem reunir forças para sonhar. "Injustiça demais foi cometida para que sejamos amigos; sangue demais foi derramado para vivermos juntos", são palavras que ecoam com muita frequência em regiões destroçadas por seus conflitos. Uma linha nítida separará "eles" de "nós". Eles continuarão sendo "eles" e nós permaneceremos "nós", e nós nunca incluiremos "eles" quando falamos de "nós". Essas "nítidas" identidades, vivendo em distanciamentos seguros uma da outra, podem ser tudo o que é possível ou até desejável em alguns casos de certas conjunturas de história pessoal mútua. Mas uma separação de caminhos claramente ainda não é paz. Muito mais que a simples ausência de hostilidade sustentada pela ausência de contato, *a paz é a comunhão entre ex-inimigos*. Além de oferecer o perdão, a paixão de Cristo visa a restauração dessa comunhão — mesmo com inimigos que persistem na recusa da reconciliação.

No centro do drama da cruz está a postura de Cristo de não permitir que o outro permaneça inimigo e de criar um espaço para o ofensor poder entrar. Entendida como o ponto culminante da narrativa mais ampla do tratamento dispensado por Deus em prol da humanidade, a cruz diz que, apesar de sua manifesta inimizade para com Deus, a humanidade pertence a ele; Deus não é Deus sem a humanidade. "Nós, quando inimigos, fomos reconciliados com Deus mediante a morte do seu Filho", escreve o apóstolo Paulo (Rm 5.10). A cruz é Deus abrindo mão de si mesmo para não abrir mão da humanidade; é a consequência do desejo de romper o poder da inimizade humana sem violência e de receber os seres humanos na comunhão divina. O objetivo da cruz é a habitação de seres humanos "no Espírito", "em Cristo" e "em Deus". O perdão, portanto, não é o ponto culminante da relação de Cristo com o outro que ofende; é uma passagem que leva ao abraço. Os braços do crucificado estão estendidos — sinal de um espaço na essência de Deus e um convite para que o "inimigo" entre.

Como uma expressão da vontade de abraçar o inimigo a cruz é sem dúvida um escândalo num mundo inundado pela hostilidade. Instintivamente, procuramos um escudo e uma espada, mas a cruz nos oferece braços estendidos e um corpo nu com um lado perfurado; sentimos a necessidade da astuta sabedoria de serpentes, mas a cruz nos convida à loucura de pombas inocentes (1Co 1.18ss.). Por mais escandalosas que sejam, essas cruciformes vulnerabilidade e inocência não dizem nada, todavia, sobre "a *incapacidade* para a inimizade", como sugeriu Nietzsche em *O anticristo*.[81] Em vez disso, elas evidenciam o tipo de *inimizade* para com a inimizade, que rejeita todos os serviços da inimizade. Em vez de macaquear os atos de violência e rejeição da inimizade, Cristo, a vítima que se recusa a ser definida pelo perpetrador, perdoa e abre espaço para o inimigo. Em consequência disso, precisamente como vítima Cristo é o verdadeiro juiz: oferecendo o abraço aos ofensores, ele julga tanto o delito inicial dos perpetradores quando o delito reativo de muitas vítimas. A inimizade com a inimizade consegue o que nem a inimizade em si nem a incapacidade para inimizade conseguiram realizar. O abraço *transforma* a relação entre a vítima e o perpetrador, ao passo que a inimizade simplesmente a inverteria e a incapacidade de inimizade a deixaria intacta.[82]

Todavia, mesmo como um julgamento contra a inimizade, a cruz permanece uma ofensa num mundo de violência. Será que esse pacífico agonismo não vai levar para uma insuportável agonia dos seguidores de Cristo?[83] Será que o peso excessivo da cruz não vai esmagar os fracos — aqueles que não têm nenhuma plataforma de poder à qual possam apelar quando fracassa a estratégia de criar espaço no ego para o inimigo? Essa "palavra da cruz" não será uma notícia boa demais para os perpetradores? Em outra parte do livro discuto essas questões profundamente

---

[81] Friedrich Nietzsche, *Twilight of the Idols and the Anti-Christ*, trad. R. J. Hollingdale (London: Penguin, 1990), p. 153.

[82] Ver Rowan Williams, *Resurrection: Interpreting the Easter Gospel* (London: Darton, Longmans & Todd, 1982), p. 11ss.

[83] Sobre a questão da "vulnerabilidade" ver o importante ensaio de Sarah Coakley "*Kenosis* and Subversion: On the Repression of 'Vulnerability' in Christian Feminist Writing" (*Powers and Submission: Spirituality, Philosophy, and Gender* [Oxford: Blackwell, 2002]); ela argumenta defendendo "a confluência normativa em Cristo do não intimidador 'poder' divino *em relação à* 'autoapagada' humanidade" (p. 31).

perturbadoras (ver Capítulos 5—7). Aqui pretendo enfatizar que a ofensa da cruz — e quem acha que a cruz *não* é uma ofensa nunca seguiu o Crucificado até o Getsêmani, sem falar no Gólgota — atinge um nível mais profundo do que a teologia da cruz. Se o destino do Crucificado e de seu pedido para seguir seus passos nos incomoda, então seremos também incomodados pelo Deus do Crucificado. Pois a própria natureza do Deus trino está refletida na cruz de Cristo. Inversamente, a cruz de Cristo está gravada no coração do Deus trino; a paixão de Cristo é a paixão de Deus.[84] Como afirma Rowan Williams, "o inconcebível esvaziamento de si mesmo de Deus nos eventos da Sexta-Feira Santa e no Sábado Santo não é nenhuma expressão arbitrária da natureza de Deus: isso é o que é a vida da Trindade, trasladada para o mundo".[85] Uma teologia trinitária da cruz nos leva, portanto, a perguntar o que é "a vida da Trindade" não trasladada para o mundo, e como ela deveria moldar nossas relações com o outro.

Observe-se primeiro as duas dimensões da paixão de Cristo: o amor de doação de si mesmo que supera a inimizade humana e a criação de espaço em si mesmo para receber a humanidade que se afastou. Essa mesma doação de si mesmo e a recepção do outro são os dois momentos importantes na vida interior da Trindade; de fato, no Deus trino de amor perfeito eles são idênticos. Tanto aqueles que abraçam uma visão hierárquica das relações trinitárias, seguindo a tradição, quanto aqueles que adotam tendências mais recentes e defendem uma visão não hierárquica das relações trinitárias, concordam que a vida de Deus é uma vida de amor que se doa e que recebe o outro. Consequentemente, a identidade de cada pessoa da Trindade não pode ser definida separada das outras duas pessoas. O Jesus joanino diz que "o Pai está em mim, e eu estou no Pai" (Jo 10.38). Aquela determinada pessoa divina não é somente aquela pessoa, mas inclui em si as outras pessoas divinas; ela é o que é apenas por meio da habitação dos outros. O Filho é o Filho porque o Pai e o Espírito habitam nele; sem a interioridade do Pai e do Espírito, não haveria nenhum Filho. Cada pessoa divina é as outras duas pessoas, mas ela é as outras duas pessoas a seu modo particular. Isso é o que a ideia patrística da divina *pericórese*

---

[84] Moltmann, *The Trinity and the Kingdom*, p. 21ss.
[85] Rowan Williams, "Barth on the Triune God", *Karl Barth: Studies of His Theological Method*, ed. S. W. Sykes (Oxford: Clarendon, 1979), p. 177.

procurou explicar — "a coinerência de uma [pessoa] nas outras sem nenhuma coalescência ou comistura".[86]

Tudo na ideia de *pericórese* — ou "mútua interioridade", como prefiro dizer — depende do sucesso em resistir ao deslizamento para uma pura identidade. Baseando-se num entendimento agostiniano e tomista das reações das pessoas trinitárias, Joseph Ratzinger argumentou que a personalidade consiste em *puras relações*[87] — "persona est relatio".[88] Recorrendo a afirmações do Jesus joanino tais como "O meu ensino não é meu, e sim daquele que me enviou" (Jo 7.16), Ratzinger afirma que no Filho "não há nada em que ele é somente ele, nenhuma espécie de terreno privado exclusivo";[89] todo o seu ser consiste em ser completamente transparente para o Pai. Por isso Jesus pode dizer: "Quem me vê a mim vê o Pai" (Jo 14.9). Mas de que modo essa radical transparência do Filho para o Pai difere da dissolução do Filho no Pai? Mais ainda, se *nenhuma* das três pessoas nada tem de exclusivamente seu, as três pessoas divinas colapsam na única indiferenciada substância divina e sua "mútua interioridade" se perde. Em vez de identificar "pessoas" e "relações" parece melhor entendê-las, com Jürgen Moltmann, "num relacionamento recíproco".[90] O Filho agora não é completamente transparente para o Pai, mas ambos são agora concebidos como um "no" outro: "o Pai está em mim, e eu estou no Pai" (Jo 10.38). Essa mútua interioridade nascida do amor — "eu não sou apenas eu, o outro também me pertence" — descreve a identidade bem como as relações das pessoas divinas de eternidade em eternidade.[91]

Quando a Trindade se volta para o mundo, o Filho e o Espírito se tornam, na bela imagem de Ireneu, os dois braços de Deus pelos quais a humanidade foi criada e encerrada no abraço de Deus.[92] O mesmo amor que sustenta identidades não fechadas em si mesmas na Trindade procura criar espaço

---

[86] G. L. Prestige, *God in Patristic Thought* (London: SPCK, 1956), p. 298.

[87] Joseph Ratzinger, *Introduction to Christianity*, trad. J. R. Foster (New York: Herder and Herder, 1970), p. 131.

[88] Aquinas, *Summa Theologica*, trad. Fathers of the English Dominican Province (New York: Benzinger, 1948), vol. I, Q40, A2.

[89] Joseph Ratzinger, *Introduction to Christianity*, p. 134.

[90] Moltmann, *The Trinity and the Kingdom*, p. 172.

[91] Ibid., p. 191s.; Jürgen Moltmann, *In der Geschichte des dreieinigen Gottes: Beiträge zur trinitarischen Theologie* (München: Kaiser, 1991); Miroslav Volf, *After Our Likeness: The Church as the Image of the Trinity* (Grand Rapids: Eerdmans, 1998) cap. 4.

[92] Ver Irenaeus, *Against Heresies*, livro 5, cap. 6, § 1.

"em Deus" para a humanidade. A humanidade, porém, não é simplesmente o outro de Deus, mas o amado outro que se tornou um inimigo. Quando Deus parte para abraçar o inimigo, o resultado é a cruz. Na cruz o círculo dançante da doação de si mesmo e as pessoas divinas em mútua co-habitação se abrem para o inimigo; na agonia da paixão o movimento para por um breve instante, e uma fissura aparece a fim de que a humanidade pecadora possa entrar (ver Jo 17.21). Nós, os outros — nós, os inimigos — somos abraçados pelas pessoas divinas que nos amam com o mesmo amor com que se amam uma a outra e assim abrem espaço no seio de seu próprio eterno abraço.[93]

A Eucaristia é o tempo ritual em que celebramos essa divina "criação--de-espaço-para-nós-e-o-convite-a-entrar". Comendo o pão e bebendo o vinho, nós lembramos o corpo massacrado "por nós" que éramos inimigos de Deus, e o sangue derramado para estabelecer uma "nova aliança" conosco que violamos a aliança (1Co 11.24-25). Nós, porém, interpretaríamos profundamente mal a Eucaristia se pensássemos nela apenas como um sacramento do abraço de Deus, do qual somos simplesmente os afortunados beneficiários. Gravada no próprio âmago da graça de Deus está a regra que determina que só poderemos ser seus beneficiários se não opusermos resistência a sermos transformados em seus agentes; o que acontece conosco deve ser feito por nós. Tendo sido abraçados por Deus, devemos criar em nós mesmos espaço para outros e convidá-los a entrar — até mesmo os nossos inimigos. É isso que colocamos em ato quando celebramos a Eucaristia. Ao receber o corpo massacrado de Cristo e o sangue derramado, nós, em certo sentido, recebemos todos aqueles que Cristo recebeu mediante seu sofrimento.

Ambas a teologia católica e a ortodoxa têm uma longa tradição de refletir sobre aquilo que denominam uma "personalidade católica", centrada em torno do mistério da Eucaristia. Tome-se a formulação de John Zizioulas dessa noção, embora se pudesse igualmente tomar, por exemplo, a de Hans Urs von Balthasar.[94] Uma vez que na Eucaristia o "Cristo inteiro" — a ca-

---

[93] O plural não é aqui, de modo algum, uma queda no politeísmo. Como o plural em João 17.21 ("eles" — aqueles que acreditarão — em "nós" — o Pai e o sujeito da sublime oração sacerdotal) sugere, não se pode falar do Deus trino simplesmente no singular (embora, naturalmente, uma das regras fundamentais da linguagem sobre o Deus cristão é que tampouco se pode falar do Deus trino simplesmente no plural)!

[94] Hans Urs von Balthasar, *Katholisch: Aspekte des Mysteriums*. Kriterien 36 (Einsiedeln: Johannes, 1975), p. 8.

beça e o corpo — é recebido pelo comungante, cada um é transformado numa *pessoa eclesial* e todos são *interiorizados no próprio ser de cada um*.[95] Mesmo se alguém levantar objeções ao caráter organista do pensamento de Zizioulas — o único e inteiro Cristo constituído pela cabeça e o corpo está presente em cada membro[96] — a ideia de uma *pessoa eclesial* ou *personalidade católica* (como Zizioulas prefere dizer) é profunda e ao mesmo tempo frutífera. Partindo o pão nós participamos não apenas do corpo do Senhor crucificado e ressuscitado, mas também do corpo da igreja que é formado por muitos membros. A Eucaristia nos diz que cada membro não é externo em relação aos outros membros. Um indivíduo distinto é também um único ponto nodal, o sedimento das relações interiorizadas com outros membros do corpo de Cristo. Como argumentei antes (Capítulo 3), entendida de modo apropriado, a noção de personalidade católica nos leva até além dos limites da igreja. Pelo Espírito não somos apenas batizados no corpo único, mas também transformados em "uma nova criação". Assim, o Espírito nos permite antecipar o encontro final do povo de Deus no novo mundo de Deus e nos coloca no caminho de nos tornarmos verdadeiramente personalidades católicas — microcosmos pessoais da nova criação escatológica. Na Eucaristia, então, celebramos a entrega do ego ao outro e a recepção do outro naquele ego que o Deus trino realizou na paixão de Cristo; e recebemos o chamado e o poder para viver plenamente essa entrega e recepção num mundo cheio de conflitos.

No ápice da vida litúrgica da igreja ortodoxa, durante a celebração da "festa das festas", no fim das matinas pascais e exatamente antes do começo da liturgia divina, o coro canta as seguintes palavras:

Páscoa de beleza,
A Páscoa do Senhor,
Uma Páscoa digna de toda honra amanheceu para nós.

[95] John Zizioulas, "L'eucharistie: quelques aspects bibliques", *L'eucharistie*, ed. J. Zizioulas et al. (Paris: Marne, 1970), p. 69; Zizioulas, "Die pneumatologische Dimension der Kirche", *Communio* 2 (1973): p. 142; Zizioulas, *Being as Communion: Studies in Personhood and the Church* (Crestwood: St. Vladimir's Seminary Press, 1985), p. 58.

[96] Uma discussão mais exaustiva dessa questão na tradição católica e ortodoxa e uma tentativa de sua apropriação dentro da estrutura do pensamento protestante se encontra em meu livro *After Our Likeness: The Church as the Image of the Trinity* (Grand Rapids: Eerdmans, 1998).

Páscoa!
Abracemo-nos uns aos outros alegremente.
Ó Páscoa, libertação de todas as aflições.

E em seguida, depois que o versículo dá glória ao Deus trino, "ao Pai, e ao Filho, e ao Espírito Santo, agora e para sempre, e pelos séculos dos séculos", o coro canta de novo:

Este é o dia da ressurreição.
Iluminemo-nos pela festa.
Abracemo-nos uns aos outros.
Chamemos "Irmãos" até mesmos os que nos odeiam,
e perdoemos a todos pela ressurreição.[97]

Boa parte do significado da morte e ressurreição de Cristo está resumida nesta injunção, "Abracemo-nos uns aos outros". Como o coro claramente afirma, o outro, que deve ser abraçado por aqueles pelos quais "uma Páscoa digna de toda honra amanheceu", não é simplesmente o "irmão" ou a "irmã" dentro da comunidade eclesial isolada em si mesma. O outro é também o inimigo exterior — são "aqueles que nos odeiam" e "todos" — que é incluído no abraço mediante o perdão e *chamado* "irmão" e "irmã".

Em certo sentido, esse chamado litúrgico a abraçar uns aos outros demarca o limite entre o espaço e o tempo do ritual pascal e o espaço e o tempo da vida de cada dia. Em obediência ao chamado a "abraçar uns aos outros", o mistério pascal é plenamente vivido no mundo. Nós que fomos abraçados pelos braços estendidos do Deus crucificado abrimos nossos braços para os inimigos — para criar espaço em nós mesmos para eles e convidá-los a entrar — a fim de que juntos possamos nos alegrar no eterno abraço do Deus trino.

O paraíso e a aflição da memória

Depois que nos arrependemos e perdoamos nossos inimigos, depois que criamos espaço em nós mesmos para eles e deixamos a porta aberta, nossa

---

[97] John Erickson e Paul Laraz, eds., *The Paschal Service* (Wayne: Orthodox Christian Publications Center, 1990).

vontade de abraçá-los deve nos permitir o ato final, talvez o mais difícil de realizar, se o processo de reconciliação quiser ser completo. É o ato de esquecer o mal sofrido, um *certo tipo de esquecimento*, apresso-me a acrescentar.[98] É um esquecimento que pressupõe que as questões de "verdade" e "justiça" foram solucionadas (ver Capítulos 5 e 6), que os perpetradores foram nomeados, julgados e (oxalá!) transformados, que as vítimas estão seguras e suas feridas curadas (ver Capítulo 7), um esquecimento que pode, portanto, finalmente acontecer *somente junto com* a "renovação de todas as coisas".

Poderia eu estar sendo sério ao sugerir o "esquecimento" como ato final da *redenção*? Será que as vítimas não têm excelentes razões para *jamais esquecer* as injustiças sofridas e as feridas suportadas? Não é preciso olhar longe para achar razões. A alegria contida dos perpetradores pela perda da memória é o melhor argumento para gravar na pedra as narrativas de seus delitos. Baseando-me em parte na obra de Elie Wiesel, mais adiante neste livro vou argumentar firmemente em defesa da obrigação de conhecer, lembrar e não se calar (ver Capítulo 6). Se as vítimas se lembrarem corretamente, as memórias das desumanidades do passado protegerão a elas e a nós contra futuras desumanidades; se os perpetradores se lembrarem corretamente, a memória da transgressão deles ajudará a reparar seu passado de culpa e a transformá-lo no solo no qual um futuro mais promissor possa crescer.[99] Todavia, se precisamos nos lembrar de delitos para estar seguros num mundo inseguro, precisamos também nos desapegar da lembrança deles para sermos finalmente redimidos, ou pelo menos é isso que vou argumentar aqui e sugerir que só aqueles que estão dispostos a, enfim, esquecer serão capazes de lembrar corretamente.

Minha argumentação só terá sentido se nós abandonarmos o preconceito de que "lembrar" é sempre bom e "não lembrar" é sempre ruim. Esse preconceito é compreensível porque o lembrar faz para nós aquela espécie de trabalho na vida do dia a dia que o esquecer nunca poderia fazer. "Você não se lembra!?" pode ser uma censura legítima, ao passo que "Você *não deixou de se lembrar*!?" soa como algo absurdo. Devemos concluir que

---

[98] Em *Forgive and Forget: Healing the Hurts We Don't Deserve* (San Francisco: Harper & Row, 1984), Lewis B. Smedes, um dos poucos autores contemporâneos que não descarta simplesmente o esquecer como desumano, tem algumas coisas pastorais muito sensatas a dizer sobre por que e como devemos esquecer (p. 38-40, 108, 134-37).

[99] Ver Williams, *Resurrection*, p. 28-51.

quanto menos nos esquecemos tanto melhor? Quando se trata de coisas tais como nomes de conhecidos ou itens numa lista de compras, isso de fato é assim. Mas quando se trata de um relacionamento complexo e permanente entre amigos, o completo restabelecimento do passado não é apenas impossível; a própria ideia disso é assustadora. A memória é muito mais complexa que a simples retenção; seu oposto não é o oblívio. Em vez disso, a retenção e o oblívio atuam como dois aspectos inter-relacionados do fenômeno mais amplo da memória; o lembrar-se de algumas coisas implica esquecer-se de outras, e o esquecer-se de algumas coisas muitas vezes acontece mediante o lembrar-se de outras. Nós nos lembramos do que achamos importante e nos esquecemos do que não achamos importante. E só aquilo de que nos lembramos pode ter importância para nós, ao passo que aquilo de que nos esquecemos não pode. Na estrutura da memória histórica, "lembrar" e "não lembrar" são duas maneiras entrelaçadas de reconstruir nosso passado e com isso forjar nossas identidades.[100] O esquecer não é em si mesmo tão inimigo nosso; mais que ele, são aqueles que optariam por nos roubar o direito de decidirmos por nós mesmos o que esquecer e o que lembrar, bem como quando fazer isso.[101]

Como poderia o "esquecimento" (do mal sofrido) moldar nossa identidade e nossa relação com o outro? De que modo pode o esquecimento ser redentor? A lembrança do mal é um escudo contra o mal, disse eu. Note-se, porém, a dupla função do escudo: ele protege da violência interpondo-se entre mim e o inimigo; ele abriga redobrando o limite entre o ego e o outro. A memória do delito sobrepõe na imagem do outro uma narrativa de transgressão; mesmo um pecador perdoado *ainda é* um pecador *do passado* se seus pecados não são esquecidos. Se o delito não torna a acontecer, a narrativa da transgressão recuará para um segundo plano e permitirá que a face do outro apareça, e isso por sua vez apresentará a narrativa do passado sob uma nova luz. Mas assim que novos delitos forem cometidos, a narrativa das transgressões saltará para o primeiro plano, com suas letras grandes, em tintas carregadas, eclipsando a face humana do outro. Vívida ou ofuscada, a memória da exclusão sofrida é ela mesma uma forma de exclusão — uma forma protetora, certamente, mas mesmo assim uma

---

[100] Jan Assmann, *Das kulturelle Gedächtnis: Schrift, Erinnerung und politische Identität in frühen Hochkulturen* (München: C. H. Beck, 1992), p. 29-86.
[101] Tzvetan Todorov, "The Abuses of Memory", *Common Knowledge* 5, n. 1 (1996): p. 326.

exclusão. Na minha memória da transgressão do outro, o outro é preso na irredenção, e nós ficamos ligados um ao outro num relacionamento de irreconciliação.

A memória da injustiça sofrida é também uma fonte de minha própria irredenção. Enquanto é lembrado, o passado não é simplesmente o passado; continua sendo um aspecto do presente. Uma ferida lembrada é uma ferida vivida. Profundas feridas do passado podem causar tanta dor no presente que, como diz Toni Morrison em *Amada*, o futuro se torna uma "questão de manter o passado à distância".[102]

"Todas as coisas e todos os tipos de coisas" não podem estar bem para mim hoje, se elas não estão bem na minha memória de ontem. Até mesmo a recriação do mundo inteiro e a remoção de todas as fontes de sofrimento não me trarão a redenção se isso não impedir as incursões do passado irredimido no presente redimido através da porta da memória. Uma vez que memórias moldam identidades presentes, nem eu nem o outro podemos ser redimidos sem a redenção do nosso passado lembrado. "Redimir o passado [...] só isso eu chamo redenção", observou profundamente Nietzsche em *Assim falou Zaratustra*.[103]

Mas como pode o passado ser redimido quando o "tempo não volta para trás"? Como podemos desfazer nossas feridas *do passado* de modo a transformar nosso ego violado em um ego inteiro? Como podemos separar os malfeitores de seus malfeitos *passados* e ser reconciliados por eles? "Impotentes contra aquilo que foi feito", como afastaremos a pedra chamada "Aquilo que foi", poderíamos perguntar, usando a imagem de Nietzsche?[104] Para realizar a redenção do passado, o próprio Nietzsche sugeriu o ato sobre-humano de transformar cada "foi assim" em "eu quis que fosse assim" pela força da "vontade criativa".[105] Todavia, o tipo de milagre metafísico que Nietzsche teve de operar para ensinar a vontade a "querer para trás" e "sentir-se reconciliada com o tempo" parecerá mais um truque fracassado de um mágico. Para capacitar a vontade a "violar o tempo e o

---

[102] Toni Morrison, *Beloved* (New York: Signet, 1991). L. Gregory Jones faz uma análise teológica útil das políticas da memória no livro de Morrison (*Embodying Forgiveness*, p. 279ss.), embora, com exceção de um breve momento (p. 147), ele atribua apenas uma função negativa ao esquecimento.

[103] Nietzsche, *Thus Spoke Zarathustra*, p. 161.

[104] Ibid.

[105] Ibid., p. 163.

desejo do tempo"[106] ele precisa elaborar toda uma obscura teoria do eterno retorno das coisas,[107] que faz Zaratustra parecer "um homem tomado pelo máximo terror!".[108] Não, para a vontade — até para o tipo de "vontade criativa" que Nietzsche elabora — o passado permanecerá para sempre sua "mais solitária aflição".[109]

A maneira mais habitual de redimir o passado não é mediante o querer mas mediante o pensar, mediante um ato interpretativo de inscrever a tragédia do passado na precondição de um futuro não trágico. A redenção do passado é aqui moldada por teodiceias. Na trajetória do pensamento agostiniano, por exemplo, pode-se raciocinar algo assim: de modo muito semelhante às sombras escuras do mundo que "se harmonizam" com trechos de luz e contribuem para a beleza do mundo quando o todo é visto da suprema perspectiva do Criador, assim também a fealdade em minha vida contribui de algum modo inexplicável para sua futura beleza. O mal serve a algum bem maior e nós "já não desejamos um mundo melhor", como diz Agostinho em suas *Confissões*.[110] Todavia, nenhuma das tentativas de redimir o sofrimento passado por meio do pensamento consegue redimir todo aquele sofrimento, e a maioria delas tem a odiosa consequência de fazer o próprio sofrimento parecer tanto mais justificado (ou pelo menos sancionado) quanto mais bem-sucedidas elas são.[111] Mais importante ainda, mesmo que o pensamento possa negar o passado, ele não consegue remover a dor; ele triunfa não "sobre o mal real, mas apenas sobre seu fantasma estético", como diz Paul Ricoeur.[112] O problema do sofrimento, presente ou passado, não pode ser abordado como uma questão especulativa. A vida neste mundo, como diz Jürgen Moltmann em *Trindade e o reino de Deus*,

---

[106] Ibid., p. 161.
[107] Ibid., p. 331ss.
[108] Ibid., p. 163.
[109] Ibid., p. 161.
[110] Augustine, *Confessions*, trad. Albert Outler (Philadelphia: Westminster, 1995), livro vii, cap. 13.
[111] Emmanuel Lévinas, *Entre nous: Essais sur le penser-à-l'autre* (Paris: Grasset & Fasquelle, 1991); Kenneth Surin, *Theology and the Problem of Evil* (Oxford: Basil Blackwell, 1986); Terence Tilley, *The Evils of Theodicy* (Washington: Georgetown University Press, 1991).
[112] Paul Ricoeur, "The Hermeneutics of Symbols and Philosophical Reflection: I", *The Conflict of Interpretation*, ed. Don Ihde (Evanston: Northwestern University Press, 1974), p. 312.

significa viver com a "questão aberta" do sofrimento que brota da "ferida aberta da vida neste mundo" — e "buscando o futuro no qual o desejo de Deus será realizado, o sofrimento será superado e o que foi perdido será restaurado".[113] A única resposta adequada ao sofrimento é *ação*.

Mas, embora a ação possa fazer muito acerca do sofrimento no presente, ela não pode fazer nada acerca da experiência do sofrimento no passado. Quando as lágrimas secarem, e a dor e a morte já não existirem, o que acontecerá com as *memórias* das feridas sofridas e da desumanidade daqueles que as infligiram? Quando Deus restaurar o que foi perdido, como será restaurada a *experiência* da perda? Enquanto nos lembrarmos da injustiça e sofrimento não seremos completos, e a incômoda e irrespondível "questão aberta" que almeja uma resolução numa harmonia impossível continuará vindo à tona. A resposta da ação, até mesmo a transformação escatológica, para o problema do sofrimento no passado não será suficiente. Até mesmo no novo mundo de Deus, teremos ou de olhar para trás e ver "sentido" mediante a impossível alegação de que todo sofrimento foi justificado, ou teremos de nos sentir profundamente atribulados pelo "absurdo" do mal. Será que conseguiremos ver "sentido"? Não, o "absurdo" de pelo menos algum sofrimento é eterno; todo o "trabalho do pensamento" deve definitivamente falhar, e o mal deve seguir existindo como uma "permanente aporia".[114] No entanto, na glória do mundo novo de Deus — especialmente lá! — o "absurdo" do sofrimento no passado será insuportável — tão insuportável como seria o seu "sentido".

Se tanto o "absurdo" como o "sentido" são inaceitáveis como posições noéticas, será que nesse caso a única maneira de "resolver" o problema do sofrimento no passado é o *ato não teórico de não lembrar*[115] exatamente como a única maneira de superar a experiência do sofrimento atual é o ato não teórico de recriar? Depois de expor argumentos em defesa do "aspecto

---

[113] Moltmann, *The Trinity and the Kingdom*, p. 49.

[114] Paul Ricoeur, "Evil, A Challenge to Philosophy and Theology", *Journal of the American Academy of Religion* 53, n. 3 (1985): p. 644.

[115] Mesmo se o sofrimento infligido for *perdoado* e o tipo de "harmonia superior", a que o Ivan Karamazov de Dostoiévski "absolutamente renuncia", for restabelecido (Dostoevsky, *The Brothers Karamazov*, p. 245), o "absurdo" do sofrimento passado e, portanto, a "desarmonia" no presente ainda permaneceria. Essa desarmonia não pode ser resolvida por meio do pensamento, ou da ação, ou do perdão, porque nada disso pode desfazer o que foi feito.

aporético de pensar sobre o mal" e sugerir "a resposta da ação ao desafio do mal", em seu ensaio "O mal: um desafio para a filosofia e a teologia" Paul Ricoeur imediatamente acrescenta que "a ação por si só não basta" porque o sofrimento continua reacendendo as perguntas "Por quê?", "Por que eu?" e "Por que meu querido filho?". Para lidar com essas perguntas persistentes ele sugere que façamos o "trabalho do luto".[116]

Essa sugestão é útil, mas não vai longe o suficiente. Até depois que o trabalho do luto foi feito, as perguntas permanecerão, se permanecer a memória. Passando pelos estágios do luto, devemos em última instância chegar ao estágio do não lembrar — nos braços de Deus. Para Ricoeur, porém, o estágio final do luto não é esquecer, mas é "amar a Deus por nada". Depois de ter alcançado esse ponto, argumenta ele, nós "nos libertaríamos completamente do ciclo de retaliação no qual a lamentação ainda permanece presa, enquanto a vítima lamenta a injustiça de seu destino".[117] Mas estaríamos então plenamente redimidos? Uma vez que "amar a Deus por nada" não eliminaria a dor do passado ou repararia a injustiça já cometida — nenhum céu pode *retificar* Auschwitz[118] — nós amaríamos a Deus *apesar* dessa dor e injustiça. E se o sofrimento permanecer no passado, a lamentação pelo sofrimento ainda permanecerá, pelo menos na forma de uma tristeza não redimida pela injustiça que não pôde ser desfeita. Somente o não lembrar pode acabar com a lamentação pelo sofrimento que nenhum pensamento consegue por si mesmo dispensar e nenhuma ação desfazer.[119]

Em suma, meu argumento é este: visto que nenhuma redenção final é possível sem a redenção do passado, e visto que todas as tentativas de redimir o passado por meio da reflexão estão fadadas ao fracasso porque nenhuma teodiceia pode ser bem-sucedida, a redenção final é inimaginável sem um certo tipo de esquecimento. Falando de modo categórico, a

---

[116] Paul Ricoeur, "Evil", p. 646-48.
[117] Ibid., p. 647.
[118] Dorothee Soelle, *Suffering*, trad. Evert R. Kalin (Philadelphia: Fortress, 1975), p. 149.
[119] Mesmo o ato impossível de desfazer o que foi feito não seria suficiente para conseguir a redenção final porque a memória do que foi feito, a menos que seja apagada, ainda continuaria afligindo a pessoa. Somente um ato mais radical de "fazer o que aconteceu não ter acontecido" funcionaria, porque se o que aconteceu fosse feito não ter acontecido, então o que era lembrado também era feito não ter sido lembrado. Isso equivale a dizer que para ter a redenção final pode-se precisar de algo mais que "a transformação do mundo somada à perda da memória do sofrimento", mas não se pode precisar de algo menos que isso.

alternativa é: ou o céu *ou* a memória do horror. Ou o céu não terá nenhum monumento para manter viva a memória dos horrores, ou ele estará mais perto do inferno do que gostaríamos de pensar. Pois se o céu não pode retificar Auschwitz, então a memória de Auschwitz deve anular a experiência do céu. A redenção somente será completa quando a criação de "todas as coisas novas" estiver acoplada à passagem de "todas as coisas velhas" para dentro do duplo *nada* da não existência e da não lembrança. Esse esquecimento redentor está implícito na passagem de Apocalipse acerca dos novos céus e da nova terra. "Não haverá luto, nem pranto, nem dor" não só porque "a morte já não existirá", mas também porque "as primeiras coisas passaram" (Ap 21.4) — passaram da experiência bem como da memória, como o texto em Isaías, citado em Apocalipse, declara de modo explícito: "não haverá lembrança das coisas passadas" (Is 65.17; cf. 43.18).[120]

Mas que dizer da memória de Deus? Será que Deus não se lembrará? Será que a memória de Deus não é, como diz Rowan Williams em *Resurrection* [Ressurreição], a extensa memória da vítima, mesmo que seja uma memória de "uma vítima que não vai condenar"?[121] Comentando sobre o encontro entre o Senhor ressuscitado e Pedro, Williams argumenta com elegância que Deus, resistindo ao endêmico esquecimento dos infratores, os restaura ao seu passado de culpa, embora não tanto para condená-los, mas para fazer do passado restaurado "o fundamento de uma nova identidade ampliada".[122] O que acontecerá, todavia, depois que Deus narrou a

---

[120] Alguém poderia objetar que sem a memória do mal ou do malfeito sofrido, a pessoa não seria ela mesma. Mas isso seria um argumento estranho, não obstante o fato de que nossa história forma parte de nossa identidade. Pois claramente não nos lembramos de tudo o que nos aconteceu nem de tudo o que outrora lembrávamos como tendo acontecido conosco, e no entanto somos provavelmente a mesma pessoa que éramos. De fato, somos agora quem somos precisamente *porque* não nos lembramos de tudo, mas nos lembramos disso ou daquilo dessa ou daquela maneira. Por que motivo então não seríamos capazes de ser nós mesmos se a memória da transgressão e do mal que sofremos retrocedesse para o oblívio? Verdade, nossa identidade seria reconstituída com essas não lembranças, mas é a *nossa* identidade que seria assim reconstituída, de modo muito semelhante como ela é reconstituída diariamente. Não seria estranho afirmar, por exemplo, que minha mãe não seria quem ela é sem a memória do acidente fatal do meu irmãozinho Daniel, quando agora ao lembrar-se do acidente ela deseja com toda a força de seu ser que ele não tivesse acontecido?

[121] William, *Resurrection*, p. 23.

[122] Ibid., p. 35.

história do pecado do infrator no contexto da graça[123] e conferiu ao infrator uma nova identidade? A resposta é tão simples e nós estamos tão habituados a ouvi-la que não captamos sua profundidade: Deus, para quem todas as coisas estão presentes, *esquecerá* o pecado cometido. O Deus de Israel, que está para fazer "coisa nova" e que anuncia ao povo que ninguém se lembrará das "coisas passadas", promete apagar as transgressões dele de sua própria memória divina (Is 43.18-19,25; cf. 65.17). "Pois perdoarei as suas iniquidades e dos seus pecados jamais me lembrarei" (Jr 31.34).

No fim desta seção vou voltar ao *modus* da não lembrança de Deus. Aqui pretendo explorar por que Deus "esquece" e quais são as implicações do "esquecimento" dos pecados da parte de Deus para o esquecimento do mal e de transgressões da parte de seres humanos. Na busca de uma resposta para o significado do esquecimento de Deus, devemos prestar atenção à complexa e multifacetada dinâmica do lembrar e do não lembrar divinos. Deus se lembra das iniquidades, lembra-se bem delas (Ap 18.5). No entanto, ele também se esquece delas. Deus se lembra das iniquidades simplesmente para esquecê-las depois que elas foram nomeadas como iniquidades e receberam o perdão. Por que ambos o lembrar e o esquecer? Porque há outra memória divina, muito mais importante e poderosa que a memória da ofensa, uma memória que define a própria identidade do Deus de Israel. Exatamente como uma mulher não pode se esquecer da criança que amamenta, assim Deus não pode se esquecer de Israel. Inscrito na palma das mãos de Deus, Israel é inesquecível mesmo quando se esqueceu de Deus (Is 49.15-16). A memória do pecado deve ser mantida viva por um tempo, enquanto ela for necessária para que ocorra o arrependimento e a transformação do infrator. Mas depois é preciso deixá-la morrer, para que o fraturado relacionamento da mãe divina e de sua demasiado humana criança possa ser totalmente curado. A memória da ofensa, sustentada além do arrependimento e transformação do infrator, obnubila tanto a memória do amor do passado quanto a visão de uma futura reconciliação. A perda dessa memória — a memória dos atos perversos — traz a criança de volta para os braços da mãe, já estendidos para o bebê, porque ela não iria querer perder a memória do mútuo abraço.

Mas como Deus ousa esquecer, podemos nós protestar! Vá lá que Deus "perdoe e esqueça" os insultos que ele sofreu, mas que "direito" tem ele de

---

[123] Jones, *Embodying Forgiveness*, p. 147.

esquecer todas a brutalidades cometidas contra tantas vítimas humanas? Será que a perda *dessa* memória não constituiria um abraço entre o perpetrador e Deus — um conluio da memória curta do perpetrador com o esquecer de Deus — que embotaria o sofrimento e a morte e deixaria as vítimas esquecidas? De fato, se Deus é o Deus das vítimas (que é o que a cruz nos diz que ele é), Deus não pode se esquecer enquanto as vítimas se lembram. Em altos brados as almas dos que foram massacrados continuamente lembram a Deus: "Até quando, ó Soberano Senhor...?" (Ap 6.10). Mas até quando devem as vítimas se lembrar? Será que as vítimas devem permanecer eternamente escravizadas por aquilo que Nietzsche denominou "o espírito de vingança"?[124] Será que *elas também* não devem no fim se esquecer, para que elas mesmas possam ser redimidas, os antigos, transformados perpetradores vestindo túnicas brancas, e ambos, perpetradores e vítimas, reconciliados uns com os outros? O que brada tão alto contra o esquecimento das vítimas é, naturalmente, o pensamento — um pensamento abissal — de "vestir o antigo perpetrador com uma túnica branca". Escrevi essas palavras tiradas de uma visão paulina dos *pecadores* justificados — e imediatamente as apaguei. Minha cabeça inundou-se de imagens de aldeias queimadas, cidades destruídas e mulheres estupradas da história da minha terra natal, a Croácia. Parece-me impossível eu abraçar um četnik com suas mãos ensanguentadas como parece impossível para um judeu abraçar um nazista ou para aquela mãe abraçar o torturador que deixou seus cachorros estraçalharem o filho dela![125] Não se pode imaginar nenhum futuro no qual perpetradores — mesmo perpetradores julgados e transformados — estejam vestindo túnicas brancas. Tudo em nós se rebela contra essa imagem. No entanto, tudo o que sabemos do Deus da cruz exige que nós seriamente a admitamos. Se fizermos isso, a questão já não será como Deus ousa esquecer, mas como pode Deus, sem esquecer as vítimas, ajudá-las a curar suas memórias.

Considere-se, primeiro o lado escatológico da resposta. Naquilo que impressiona como uma espécie de "antiteodiceia" — um abandono de qualquer solução especulativa do problema — o apóstolo Paulo escreve: "Porque para mim tenho por certo que os sofrimentos do tempo presente não podem ser comparados com a glória a ser revelada em nós" (Rm 8.18).

---

[124] Nietzsche, *Thus Spoke Zarathustra*, p. 162.
[125] Dostoevsky, *The Brothers Karamazov*, p. 245.

A lógica é tão simples quanto profunda. Se algo não é digno de comparação, então não será comparado, e se não será comparado então não terá sido lembrado. Pois como alguém deixaria de comparar o sofrimento com a glória se se lembrasse do sofrimento durante a experiência da glória?[126]

Quando chegarmos ao outro lado, e a ponte conectando o novo ao velho mundo for destruída para evitar que o velho invada o novo mundo, a última parte da ponte a desaparecer será a *memória* do passado. Envoltos na glória de Deus vamos nos redimir a nós mesmos e aos nossos inimigos mediante um ato final da mais difícil graça facilitada pela experiência da salvação que não pode ser desfeita — a graça do não lembrar. Quando não nasce do ressentimento, a memória da desumanidade é um escudo contra a desumanidade. Mas onde não há espadas, escudos são totalmente desnecessários. Libertados pela perda da memória de todo o passado irredimido que irredime todo o presente e separados apenas pelos limites de suas identidades, os antigos inimigos se abraçarão um ao outro no abraço do Deus trino. "Apenas isso eu denomino redenção", poderíamos dizer ecoando Nietzsche, mas referindo-nos a uma redenção totalmente diferente.[127]

Será que essa visão da redenção *final* cujo último ato é "o não lembrar" — uma redenção que não tem nada a ver com a reconciliação por meio de uma "totalização sistemática"[128] — exerce alguma influência em nossa vida num mundo onde há espadas em excesso e o uso de escudos é indispensável? Ela exerce — desde que não nos esqueçamos de que, como o Messias não veio envolto em glória, por amor às vítimas, nós precisamos manter viva a memória do sofrimento delas; precisamos conhecê-lo, precisamos lembrá-lo, precisamos verbalizá-lo em voz alta para que todos ouçam (ver Capítulo 6). Esse lembrar indispensável deve, porém, ser orientado pela visão daquela mesma redenção que um dia nos fará perder a memória de erros e feridas sofridos e de ofensas cometidas. Pois, em última análise, esquecer o sofrimento é melhor que lembrá-lo, porque a integridade é melhor que a fragmentação, a comunhão do amor melhor

---

[126] Eu não leio a alegação de Paulo "Sabemos que todas as coisas cooperam para o bem daqueles que amam a Deus" (Rm 8.28) como uma tentativa de justificar a Deus mediante a justificação de "todas as coisas", mas sim de descrever a função de coisas "injustificáveis" na vida "daqueles que amam a Deus".

[127] Nietzsche, *Thus Spoke Zarathustra*, p. 161.

[128] Ricoeur, "Evil", p. 635.

que o distanciamento da suspeita, a harmonia melhor que a desarmonia. Nós nos lembramos agora para que possamos nos esquecer depois; e nos esqueceremos depois a fim de que possamos amar sem reservas. Embora sabendo que seríamos incautos se depuséssemos o escudo da memória antes do amanhecer da nova era, nós talvez sejamos capazes de movê-lo cautelosamente para um lado abrindo os braços para abraçar o outro, até mesmo aquele que já foi nosso inimigo.

Na famosa história do livro de Gênesis, José estava pronto para empreender uma difícil jornada de reconciliação com seus irmãos que o venderam como escravo porque, como ele diz, "Deus me fez esquecer todas as minhas dificuldades e toda a família de meu pai" (Gn 41.51, NVT). Seja como for, antes de chegar ao fim, a jornada de reconciliação implicou uma boa dose de lembranças. O próprio José foi relembrado do sofrimento que seus irmãos lhe haviam causado, e de modo sutil mas vigoroso, ele os fez relembrar também (Gn 42.21-23; 44.27ss.). Ainda assim, como a distante luz de um lugar chamado a casa da gente, a divina dádiva do esquecer aquilo que ele ainda lembrava — formando um "plano de fundo" da memória talvez fosse a expressão certa[129] — guiou toda a jornada de volta. Querendo garantir que a preciosa dádiva não fosse perdida nem para ele nem para a sua posteridade, José a inscreveu no nome de seu filho, Manassés — "aquele que está entregue ao esquecimento". Um paradoxal monumento ao esquecer (como pode alguém ser lembrado de esquecer sem ser lembrado do que deveria esquecer?), a presença de Manassés evocava o sofrer a fim de chamar atenção para a perda da memória. É esse estranho esquecer, ainda entremeado com o lembrar, que fez José, a vítima, ser capaz de abraçar seus irmãos, os perpetradores (Gn 45.14-15) — e tornar-se o salvador deles e de si mesmo (Gn 46.1ss.).

---

[129] Philip Clayton sugeriu-me essa expressão. Seria possível argumentar que aquilo que eu deveria procurar em toda esta seção é fazer um "plano de fundo" ou "*Aufhebung*" da memória dos horrores. Tanto o "plano de fundo" como o "*Aufhebung*" mantêm a memória dos horrores viva e, portanto, exigem uma teodiceia bem-sucedida para evitar que eles desfaçam a reconciliação final. Uma vez que eu não vejo (ainda) como uma teodiceia pode ter êxito, continuo acreditando que todos aqueles que querem o céu não podem não dispensar a memória de horrores. "Plano de fundo" e "*Aufhebung*" são, porém, maneiras apropriadas de lidar com as memórias de horrores no seio da história; são antecipações pré-escatológicas do não se lembrar escatológico; ou, dizendo ao contrário, o não se lembrar escatológico é o plano de fundo dos horrores a caminho do oblívio.

Resumindo, relembre o "esquecer" divino e sua relação com o esquecer humano. Como pode Deus esquecer os delitos dos seres humanos? Ele pode porque no centro da memória de Deus que tudo abraça está um paradoxal monumento ao esquecer. É a cruz de Cristo. Deus esquece os pecados da humanidade da mesma maneira que Deus perdoa os pecados da humanidade: tirando os pecados da humanidade e colocando-os sobre a própria essência de Deus. Como seres humanos conseguirão esquecer os horrores da história? Lembrando-se de que no centro do mundo novo que emergirá depois que tiverem passado "as primeiras coisas" estará um trono, e no trono se sentará o Cordeiro que "tira o pecado do mundo" e apaga a memória deles (Ap 21.4; Jo 1.29).

O drama do abraço

Como fruto tanto do sofrimento de Cristo quanto da glória do mundo novo de Deus, o esquecimento escatológico finalmente eliminará a memória da ofensa como o último obstáculo para um livre abraço. Mas o que é um abraço? Em que sentido ele pode funcionar como uma metáfora para a reconciliação, até sugerir mais do que está contido na noção de reconciliação em si? Olhando um pouco para trás, especialmente para a seção "Espaço para o outro", pretendo esboçar uma "fenomenologia do abraço" a fim de sugerir uma maneira de pensar sobre a identidade — pessoal e também comunitária — em relação ao outro nas condições de eternidade. Com esse propósito vou primeiro chamar a atenção para os elementos essenciais e estruturais do abraço e depois elaborar algumas de suas características-chave. Mas antes disso, dois elementos introdutórios.

Primeiro, enquanto redigia o subsequente "drama do abraço" eu continuava lançando um olhar (geralmente um olhar desagradável!) para o "drama do reconhecimento recíproco" entre o "senhor" e o "escravo" em *Fenomenologia do Espírito*, onde Hegel desenvolve seu "primeiro e básico modelo do reconhecimento de si mesmo nos outros".[130] Exatamente como no famoso e influente texto de Hegel a linguagem metafórica sobre "senhor" e "escravo" resvala para o não metafórico e volta, assim também na análise seguinte do ego e do outro centrada no "abraço" a metáfora

---

[130] Charles Taylor, *Hegel* (Cambridge: Cambridge University Press, 1975), p. 152s.

e o conceito estão entrelaçados.[131] Segundo, minha escolha de adotar o abraço como "uma metonímia" para toda a esfera de relações humanas nas quais a interação entre o ego e o outro acontece[132] pode chocar membros de algumas culturas (como a asiática e a do norte da Europa) por parecer demasiado íntima; para eles, poderia ser mais apropriado o aperto de mão, que em outras culturas (tais como a africana ou americana) poderia parecer frio ou distante. Todavia, o que digo sobre o abraço se poderia igualmente dizer sobre o aperto de mão, que Gurevitch denominou apropriadamente "um miniabraço".[133] De fato, existe uma variedade de abraços — "desde dedo segurando dedo, palma segurando palma, mão segurando braço, até mãos por sobre os ombros enquanto se caminha, se fica sentado ou deitado lado a lado".[134] No meu caso, mais que o abraço físico, aqui me interessa o relacionamento dinâmico entre o ego e o outro que o abraço simboliza e põe em prática.

Os quatro elementos estruturais no movimento do abraço são abrir os braços, aguardar, fechar os braços e abri-los de novo. Para que o abraço aconteça, todos os quatro devem estar presentes e devem suceder-se numa sequência temporal ininterrupta; limitar-se aos dois primeiros (abrir os braços e aguardar) abortaria o abraço, e evitar o terceiro (fechar os braços) perverteria o abraço transformando um ato de amor num ato de opressão e, paradoxalmente, de exclusão. Os quatro elementos são então os quatro passos de um movimento integrado.

Primeiro ato: *abrir* os braços. Braços abertos são um gesto corporal estendendo-se para o outro. Eles são um sinal de descontentamento com minha identidade fechada em si mesma, um código de *desejo* do outro. Eu não quero ser apenas eu mesmo; quero que o outro seja parte de quem eu sou e quero ser parte do outro. Arautos da insuficiência e do não isolamento de si mesmo, braços abertos sugerem a dor da ausência do outro e a alegria da antecipada presença do outro. Tanto a dor da ausência quanto

---

[131] Diferentemente do meu emprego do "abraço", a linguagem de Hegel do "senhor" e "escravo" não é puramente metafórica, mas sim condicionada pela sua (da minha perspectiva impossível) tentativa de uma reconstrução histórica do desenvolvimento do Espírito.

[132] Z. D. Gurevitch, "The Embrace: On the Element of Non-Distance in Human Relations", *Sociological Quarterly* 31, n. 2 (1990): p. 187-201. Redigi meu texto antes que esse importante ensaio me chamasse a atenção.

[133] Ibid., p. 192.

[134] Ibid., p. 194.

a alegria da presença antecipada ressaltam o fato de que até antes de o ego abrir seus braços, o outro num certo sentido já faz parte dele. Diferentemente da "consciência de si" de *Fenomenologia do Espírito*, o ego não aparece primeiro como "igual a si mesmo pela exclusão de si mesmo de todo o resto".[135] Desde o início o ego é habitado por vários outros, que só podem ser excluídos às custas da perda do próprio ego.[136] É o vazio, criado pela ausência daquilo que num certo sentido já está presente como um elemento estruturante do ego, que gera o desejo do outro.

Mais que apenas um código de desejo, braços abertos são um sinal de que eu *criei espaço* em mim mesmo para o outro entrar e que fiz um movimento para fora de mim mesmo de modo a entrar no espaço criado pelo outro. Para estender os braços na direção do outro, o ego precisa ao mesmo tempo afastar-se de si mesmo, recuar, por assim dizer, das demarcações de seus próprios limites; o ego que está "cheio de si mesmo" não pode nem receber o outro nem fazer um movimento genuíno na direção do outro. Abrindo os braços, o ego cria espaço para o outro e parte numa jornada rumo ao outro num único ato idêntico. Terceiro, braços abertos sugerem uma *fissura* no ego. Eles significam uma abertura no limite do ego pela qual o outro pode entrar. O desejo do outro pode ser satisfeito e o espaço para o outro criado mediante o esvaziamento de si mesmo pode ser ocupado apenas se os limites são transponíveis.

Finalmente, braços abertos são um gesto de *convite*. Como uma porta deixada aberta para um amigo, eles são um chamado para entrar. Nenhuma batida é necessária, nem é necessária nenhuma pergunta da parte do outro indagando se pode entrar; basta o aviso da chegada e a transposição do limiar. Se a amizade está prejudicada, até mesmo transformada em inimizade, o convite será condicional — no sentido de que certas condições precisam ser preenchidas não antes que o convite possa ser feito, mas antes que o "entrar" possa acontecer. De fato, o convite é *sempre* condicional nesse sentido limitado — sapatos sujos devem ficar do lado de fora! — de que só amigos, sendo amigos, tendem a preencher as condições. Diferentemente de portas abertas, porém, braços abertos

---

[135] Georg Wilhelm Friedrich Hegel, *Phenomenology of the Spirit*, trad. A. V. Miller (Oxford: Oxford University Press, 1977), p. 113.

[136] Charles Taylor, "The Politics of Recognition", *Multiculturalism: Examining the Politics of Recognition*, ed. Amy Gutmann (Princeton: Princeton University Press, 1994), p. 32ss.

são mais que um simples gesto convidativo para que o outro entre. Eles também são uma *leve batida* na porta do outro. O desejo de entrar no espaço do outro foi sinalizado exatamente pelo mesmo ato pelo qual o ego se abriu para o outro entrar.

Segundo ato: *aguardar*. Os braços abertos se estendem, mas param antes de tocar o outro. Eles aguardam. Abrindo os braços, o ego iniciou o movimento na direção do outro, um movimento que para ser justificado não precisa de nenhum convite do outro nem se faz necessária nenhuma reciprocidade da parte do outro, um movimento que é em si mesmo um convite ao outro e que, portanto, para sua justificação, o simples desejo do ego de não ficar sem o outro é suficiente. Mas o iniciado movimento do abraço não é "um ato de invasão", nem sequer uma invasão "cautelosa e exploratória", como diz Bauman da "carícia" como uma metáfora da moral.[137] Depois de criar espaço em si mesmo e de sair de si mesmo, o ego "adiou" o desejo e estacou no limite do outro. Antes de poder prosseguir, ele precisa aguardar que o desejo desperte no outro e que os braços do outro se abram. Usando o entendimento do trabalho de Hegel como "desejo refreado",[138] podemos descrever o aguardar como o trabalho do próprio desejoso ego sobre si mesmo por respeito à integridade do outro — o outro, que talvez não queira ser abraçado mas sim deixado em paz,[139] talvez devido à penosa lembrança de que certa vez o que começou como um abraço terminou em violação ou até mesmo em estupro (como no caso daquelas mulheres que foram libertadas no fim da Segunda Guerra Mundial somente para serem estupradas por seus libertadores).

O sustado movimento dos braços estendidos para o outro tem, obviamente, seu próprio poder. A unilateralidade da ação não é "inútil", como sugere Hegel.[140] Esse ego que aguarda *pode* levar o outro a fazer o movimento na direção do ego, mas seu poder de agir assim é o poder do desejo sinalizado, do espaço criado, limite aberto do ego, e respeito adotado pelo outro, não o poder que rompe os limites do outro e força a satisfação do desejo. O outro não pode ser coagido ou manipulado para um abraço. Se o abraço acontecer, será sempre porque o outro desejou o ego exatamente

---

[137] Bauman, *Postmodern Ethics*, p. 93.

[138] Hegel, *Phenomenology of the Spirit*, p. 118.

[139] Marjorie Hewitt Suchoki, *The Fall to Violence: Original Sin in Relational Theology* (New York: Continuum, 1995), p. 146ss.

[140] Hegel, *Phenomenology of the Spirit*, p. 112.

como o ego desejou o outro. Isso é o que distingue o abraço do ato de agarrar o outro e segurá-lo à força. O aguardar é um sinal de que, embora o abraço possa ter uma unilateralidade em sua origem (o ego faz o movimento inicial na direção do outro), ele nunca pode atingir seu objetivo sem reciprocidade (o outro faz um movimento na direção do ego).

Terceiro ato: *fechar* os braços. Esse é o objetivo do abraço, o abraço propriamente dito, que é inimaginável sem *reciprocidade*; "cada um está ao mesmo tempo segurando o outro e sendo segurado por ele, ambos ativos e passivos".[141] Requerem-se dois pares de braços para *um* abraço; com um par, teremos meramente ou um convite para abraçar (se o ego respeita o outro) ou um aprisionamento nas próprias garras (se não houver tal respeito). Num abraço um anfitrião é um hóspede e um hóspede um anfitrião. Embora um ego possa receber ou doar mais que o outro, cada um deve entrar no espaço do outro, sentir a presença do outro no ego e fazer sua própria presença sentida. Sem essa reciprocidade, não há abraço. Hegel diz com precisão: a ação é "bilateral" porque é "a ação de um bem como a de outro".[142]

Para que essa mútua doação e recepção aconteça, além da reciprocidade, um *toque suave* se faz necessário. Não posso apertar o outro em meus braços com força excessiva, de modo a esmagar o outro e assimilar a ele ou a ela, caso contrário vou me envolver num ato de exclusão disfarçado; um abraço seria pervertido num "abraço de urso". De modo semelhante, preciso preservar firmes os limites do meu próprio ego, opor resistência, caso contrário vou me envolver num autodestrutivo ato de abnegação. Em ponto algum do processo pode o ego negar o outro ou negar a si mesmo. O abraço em si depende do sucesso em resistir ao vórtice da desdiferenciação através da assimilação ativa ou passiva, mas sem retrair-se no autoisolamento. Num abraço a identidade do ego é ao mesmo tempo preservada e transformada, e a alteridade do outro é ao mesmo tempo afirmada como alteridade e parcialmente recebida na identidade do ego em constante transformação.

Para preservar a alteridade do outro no abraço é essencial adquirir a rara capacidade de *não* entender o outro. Num valioso ensaio "O poder do não entender", Z. D. Gurevitch argumentou contra o simples esquema

---

[141] Gurevitch, "The Embrace", p. 194.
[142] Hegel, *Phenomenology of the Spirit*, p. 112.

que postula um movimento da "incapacidade de entender" para a "capacidade de entender". O esquema desvia a atenção do fato de que a inicial "incapacidade de entender" pode tacitamente fundamentar-se no desejo de entender o outro nos termos de seu próprio ego, dentro da estrutura de sua própria reflexividade, ao passo que o outro talvez não possa ser entendido dentro da estrutura do ego precisamente pelo fato de ser o outro. "A-incapacidade-de-não-entender" pode ser, paradoxalmente, um obstáculo ao entendimento. Consequentemente, Gurevitch argumenta que "a-capacidade-de-não-entender" — "a capacidade de reconhecer e contemplar o outro (ou o ego) como um outro" — é essencial.[143] Em encontros concretos com o outro, "no momento de não entender" o ego entende que o que há para entender a respeito do outro pode "só ser tratado como uma pergunta".[144] A emergência do *outro como uma pergunta* bem no meio de um abraço representa uma *produtiva recusa de ocultar a opacidade do outro*, uma recusa que abre possibilidades de um novo e melhor entendimento: o ego enxerga ambos a si mesmo e o outro sob uma nova luz. No seio do movimento de abraçar, o não entendimento, que parece uma derrota, é de fato um pequeno triunfo — "todavia, esse não é o triunfo do ego, mas do outro enquanto outro para o ego".[145] Sem a estrutura do abraço a capacidade-de-não-entender é estéril; mas sem a capacidade-de-não-entender um abraço genuíno é impossível.

Quarto ato: *abrir* os braços de novo. Abraçar não transforma "dois corpos em um" mediante "a transformação do limite entre corpos na costura que mantém unido um só corpo", como escreve Bauman sobre o desejo do amor.[146] O que segura os corpos unidos num abraço não é o seu limite soldado; são os braços envolvendo o outro. E se o abraço não quiser anular-se, os braços devem abrir-se de novo.[147] A mútua habitação dos egos que o abraço significa não deve terminar "nessa absoluta substância que é a unidade do autoconhecimento diferente e independente, que, na oposição dos egos, desfruta de perfeita liberdade e independência: 'Eu' que é 'Nós' e

---

[143] Z. D. Gurevitch, "The Power of Not Understanding: The Meeting of Conflicting Identities", *The Journal of Applied Behavioral Science* 25, n. 2 (1989): p. 163.
[144] Ibid., p. 168.
[145] Ibid., p. 172.
[146] Bauman, *Postmodern Ethics*, p. 94.
[147] Gurevitch, "The Embrace", p. 194.

'Nós' que é 'Eu'", como Hegel descreve o Espírito.[148] Se isso acontecesse, o abraço sinalizaria o definitivo "desaparecimento do 'Eu' no 'Nós'" que é característico não apenas de regimes totalitários, mas também de muitos movimentos culturais e de relações familiares.[149] Sendo o ato final do abraço, o abrir os braços enfatiza que, embora o outro possa ser inscrito no ego, a alteridade do outro não pode ser neutralizada pela fusão dos dois num indiferenciado "nós" (embora, possivelmente, a "desdiferenciação" não é o que Hegel pretendia). O outro deve soltar para que a alteridade dele ou dela — a genuína identidade dinâmica dele ou dela — possa ser preservada; e o ego deve recolher-se em si mesmo para que sua própria identidade, enriquecida pelos vestígios que a presença do outro deixou, possa ser preservada.

O outro deve soltar, finalmente, para que "a negociação da diferença", que não pode "nunca produzir uma solução final", possa continuar.[150] Os braços abertos que no último ato soltam o outro são os mesmos braços abertos que no primeiro ato sinalizam um desejo da presença do outro, criam espaço no indivíduo, ampliam os limites do ego e emitem um convite para que o outro se apresente. São os mesmos braços que no segundo ato aguardam a reciprocidade do outro e no terceiro envolvem o corpo dele. O fim de um abraço já é, num certo sentido, o começo de outro abraço, mesmo se esse outro abraço só vier a acontecer depois que os dois egos tiverem se ocupado de sua vida por um certo tempo. Embora o abraço em si não seja definitivo, o movimento do ego indo na direção do outro e recuando não tem fim. Esse movimento é circular; a ação e a reação do ego e do outro condicionam um ao outro, conferindo ao movimento significado e energia.[151]

Esses são os elementos essenciais da estrutura de um abraço; sem eles não poderia acontecer um abraço genuíno. Agora pretendo examinar as quatro marcantes características de um abraço bem-sucedido, algumas das quais estão implícitas na própria lógica do abraço, e outras estão inscritas no abraço de Deus envolvendo a humanidade na cruz e devem caracterizar nosso desejo de abraçar sob as condições de inimizade. A primeira

---

[148] Hegel, *Phenomenology of the Spirit*, p. 110.
[149] Todorov, *The Conquest of America: The Question of the Other*, trad. Richard Howard (New York: Harper-Collins, 1984), p. 251.
[150] Michael Walzer, *Thick and Thin: Moral Arguments at Home and Abroad* (Notre Dame, IN: University of Notre Dame Press, 1994), p. 83.
[151] Helm Stierlin, *Das Tun des Einen ist das Tun des Anderen: Eine Dynamik menschlicher Beziehungen* (Frankfurt: Suhrkamp, 1976), p. 67s.

característica é a *fluidez de identidades*. Em *Cultura e imperialismo*, Edward Said ressalta que "toda cultura é híbrida [...] e sobrecarregada, ou emaranhada com elementos que costumavam ser tidos como estranhos".[152] A mesma coisa se aplica aos egos individuais que habitam culturas sobrecarregadas; os egos são internamente diferenciados por meio dos vários papéis que desempenham, comunidades com as quais se identificam, e princípios e valores que adotam.[153] Há sempre estrangeiros dentro de nossos portões pessoais e comunitários, e nós mesmos nunca pertencemos completamente a um determinado grupo a não ser apenas em parte. Como indivíduos e comunidades, vivemos em territórios sociais que se sobrepõem. Nosso ego e nossas comunidades são como domicílios nos quais nos sentimos em casa, e no entanto vamos reformando e reorganizando, jogando fora coisas velhas e trazendo para dentro coisas novas, muitas vezes objetos adquiridos em visitas a lugares próximos e a lugares distantes, objetos que simbolizam que nunca poderemos ser os mesmos depois que nos aventuramos a sair de nossa casa, que coisas que encontramos no "exterior" tornam-se parte do "interior".

A segunda característica é a *assimetria* do relacionamento. Proponho que o ato de abraçar não seja simplesmente visto como uma metáfora para a factual ou desejável "convergência" ou "divergência" de várias correntes que acontecem no próprio ego e em todas comunidades. Ele descreve também uma postura *moral* dos egos que de fato nunca estão simplesmente "convergindo" e "divergindo", mas estão inseridos numa permanente luta na qual os fortes oprimem os fracos e os fracos procuram subverter o poder dos fortes. Emmanuel Lévinas enfatizou que, falando com propriedade, uma postura moral implica a evitação da simetria. Em *Otherwise than Being* [De outro modo de ser] ele escreve:

> O nó da subjetividade consiste em ir para o outro sem preocupar-se com o movimento dele na minha direção. Ou, mais exatamente, consiste em aproximar-me de tal maneira que, acima e além de todas as relações recíprocas que inevitavelmente vão se estabelecer entre mim e meu próximo, eu sempre dei um passo a mais na direção dele.[154]

---

[152] Edward W. Said, *Culture and Imperialism* (New York: Alfred A. Knopf, 1993), p. 317.
[153] Walzer, *Thick and Thin*, p. 85s.
[154] Emmanuel Lévinas, *Otherwise than Being, or Beyond Essence*, trad. A. Lingis (The Hague: Martinus Nijhoff, 1981), p. 84.

"Um passo a mais" na direção do próximo, e o primeiro passo — talvez até o segundo e o terceiro — na direção do inimigo! Como metáfora, o abraço implica que o ego e o outro estão interligados em sua mútua alteridade. Para o ego, porém, moldado pela cruz de Cristo e a vida do Deus trino, o abraço inclui não apenas o outro que é um amigo, mas também o outro que é o inimigo. Esse tipo de ego procurará abrir os braços para o outro mesmo quando o outro empunha uma espada. O outro terá, naturalmente, de embainhar a espada, talvez até deixar que a espada seja tirada de suas mãos antes que o abraço efetivo possa acontecer. Todavia, até mesmo o esforço envolvendo a espada será reforçado pela vontade de abraçar o outro e ter o abraço retribuído.

No contexto de inimizade, se for estabelecida a reciprocidade entre o ego e o outro, isso não se dará simplesmente por meio da "luta por reconhecimento" entre "o senhor" e "o escravo", que eventualmente termina num reconhecimento recíproco entre iguais, como Hegel imaginou.[155] O abraço recíproco de iguais, para voltar à minha terminologia, é fruto de uma doação de si mesmo que já *pressupõe o reconhecimento do outro*, não da luta pela qual o ego e o outro precisam merecer o reconhecimento. Excluindo-se uma ingênua filosofia da história, a luta provoca luta e hierarquiza relacionamentos mais do que os equaliza, por gerar versões sempre novas da polarização "senhor"—"escravo". Hierarquias não podem ser simplesmente niveladas, muito menos por meio da luta; elas devem ser invertidas: o Cordeiro é o Pastor (Ap 7.17) e os Reis são os Servos (Ap 22.1-15).[156] A igualdade e reciprocidade que estão no âmago do abraço só podem ser alcançadas por meio do sacrifício pessoal (Mc 10.41-45), mesmo se o sacrifício pessoal não for um bem positivo, mas uma necessária *via dolorosa* num mundo de inimizade e indiferença em direção à alegria do abraço recíproco. Esse sacrifício pessoal é moldado no sacrifício pessoal de Cristo, que nada mais é que a mutualidade da trinitária doação de si mesmo num encontro com o inimigo.[157]

---

[155] Hegel, *Phenomenology of the Spirit*, p. 111ss.

[156] Daniel Boyarin com razão defende uma concepção de identidade "na qual só há escravos, mas não senhores, isto é, uma alternativa para o modelo de autodeterminação que, no fim das contas, é em si mesmo uma imposição imperialista ocidental" (*A Radical Jew: Paul and the Politics of Identity* [Berkeley: University of California Press, 1994], p. 249).

[157] Dialogando com muitos recentes intérpretes da doutrina da Trindade, Anthony C. Thiselton argumentou em *Interpreting God and the Postmodern Self: On Meaning, Manipulation*

Terceira característica, a *subdeterminação do resultado*. Incluída na própria estrutura do abraço está a "multifinalidade" que se sustenta na subdeterminação dos resultados. Dado o elemento estrutural do aguardar, nada pode garantir que o abraço acontecerá; o único poder que se pode usar para fazê-lo acontecer é o poder da própria sedução do abraço. Embora cada um possa abrir os braços na direção do outro, cada um tem o direito de recusar o abraço, de fechar-se do lado de fora e eximir-se da mútua troca de dar e receber. E depois que o abraço aconteceu, nada pode garantir um desfecho específico. Dado o elemento estrutural da gentileza, nunca podemos saber de antemão como a remodelação do ego e do outro acontecerão no abraço. Embora o ego possa tentar reconfigurar o outro, não se pode programar nenhum resultado (como numa boa permuta em que ambos conseguem aproximadamente o mesmo valor dos bens que eles doam), e (como numa boa troca intelectual) todos os resultados são em princípio possíveis, mesmo se muitos não são prováveis, dado o histórico prévio dos egos. Apenas um resultado não é possível: um abraço genuíno não pode deixar as duas partes ou uma das duas completamente inalteradas.[158]

Finalmente, existe *o risco do abraço*. O risco decorre tanto da assimetria como da subdeterminação sistemática. Eu abro os braços, faço um movimento do ego em direção ao outro, o inimigo, e não sei se serei mal interpretado, desprezado e até violado, ou se minha ação será entendida e retribuída. Posso tornar-me um salvador ou uma vítima — possivelmente as duas coisas. O abraço é uma graça, e "uma graça é um jogo, sempre".[159]

Contrato, aliança, abraço

Sem um certo tipo de "jogo" — um jogo por conta da "graça" — a vida verdadeiramente humana seria impossível. No entanto, uma "jogatina" seria

---

and Promise (Grand Rapids: Eerdmans, 1995) em defesa de tomar a doação pessoal trinitária como modelo da relação do ego humano com o outro (p. 153ss.).

[158] No debate sobre o valor relativo de culturas, por exemplo, não podemos nem dizer de antemão que devemos igual respeito a todas as culturas nem que algumas culturas são excluídas como possíveis candidatas a respeito igual. Um julgamento responsável só será feito depois do encontro, um encontro que poderia alterar não apenas nossas suspeitas iniciais, mas também transformar os *padrões* pelos quais emitimos nossos julgamentos (Taylor, "The Politics of Recognition", p. 66-73).

[159] Smedes, *Forgive and Forget*, p. 137.

uma metáfora singularmente inadequada para a vida social como um todo. Flutuando no mar de contingências e ameaçados pela inimizade, os seres humanos precisam de uma previsibilidade muito maior do que o caprichoso lance de dados tende a fornecer.[160] Será que nesse caso a combinação da assimetria (inicial) e da subdeterminação sistemática de resultados que torna o abraço um esforço arriscado anulariam a utilidade política do abraço? Não, mas a necessidade de uma previsibilidade básica exige que complementemos a arriscada "graça" do abraço com alguma forma de "lei" mutuamente vinculativa; ou melhor, exige que concebamos a "lei" que regula relações sociais por meio da "graça" do abraço de modo que ela afirme a "lei" e continue transformando-a de dentro para fora. Vou explorar duas metáforas dominantes para regulamentar a vida social em sociedades contemporâneas que procuram garantir a previsibilidade — "contrato" e "aliança" — e depois sugerir como o preponderante entendimento da aliança social poderia ser enriquecido pelas anteriores reflexões sobre o abraço.

Uma poderosa metáfora contemporânea para a vida social concebida para garantir uma proporção razoável de previsibilidade — até uma rigorosa calculabilidade — é a metáfora do "contrato". O liberalismo político, que concebe a vida como essencialmente um negócio de interesses próprios individuais, promoveu o "contrato" como a metáfora predominante da vida social. Atormentados pelo medo de prejuízo ou motivados pelo desejo de conforto, os indivíduos fazem "contratos" que os favoreçam com "segurança e lucro".[161] Os contratos permitem que cada um consiga com a ajuda de outros o que sozinho ninguém poderia conseguir. A sociedade civil surge como progênie dessa interação contratual. Será, porém, que os ombros do "contrato" são largos o suficiente para carregar o fardo social colocado sobre eles?

Considerem-se as três seguintes notáveis características dos contratos. Primeira, eles são *orientados para o desempenho*. Embora a convivência possa ser um agradável benefício colateral, o sentido do contrato é garantir que a tarefa seja cumprida, por exemplo, um bem de consumo seja produzido ou um serviço prestado. Terminada a tarefa, o relacionamento se dissolve — no que diz respeito ao contrato. Segunda característica, os

---

[160] Arendt, *The Human Condition*, p. 219ss.
[161] William M. Sullivan, *Reconstructing Public Philosophy* (Berkeley: University of California Press, 1982), p. 13.

contratos são marcados por um *compromisso limitado*. Nas palavras de Phillip Selznick, que ressalta o fator das relações contratuais,

> os termos e as condições são minuciosamente especificados, e o custo da não execução é calculável. Além disso, com algumas exceções, a obrigação moral ou legal não é necessariamente *cumprir* o contrato, mas apenas compensar perdas que possam acontecer no caso de uma quebra de contrato injustificada.[162]

O contrato obriga apenas àquilo que ele explícita ou implicitamente declara, nada menos e certamente nada mais que isso; ele garante um vínculo "até que um retorno melhor esteja disponível em outro lugar", como descreve Michael Luntley em relação ao que ele denomina "pertencimento mercantil".[163] Terceira característica, contratos são rigorosamente *recíprocos*. O consentimento das partes é indispensável para obrigar a ambas; inversamente, a transgressão de uma parte desobriga a outra. É importante dizer que o contrato é feito para obrigar cada parte a espelhar o comportamento da outra. Como diz Bauman, "o 'dever de cumprir o dever' depende para cada lado do desempenho do outro lado. Sou obrigado a obedecer ao contrato enquanto e na medida em que o parceiro faz o mesmo".[164]

Em vista da rigorosa reciprocidade do contrato, de seu compromisso limitado e de sua orientação para o desempenho, é fácil perceber por que o contrato emergiu como a principal metáfora para as relações sociais nas sociedades contemporâneas. De uma maneira tipicamente moderna, nossa vida se organiza em torno dos papéis que desempenhamos, e gostamos de pensar que somos livres para escolher que papéis desempenhar e por quanto tempo desempenhá-los. Oferecemos serviços em troca de serviços, mas mantemos abertas nossas opções visando uma oferta melhor ou um benefício mais desejável. Os contratos tornam as relações vinculatórias, mas não inflexíveis; comprometem sem escravizar. Feitos sob medida para a interação de atores sociais que se enxergam como unidades

---

[162] Phillip Selznick, *The Moral Commonwealth: Social Theory and the Promise of Community* (Berkeley: University of California Press, 1992), p. 479.

[163] Michael Luntley, *Reason, Truth and Self: The Postmodern Reconditioned* (London: Routledge, 1995), p. 190.

[164] Bauman, *Postmodern Ethics*, p. 59.

distintas e cujo bem mais sagrado é a liberdade de decidir o que eles querem e por quanto tempo querem isso, os contratos ao mesmo tempo estabilizam compromissos e os mantêm fluidos. Parecem o perfeito princípio estruturante de uma ordem típica de sociedades contemporâneas, sempre "locais, emergentes e transitórias".[165]

É indiscutível a utilidade social dos contratos; sem eles a vida em sociedades diferenciadas e subtraídas de suas tradições seria quase impossível. Mas será que o "contrato" como metáfora principal para a vida social como um todo vai funcionar? Será que ele pode oferecer mais que simplesmente um "código descritivo" para o que fazemos num importante segmento da vida? Ele acaso sugere uma visão de como *devemos* viver, uma visão da vida boa? Dificilmente. Num modelo de sociedade contratual as três características de contratos são modos importantes de interpretar mal a vida humana. Primeiro, os seres humanos não são "indivíduos autônomos" que se associam apenas para executar tarefas que promovem seus interesses pessoais; as relações com outras pessoas penetram por baixo da superfície do ego. Para dar um exemplo, até mesmo com um contrato na mão, um paciente quer mais de um médico do que um competente desempenho técnico; as relações funcionais entre eles se alimentam de vínculos "irracionais" e emocionais não especificáveis.[166] Segundo, em muitos níveis, compromissos mútuos não podem ser limitados por termos e condições claramente especificados de antemão. Com frequência, seres humanos estão vinculados por algo como um destino comum, não apenas pela mútua utilidade. Como mostra o exemplo do divórcio (mesmo um divórcio "bem-sucedido"), rigorosamente falando, é impossível compensar as perdas provocadas pelo rompimento de uma comunhão tão íntima. Finalmente, temos obrigações para com nossos vizinhos que não são invalidadas pelo fato de eles não cumprirem obrigações correspondentes em relação a nós. Nossos relacionamentos não são estritamente recíprocos. Se o meu vizinho quebra a confiança, eu não tenho o direito de fazer o mesmo, como eu teria direito de não pagar por um serviço que ele não prestou. Como a principal metáfora para as relações sociais, o contrato é profundamente

---

[165] Zygmunt Bauman, *Intimations of Postmodernity* (London: Routledge, 1992), p. 189.
[166] Stierlin, *Das Tun des Einen ist das Tun des Anderen*, p. 24ss.

falho porque os seres humanos são socialmente localizados, as vidas deles são entrelaçadas e sua interação é moralmente sobrecarregada.[167]

Incomodados com a predominância das relações contratuais em sociedades contemporâneas, "que deixam todos os compromissos instáveis"[168] e minam a comunidade, alguns filósofos sociais defenderam a recuperação da aliança como a principal metáfora alternativa para a vida social.[169] Com sua moradia original no mundo dos compromissos religiosos mais do que em transações comerciais,[170] a aliança promete expressar melhor as dimensões morais da vida humana. Em contraste com o contrato, argumenta Selznick em *Moral Commonwealth* [Comunidade moral],

> Aliança [...] sugere um compromisso irrevogável e um relacionamento contínuo. O vínculo é relativamente incondicional, relativamente indissolúvel. [...] O vínculo contempla obrigações abertas e difusas, implica toda a pessoa ou grupo, e cria um *status* marcante.[171]

Como liberal comunitário, Selznick se recusa tanto a renunciar à moderna "autonomia individual"[172] quanto aos vínculos "relativamente incondicionais" e à "ordenação moral" da vida social.[173] A aliança, alega ele, permite-lhe manter as duas coisas. Ela fala tanto de autonomia como de pertencimento, de compromissos individuais e de posicionamento social em curso; a aliança contém "elementos vitais de voluntarismo

---

[167] Em *The One, The Three and the Many* (Cambridge: Cambridge University Press, 1993), Colin Gunton defende a metáfora do "contrato social" considerando que "a linguagem do contrato é uma maneira metafórica de falar do social" (p. 222). A resposta deve certamente ser de que "contrato" é uma *metáfora* ruim.

[168] Robert Bellah et al., *Habits of the Heart: Individualism and Commitment in American Life* (New York: Harper, 1985), p. 130.

[169] Robert Bellah, *The Broken Covenant: American Civil Religion in Time of Trial* (New York: Seabury, 1975); Sullivan, *Reconstructing Public Philosophy*.

[170] Em *The Heavenly Contract: Ideology and Organization in Pre-Revolutionary Puritanism* (Chicago: The University of Chicago Press, 1985), David Zaret argumentou, porém, que a predominância do tema da aliança na teologia puritana dos séculos 16 e 17 se deve muito ao fato de que de 1500 a 1640 "interações contratuais visando o lucro se tornaram uma característica familiar da vida econômica do dia a dia" (p. 165).

[171] Selznick, *The Moral Covenant*, p. 479.

[172] Ibid., p. 482ss.

[173] Ibid., p. 477.

e consentimento" e cria obrigações que "derivam da natureza e história do relacionamento" e não podem ser "plenamente especificadas de antemão".[174] Ao contrário do contrato, que define um compromisso limitado e recíproco, a aliança é um relacionamento aberto e moralmente ordenado.

Mas qual é a natureza do relacionamento que a aliança estrutura? Que espécie de história comum ela cria? Por que não deveria esse relacionamento ser exclusivo, por exemplo, planejado para promover os interesses de uma comunidade de destinos que é moralmente ordenada de maneiras profundamente *imorais*? O Apartheid não se baseou também na ideia da aliança? A aliança pode estruturar moralmente a vida comunitária, mas a questão determinante é certamente *o que vai estruturar moralmente a própria aliança* de modo a torná-la uma aliança de justiça ao invés de opressão, de verdade ao invés de engano, de paz ao invés de violência. Selznick toma o princípio de que "todos os homens foram criados iguais" como a principal "premissa da aliança". Mas ele chega a esse princípio não através da ideia de aliança, mas através de "um salto de fé", "um compromisso autodefinidor", "um empreendimento que cria uma constituição". Em outras palavras, a teoria da aliança funciona como "uma teoria de ordenação moral" apenas porque ele *acrescenta* à estrutura formal da aliança como um padrão de relações sociais o compromisso com certos "princípios evidentes".[175] A aliança por si só não tem pernas morais suficientemente fortes, mas precisa se sustentar em valores importantes provenientes de outras partes. Esses valores importantes fazem muito mais trabalho social do que a noção formal de aliança.

No discurso político atual a noção de aliança extrai grande parte de sua potência do fato de os Estados Unidos da América terem sido "uma nação formada por uma aliança".[176] Uma aliança poderia formar uma nação, obviamente, só porque os assim chamados calvinistas "monarcomaquianos", ou seja, antimonárquicos, primeiro formaram *uma ideia de uma nação fundamentada na aliança.*[177] Para eles, porém, a aliança de seres humanos uns com os outros era "baseada e preservada pela aliança de Deus

---

[174] Ibid., p. 480.
[175] Ibid., p. 482s.
[176] John Schaar, *Legitimacy and the Modern State* (New Brunswick: Transaction Books, 1981), p. 291.
[177] Charles McCoy e J. Wayne Baker, *Fountainhead of Federalism: Heinrich Bullinger and the Convenantal Tradition* (Louisville: Westeminster John Knox, 1991), p. 45ss., 94ss.

com eles";[178] as pernas morais da aliança eram supridas pelo Deus autor da aliança. Os deveres dos seres humanos na qualidade de parceiros da aliança de Deus estavam expressos na "lei moral", o Decálogo, que os teólogos da aliança consideravam universalmente vinculante. Ele mapeava a ordem moral que se estendia até onde o domínio do Deus único alcançava; abrangia toda a comunidade humana. A aliança pôde tornar-se uma categoria política útil porque era primeiro uma categoria *moral*, e tornou-se uma categoria moral porque era no seu âmago uma categoria *teológica*. Todas as alianças humanas particulares, desde a família e a vizinhança até o estado, devem subordinar-se à aliança inclusiva que abrange toda a humanidade e é guiada por valores essenciais, o universal "segurar-se um ao outro" em solidariedade.[179] Sem alguns desses valores essenciais universais para formar suas premissas, a aliança bem pode servir como o vínculo de uma comunidade política, mas a comunidade política não será melhor do que os valores que ela adota. Por si só, a aliança com certeza não fornecerá um padrão adequado pelo qual uma comunidade política possa julgar a si mesma.[180]

Além da ênfase na universalidade da aliança e nos valores essenciais gerados pela aliança de Deus com os homens, o que pode a teologia oferecer para a reflexão sobre a aliança como a principal metáfora para a vida social? No artigo "Aliança ou Leviatã?" Jürgen Moltmann seguiu os primeiros "teólogos políticos" federalistas e destacou a liberdade que pessoas unidas por uma aliança sob Deus conquistam para resistir "ao grande Leviatã" — um governo tirano.[181] Ele analisou a relação vertical do povo que entra numa aliança com o estado; sua preocupação foi a natureza do consentimento e os limites da autoridade política. Quero suplementar sua análise observando a relação horizontal entre as próprias pessoas que

---

[178] Jürgen Moltmann, "Covenant or Leviathan? Political Theology for Modern Times", *Scottish Journal of Theology* 47, n. 1 (1994): p. 25.

[179] Sander Griffioen, "The Metaphor of the Covenant in Habermas", *Faith and Philosophy* 8, n. 4 (1991): p. 534ss.

[180] Se tivermos de acreditar em John Schaar, a noção de aliança de Abraham Lincoln repercutiu algo da tradição federativa original porque estava centrada em torno de compromissos universais — uma aliança para "defender e promover certos compromissos entre nós mesmos e pelo mundo inteiro" — e poderia, portanto, servir não simplesmente como "o vínculo de uma comunidade política", mas como "o padrão pelo qual a nação deve julgar a si mesma" (Schaar, *Legitimacy and the Modern State*, 291).

[181] Moltmann, "Covenant or Leviathan?".

entram na aliança; minha preocupação é com a natureza dos compromissos e as condições de uma prosperidade comum.[182]

As sociedades contemporâneas estão tão ameaçadas, se não mais, pela incapacidade das pessoas de manter uma aliança umas com as outras, quanto pela tendência de governos tirânicos a violar a aliança com elas. As duas ameaças estão relacionadas. Se você não atende à capacidade das pessoas de manter sua aliança, você vai ter de lutar com a tendência do governo a violar a aliança com o povo. Essa é a lição negativa da filosofia política de Hobbes: quanto mais a sociedade consiste em egoístas centrados em si mesmos, tanto maior a necessidade de um Leviatã — um aparato estatal centralizado e rigorosamente organizado.[183] A grande afinidade entre o individualismo e o absolutismo[184] também funciona na outra direção: quanto menos as pessoas são capazes de exigir o direito à resistência contra o grande Leviatã, tanto mais elas vão querer se ver como indivíduos autônomos engajados na busca de apenas seus próprios interesses.

"Mediante alianças mútuas de uns com os outros", diz Thomas Hobbes em *Leviatã*, as pessoas transferem "autoridade" ao estado e assim dão à luz "aquele grande Leviatã (ou melhor, para falar com mais reverência [...] *deus mortal*), ao qual devemos, sob o *Deus imortal*, nossa paz e defesa".[185] A transferência de poder no momento da unanimidade de "todos os homens com todos os homens" é indispensável para acabar com a persistente guerra de "todos contra todos". Incapazes de estabelecer e manter alianças entre si mesmas, as pessoas precisam de Leviatã — que, de acordo com o testemunho bíblico, não faz alianças com ninguém (Jó 41.1) — de modo que mediante o "terror" de seu poder e força ele pode "formar as vontades de todos eles" e assim garantir "paz em casa e mútua ajuda contra seus inimigos fora dela". Leviatã emerge das lamacentas e caóticas águas da antropologia negativa. Ao contrário disso, a aliança pressupõe uma antropologia mais positiva. Como argumentou Moltmann, a confiança no

---

[182] Moltmann desde então tratou das dimensões horizontais da aliança com a ajuda da categoria de "promessa" ("Christianity and the Values of Modernity and the Western World", artigo inédito, 1996).

[183] Sullivan, *Reconstructing Public Philosophy*, p. 20.

[184] John Milbank, *Theology and Social Theory: Beyond Secular Reason* (Oxford: Blackwell, 1990), p. 12ss.

[185] Thomas Hobbes, *Leviathan*, The Library of Liberal Arts, ed. Oskar Piest (Indianapolis: Bobbs-Merrill, 1967), parte 2, cap. 17.

Deus que faz uma aliança com seres humanos fundamenta a confiança na capacidade deles de criar alianças.[186]

No entanto, a indiscutível capacidade humana de fazer alianças é acompanhada por sua incontestável capacidade de rompê-las. A mensagem cumulativa das tradições bíblicas sobre alianças diz que essas duas "capacidades" são de fato as duas maneiras entrelaçadas da vida comunitária: os seres humanos continuamente fazem e rompem alianças. E por trás do tumulto do "fazer" e "romper" está uma constante antropológica: os seres humanos estão *sempre já na aliança* como aqueles que *sempre já romperam a aliança*. Uma reflexão sobre a intrincada dinâmica de fazer e romper alianças deveria então suplementar (não substituir!) o interesse pela alternativa entre a antropologia negativa e a positiva.

Para a reflexão teológica sobre questões sociais, muito mais significativa que a "aliança original" na qual se fundamenta a tradição federalista, é a "nova aliança", que permanece quase completamente esquecida como um recurso para o pensamento político. Quais são as implicações sociais da nova aliança? A nova aliança também pressupõe a capacidade dos seres humanos de fazer alianças. No entanto, ela situa essa capacidade no meio da história do conflito, não simplesmente entre o povo e o estado, mas entre as próprias pessoas fazendo a aliança. Primeiro, a nova aliança é uma resposta ao persistente padrão de romper a aliança. Em termos sociais, ela emerge contra o pano de fundo da inimizade, entendida não como algum fictício "estado da natureza" a ser retificado por uma igualmente fictícia "aliança", mas como uma difusa dinâmica social entre as pessoas que já pertencem à aliança, mas deixam de cumpri-la. Segundo, a nova aliança levanta a questão fundamental de como tirar as promessas da aliança das tábuas de pedra e colocá-las na mente das pessoas e escrevê-las no coração delas (Jr 31.31ss.). Acima e além de persuadir as pessoas a resistir a tiranos fazendo e mantendo alianças, uma tarefa-chave política deve ser a de educar pessoas cuja própria identidade deve ser moldada pelas alianças que elas fizeram de modo que elas não traiam e tiranizem umas às outras. Colocar a nova aliança no centro da reflexão teológica sobre questões sociais significa para um teólogo cristão investigar a relação entre *a cruz e a aliança*. Na cruz nós vemos o que Deus fez para renovar a aliança que a humanidade violou. Baseando-me em parte em minha discussão anterior ("Espaço para o outro:

---

[186] Moltmann, "Covenant or Leviathan?", p. 25.

Cruz, Trindade, Eucaristia"), quero enfatizar brevemente o que se pode aprender da cruz sobre como renovar a aliança — renovar num sentido triplo de fortalecer as alianças fragilizadas, reparar as alianças rompidas e impedir que as alianças sejam completamente anuladas.

Primeiro, na cruz Deus renova a aliança mediante a *criação de espaço* para a humanidade no ego de Deus. Os braços abertos de Cristo sobre a cruz são um sinal de que Deus não quer ser um Deus sem o outro — a humanidade — e sofre a violência da humanidade a fim de abraçá-la. O que poderia essa divina "criação-de-espaço-em-si-mesmo" implicar para as alianças sociais?

Diferentemente de um contrato, uma aliança não é apenas um relacionamento de utilidade mútua, mas sim um compromisso moral, argumentei antes, concordando com os críticos do modelo contratual de sociedade. Todavia, temos que dar um passo adiante. Pois os parceiros de uma aliança não são simplesmente agentes morais que têm certos deveres uns para com os outros no seio da estrutura de um relacionamento de longa data. Precisamente porque uma aliança é duradoura, os próprios parceiros não podem ser concebidos como indivíduos cujas identidades são mutuamente externas e que estão mutuamente relacionados apenas em virtude de sua vontade moral e prática moral. Antes, a própria *identidade* de cada um é formada por meio de sua relação com outros; a alteridade do outro entra na própria identidade de cada um.

Nessas condições, renovar a aliança significa "transcender a *perspectiva* de um lado e levar em conta as disposições complementares do outro lado".[187] Mais ainda, renovar a aliança significa participar das mudanças de *identidade* do outro, criar espaço para o outro cambiante em nós mesmos e estar dispostos a negociar nossa própria identidade numa interação com a fluida identidade do outro.[188] Cada parte na aliança deve entender seu próprio comportamento e identidade como complementares do comportamento e identidade de outras partes. Sem essa complementaridade e contínuo reajuste de identidades dinâmicas, laços morais não serão suficientes como proteção contra a pressão sofrida pela aliança num contexto

---

[187] Aleida Assmann e Jan Assmann, "Aspekte einer Theorie des unkommunikativen Handelns", *Kultur und Konflikt*, ed. Jan Assmann e Dietrich Harth (Frankfurt: Suhrkamp, 1990), p. 36.
[188] Ver Michael Welker, *Kirche im Pluralismus* (Gütersloh Christian Kaiser, 1995), p. 54ss.

pluralista, e a porta se abrirá para o retorno de Leviatã. A sustentação e renovação de alianças entre pessoas e grupos exige o trabalho da mútua "criação de espaço para o outro no ego" e da reordenação do ego à luz da presença do outro.

Segundo, renovar a aliança implica *doação de si mesmo*. Na cruz a nova aliança foi confirmada "no sangue" (Lc 22.20). Observe que o sangue da nova aliança não foi o sangue de uma terceira parte (um animal), derramado para estabelecer uma fictícia relação de sangue entre as partes da aliança e dramatizar as consequências do rompimento dela. Nesse respeito a nova aliança é profundamente diferente da primeira aliança que Deus fez com Abraão (Gn 15).[189] Abraão cortou os animais do sacrifício ao meio, e "um fogareiro fumegante e uma tocha de fogo" — dois símbolos de teofania — passaram por entre as metades das carcaças (15.17). Esse singular ato ritualístico praticado por Deus foi uma garantia de que Deus preferiria "morrer" a romper a aliança, de modo muito semelhante a como morreram os animais, por entre os quais Deus passou.[190] A ideia da morte de um Deus vivente é bastante difícil — tão difícil como a ideia do rompimento da aliança por um Deus fiel. Ao pé da cruz, porém, um verdadeiro abismo se abre para a primeira ideia. Pois a narrativa da cruz não é uma história "contraditória em si mesma" de um Deus que "morreu" porque Deus rompeu a aliança, mas sim uma verdadeira história incrível de Deus fazendo o que Deus nem podia nem estava disposto a fazer — uma história do Deus que "morreu" porque o demasiado humano *parceiro de aliança* de Deus rompeu a aliança.

O "sangue" com que se fez a aliança não é simplesmente o sangue que segura o fio do rompimento da aliança ou que retrata um pertencimento comum; é o sangue da doação de si mesmo, até mesmo do sacrifício de si mesmo. Uma parte rompeu a aliança, e a outra sofre o rompimento porque ela não permitirá que a aliança seja anulada. Se esse sofrimento da parte inocente nos choca como sendo injusto, em grande medida ele é injusto. No entanto, essa "injustiça" é precisamente o que é necessário para renovar a aliança. Um dos maiores obstáculos para reparar alianças rompidas é que

---

[189] Para os meus objetivos aqui tem pouca importância se Gênesis 15 se refere a uma "aliança" ou a um "juramento" (Claus Westermann, *Gênesis 12—36: A Commentary*, trad. John J. Scullion [Minneapolis: Augsburg, 1985], p. 215).

[190] Joseph Ratzinger, "Der Neue Bund: Sur Theologie des Bundes im Neuen Testament", *Internationale Katholische Zeitschrift Communio* 24, n. 3 (1995): p. 205s.

elas invariavelmente implicam profundos desentendimentos sobre o que constitui um rompimento e sobre quem é responsável por ele. Em parte, devido ao desejo de fugir da responsabilidade que a aceitação da culpa envolve, aqueles que rompem a aliança não reconhecem (ou não querem reconhecer) que eles a romperam. Num mundo de perspectivas que se chocam e de intensas autojustificações, de compromissos friáveis e fortes animosidades, alianças são feitas e rompidas porque aqueles que, na perspectiva deles, não romperam a aliança se predispõem a fazer o duro trabalho de repará-la. Esse trabalho é autossacrificial; algo do ego individual ou comunitário morre ao realizá-lo. No entanto, o ego de modo algum perece, mas é sim renovado como o ego verdadeiramente comunitário, moldado à imagem de Cristo e do Deus trino que não quer ficar sem o outro.

Terceiro, a nova aliança é *eterna*. A divina doação de si mesmo na cruz é uma consequência da "eternalidade" da aliança, que por sua vez repousa na "incapacidade" de Deus de abandonar o parceiro de aliança que quebrou a aliança. "Como te entregaria, ó Israel?", pergunta retoricamente o Deus de Oseias, cujo "coração está comovido" e cujas compaixões "se acendem" (11.8), porque Deus está vinculado a Israel "com laços de amor" (11.4). O compromisso de Deus é irrevogável, e a aliança de Deus, indestrutível.[191] De modo análogo, embora qualquer aliança política possa ser dissolvida, sendo "*relativamente* incondicional",[192] a aliança social mais ampla é rigorosamente incondicional e, portanto, "eterna". Ela pode ser quebrada, mas não desfeita. Cada quebra da aliança ainda acontece *dentro* da aliança; e toda luta por justiça e verdade em benefício das vítimas da aliança quebrada acontece *dentro* da aliança. Ninguém está fora da aliança social; e não existe um feito imaginável capaz de excluir alguém dessa aliança.

O reajustamento de identidades complementares, a reparação da identidade por parte até daqueles que não a romperam e a recusa em deixar que a aliança jamais seja desfeita — essas são as características-chave de uma aliança social concebida numa analogia com a teologia cristã da nova aliança. As três características correspondem rigorosamente ao sentido que neste capítulo atribuí ao "abraço" — uma metáfora que procura combinar a ideia de reconciliação com a ideia de identidades dinâmicas e mutuamente

---

[191] Cf. Assmann, *Das kulturelle Gedächtnis*, p. 256s.
[192] Selznick, *The Moral Commonwealth*, p. 479.

condicionantes. A nova aliança é o *abraço de Deus* envolvendo a humanidade que continua rompendo a aliança; o lado social da nova aliança é *nossa maneira de adotar o abraço mútuo*, mesmo nas condições de inimizade. A reflexão sobre relações sociais da perspectiva da nova aliança (o "abraço") não pretende substituir, mas sim suplementar a reflexão da perspectiva de velha aliança, eu disse acima. Qual é a relação entre as duas? O abraço é o lado interior da aliança, e a aliança é o lado exterior do abraço.[193]

Os braços abertos do pai

Foi a profunda e singularmente frutífera história do filho pródigo (Lc 15.11-32) que originalmente me sugeriu a ideia para a "teologia do abraço". Todo o presente capítulo — e em certo sentido o livro inteiro — não é mais que uma tentativa de extrair dela sua importância social. Em conclusão, depois de uma longa jornada para dentro do que espero não ter sido um país distante, quero voltar à história da qual nunca me separei e ler essa história de novo sob a ótica da teologia que ela deu à luz.

As duas principais características da história são também os dois temas centrais deste capítulo inteiro: o pai entregando-se ao filho que o abandonou e o acolhimento do pai ao ter seu filho de volta em sua família. Valendo-me desses dois temas, vou levar o argumento básico deste capítulo um passo adiante *explorando a questão de como as identidades precisam ser construídas se quisermos restaurar relacionamentos que foram rompidos*. Nas entrelinhas do meu texto, acontece um intenso diálogo com a crítica feita pelas feministas relacionais de egos "separados" e a crítica pós-moderna de "identidades estáveis".[194] Do ponto de vista hermenêutico, vou proceder da seguinte maneira: em vez de traduzir a história num princípio teológico sobre Deus, os pecadores desgarrados e os não tão desgarrados, e depois retraduzir o princípio num mundo de relações sociais, vou simplesmente ler a história no nível social, observando um depois do outro seus principais atores e concentrando-me no caráter de suas relações e identidades.

---

[193] Recebi importantes estímulos para a seção "Contrato, aliança, abraço" durante o encontro de Tubinga sobre "Aliança" (20-22 de out., 1995) organizado por S. McCoy e Jürgen Moltmann. Aprendi muito nas discussões, especialmente com Amitai Etzioni, Dieter Georgi, Walter Grois, Phillip Selznick e Wolfgang Graf Vitzthum.

[194] Allison Weir, *Sacrificial Logics: Feminist Theory and the Critique of Identity* (New York: Routledge, 1996).

Primeiro, *o filho mais novo*. Um jeito tipicamente moderno de ler o desejo do filho mais novo de receber uma herança adiantada e sair de casa é observá-lo saindo dos limites de uma família patriarcal a fim de encontrar seu autêntico ego e tornar-se um indivíduo. A partida agora não é uma transgressão. Pelo contrário, um "bom" filho que permanece no mundo que outros construíram é um *mau* indivíduo que trai sua autenticidade. Nessa leitura moderna, a história diz respeito a um jovem adulto que não consegue ser alguém e implica injustamente outras pessoas em seu fracasso. O contexto é um ego construído monologicamente que cai em desgraça por uma combinação de burrices ("dissolutamente", Lc 15.13) e falta de sorte ("uma grande fome", 15.14). Consequentemente, a volta do filho mais novo só pode ser uma questão de achar trabalho ("um dos teus trabalhadores", 15.19) a fim de ter o que comer ("pão", 1.17). Pois, muito à semelhança do filho em "Heimkehr"[195] de Franz Kafka, em vez de um "lar" ele vai achar uma *casa* — a casa de seu pai. De volta entre os seus, ele ainda permanece num país distante.[196]

Mas a história não funciona muito bem contra um pano de fundo da inquieta "adolescência" moderna na qual o ego forja sua identidade construindo-se como alteridade que se contrapõe a suas origens.[197] Em vez disso, devemos pressupor um ego localizado que já atingiu a "idade adulta" (ou que nunca terá aquela espécie de independência que chamamos "idade adulta"). Para comentadores pré-modernos[198] e não ocidentais[199] o filho mais novo já fez uma coisa errada exigindo a divisão da herança e tomando a decisão de ir embora. Em primeiro lugar, ele violou uma antiga solidariedade da família, cujo *éthos* básico era proteger

---

[195] Franz Kafka, "Heimkehr", *Sämtliche Erzählung* (Frankfurt am Main: Fischer Taschenbuch, 1972)

[196] Cf. Werner Brettschneider, *Die Parabel vom verlorenen Sohn: Das biblische Gleichnis in der Entwicklung der europäischen Literatur* (Berlin: Erich Schmidt, 1978), p. 53ss.; Peter Pfaff, "Einspruch gegen Landwirtschaft: Kafkas 'Heimkehr': Die Parabel zu Parabel", *Die Sprache der Bilder: Gleichnis und Metapher in Literatur und Theologie*, ed. Hans Weder (Gütersloh: Gütersloher Verlagshaus Gerd Mohn, 1989).

[197] Outra maneira de interpretar a volta do filho pródigo contra o pano de fundo de um ego construído monologicamente é falar acerca do retorno do ego para si mesmo (Jill Robbins, *Prodigal Son/Elder Brother* [Chicago: The Chicago University Press, 1991]). A partida implicaria uma perda do ego e a volta constituiria uma recuperação do ego. O problema básico dessa leitura é que na história o ego não é construído monologicamente.

[198] Brettschneider, *Die Parabel vom verlorenen Sohn*, p. 19-40, p. 62.

[199] Kenneth E. Bailey, *Finding the Lost: Cultural Keys to Luke 15* (St. Louis: Concordia, 1992), p. 112ss.

e progredir, não dividir e minguar.[200] De modo igualmente significativo, ele se excluiu das relações que constituíam sua própria identidade. Cada personagem é identificado por uma designação relacional — "pai", "filho", "irmão" — e todas as designações estão inter-relacionadas por pronomes possessivos — tais como *"seu* pai" (15.20) e *"teu* irmão" (15.27,32). A própria identidade de cada personagem é inimaginável sem os outros.

O rompimento do filho mais novo com a família foi total. Ele ajuntou *"tudo* o que era seu" e se mudou para "uma terra *distante";* nenhuma propriedade sua deveria ficar com eles, porque enquanto o que lhe pertence estiver com eles, ele está, em certo sentido, com eles, e eles estão com ele. E naquela terra distante ele fez exatamente o oposto do que um membro de uma boa família deveria fazer: ele *"dissipou"* a herança "vivendo *dissolutamente"* (15.13). Todos os padrões de comportamento aprendidos em casa devem ser descartados, porque enquanto ele se comportar como um filho ele é um filho, e a família está com ele, e ele de certo modo está com a família. Seu projeto era "des-filhar-se"; não havia lugar para ele no lugar chamado família. O fato de o pai considerá-lo "perdido", até mesmo "morto" (15.24), confirma isso. A partida não foi um ato de separação exigido para a formação de uma identidade distinta; foi um ato de exclusão pelo qual o ego se afasta dos relacionamentos sem os quais ele não poderia ser o que é. O ego se afasta das responsabilidades para com outros e se coloca numa relação conflituosa com eles.

Para o ego, nada é mais difícil que um rompimento radical, uma alteridade completa. O fracasso do filho mais novo estava pré-programado na radicalidade da partida. A "grande fome" serve como um recurso narrativo que o coloca num ponto onde a lógica da história exige que o encontremos. Uma vez que ele havia abdicado de suas responsabilidades e se excluído das relações que constituíam sua própria identidade, ele tem de "agregar-se" a um desconhecido e cuidar de seus porcos (15.15); ele está com fome (15.16) e afastado do seu próprio ego (no campo com os porcos, 15.15). No fim do esforço de expulsar os outros do seu ego, ele encontra a si mesmo, paradoxalmente "longe de si mesmo".

---

[200] Wolfgang Pöhlmann, *Der verlorene Sohn und das Haus: Studien zu Lukas 15, 13—32 im Horizont der antiken Lehre von Haus, Erziehung und Ackerbau* (Tübingen: J. C. B. Mohr [Paul Siebeck], 1993), p. 186.

Na mesma medida, depois que "caiu em si"[201] ele se lembra do outro que ele quis expulsar de seu mundo, mas ao qual descobriu que ainda pertencia: "Quantos trabalhadores de *meu pai* têm pão com fartura..." (15.17). Partindo, ele quis tornar-se um "não filho"; sua volta começa não com o arrependimento, mas com algo que torna o arrependimento possível — a memória da filiação. Não há como cair em si sem a memória do pertencimento. O ego foi construído em relação aos outros, e ele pode voltar para si somente por meio dos outros. O primeiro elo com o outro numa terra distante do relacionamento rompido é a memória.

Para aquele cujo projeto era "des-filhar-se" e que ainda está numa terra distante, a "filiação" só pode ser uma memória, mas é uma memória que define o presente com tal força que o predispõe a empreender a jornada da volta. A memória da filiação dá esperança, mas também lembra o fracasso; a ponte que a memória constrói é um testemunho do abismo criado pela partida. Aquele que *se lembra* da filiação já não pode ser pura e simplesmente um filho; ele foi moldado pela história da partida, que não pode ser apagada. Como o filho mais novo diz duas vezes — uma a si mesmo e a outra ao pai — agora "já-não-sou-digno-de-ser-chamado-filho" (15.18,21). Ele pedirá para ser tratado como um dos empregados. Da perspectiva do filho, o relacionamento deveria ser restabelecido, mas a história de traição terá mudado as identidades e reconfigurado obrigações e expectativas. Com uma identidade construída a partir da casca da identidade original como um filho e os cacos da identidade tentada como um "não filho", o pródigo empreende sua jornada da volta.

Segundo, *o pai*. A primeira surpresa da história é a audácia do filho mais novo de requerer a herança. A segunda surpresa é a atitude do pai de permitir-lhe partir com "tudo o que era seu" (15.13). Uma razão sólida e uma tradição venerável (ver Sirácida 33.19-23) aconselhavam o pai a agir de outra maneira.[202] O aspecto mais significativo da história é, todavia, que o pai que deixa o filho partir *não desiste do relacionamento entre eles*. Seus olhos que procuravam e finalmente avistaram o filho voltando

---

[201] Meu ponto não depende de saber se o uso de "caiu em si" é meramente idiomático e não significa mais do que "criou juízo" (John Nolland, *Luke 9:21—18:34*, Word Biblical Commentary, vol. 35B [Dallas: Word Books, 1993], p. 783) ou se a linguagem implica uma certa redescoberta do próprio ego.

[202] Joseph A. Fitzmyer, *The Gospel According to Luke (X-XXIV): Introduction, Translation, and Notes*, Anchor Bible 28A (New York: Doubleday, 1985), p. 1087.

"ainda longe" (15.10) revelam um coração que estava com o filho na "terra distante" (15.13). Longe de casa, o filho sempre continuou no coração do pai. Opondo-se à força do malfeito sofrido e à vergonha suportada que queria expulsar o filho, o pai manteve o filho no coração como uma ausência moldada pela memória da antiga presença. Uma vez que ele não desistiria do filho que partiu, tornou-se um pai do filho "perdido", do filho "morto" (15.24). Quando a tentativa do filho de "des-filhar-se" mudou a identidade dele, o pai teve de renegociar sua própria identidade como pai.

O mesmo apego à memória do filho que orientou o olhar esperançoso do pai na direção da terra distante encheu o coração dele de compaixão quando avistou o filho voltando; aquilo fez o pai correr para o filho pródigo, abraçá-lo e beijá-lo (15.20). Se não tivesse mantido o filho no coração, o pai não teria abraçado aquele pródigo. Nenhuma confissão se fez necessária para que os braços se abrissem e a oferta do abraço fosse feita pela simples razão de que o relacionamento não se apoiava no comportamento moral e, portanto, não podia ser destruído por atos imorais. A volta do filho da "terra distante" e a recusa do pai a excluir seu filho foram suficientes.

Em sua estratégia de volta o filho havia programado uma diferente sequência de acontecimentos: retorno à casa do pai—confissão de seu pecado—aceitação de emprego (15.18-19). O acolhimento do pai, porém, interrompeu a sequência ("quando" 15.20). A confissão aconteceu depois da aceitação (15.21). Mas ela aconteceu, sem que fosse interrompida. Pois, embora o relacionamento não estivesse fundamentado na integridade, depois da partida do filho o relacionamento foi infectado por uma transgressão e, portanto, tinha de ser sanado mediante uma confissão. Para que o abraço fosse completo — para a celebração começar — uma confissão do malfeito tinha de acontecer.

O pai interrompeu a estratégia da volta do filho uma segunda vez. A primeira interrupção efetuou uma aceitação incondicional; a segunda executou a transformação. Depois de fracassar na terra distante, o filho reconstruiu sua identidade como um "filho-não-digno-de-ser-chamado-filho". Pela pura alegria do abraço de seu pai, sem uma palavra, sua identidade começa a ser mudada de novo. O filho fez sua confissão, mas exatamente no ponto onde sua estratégia impunha que ele informasse o pai sobre a nova identidade que ele havia construído para si mesmo à luz de sua transgressão ("um dos teus trabalhadores", 15.19), o pai o interrompe de novo ("porém" e "depressa", 15.22). A confissão feita ao pai que o abraçava tirou sua identidade em relação ao pai de suas mãos e a colocou nas mãos do pai. Com uma ordem aos servos, o pai reconstruiu a identidade do filho pródigo. Mandou trazer a melhor roupa da casa e vesti-la nele, mandou colocar-lhe um anel no dedo e sandálias nos pés, e depois, enquanto o pródigo era transformado diante dos olhos dos circunstantes, ele o chamou "este meu filho". Primeiro ele simbolicamente *transformou* o "filho-não-digno--de-ser-chamado-filho" num "filho-de-quem-ele-podia-se-orgulhar", e o chamou "*meu filho*". O segredo da transformação de seu filho é igual ao segredo de sua aceitação incondicional: o pai não permitiria que seu filho — o filho "perdido" e "morto" (15.24,32) — fosse excluído do abraço de seu coração.

Sempre suspeitosos do pertencimento, os modernos podem perguntar: mas e se o filho mais novo não quisesse sua identidade reconstruída pelo abraço do pai? No fim das contas, o filho não foi consultado, nem sequer verbalmente avisado! O pai foi todo ação e comunicação. Será que não testemunhamos um ato opressivo de um pai dominador explorando a fraqueza de um filho que errou, um ato que somente um pai como aquele poderia confundir com amor genuíno? Acaso o amor não é um lar paternal, um amor que "entende" e "perdoa", cercado pelo perigo de apagar a diferença, como sugere Rainer Maria Rilke em *Os cadernos de Malte Lauréis Brigge*?[203] Mas o que nos leva a suspeitar onde os leitores originais provavelmente não fariam isso? Não poderíamos nós temer o apagamento da diferença em parte porque não conseguimos parar de oscilar entre as polaridade de "diferença" e "domesticação", de identidades "autoconstruídas" e "impostas"? Será que suspeitamos porque esquecemos a arte de negociar identidades fluidas dentro de um relacionamento? Será porque nos parecemos muito com o irmão mais velho e muito pouco com o pai?

Terceiro, *o irmão mais velho*. O filho mais velho não gostou da música e da dança pela volta do filho pródigo. Sentiu-se indignado e não queria entrar em casa (15.28). O distanciamento espacial foi um sinal externo da exclusão interna. O pródigo não é mais *seu irmão*; ele é "esse teu filho" (15.30). O pejorativo "esse",[204] "filho" em vez de "irmão", e "teu" em vez de "meu" evidenciam a radicalidade da exclusão. Ao contrário do pai, o irmão

---

[203] Rainer Maria Rilke, *The Notebooks of Malte Laurids Brigge*, trad. Stephen Mitchell (New York: Random House, 1982), p. 252ss.
[204] Fitzmyer, *The Gospel According to Luke*, p. 1091.

mais velho não guardou o irmão mais novo no coração enquanto este se encontrava em terra distante. Ele se recusou a reajustar sua identidade para abrir espaço para um irmão manchado pela transgressão; a transgressão do irmão, não a memória da anterior presença dele, passou a ocupar o espaço desocupado pela partida do irmão. O mais velho não será o "irmão-do-pródigo", e assim para ele o pródigo não é "meu irmão". Como consequência disso, depois que o pai tinha abraçado o pródigo, o irmão mais velho teve de se "des-filhar" a si mesmo. Pela primeira vez em toda a história, na explicação de sua ira por parte do irmão mais velho, o pai não é tratado como "pai". Ele se tornou simplesmente outro "tu" (15.29-30). Enquanto o filho mais novo e o pai tiverem um relacionamento ("esse seu filho" [v. 30]), ele se excluirá a si mesmo do relacionamento com o pai. O irmão mais novo se tornou um "não-irmão" porque não foi o irmão que deveria ter sido; o pai se tornou um "não-pai" porque agiu como um pai não deveria agir — ele deixou de rejeitar um filho rebelde (Dt 21.18-21).[205]

A ira, a recusa a entrar e celebrar, a "des-paternização" do pai, tudo isso é apenas um momento na história do filho mais velho, todavia, não toda a sua identidade. Ele agora está "fora" (v. 28), e no entanto seu estar fora só é compreensível contra o pano de fundo de seu mais fundamental estar "dentro" — de estar "sempre com o pai" e de ser dele "tudo" o que o pai tem (15.31). Ele tem de *recusar-se* a entrar (15.28) porque ele já pertence ao interior; e tem de "des-paternizar" o pai, porque ele é seu filho. O irmão mais velho pode não ter uma história de aventuras como a do irmão mais novo, mas ele não "existe num sombrio presente" sem nenhum "destino temporal" e "nenhuma história" a não ser a história fora da história, como afirma Jill Robbins em *Prodigal Son/Elder Brother* [Filho pródigo/Irmão mais velho].[206] Pelo contrário, o "ficar fora" do irmão mais velho é um segmento "dentro" da história que ele partilha com o pai e o irmão mais novo.

Por que essa anulação de relacionamentos? O irmão mais velho não se sente insultado apenas porque teve um comportamento melhor mas recebeu um tratamento pior (15.29-30). Tampouco está ele simplesmente dramatizando seu temor acerca de sua herança[207] que agora ele pode ser

---

[205] Darrell Bock, *Luke 9:51—24:53*, Baker Exegetical Commentary on the New Testament (Grand Rapids: Baker, 1996), p. 1319.
[206] Robbins, *Prodigal Son/Elder Brother*, p. 36.
[207] Bailey, *Finding the Lost*, p. 184.

obrigado a dividir. Em vez disso, ele está irado porque algumas regras básicas foram violadas — não regras opressivas que destroem a vida, mas regras sem as quais nenhuma vida civil seria possível.[208] Aquele que trabalha (15.29) merece mais reconhecimento do que aquele que desperdiça; celebrar o desperdiçador é desperdiçar. Aquele que obedece onde a obediência é devida (15.29) merece mais honra do que aquele que, irresponsavelmente, viola ordens; honrar o irresponsável é irresponsável. Aquele que permanece fiel deve ser mais bem tratado do que aquele que exclui outros; a preferência pelo excluidor é tácita exclusão daquele que foi fiel. Quando o desperdício se torna melhor que o trabalho e o rompimento de relacionamentos melhor que a fidelidade, a justiça é pervertida e a família desmorona; não haverá nenhum lugar do qual um pródigo poderia se afastar e nenhum lugar para o qual voltar; nós *todos* estaremos numa "terra distante" sonhando com o jeito de alimentar nossos corpos macilentos com as "alfarrobas" dadas aos porcos (15.16). Fortes argumentos exigem que aquele que excluiu outros seja excluído, aquele que desobedeceu cumpra seu castigo, aquele que desperdiçou retribua. O pródigo pode ser recebido de volta como um empregado, mas *não* como um filho. Apesar de todas as suas diferenças, os dois irmãos — um em terra distante e o outro em casa — eram muito semelhantes; as expectativas de um e as exigências do outro obedeciam à mesma lógica.[209]

Quem objetaria a essa lógica? E, no entanto, a objeção emerge das entrelinhas do próprio discurso que torna tão plausível a necessidade de regras claras de inclusão e exclusão. As regras são necessárias para preservar vínculos sociais, diz o irmão mais velho. Mas além de separá-lo do pai e do irmão, a ira dele pela transgressão de regras *o* leva a violar algumas regras bastante significativas. Ele insiste que trabalhou como um escravo

---

[208] John Nolland procurou contrariar a tendência de retratar o "irmão mais velho" da pior perspectiva possível (Nolland, *Luke 9:21—18:34*, p. 787ss.). Ele acerta ao ressaltar que "as interpretações que acerbamente criticam o irmão mais velho não podem fazer justiça ao versículo 31" (p. 788).

[209] Jill Robbins sugere que o verdadeiro retorno para casa do pródigo, não apenas seu retorno planejado, é "em última análise econômico, parte de uma perda e ganho num sistema de trocas", porque ele é organizado em torno do esquema de "partida *e* retorno" (Robbins, *Prodigal Son/Elder Brother*, p. 72). Mas essa interpretação, excessivamente esquemática e abstrata, com sua estrutura formal de "partida e retorno", induziu ao erro de ignorar a complexa estrutura da natureza concreta da partida bem como do retorno na história.

para o pai (15.29), mas deixa de mencionar que também trabalhou *para si mesmo* como herdeiro de dois terços da propriedade. Alega que seu irmão devorou a propriedade *do pai* (15.30), mas deixa de dizer que o que o irmão mais novo "devorou" pertencia também ao irmão mais novo. De modo extremamente significativo, ele projeta em seu irmão certa maldade que seu irmão não cometeu: a vida "dissoluta" do irmão, que no original aparentemente não implica nenhuma imoralidade,[210] ele transforma em "desperdiçou os teus bens com meretrizes" (v. 30).

A obsessão pelas regras — não regras ruins, mas regras salutares! — estimula a presunção e a demonização dos outros. Para fazer as regras funcionar é preciso reduzir a ambiguidade e complexidade dos agentes sociais. A insistência na observância das regras fomenta polaridades onde nenhuma polaridade existe e realça polaridades existentes. O resultado disso é que o indivíduo está ou completamente "dentro" (se nenhuma regra foi quebrada) ou completamente "fora" (se uma regra foi quebrada). O irmão mais novo claramente quebrou regras e estava, portanto, "fora", excluído do relacionamento.

Que a incapacidade de levar em conta a ambiguidade e complexidade resulta em exclusão inapropriada e opressiva é uma séria acusação contra o relato de relações sociais expresso pela poderosa autodefesa do irmão mais velho. Todavia, mesmo se for persuasiva, a acusação não vai vingar sem uma visão alternativa plausível. Essa visão está inscrita no comportamento do pai.

Quarto, *o pai de novo*. Quem é esse pai estranho? Um idoso sentimental com um ponto fraco por seu "Benjamim" e uma incapacidade de suportar conflitos? Uma figura trágica, até digna de compaixão, escravizada por uma compulsão a abraçar o pródigo (15.20) e apaziguar o irado irmão dele (15.28), pela necessidade de transformar novamente em "filho" aquele que desperdiçou tudo o que tinha e de chamar carinhosamente "(meu) filho" aquele que irado se recusava a chamá-lo "pai"? Um representante de um tipo que deve parecer insano da perspectiva de qualquer responsável guardião da família precisamente porque ele está fadado a destruir a família? As imagens são claramente erradas; elas só fazem sentido se alguém adota a enviesada perspectiva do irmão mais velho e constrói o pai como seu oposto. Mas o pai não é uma imagem espelhada do irmão mais velho. Se fosse, o irmão mais velho teria vencido, pelo menos até "a vinda do reino

---

[210] Bailey, *Finding the Lost*, p. 124.

em glória". Pois então o pai estaria fechado em segura irrelevância "celestial", e as atividades do mundo seriam entregues a "irmãos mais velhos".

Note-se que o pai *não* restituiu ao filho mais novo exatamente todos os seus antigos privilégios. Claramente, se o pai pôde dizer ao filho mais velho "*tudo* o que é meu é teu" (15.31), então o filho mais novo não terá uma segunda herança; o anel que ele recebeu é um sinal da generosidade do pai, não do direito do filho a toda a propriedade.[211] Embora o pai tenha transformado o pródigo em seu filho de novo, o pródigo não é simplesmente um filho como era antes da partida, mas sim um "filho-que-estava-morto-e-reviveu" (15.32) — mesmo que isso seja apenas por um tempo. Transformado em filho, ele é um "filho-de-novo"; um abraço e uma refeição em que foi consumido um novilho gordo (15.23) simplesmente não anulam o passado. De modo semelhante, se o pai estava se eximindo completamente da ordem da família, ele teria que "des-filhar" o filho mais velho, que na segunda parte da história emerge como representante da ordem.[212] Mas, embora o filho mais velho "des-paternize" o pai, o pai não apenas se mantém vinculado a ele (como se manteve vinculado ao pródigo enquanto o pródigo estava na terra distante), mas declara explicitamente que o relacionamento não foi rompido. Nem o abraço do pródigo nem a ira do irmão mais velho mudam o fato de que o mais velho "sempre está" com o pai, na verdade, de que ele é o "filho" querido do pai e que "tudo" o que pertence ao pai pertence também ao filho (15.31). Longe de descartar completamente a ordem da "família", o pai continua a preservá-la. O que o pai fez foi "reordenar" a ordem! Ele inseriu na "obrigação" da ordem outra "obrigação" (15.32) — a "obrigação" de abraçar o transgressor que voltava e torná-lo de novo um filho, em vez de trancá-lo fora da comunhão! Existe uma "obrigação" de seguir regras salutares; mas existe também uma "obrigação" de acolher de volta quem violou as regras. Além de celebrar com aqueles que já estão "dentro" ("amigos", 15.29), existe também a obrigação de celebrar com aqueles que querem retornar.

O que é tão profundamente diverso em relação à "nova ordem" do pai é que ela não está construída em torno das alternativas que são definidas pelo irmão mais velho: ou rigorosa observância das regras ou desordem e desintegração; ou você está "dentro" ou você está "fora", dependendo de

---

[211] Fitzmyer, *The Gospel According to Luke*, 1090; Nolland, *Luke 9:21—18:34*, p. 785.
[212] Pöhlmann, *Der verlorene Sohn und das Haus*, p. 188ss.

se você quebrou ou não quebrou uma regra. Ele rejeitou essa alternativa porque seu comportamento foi determinado por uma única "regra" fundamental: o relacionamento tem prioridade sobre todas as regras. Antes que qualquer regra possa ser aplicada, ele é um pai para seus filhos e seus filhos *são* irmãos um do outro. A razão para a celebração é que "este meu filho" (15.24) e "teu irmão" (15.32) foi achado e voltou a viver. Observe-se a categórica diferença entre como o pai e como o irmão mais velho interpretam a vida do pródigo na "terra distante". O irmão mais velho emprega *categorias morais* e constrói a partida de seu irmão seguindo o eixo do comportamento "ruim/bom"; o irmão "desperdiçou os teus bens com meretrizes" (15.30). O pai, embora profundamente consciente do significado moral do comportamento do filho mais novo, emprega *categorias relacionais* e constrói a partida de seu filho seguindo o eixo do "perdido/achado" e do para ele "vivo/morto". O relacionamento precede regras morais; o desempenho moral pode *fazer algo* para o relacionamento, mas o relacionamento *não se fundamenta* no desempenho moral. Consequentemente, a *vontade* de abraço independe da qualidade do comportamento, embora, ao mesmo tempo, o "arrependimento", a "confissão" e as "consequências de ações pessoais" tenham todos seu lugar apropriado. A profunda sabedoria sobre a prioridade do relacionamento, e não alguma insanidade sentimental, explica o tipo de "prodigalidade" do pai para com ambos os filhos.[213]

---

[213] Uma vez que o pai não baseia o relacionamento num desempenho moral, ele pode evitar simplesmente *inverter* as categorias morais do irmão mais velho. Não, para o pai aquele que confessa transgressões *não* é melhor do que aquele que obedece e trabalha (ibid., p. 141). Da perspectiva do pai essa alegação é absurda; ela provoca exatamente a resposta que o pai deu ao irmão mais velho (Lc 15.31-32), a passagem que Pöhlmann, estranhamente, não menciona em sua reconstrução conclusiva do "mundo da família e do reino de Deus na parábola" (p. 183-89). De modo semelhante, o pai não "favorece aqueles que abandonam seu dever e em seguida voltam" (E. P. Sanders, *The Historical Figure of Jesus* [London: Penguin, 1993], p. 198). Para fazer essa alegação, é preciso assumir a perspectiva do *irmão mais velho* e depois *afirmar o que o irmão mais velho nega*. Para o pai, os filhos não podem ser pesados por uma balança moral e em seguida, depois do seu retorno e graças à sua confissão, o filho pródigo ser declarado melhor e aceito, e o filho mais velho ser declarado pior e rejeitado. O não pródigo é *bom* porque permaneceu em casa, trabalhou e obedeceu, mas ele é *mau* porque estava preocupado demais com as "regras" e não recebeu seu irmão de volta com alegria. O pródigo é *mau* porque foi embora e *bom* porque voltou e confessou seu erro. Ambos, porém, são amados, independentemente de sua bondade ou maldade, e por isso a bondade e a maldade de cada um podem ser avaliadas de uma forma não esquemática e diferenciada.

Para o pai a prioridade do relacionamento significa não apenas a recusa a deixar que regras morais sejam a suprema autoridade que regulamenta a "exclusão" e o "abraço", mas também uma recusa a construir sua própria identidade isolando-se de seus filhos. Ele reajusta sua identidade juntamente com as cambiantes identidades de seus filhos e assim reconstrói os rompidos relacionamentos e identidades deles. Ele aceita ser "des-paternizado" por ambos, para que mediante esse sofrimento ele possa reconquistar ambos como seus filhos (se é que o irmão mais velho foi persuadido) e ajudá-los a se redescobrirem um ao outro como irmãos. Recusando as alternativas das identidades "autoconstruídas" em oposição às identidades "impostas", da diferença em oposição à domesticação, o pai se permite acompanhá-los na jornada de suas identidades em mutação para poder continuar sendo o pai deles, e eles, irmãos um do outro. Por que ele não se perde na jornada? Porque ele se guia pelo amor indestrutível e se apoia numa ordem flexível.

Ordem flexível? Identidades cambiantes? O mundo de regras fixas e identidades estáveis é o mundo do irmão mais velho. O pai desestabiliza esse mundo — e atrai sobre si a ira do irmão mais velho. O compromisso mais básico do pai não é com regras e identidades definidas, mas com seus filhos cujas vidas são complexas demais para serem reguladas por regras fixas e cujas identidades são dinâmicas demais para serem definidas de uma vez por todas. Todavia, ele não abandona as regras e a ordem. Guiado pelo amor indestrutível, que cria espaço em si mesmo para os outros em sua alteridade, que convida os outros que transgrediram a retornar, que cria condições hospitaleiras para a confissão deles e se alegra com a presença deles, o pai continua reconfigurando a ordem sem destruí-la de modo a mantê-la como uma ordem de abraço ao invés de exclusão.

PARTE II

PART I

5

Opressão e justiça

Justiça contra justiça

Em 1843 o general Charles Napier conquistou Sind e ali instaurou a ordem do regime colonial inglês, sem dúvida alguma visando levar as bênçãos da colonização para as "raças inferiores". Quando os britânicos chegaram, uma das imposições coloniais que instituíram foi a proibição do *sati* — o costume de as viúvas serem queimadas vivas na pira funerária dos maridos. Eles foram astutos o suficiente para tolerar um número de peculiaridades nativas, mas não a imolação das viúvas. Os brâmanes de Sind, porém, defenderam o *sati* como um costume antigo. A resposta do general Napier foi tão simples quanto arrogante: "Minha nação também tem um costume. Quando homens queimam mulheres vivas, nós os enforcamos. Vamos todos agir de acordo com o costume nacional!".[1]

Às vezes essa história é contada como um instrumento polêmico para enfatizar a clara superioridade moral de certas práticas em relação a outras. É possível, porém, vê-la como um caso extremo de sistemas de justiça competindo, na verdade, se chocando. Há uma justiça dos brâmanes, que não via nada de errado na queima de viúvas. As mulheres por natureza pertencem aos homens — aos pais ou maridos (e talvez aos filhos). Quando um marido morre, sua mulher continua pertencendo a ele e pode, portanto, ser cremada na pira funerária dele, presumivelmente sem sentir dor porque o poder do *sati* descia sobre ela. Para compensar o dano, ela poderia ser adorada como uma deusa.[2] Uma apologia alternativa em defesa desse costume dizia mais ou menos o seguinte: "Seguindo o falecido

---

[1] Peter Berger, *A Far Glory: The Quest for Faith in an Age of Credulity* (New York: Free Press, 1992), p. 71.
[2] Ver Lourens P. Van den Bosch, "A Burning Question: Asti and Sati Temples as the Focus of Political Interest", *Numen* 37, n. 2 (1990): p. 174ss.

marido nas chamas de sua pira funerária, ela o liberta e se liberta de todo pecado, e o casal provará o gozo eterno no céu".[3] O *sati* era injusto? Não pelos padrões dos brâmanes.

Mas o general Napier operava com padrões diferentes, que estavam inseridos numa cultura diferente. O credo mais básico da cultura democrática ocidental de Napier ensinava que todos os seres humanos têm um valor singular, que não existe nada mais sagrado que a vida de um indivíduo. Se você violar brutalmente a vida de uma pessoa, a sua vida deve ser violada. A lógica da justiça exigia o enforcamento, ou alguma punição similar. Se o general tivesse sido uma mulher, ele poderia facilmente ignorar a justificativa do *sati* como a racionalização de uma prática que era "inteiramente um esquema político visando garantir os bons serviços de esposas a seus maridos", como Eliza Fay, uma inglesa que morava na Índia em 1779, insistiu com desaprovação.[4] Onde o confronto entre os brâmanes de Sind e o general britânico nos situa? Numa cultura contra outra cultura? Numa justiça contra outra justiça? Se for assim, então a justiça dos generais imperiais sempre vencerá contra a justiça de sábios e sacerdotes — pelo menos por enquanto.

Depois do distanciamento de um século e meio, as sensibilidades coloniais nos fazem ver as coisas de um modo de certa forma diferente daquele dos brâmanes ou do general Napier. De um lado, muito à semelhança de Napier, nós estamos persuadidos de que viúvas não devem ser queimadas. O *sati* é desumano; é injusto. Se alguém fosse suficientemente bárbaro para não condenar essa prática, insistiríamos para que ele pelo menos fosse civilizado o suficiente para não discriminar as mulheres! Aplicando uma lógica tão macabra quanto convincente, exigiríamos que se é para queimar as viúvas então os viúvos também devem ser queimados. Do outro lado, de um modo muito parecido com o dos brâmanes, muitos de nós sustentariam que a violência com que os poderes coloniais impuseram seu regime e seus valores às populações nativas foi profundamente injusta. Não foram as assim chamadas "barbaridades" de "raças inferiores" uma desculpa para a brutal conquista da América pela Espanha? Facilmente aceitamos

---

[3] Paul Pederson, "Ambiguities of Tradition: Widow Burning in Bengal in the Early Nineteenth Century", *Religion, Tradition, and Renewal*, ed. A. W. Geertz e J. S. Jensen (Aarhus: Aarhus University Press, 1991), p. 68.

[4] Claire Herman, "The Widow's Gesture", *Times Literary Supplement* (12 de jul., 1996), p. 29.

os "paradoxos morais" da colonização, como os denomina Tzvetan Todorov em *A conquista da América*: "Os cristãos se sentem revoltados diante de casos de canibalismo. A introdução do cristianismo envolve a supressão deles. Mas, para conseguir essa supressão, homens são queimados vivos!".[5] Hoje, observa Todorov secamente, "nós mal percebemos a diferença na 'civilização' de ser queimado vivo ou ser comido morto".

As sensibilidades pós-coloniais nos dizem que tanto Napier como os brâmanes foram injustos à sua maneira. Por que pensamos assim? Temos nosso próprio tecido de práticas e valores, e nossa concepção de justiça faz parte dele. Diferentemente dos representantes da mais alta casta sacerdotal da Índia do século 19, nós afirmamos como valores *ambas as coisas*: a inviolabilidade da vida individual e a pluralidade das culturas. Mas onde isso nos situa? A nossa cultura é *superior* à deles? A nossa justiça é *superior* à deles? Talvez não tenhamos a coragem de colocar as coisas nesses termos, temendo que nossas sensibilidades democráticas e pós-coloniais possam parecer uma forma disfarçada de colonialismo. Mas realmente hesitamos em *pensar* dessa maneira?

Esse tácito pressuposto da superioridade da nossa justiça é desafiado quando hoje confrontamos o concreto outro. Ao contrário dos brâmanes e generais coloniais, o nosso outro retruca, argumentando que a nossa justiça talvez não seja tão justa como pensamos. Considere-se a guerra na Bósnia durante os anos de 1990, embora o mesmo raciocínio pudesse ser aplicado no exame de muitas outras situações. Os estrangeiros se sentem perplexos, incapazes de construir uma narrativa moral, incapazes de contar a história de croatas, muçulmanos e sérvios como uma história de acertos e erros evidentes. E, como observa Michael Ilgnatieff, "onde a empatia deixa de encontrar a vítima inocente [...] a consciência encontra conforto na rasa misantropia".[6] A conclusão parece clara: a justiça é pisoteada à direita e à esquerda; todo mundo está maluco, todo mundo é bárbaro (e é óbvio que isso indiretamente confirma que nós ocidentais somos justos, sensatos e civilizados).

---

[5] Tzvetan Todorov, *The Conquest of America: The Question of the Other*, trad. Richard Howard (New York: HarperCollins, 1984), p. 179.

[6] Michael Ignatieff, "Is Nothing Sacred? The Ethics of Television", *Daedalus* 114, n. 4 (1985), p. 68.

Pergunte a qualquer uma das partes em guerra na Bósnia; elas vão lhe dizer quem é o verdadeiro bárbaro. Talvez você fique surpreso ao descobrir na lista dos sérvios não apenas croatas e muçulmanos, mas também todo o Ocidente. A mesma civilização decadente que destruiu milhões de povos nativos, colonizou culturas e inventou "a solução final" está mostrando mais uma vez sua cara horrível na imposição de sanções contra nós, os sérvios, quando nosso único crime é que estamos defendendo nossas casas, nossas mulheres e crianças contra croatas e muçulmanos assassinos que querem nos tirar o que é nosso por direito. Ou escute a seguinte variação dessa acusação. Desta vez quem acusa são os muçulmanos: "Como pode o Ocidente cristão simplesmente assistir de camarote enquanto somos massacrados aos milhares? Como podem eles recusar-se a permitir que pelo menos nos armemos?". Para sérvios e muçulmanos, a retórica ocidental e cristã da civilização e justiça só mascara uma prática bárbara e injusta. Aonde nos vai levar *essa* troca de acusações entre o Ocidente e as partes envolvidas na guerra da Bósnia? À justiça muçulmana contra a barbárie ocidental? À justiça ocidental contra a barbárie sérvia? Ou à barbárie dos Balcãs contra a barbárie ocidental?

Nas reflexões sobre as críticas de indianos e de bósnios acerca da justiça, meu objetivo não foi sugerir que todos os protagonistas estão igualmente certos ou igualmente errados e que nenhuma descrição da justiça é melhor que outra. Com certeza não é assim, pelo menos não da minha perspectiva. Os brâmanes de Sind estavam errados acerca do *sati*; a crítica sérvia do Ocidente é propaganda tortuosa e autojustificante. Esses exemplos deveriam mais apropriadamente demonstrar que, quando relatos do que é justo ou do que significa justiça se chocam, a justiça de uma pessoa é a barbárie da outra pessoa e a sociedade é ameaçada pelo caos e a violência. Para usar as imagens do profeta Miqueias, somente se houver consenso quanto à justiça poderão todos ter a esperança de sentar-se "debaixo da sua videira e debaixo da sua figueira" (4.4); caso contrário, devem temer que suas videiras venham a ser pisoteadas por botas de soldados e seus pomares encharcados de sangue e o trabalho de suas mãos reduzido a cinzas. Isso não é sugerir que "ordem" e "estabilidade" sejam impossíveis sem acordo sobre a justiça. Mas que tipo de ordem e estabilidade será esse? Ele nascerá da violência. Para ter "paz" sem justiça será preciso continuar "quebrando arcos", "despedaçando lanças" e "queimando carros" (Sl 46.9). Para que a paz seja fruto de liberdade — para que as nações possam converter "suas espadas em relhas de arados e suas lanças em podadeiras" (Mq 4.3) por iniciativa própria — um acordo sobre justiça é indispensável. A justiça cria um terreno de obrigações mútuas que abrange toda a comunidade, os governantes não menos que os súditos, os ricos e poderosos não menos que os fracos e pobres, uma cultura não menos que a outra. A justiça forma a base da coesão e solidariedade.[7] Sem justiça, o significado dá lugar ao absurdo, a ordem social é prejudicada pela desordem e a paz é ameaçada pela violência. Haverá uma saída da terra do caos onde a justiça luta contra a justiça e assim a injustiça é perpetrada em nome da justiça?

Alguém poderia pensar que se deixássemos de lado os generais e procurássemos os filósofos, nós encontraríamos uma solução para o problema de justiças conflitantes. Mas cada um que hoje pergunta a um filósofo "O que é justo?" deve enfrentar as contraperguntas "Justiça de quem?" e "Qual justiça?". Quem faz as contraperguntas não precisa ser um radical pensador pós-moderno que insiste, como faz Michel Foucault, que a "justiça", como a "verdade", é "uma coisa deste mundo [...] produzida por múltiplas formas de restrição".[8] Uma versão diferente da contrapergunta também pode provir de um comunitarista conservador. Ele lhe dirá que todos os relatos de justiça se situam dentro de uma determinada tradição de indagação moral e que, portanto, há tantas "justiças" quanto há tradições de indagação moral.[9] Ambos o pensador pós-moderno e o pensador comunitarista terão, naturalmente, muito a dizer sobre como evitar o atoleiro de justiças conflitantes. Mas os conselhos deles se chocariam. Como o mundo dos generais, o mundo dos filósofos é um mundo de justiças concorrentes.

Temos a impressão de estar presos na férrea lógica de um silogismo desesperador. Primeira premissa: concepções de justiça dependem de culturas e tradições particulares. Segunda premissa: a paz depende da justiça *entre* culturas e tradições. Conclusão: a violência entre culturas nunca cessará. Mas será que devemos admitir a perturbadora ideia de que a justiça apoiada pelos mais hábeis e mais bem equipados generais, ou proposta pela

---

[7] Jan Assmann, *Das kulturelle Gedächtnis: Schrift, Erinnerung und politische Identität in frühen Hochkulturen* (Munique: C. H. Beck, 1992), p. 232ss.

[8] Michel Foucault, *Power/Knowledge: Selected Interviews and Other Writings 1972–1977*, trad. Colin Gordon et al. (New York: Pantheon Books, 1980), p. 131.

[9] Alasdair MacIntyre, *Whose Justice? Which Rationality?* (Notre Dame, IN: University of Notre Dame, 1988).

propaganda mais eficaz, acabará reinando? Que a justiça do dominante é a justiça dominante? Que o preço da paz é a supressão da "diferença"?

Que a violência prevalecerá sob o rótulo de "paz"? Existe uma maneira de sair da violência de uma justiça injusta para um lugar onde julgamentos justos possam ser feitos na luta da justiça contra a justiça?

Vou primeiro examinar as maneiras dominantes de lidar com a questão de justiças em conflito — a afirmação universalista de que a justiça é uma só, a alegação pós-moderna de que a justiça tem muitos nomes, e a alegação comunitarista que coloca a justiça dentro de uma tradição. Baseando-me na crítica dessas posições, vou apresentar minha própria proposta sugerindo que o acordo acerca da justiça depende da vontade de abraçar o outro e que a justiça em si será injusta enquanto não se tornar um abraço mútuo. O capítulo termina com uma reflexão sobre a "justiça" de Pentecostes contra o pano de fundo da injustiça de Babel. Em todo o texto, minha intenção, mais que especificar o que é a justiça, é propor como devemos agir na busca e perseguição da justiça num contexto de pluralidade e inimizade.

A única e exclusiva justiça

Quando uma justiça luta contra outra justiça, pelo menos uma deve ser falsa. Como pode haver duas, três ou mais justiças? Não há dúvida de que podem existir e existem numerosas *explicações* do que é justo. Apenas uma delas pode ser correta, todavia. Como a verdade, a justiça é única e universal, válida para todos os tempos e todos os lugares, caso contrário simplesmente não é justiça. Faça aquela justiça reinar, e você terá a paz. Poderia parecer que o único problema genuíno é como fazer que uma única justiça reine. Mas será que esse de fato é o caso?

Tradicionalmente, os teólogos cristãos fundamentaram a crença numa única justiça universal em convicções acerca de Deus. Considerem-se as três crenças seguintes em conjunto: Deus é onisciente; Deus é perfeitamente justo; Deus não é uma divindade tribal. Admitidas as três crenças, verifica-se que o que Deus sustenta ser justo deve ser justo para todas as pessoas e todas as culturas, independentemente de como qualquer pessoa interpreta a justiça. Se Deus é o Deus de todos os povos, a justiça de Deus deve ser a justiça de todos os povos. A paz universal será o fruto da universal justiça divina. Esse tipo de raciocínio teológico está por trás da famosa visão do profeta Miqueias (4.2-4; cf. Is 2.2-4). A paz repousa na justiça, e a justiça é sustentada pelo Deus de todas as nações. Deus "julgará entre muitos povos e corrigirá nações poderosas e longínquas" (Mq 4.3). As nações não são seu próprio tribunal de última instância; existe uma justiça que transcende as interpretações culturais de justiça. E quando essa justiça reinar, a guerra terá seu fim, não haverá mais terror, indústrias de armamento serão transformadas em indústrias de paz e academias militares serão desmanteladas (4.3).

Da perspectiva da fé cristã clássica, o argumento que parte do caráter de Deus e chega à justiça universal e à paz universal é incontroverso. Ser um seguidor de Jesus Cristo significa tanto afirmar que a justiça de Deus transcende todas as interpretações de justiça quanto buscar essa justiça (Mt 6.33). Mas será que a busca da justiça divina põe um termo à luta entre justiças? Será que não vai antes intensificar a luta? Note-se que a visão de Miqueias de paz justa não descreve o presente mas prediz o futuro, "nos últimos dias" (4.1). A realidade dos dias de Miqueias não era muito diferente da realidade de qualquer época. Ele escreve:

> Porque todos os povos andam, cada um em nome do seu deus;
>   mas, quanto a nós,
> andaremos em o nome do SENHOR, nosso Deus, para todo o sempre.
>   (Mq 4.5)

Cada nação caminha no nome de seu deus, e cada uma interpreta sua própria explicação da justiça e da barbárie. Não há ninguém para julgar entre elas. Nem mesmo o Deus de Israel! Como Israel se situa ao lado de outras nações, assim também o Deus de Israel, que "nos últimos dias" julgará entre nações, agora está ao lado dos outros deuses. A divindade de Deus é contestada e, portanto, a justiça de Deus é discutida.

Junto com Israel, os cristãos alegam que o Deus deles é o único verdadeiro Deus, e que a justiça desse Deus é a única verdadeira justiça — agora, quando ela é discutida, tanto quanto no mundo por vir, quando isso será afirmado por todos. No entanto, nessa alegação eles não estão sozinhos; os devotos de outros deuses e os supostos seguidores de nenhum deus fazem alegações similares. A questão não é se da perspectiva cristã a justiça de Deus é universal, se Deus pode infalivelmente julgar entre culturas, sejam quais forem suas diferenças. A questão é se *cristãos* que querem defender a justiça universal de Deus podem julgar entre culturas com a infalibilidade divina. A resposta é que não podem.

Em primeiro lugar, os cristãos estão inseridos numa cultura, numa tradição, num grupo de interesse. Ao contrário do conhecimento de Deus, o conhecimento deles é limitado e distorcido. Seus julgamentos sobre o que é justo em situações concretas são inevitavelmente particulares. Por isso cristãos croatas podem discordar tanto dos cristãos sérvios quanto discordam dos muçulmanos sobre a justiça ou a injustiça de uma determinada postura política ou de uma determinada ação militar. Inversamente, cristãos croatas podem concordar mais com, digamos, ateus croatas sobre o que é justo do que com cristãos sérvios. Em segundo lugar, cristãos bem-intencionados discordam profundamente acerca da natureza da justiça. Fundamentalistas cristãos ocidentais discordam de teólogos da libertação sobre a própria noção de justiça, apesar de todos alegarem que sua explicação da justiça é verdadeira porque é a justiça de Deus. E cristãos conservadores não ocidentais podem concordar mais com teólogos da libertação do que com fundamentalistas ocidentais. Devemos, portanto, distinguir entre nossas ideias da justiça de Deus e a justiça de Deus em si mesma. Até no seio da tradição cristã a justiça luta contra a justiça, e não existe um tribunal de última instância antes daquele dia em que todos nós compareceremos "perante o tribunal de Cristo" (2Co 5.10).

A partir da distinção básica entre a justiça de Deus e a ideia humana da justiça de Deus, verifica-se que todas as descrições cristãs de justiça são particulares e que elas precisam emitir julgamentos sobre o que é justo de uma forma provisória.[10] Especialmente no século 17, os cristãos da Europa não estavam nada inclinados a ser provisórios. Lutavam renhidamente uns contra os outros sobre crenças que eles alegavam terem sido diretamente reveladas por Deus. Em parte, contra o pano de fundo da incapacidade dos cristãos de resolver diferenças em paz mediante o apelo a Deus, pensadores do Iluminismo argumentaram que o único tribunal de recurso imparcial é a *razão*, libertada do lastro da tradição.[11] Nas sociedades pós-industriais de hoje, as guerras de religião já não são uma das principais ameaças, embora

---

[10] Richard J. Mouw e Sander Griffioen, *Pluralism and Horizons: An Essay in Christian Public Philosophy* (Grand Rapids: Eerdmans, 1993), p. 158ss.
[11] Stephen Toulmin, *Cosmopolis: The Hidden Agenda of Modernity* (New York: The Free Press, 1990).

não se deva menosprezar um componente religioso de muitos conflitos e apesar de algumas diferenças religiosas serem uma razão suficiente para a violência. A pluralidade de denominações cristãs rivais ensejou uma pluralidade muito mais complexa de incompatíveis tradições religiosas, políticas e sociais. Como se expressa John Rawls em *O liberalismo político*, o problema agora é saber "como é possível existir ao longo do tempo uma sociedade estável e justa de cidadãos livres e iguais" nas condições dessa pluralidade.[12] Hoje, como no século 17, uma solução dominante apresentada é uma teoria racional da justiça. Iris Young, que rejeita explicações universalistas da justiça baseadas na razão, explica por que essas explicações são tão atraentes.

Sem uma teoria racional que fosse "independente de instituições e relações sociais concretas", as pessoas não poderiam "distinguir legítimos argumentos em defesa da justiça de preconceitos sociais específicos ou argumentos egoístas em defesa do poder".[13] Um princípio de justiça baseado na razão e exclusivamente na razão levaria todos os seres humanos sensatos a eventualmente concordar sobre o que é justo, desde que eles estivessem dispostos a refletir sobre as questões envolvidas com certa objetividade desinteressada.

Immanuel Kant, o maior proponente de um conceito universalista da justiça baseada na razão, insistiu em seu ensaio "Paz perpétua" que máximas políticas só seriam justas se derivadas "do puro conceito do dever jurídico, a partir da *obrigação* cujo princípio é proporcionado *a priori* pela razão pura".[14] Como os termos "*a priori*" e "razão pura" indicam, a justiça de Kant ultrapassa diferenças culturais porque ela se baseia em algo que não depende de nenhuma cultura. A justiça é cega no que diz respeito a diferenças entre seres humanos; ela determina como deve agir *toda e qualquer pessoa* autônoma que escolhe livremente. E na explicação de Kant, o essencial do que a justiça ordena a uma pessoa autônoma é tratar outros seres humanos como pessoas autônomas, como sujeitos ao invés de objetos, como fins ao invés de meios. Feito isso, a justiça será feita.

---

[12] John Rawls, *Political Liberalism* (New York: Columbia University Press, 1993), p. xvii.
[13] Iris Marion Young, *Justice and the Politics of Difference* (Princeton: Princeton University Press, 1990), p. 4.
[14] Immanuel Kant, *On History*, trad. Lewis White Beck et al. (Indianapolis: Bobbs-Merrill, 1963), p. 127; cf. Immanuel Kant, *The Metaphysical Elements of Justice: Part I of the Metaphysics of Morals*, trad. J. Ladd (Indianapolis: Bobbs-Merril, 1965), p. 33s.

Já faz algum tempo que a ideia da "razão pura" caiu em descrédito. No lugar da razão pura kantiana, em *O liberalismo político* John Rawls sugeriu a ideia da "razoabilidade"[15] — uma sugestão que implicava o abandono do anterior grande empreendimento do próprio Rawls em *Uma teoria da justiça* de basear a justiça somente nos ditames da razão.[16] Com o termo razoabilidade ele quer dizer "a disposição de propor termos justos de cooperação e cumpri-los desde que outros façam o mesmo".[17] Para garantir que aqueles que desejam ser razoáveis sejam justos, Rawls invoca seu famoso "véu de ignorância".[18] Situado atrás do véu de ignorância, um indivíduo há de propor termos justos se ele não sabe onde e quando entrará no mundo, se será um ser masculino ou feminino, negro ou branco, se falará mandarim ou tâmil, se será rico ou pobre. O que é justo é determinado quando pessoas razoáveis emitem juízos "do ponto de vista de todo mundo".[19] Adotado esse "procedimento", Rawls espera que o que ele denomina "consenso sobreposto" entre pessoas que abraçam uma "doutrina abrangente e razoável" venha a emergir, um consenso que garante justiça para toda a sociedade.[20]

Os benefícios de uma justiça universal baseada na razão (Kant) e do consenso de todas as pessoas razoáveis acerca da justiça (Rawls) seriam consideráveis. Mas será que essas propostas funcionam? Com certa ousadia, vou aqui simplesmente assumir que, contrariando sua proposição, a explicação kantiana de justiça está carregada de particularidades históricas e culturais, e vou desenvolver apenas a proposta de Rawls. Os críticos rapidamente mostraram que aquilo que parece uma explicação neutra de uma justiça capaz de ser compartilhada por todas as pessoas razoáveis constitui de fato todo um "modo de vida". Como diz Michael Walzer em *Thick and Thin* [Denso e ralo],

> Homens e mulheres que reconhecem a igualdade uns dos outros, reivindicam a liberdade de expressão e praticam as virtudes da tolerância e do mútuo respeito não saltam da cabeça do filósofo como Atena da cabeça de Zeus.

---

[15] Rawls, *Political Liberalism*, p. 48-66.
[16] John Rawls, *A Theory of Justice* (Cambridge: Harvard University Press, 1971).
[17] Rawls, *Political Liberalism*, p. 54.
[18] Rawls, *A Theory of Justice*, p. 136ss.
[19] Susan Moller Okin, "On Reason and Feeling in Thinking about Justice", *Ethics* 99, n. 1 (1989): p. 248.
[20] Rawls, *Political Liberalism*, p. 133ss.

Eles são criaturas com uma história; foram trabalhados, por assim dizer, por muitas gerações; e habitam uma sociedade que "adota" suas qualidades e com isso apoia, reforça e reproduz pessoas muito parecidas com eles mesmos.[21]

Pode-se endossar ou não o modo de vida que informa a proposta de Rawls. O que não se deveria fazer é confundi-lo com uma proposta neutra, desconectada de uma cultura particular, simplesmente "razoável".[22] O próprio Rawls diz isso. Sua concepção de justiça é razoável para os cidadãos de democracias liberais modernas.

Chantel Mouffe argumentou que a distinção de Rawls entre "razoável" e "irrazoável" serve apenas arbitrariamente para traçar a linha entre aqueles que aceitam o liberalismo e aqueles que não o aceitam; apenas os "liberais" são "razoáveis".[23] Por trás da consignação de não liberais às obscuras regiões da "não razão", ela enxerga o espectro do "totalitarismo" emergindo.[24] Um exagero. Mas a caricata objeção contém um *insight* correto. Como enfatizou Charles Taylor, a noção liberal de justiça dá sistematicamente preferência à visão de vida em que "a dignidade humana consiste na autonomia, isto é, na capacidade de cada pessoa de determinar para si mesma uma visão da vida boa".[25] A proposta que partiu para oferecer um conceito de justiça que poderia unir "profundamente doutrinas opostas embora abrangentes e razoáveis"[26] termina com uma concepção de justiça

---

[21] Michael Walzer, *Thick and Thin: Moral Arguments at Home and Abroad* (Notre Dame, IN: University of Notre Dame Press, 1994), p. 12s.

[22] Cf. Stanley Fish, "Why We Can't All Just Get Along", *First Things* 60, n. 2 (1996), p. 18-26.

[23] Chantel Mouffe, "Das Paradoxon des politischen Liberalismus", *Die Gegenwart der Gerechtigkeit: Diskurse zwischen Recht, pratiktischer Philosophie und Politk*, ed. Christoph Demmerling e Thomas Rentsch (Berlim: Akademie, 1995), p. 183).

[24] Ibid., p. 186.

[25] Charles Taylor, "The Politics of Recognition", *Multiculturalism: Examining the Politics of Recognition*, ed. Amy Gutmann (Princeton: Princeton University Press, 1994), p. 57; cf. Charles Taylor, "Justice After Virtue", *After MacIntyre. Critical Perspectives on the Work of Alasdair MacIntyre*, ed. John Horton e Susan Mendus (Notre Dame, IN: University of Notre Dame Press, 1994). Em *Liberalism and the Limits of Justice* (Cambridge: Cambridge University Press, 1982) Michel Sandel argumentou que a noção liberal de justiça exige que se postule um "ego" que é "destituído de objetivos e vínculos essenciais" e que habita um mundo de egos que são "capazes de constituir significado por sua própria conta — como agentes de *construção* no caso do certo e como agentes de *escolha* no caso do bom" (p. 175s.).

[26] Rawls, *Political Liberalism*, p. xviii.

que é em si mesma um aspecto de uma doutrina particular abrangente. Essa objeção não derruba o entendimento liberal de justiça. É possível agarrar-se a ele "sublinhando características contingentes da sociedade liberal que a transformam no melhor conjunto disponível de arranjos, dadas as circunstâncias, pelo menos de acordo com o nosso entendimento".[27] Todavia, se correta, a objeção realmente ressalta que a justiça liberal é apenas uma concepção particular de justiça, competindo com concepções alternativas, em vez de uma concepção universal de justiça capaz de julgar justamente entre elas.

A justiça não conseguiu afastar completamente a particularidade da diferença. A razão não pode superar a particularidade porque, sendo incapaz de sobreviver suspensa no ar, ela sempre situa a justiça no âmbito de uma visão particular da vida boa. A perspectiva de Deus da justiça não pode ajudar porque quando Deus fala nós não conseguimos deixar de inserir algumas linhas do nosso próprio discurso — pelo menos não por enquanto. Visto que somos inevitavelmente particulares, nosso conceito de justiça não pode ser universal. Incapaz de transcender particularidades, a justiça deve continuar lutando contra a justiça. Por quanto tempo? Até o som da trombeta e a ressurreição dos mortos então já imperecíveis? Pensadores pós-modernos acreditam que a luta da justiça contra a justiça pode terminar mais cedo — desde que estejamos dispostos a arriscar o abandono da busca impossível da única e exclusiva justiça.

Muitos nomes, muitas justiças

Aos olhos de um cínico, a receita para a consecução de uma "justiça universal" pode parecer assim: Escolha uma perspectiva particular da justiça, negue a si mesmo e aos outros que ela é particular, insista que qualquer um que tenha alguma piedade ou miolos vai concordar com você, e o trabalho está feito — se você conseguir sair-se bem. Mas acontece que ficou cada vez mais difícil sair-se bem de um caso assim. Juntamente com uma consciência muito mais sensível à pluralidade cultural, foram sobretudo os modos do pensar pós-moderno que nos levaram a desconfiar de coisas "universais", inclusive da justiça universal.

---

[27] Jeffery Stout, *Ethics After Babel. The Language of Morals and Their Discontents* (Boston: Beacon, 1988), p. 227.

O argumento de pensadores pós-modernos não enfatiza tanto que cada concepção da justiça é particular, mas sim que cada concepção da justiça que alega ser universal é inerentemente opressora. Para ter uma justiça única, deve-se entender a justiça como uma lei que se aplica a todos os casos. A justiça é cega; diferenças entre pessoas são irrelevantes para as exigências dela. Mas exatamente porque procura ser cega para as diferenças entre as pessoas, a lei da justiça, argumenta John Caputo em *Against Ethics* [Contra a ética], "inevitavelmente, estruturalmente, fica aquém dos indivíduos".[28] Em consequência disso, "as leis sempre silenciam, coagem, esmagam ou derrubam alguém, nalgum lugar, por menor que seja".[29] Entendida como tratamento igual, a justiça só pode prosperar à sombra da injustiça. Não surpreende, então, que "a pior injustiça, as mais sangrentas agressões da justiça sejam [...] cometidas diariamente em nome da justiça, sob a proteção do nome da 'justiça'".[30] Quanto maior e mais abrangente for a justiça, tanto mais injustiça ela pode causar.

Pode-se argumentar de modo persuasivo que a crítica pós-moderna da justiça, como a crítica pós-moderna da racionalidade, extrai sua capacidade de atração da autoemburrecedora tendência a gerar falsas expectativas e depois abrigar decepções quando elas deixam de se concretizar.[31] Ela atribui exigências impossíveis à noção de justiça, desespera-se por elas não serem satisfeitas e depois declara que todas as noções de justiça são impossíveis e indesejáveis. Tome a acusação de que a justiça é cega para as diferenças. A crítica pós-moderna da cegueira sistemática está mais ou menos no caminho certo quando é dirigida contra as tendências homogeneizantes de um entendimento da justiça tipicamente moderno. Mas será que consequentemente essa crítica mina todas as noções de justiça universal? As melhores tradições de refletir sobre a justiça procuraram não desconsiderar as diferenças, mas sim atribuir-lhes sua devida importância.[32] Todavia, antes de dispensar a crítica pós-moderna como deslocada, devemos aprender dela a não desprezar a forte propensão de muitos "requerentes de justiça" a generalizar diferenças e a atribuir à justiça falsas expectativas

---

[28] John D. Caputo, *Against Ethics. Contributions to a Poetics of Obligation with Constant Reference to Deconstruction* (Bloomington: Indiana University Press, 1993), p. 87.
[29] Ibid.
[30] Ibid., p. 86.
[31] Taylor, "Justice After Virtue", p. 36.
[32] Ver Aristóteles, *Ética a Nicômaco*.

de licitude inconteste. Além disso, nenhuma noção adequada de justiça pode ignorar dois movimentos nietzschianos que a crítica pós-moderna faz: o *insight* de que "todos os julgamentos" são "incompletos", "prematuros", "impuros" e, portanto, "injustos",[33] e o protesto contra "personagens vingadores" que, "disfarçados de juízes", levam "a palavra justiça em sua boca como um cuspe venenoso".[34]

Qual é a alternativa pós-moderna para a injusta justiça universal?

Considere-se a seguinte declaração de Jacques Derrida de um texto mais recente, que sinaliza uma tentativa de uma "virada ética" em seu pensamento: "A justiça em si, se tal coisa existe, fora e além da lei, não é desconstrutível. Não mais do que a desconstrução, se tal coisa existe. *A descontrução é justiça*".[35] Como pode a desconstrução ser justiça?[36] Caputo, que segue a liderança de Derrida, explica. A desconstrução é justiça porque ela derruba "as grandes, honradas, velhas inscrições da lei" que oprimem em nome da justiça, e a descontrução estabelece a honra dos "pequenos nomes próprios".[37] A justiça digna de seu nome ouve a voz do indivíduo que protesta contra a lei dizendo: "Mas este caso é diferente!". Nenhuma desinteressada parcialidade aqui. Nenhum cultivo de cegueira sistemática. Tudo depende de manter os olhos bem abertos, de notar e respeitar todas as pequenas e grandes diferenças. Um apropriado Livro da Justiça, Caputo explica, "teria de mencionar todo mundo pelo nome [...] seria como um mapa tão perfeito que corresponderia em tamanho à região mapeada".[38] Para ser justa, a justiça deve ser tão específica como cada caso. Disso decorre que a justiça em si mesma "não é uma coisa única, nem um nome único, mas uma incontrolável pluralidade de nomes".[39]

---

[33] Friedrich Nietzsche, *Human, All Too Human. A Book for Free Spirits*, trad. Marion Faber (Lincoln: University of Nebraska Press, 1996), p. 35.

[34] Friedrich Nietzsche, *The Birth of the Tragedy and the Genealogy of Morals*, trad. Francis Golffing (Garden City: Doubleday, 1956), p. 259.

[35] Jacques Derrida, "Force of Law: The Mystical Foundation of Authority", *Cardoza Law Review* 11 (1990): p. 945, itálicos meus.

[36] Ver Christoph Demmerling, "Differenz und Gleichheit. Zur Anatomie eines Argumentes", *Die Gegenwart der Gerechtigkeit: Diskurse zwischen Recht, praktischer Philosophie und Politik*, ed. Christoph Demmerling e Thomas Rentsch (Berlin: Akademie, 1995), p. 124-26.

[37] Caputo, *Against Ethics*, p. 87; cf. Jean-François Lyotard, *The Postmodern Condition: A Report on Knowledge*, trad. Geoff Bennington e Brian Massumi (Minneapolis: University of Minnesota Press, 1984), p. 82.

[38] Ibid., p. 88.

[39] Ibid., p. 89.

O lucro de atribuir tantos nomes à justiça é "a maximização da diferença [...] permitindo que muitas flores desabrochem".[40]

A *perda* causada pela atribuição de tantos nomes à justiça torna-se aparente, todavia, logo que observamos que ao lado de tantas flores crescem tantas ervas daninhas. Se o objetivo é maximizar a diferença, por que não deixar que também as ervas daninhas cresçam, por que não deixar que *tudo* desabroche? Caputo é *tentado* por essa linha de pensamento. A vida seria então "inocente [...] assim como são inocentes as ondas que batem contra o navio ou o litoral, por mais destruição que possam causar [...]. A justificativa é ver que não há nenhuma injustiça, que nada é realmente 'injusto'".[41] Ele corretamente se recusa, todavia, a sucumbir à solução da "nenhuma injustiça" para o problema da opressão — uma solução que se compararia com a "boa notícia" de Nietzsche em *O anticristo* de que "já não há opostos".[42] Em vez de maximizar a diferença, Caputo sustenta que a justiça exige a minimização do sofrimento.[43] Por que minimizar o sofrimento? Por que simplesmente não perdoar o insulto e esquecer o crime? No fim das contas, o perdão de Caputo é o outro lado de sua justiça. Como a justiça, o perdão "dispensa, suspende, suprime a lei, deixando-a no ar, a fim de responder ao chamado que brota do abismo do Outro".[44] Então por que não responder ao chamado que brota do abismo das ervas daninhas? Insensibilidade para com ervas daninhas?[45] Sim, mas não exatamente isso. Ervas daninhas são assassinas; elas *minimizam a diferença* em vez de maximizá-la. Para maximizar a diferença nós precisamos afirmar o respeito pelos outros, e o respeito pelos outros exige que não respeitemos "pessoas que não respeitam os outros", argumenta Caputo.[46]

Essa linha de pensamento parece persuasiva — embora as ervas daninhas iriam, sem dúvida, objetar que ela privilegia fortemente as plantas

---

[40] Ibid., p. 92.
[41] Ibid., p. 138.
[42] Nietzsche, *Human, All Too Human*, p. 156.
[43] Caputo, *Against Ethics*, p. 92.
[44] Ibid., p. 112.
[45] A obrigação surge, argumenta Caputo, do "sentimento que nos sobrevém quando outros precisam de nossa ajuda, quando eles pedem ajuda, ou apoio, ou liberdade, ou qualquer coisa de que precisam, um sentimento que ganha força na proporção do desespero da situação do outro. O poder da obrigação varia diretamente com a impotência de quem pede ajuda, que é o poder da impotência" (Caputo, *Against Ethics*, p. 5).
[46] Ibid., p. 119.

que os humanos gostam de chamar flores. Se você respeita aqueles que não respeitam os outros, então reina o desrespeito. Observe-se, porém, que nós quase chegamos ao ponto de partida, perto do princípio liberal de justiça: todos devem respeitar todos; ninguém deve respeitar aqueles que não respeitam todos. Um pensador pós-moderno toma a iniciativa de desmontar a noção liberal de justiça universal, mas quando termina sua tarefa ele sub-repticiamente reagrupou grande parte daquilo que havia antes desmontado. Surgindo do nada, chega aos nossos ouvidos a canção que celebra o descarte da dominação e a *liberdade universal*.[47] Apesar de toda diferença radical, está sediado entre a maioria dos pensadores pós-modernos um liberal não desconstruído, com compromissos universais, silenciosamente subvertendo o trabalho de seu patrão. O que é desmantelado no fim é a justiça como desconstrução.

A inconsistência do entendimento pós-moderno da justiça está acoplada a uma dificuldade em *combater* a injustiça. Contrapondo-se às leis gerais, o pensamento pós-moderno celebra nomes específicos. Pareceria que a ênfase nos "nomes" garantiria tanto os agentes na luta pela justiça quanto os sujeitos necessitados de proteção contra a injustiça. Na visão pós-moderna, todavia, um "nome" não é uma "pessoa" no sentido de um agente com uma identidade estável. Como portador de um nome próprio, um indivíduo é "ele mesmo uma configuração complexa de acontecimentos ainda por vir, multiplicidade ou constelação de si mesmo [...]. O indivíduo é uma perspectiva, a perspectiva do aqui, agora, neste ponto".[48] A noção de uma "pessoa" ou um "sujeito" é uniforme e estável demais, dizem os pós-modernos; ela precisa ser subvertida. O infeliz efeito colateral de renunciar à noção de "sujeito" é que sem alguma percepção da identidade estável de um agente social, a luta contra a injustiça torna-se difícil (ver Capítulos 2, 6, 7). Quem empreenderá a luta? Em benefício de quem deveria a luta continuar? Uma "configuração complexa de acontecimentos"? Como observa Henry Louis Gates Jr. em *Loose Canons* [Princípios frouxos], a ironia da radical interpretação pós-moderna do ego é que "precisamente quando nós (e outros povos do Terceiro Mundo) conseguimos os meios necessários para definir nossa subjetividade negra

[47] Ver Charles Taylor, *Sources of the Self: The Making of the Modern Identity* (Cambridge: Harvard University Press, 1989), p. 504.
[48] Caputo, *Against Ethics*, p. 95.

[...] nossos colegas teóricos declaram que não existe essa coisa chamada sujeito, portanto por que deveríamos nos preocupar com isso?".[49]

Qual é o desfecho da cruzada da diferença contra a justiça universal, do apelo pela diferença radical como a única justiça propriamente dita? A justiça não será subvertida pela diferença. Pensadores pós-modernos têm dificuldade na reflexão sobre justiça sem se emaranharem em autocontradições, e têm muita dificuldade para explicar como, com base no seu entendimento dos seres humanos, é possível lutar contra a injustiça. Será que nesse caso ficamos sem dispor de uma alternativa viável para inaceitáveis interpretações de uma justiça universal? Existe uma outra maneira de conectar particularidade e diferença com justiça, proposta por uma filosofia que se vê como a alternativa para o pensamento moderno bem como para o pós-moderno. Uma *tradição coerente* é em grande medida algo particular, e a justiça pode ser vista como dependente dessa tradição. Será que essa maneira de proceder resolve o problema apresentado pela luta da justiça contra a justiça?

Justiça dentro da tradição

Considerem as dificuldades de sociedades pluralistas debatendo questões de justiça. Em *Whose Justice? Which Rationality?* [Justiça de quem? Qual racionalidade?] Alasdair MacIntyre, o principal proponente da visão de que teorias de justiça são aspectos de determinadas tradições, apresenta o problema desta maneira: uma vez que grupos sociais conflitantes são incapazes de "chegar a conclusões acordadas racionalmente justificáveis sobre a natureza da justiça", eles simplesmente apelam para suas convicções rivais sem sequer tentar justificá-las racionalmente.

> Questões disputadas a respeito de justiça e racionalidade prática são [...] tratadas na esfera pública, não como casos públicos para uma investigação racional, mas antes para a asserção e contra-asserção de conjuntos de premissas alternativas e incompatíveis.[50]

Como resultado disso, nas democracias modernas as asserções daqueles que têm mais poder político vencem. Nas famosas palavras do final de seu

---

[49] Henry L. Gates, *Loose Canons: Notes on the Culture Wars* (New York: Oxford University Press, 1992), p. 36.
[50] MacIntyre, *Whose Justice? Which Rationality?*, p. 5s.

livro *Depois da virtude,* "a política moderna é guerra civil praticada com outros meios".[51] Voltamos assim aos generais ou, mais precisamente, a seus equivalentes democráticos.

Para pôr um termo à guerra, MacIntyre pede a recuperação daquilo que ele denomina "tradição".[52] Cada concepção da justiça se situa numa determinada tradição. Ele explica:

> Teorias da justiça e racionalidade prática nos confrontam como aspectos de tradições; e a lealdade à tradição exige que ponhamos em prática alguma forma de vida humana mais ou menos incorporada, cada uma com seus modos específicos de relacionamento social, cada uma com os próprios cânones de interpretações e explicação a respeito do comportamento dos outros, cada uma com suas práticas de avaliação.[53]

Alguém poderia objetar que isso é simplesmente reafirmar o problema, não resolvê-lo. Acaso as tradições rivais e as comunidades rivais de discurso não *dão origem* a justiças rivais? Elas dão. MacIntyre acredita, porém, que as tradições também proveem recursos para encerrar disputas. Um genuíno encontro intelectual não pode acontecer de alguma forma generalizada entre pessoas que estão no vácuo, como assumiram os pensadores do Iluminismo e como pressupõe grande parte da cultura moderna. Para que uma discussão racional substitua a estéril troca de asserções e contra-asserções, as pessoas devem estar inseridas em tradições.[54] De dentro de uma tradição, elas podem levar adiante debates racionais não apenas com os companheiros da mesma tradição, mas também com os que estão inseridos em tradições rivais.[55]

Não é preciso discutir aqui o poder de persuasão dos critérios de MacIntyre para julgar a relativa pertinência de tradições.[56] Vou aqui admitir que,

---

[51] Alasdair MacIntyre, *After Virtue: A Study in Moral Theory*, 2ª ed. (Notre Dame, IN: University of Notre Dame Press, 1984), p. 253.

[52] Ibid., p. 221ss.

[53] MacIntyre, *Whose Justice? Which Rationality?*, p. 391.

[54] Cf. Michael Walzer, *Interpretation and Social Criticism* (Cambridge: Harvard University Press, 1987), p. 8-18.

[55] MacIntyre, *Whose Justice? Which Rationality?*, p. 349-69; cf. MacIntyre, *After Virtue*, p. 146.

[56] Ver John Milbank, *Theology and Social Theory: Beyond Secular Reason* (Oxford: Blackwell, 1990), p. 345ss.

em princípio, conflitos entre tradições podem ser resolvidos racionalmente da maneira que ele sugere. Mas quais são as probabilidades de que eles *serão* resolvidos? MacIntyre termina a introdução ao livro *Three Rival Versions of Moral Enquiry* [Três versões rivais da averiguação moral] com uma sombria previsão acerca de sua própria proposta: "O máximo que se pode esperar é tornar nossas discordâncias mais construtivas".[57] Essa esperança poderia ser suficientemente boa para alguns pensadores (embora não do tipo de pensador que MacIntyre quer ser). Ganhar o pão mediante a afinação da própria tradição construindo uma discordância construtiva com outras tradições não é a pior coisa que pode acontecer com você. Mas o que significam essas bem--afinadas discordâncias inteligentes para pessoas em guerra e para os excluídos indigentes? Elas podem até tornar as armas ideológicas de sua destruição mais mortíferas e com isso selar mais firmemente seu miserável destino.

Talvez MacIntyre consiga tão pouco porque ele se propõe conseguir tanta coisa. Ele argumenta que, para resolver conflitos sobre questões particulares, nós precisamos *resolver conflitos entre tradições mais amplas*, o que proporciona a estrutura para questões particulares.[58] Além disso, ele concebe essas tradições mais amplas como sistemas, de modo que "as distintivas concepções de justiça e racionalidade prática [...] são entendidas como partes de um todo".[59] O que acontece então na interação de sistemas rivais coerentes e abrangentes? Seus defensores podem optar pela afinação das tradições a que pertencem ou pela mudança das tradições.[60] Deixando de lado a opção aberta apenas para gênios (tais como Tomás de Aquino), que conseguem dar início a uma nova tradição mediante a criativa fusão de tradições preexistentes, o conflito entre tradições sobre questões particulares só pode ser resolvido mediante a *vitória* de uma tradição sobre outra. Essa relação agonística resulta, creio eu, do *excessivo interesse* de MacIntyre *pela coerência e abrangência*.[61] Quanto mais integradas forem as tradições,

---

[57] Alasdair MacIntyre, *Three Rival Versions of Moral Enquiry: Encyclopaedia, Genealogy and Tradition* (Notre Dame: IN: University of Notre Dame Press, 1990), p. 8.

[58] Alasdair MacIntyre, "Are Philosophical Problems Insoluble? The Relevance of Systems and History", *Philosophical Imagination and Cultural Memory: Approaching Historical Traditions*, ed. Patricia Cook (Durham: Duke University Press, 1993).

[59] MacIntyre, *Whose Justice? Which Rationality?*, p. 390.

[60] Ibid., p. 166s.

[61] Stout, *Ethics After Babel*, p. 218s.; Jeffrey Stout, "Homeward Bound: MacIntyre on Liberal Society and the History of Ethics", *Journal of Religion* 69 (1989): p. 230ss.

tanto mais suas relações serão agonísticas.[62] Uma tradição luta contra outra, sua justiça contra a justiça de outra tradição, até que uma derrota a outra mostrando-se racionalmente superior. Como o próprio MacIntyre admite, as probabilidades de que uma tradição vencerá são pequenas.

Eu sugiro uma redução de nossas visões no caso de conflitos sobre questões de justiça. Em vez de procurar uma vitória completa, devemos ir em busca de convergências e acordos graduais. Para essa empreitada mais modesta a concepção de justiça baseada na tradição pode ser útil, desde que resistamos à tentação de encaixar tradições à força em sistemas coerentes e bem-integrados. Mas devemos resistir a essa tentação?

Territórios sobrepostos, compromissos básicos

Peço permissão para começar minha proposta alternativa com duas proposições simples. Primeira: "Ninguém está 'no vácuo'". Segunda: "A maioria de nós está em mais de um lugar". Nos últimos anos, a primeira proposição ganhou o *status* de um truísmo. Não discutimos acerca da justiça (ou de qualquer outra coisa, na verdade) como egos desencarnados e sociais suspensos por algum gancho no céu acima da confusão de conflitos sociais. A localização social molda profundamente nossas crenças e atividades. Pensamos e agimos como "egos sobrecarregados".[63] "Tradições" são inevitáveis. Até mesmo "a história do liberalismo, que começou como um apelo a supostos princípios de racionalidade compartilhada lutando contra o que era percebido como a tirania da tradição, foi ela mesma transformada em tradição", como enfatizou MacIntyre.[64] Deixar para trás toda tradição não é uma exigência da racionalidade, mas sim uma receita para a insanidade.

Aqueles que professam a fé cristã não deveriam sentir nenhuma necessidade de permanecer no asilo de mentes despojadas de toda e qualquer tradição. Ser cristão significa estar vinculado a uma comunidade e ser moldado pelas crenças e atividades dela. Para aprender o que é a justiça, um teólogo cristão não procurará juntar-se a Descartes e passar "o

---

[62] O lado agonístico do pensamento de MacIntyre foi criticado por John Milbank. Ao contrário de Milbank, eu não quero simplesmente substituir a luta dialética pela atração retórica, mas garantir que a luta não seja travada de tal maneira que resulte, em regra, na morte de uma parte rival (*Theology and Social Theory*, p. 236ss.).

[63] Sandel, *Liberalism and the Limits of Justice*, p. 179-83.

[64] MacIntyre, *Whose Justice? Which Rationality?*, p. 335.

dia inteiro trancado numa sala aquecida por uma estufa" meditando sobre "seus próprios pensamentos".[65] Em vez disso, o lugar onde o teólogo cristão aprenderá sobre justiça é a comunidade chamada igreja. O objeto de sua meditação serão as tradições bíblicas e as crenças e práticas de santos e pecadores. O pensamento cristão sobre a justiça está enraizado nos inflamados protestos de profetas e na engajada reflexão de apóstolos. Ele deriva de toda a narrativa da negociação de Deus com a humanidade, uma narrativa que é particularmente densa no ponto em que Jesus Cristo entra naquele pequeno país sob a ocupação de Roma, proclama e promulga o reino de Deus, é crucificado pelos romanos e é ressuscitado por Deus.

Os cristãos estão em algum lugar. Há muito a ser dito acerca de *como* eles deveriam estar onde estão e como deveriam inserir sua visão no debate público mais amplo. Aqui vou deixar tudo isso de lado.[66] Crucial para os meus propósitos é saber se os cristãos se situam num único lugar ou em muitos lugares, e se eles ocupam uma "tradição coerente". Argumentei antes (Capítulo 2) em defesa do distanciamento e do pertencimento. Os cristãos inevitavelmente habitam em dois mundos — estão "em Deus" e "no mundo" — o mundo das tradições bíblicas e o mundo da própria cultura deles. Consequentemente, a "tradição" cristã *nunca é pura*: ela sempre representa uma fusão de correntes que provêm das Escrituras e de uma determinada cultura em que uma igreja particular está inserida.[67] Aqui vou complicar um pouco mais a questão.

Considere-se o primeiro mundo que os cristãos habitam, *o mundo das Escrituras*. Será esse mundo mais bem-concebido como uma "tradição coerente", no sentido em que o tomismo, por exemplo, representa uma tradição coerente?[68] Penso que não. Os textos bíblicos são um pacote canônico de testemunhos sobrepostos a partir de contextos radicalmente diferentes da única história de Deus com a humanidade que culmina na morte e ressurreição de Cristo. As Escrituras chegam até nós na forma de tradições plurais. Os textos e a subjacente "estória da história" que os une (ver Capítulo 1) não oferecem uma tradição coerente. Em vez disso, exigem uma série de

---

[65] René Descartes, *Discourse on Method and Meditations*, trad. F. E. Sutcliffe (Harmondsworth: Penguin, 1968), p. 35.
[66] Ver Mouw e Griffioen, *Pluralism and Horizons*, p. 158ss.
[67] Miroslav Volf, "Theology, Meaning, and Power", *The Future of Theology: Essays in Honor of Jürgen Moltmann*, ed. Miroslav et al. (Grand Rapids: Eerdmans, 1996), p. 99ss.
[68] MacIntyre, *Three Rival Versions of Moral Enquiry*.

compromissos básicos relacionados — crenças e práticas. Esses compromissos *podem evoluir* e tornar-se tradições. Mas essas tradições são sempre fenômenos secundários que precisam ser interrogados e reformulados à luz tanto de compromissos básicos como da mudança de contextos culturais. Os teólogos cristãos têm suas próprias boas razões para suspeitar de que há alguma verdade no aforismo de Nietzsche em *Crepúsculo dos ídolos*, segundo o qual "a vontade de um sistema é uma falta de integridade".[69]

Considere-se, em segundo lugar, o mundo da cultura em que os cristãos estão inseridos. Num sentido significativo, aquele mundo tampouco é um mundo singular. Exatamente desde o princípio, o mundo que os cristãos habitavam era plural — helenismo e judaísmo eram misturados na Palestina,[70] e a *pax romana* estendeu-se por todo um império multicultural. De modo semelhante, hoje vivemos num mundo em que múltiplas correntes de tradições e práticas sociais convergem uma sobrepondo-se à outra. Nós facilmente concordamos com MacIntyre que nossos contemporâneos no Ocidente "tendem a viver nem lá nem cá".[71] Mas devemos concordar com a avaliação dele dessa situação? Devemos endossar a solução que propõe? Para ele, estar "nem lá nem cá" apresenta um estado instável e inconsistente. A pessoa que mora "nem lá nem cá" não é nem um "cidadão de lugar nenhum",[72] como um bom liberal deveria ser, nem um cidadão sentindo-se "em casa" numa tradição, que é onde qualquer pessoa sábia gostaria de estar. Mas deveríamos trabalhar para criar lares assim? Se o meu argumento acerca da natureza do mundo das tradições bíblicas é plausível, então nada na natureza das crenças cristãs em si nos compele a construir uma "tradição coerente" a partir de compromissos cristãos básicos. O que importa são esses compromissos. E o que importa é que passem a exercer alguma influência nas realidades sociais.

Sem dúvida, não é necessário desenvolver uma tradição coerente, mas não seria *desejável* fazer isso? Essa é uma pergunta bastante complexa, e aqui vou tratar somente da questão da conveniência *social* de tradições assim. Será que o mundo social que habitamos se beneficiaria se nós

---

[69] Friedrich Nietzsche, *Twilight of the Idols and the Anti-Christ*, trad. R. J. Hollingdale (London: Penguin, 1990), p. 35.

[70] Martin Hengel, *Judaism and Hellenism: Studies in their Encounter in Palestine During the Early Hellenistic Period*, trad. John Bowden (London: SCM, 1974).

[71] MacIntyre, *Whose Justice? Which Rationality?*, p. 397.

[72] Ibid., p. 388.

oferecêssemos aos nossos contemporâneos um lar pan-abrangente numa tradição coesa, construída sobre a fundamentação dos compromissos básicos cristãos? Eu acho que não. De fato, acredito que *nenhum lar assim é imaginável* nas sociedades contemporâneas. Como observa Zygmunt Bauman em *Ética pós-moderna*,

> uma comunidade capaz de "situar" seus membros com algum grau de duradouras consequências parece mais um postulado metodológico do que um fato concreto. Sempre que se desce da realidade segura da esfera dos conceitos até a descrição de qualquer objeto concreto que os conceitos supostamente representam — descobre-se apenas uma fluida coleção de homens e mulheres [...].[73]

Culturas e tradições não estão integradas como totalidades e não podem ser transformadas nisso em sociedades contemporâneas. A crença de que podem, argumenta Steven Lukes, é um "claro exemplo da redução da complexidade com a ajuda do pensamento mítico".[74] Não podemos fazer mais que viver "nem lá nem cá" e continuar usando uma "variedade de recursos de pensamento e ação gerados pela tradição"[75] precisamente porque não podemos evitar viver em *espaços sociais sobrepostos em rápida mutação*. Em sociedades contemporâneas é impossível perseguir um sistema coerente de bens. Em vez disso, devemos descansar satisfeitos com a fidelidade a compromissos básicos. Os cristãos primitivos viviam e prosperavam sem o seguro sistema de clausura; não há razão que nos impeça de fazer o mesmo.

Espaços sociais sobrepostos e cambiantes explicam grande parte da fragmentação em sociedades contemporâneas: toleramos racionalidades diferentes em diferentes espaços e convivemos com princípios morais em parte inconsistentes. Mas considere-se a consequência da eliminação da fragmentação e da incoerência. Isso equivaleria a eliminar das tradições os elementos estranhos para torná-las puras e coerentes. Como MacIntyre sabe muito bem, isso não pode acontecer simplesmente por meio de uma mudança de crenças. "Teorias filosóficas", escreve ele, "conferem

---

[73] Zygmunt Bauman, *Postmodern Ethics* (Oxford: Blackwell, 1993), p. 44.
[74] Steven Lukes, *The Curious Enlightenment of Professor Caritat: A Comedy of Ideas* (London: Verso, 1955), p. 108.
[75] MacIntyre, *Whose Justice? Which Rationality?*, p. 397.

uma expressão organizada a conceitos e teorias *já incorporados em formas de prática e tipos de comunidade*."[76] Logo, para habitar uma única tradição coerente é preciso pertencer a uma comunidade singular unificada. Para evitar fragmentações, o que precisa mudar não é simplesmente o modo de pensar dos indivíduos, mas também o modo de viver das sociedades. Nada menos que uma revolução social antimoderna e antipluralista vai funcionar. Seria desejável, no entanto, um novo monismo de crenças e práticas sociais? Será que uma revolução compensaria? Com certeza não. Talvez por isso MacIntyre prefere recuar para "formas locais de comunidade nas quais a civilidade e a vida moral e intelectual podem ser sustentadas através da nova idade das trevas que já nos sobrevém".[77] Tenho fortes dúvidas de que uma opção tão "sectária" seja viável ou desejável. Acho melhor desistir de "tradições coerentes" e, armados com compromissos cristãos básicos, entrar com intrepidez no mundo sempre cambiante das culturas modernas.

A maldição de habitar territórios de culturas sobrepostas é que não apenas nós discordamos, mas também nossas discordâncias refletem penosos conflitos sociais e acabam desembocando neles. MacIntyre está certo nesse ponto. Uma bênção acompanha a maldição, todavia. À medida que partilhamos os territórios sociais uns dos outros, parcialmente habitamos as "tradições" uns dos outros; partilhamos compromissos uns dos outros. A própria causa da fragmentação — o hibridismo de nossas visões — torna nossas crenças e práticas fluidas, e abertas à mudança, ao enriquecimento e a um acordo parcial em questões importantes tais como a justiça. Todavia, sustentadas por nossas vidas entrelaçadas e nossos acordos estruturais, as divergências persistem. E são profundas. Precisamos procurar maneiras de resolvê-las sem recorrer nem ao poder das armas nem à força bruta de massas democráticas.

Justiça, compromissos, diferenças

Com MacIntyre e contra pensadores tipicamente modernos argumentei que ninguém de nós se situa "no vácuo" e que todos estamos inseridos numa "tradição". Afirmei então o que nem pensadores modernos nem pós-modernos nem MacIntyre negam, a saber, que a maioria de nós se situa

---

[76] Ibid., p. 390, itálicos acrescentados.
[77] MacIntyre, *After Virtue*, p. 263.

em mais de um lugar, que nossas tradições são híbridas. Contra MacIntyre, porém, argumentei que um teólogo cristão não irá necessariamente querer livrar-se do "hibridismo" — ele estará muito mais interessado em afirmar compromissos *cristãos básicos de maneiras culturalmente situadas* do que em forjar tradições coerentes e imaginará que tradições híbridas estarão mais abertas do que tradições coerentes não só a serem moldadas por esses compromissos, mas também a serem enriquecidas umas pelas outras. Como, porém, deve acontecer esse processo de enriquecimento? Pretendo preparar o terreno para fazer uma sugestão mediante uma breve discussão das obras de Edward Said e de Seyla Benhabib, embora a sugestão se fundamente em bases teológicas.

Para a interpretação de literatura, Edward Said sugeriu em *Cultura e imperialismo* o que ele denomina uma leitura *contrapontual*. As pessoas precisam ser capazes, escreve ele,

> de pensar e interpretar juntamente experiências que são discrepantes, cada uma com sua própria agenda e seu próprio ritmo de desenvolvimento, suas próprias convicções internas, sua coerência e sistema de relacionamentos externos, todas elas coexistindo e interagindo com outras.[78]

Nessa única e densa frase, Said pinta um quadro complexo. Dito de modo simples, sua preocupação é abrir uns para os outros mundos discordantes a fim de que todos emitam múltiplas vozes no mesmo espaço. Como se pode fazer isso? Precisamos justapor esses mundos, propõe ele, e deixar que compitam entre si a fim de "tornar competitivas aquelas visões e experiências que são ideológica e culturalmente fechadas umas para com as outras e que tentam distanciar ou suprimir outras visões e experiências".[79]

Até aqui tudo bem. Concorrência — no sentido de "nos enfrentarmos uns aos outros" — é essencial se quisermos que haja enriquecimento. Mas isso será suficiente? Talvez sim no mundo da literatura para o qual Said está apresentando sua proposta. No mundo do intercâmbio social concreto, todavia, a "concorrência de visões ideológica e culturalmente fechadas" muitas vezes reforça a exclusão mútua de visões conflitantes, em vez de enriquecê-las. Além da concorrência, é essencial *abrir* esses mundos

---

[78] Edward Said, *Culture and Imperialism* (New York: Alfred A. Knopf, 1993), p. 32.
[79] Ibid., p. 33.

sociais concorrentes e conflitantes *uns para os outros*. Se a justaposição não realizar isso, o que o fará?

Partes conflitantes precisam praticar o que Hannah Arendt denomina um "mentalidade alargada". O julgamento moral, insiste ela, "não pode funcionar em rigoroso isolamento e solidão; ele precisa da presença de outros 'no lugar dos quais' deve pensar e levar em consideração a perspectiva deles".[80] Em *Situating of the Self* [Situando o ego] Seyla Benhabib aproveita essa pista de Hannah Arendt e sugere um modelo de conversação moral "no qual a capacidade de reverter perspectivas, isto é, a disposição de raciocinar a partir do ponto de vista dos outros e a sensibilidade para ouvir a voz deles é indispensável".[81] Ouvindo os outros enquanto eles falam por si mesmos nós podemos ter a esperança de chegar a "algum acordo razoável numa conversação moral aberta".[82]

Uma "mentalidade alargada" será útil na reflexão sobre o problema da justiça, se não esperarmos demais dela, como acho que Benhabib faz. Para ela uma mentalidade alargada serve para *justificar* crenças morais e conferir-lhes *validade*. Ela gostaria de transformar essa "mentalidade alargada" no alicerce de uma ética comunicativa cuja ideia central é "a geração processual do acordo razoável sobre princípios morais mediante uma conversação moral aberta".[83] Mas como se pode gerar *validade moral* por meio de um "acordo razoável"? Se "moralmente válido" equivaler àquilo "que nós acordarmos" por meio de "procedimentos que são radicalmente abertos e justos para todos",[84] o que vai distinguir a validade moral de um mero acordo? Não será suficiente apelar para um "processo razoável e justo".[85] Ela mesma corretamente observa que um "processo razoável e justo" *pressupõe* um "modo de vida utópico"[86] como um ideal moral. Sendo que esse modo de vida é em si mesmo "uma intuição moral", um processo razoável

---

[80] Hannah Arendt, *Between Past and Future: Eight Exercises in Political Thought* (New York: Viking, 1968), p. 221.

[81] Seyla Benhabib, *Situating the Self: Gender, Community, and Postmodernism in Contemporary Ethics* (New York: Routledge, 1992), p. 8.

[82] Ibid., p. 9.

[83] Ibid., p. 37.

[84] Ibid., p. 9.

[85] Ibid., p. 37.

[86] Ibid., p. 38.

e justo que se baseia nele não pode servir como um adequado "teste substantivo" para intuições morais, como ela propõe.

Podemos, todavia, evitar reduzir a validade moral a um acordo e ainda preservar a "mentalidade alargada" se cuidadosamente distinguirmos entre a *justificação* de crenças morais e a *correção* delas. Considere, primeiro, a questão da justificação. Se tivéssemos de perguntar: "Como justificamos nossas convicções morais acerca do que é justo?", então a resposta não seria: "Mediante a consecução de 'algum acordo razoável numa conversação moral aberta'".[87] Em vez disso, a resposta seria: "Mediante o apelo a nossas (multifacetadas) respectivas tradições e os recursos que elas oferecem". Para os cristãos, isso significaria que aprendemos o que é justiça mediante a observância da justiça tal qual ela é revelada nas tradições bíblicas — ouvindo, por exemplo, a história de Natã confrontando Davi em prol de Urias, ouvindo os julgamentos de profetas da corte como Isaías ou de leigos como Amós e, finalmente, explorando toda a história do Deus trino com a criação. Isso é o que a justiça significa para nós, e acreditamos que isso é o que a justiça deveria ser para todos. Por quê? Porque essa é a justiça do Deus único de todos os povos.[88] Não há outra maneira de justificar nossa noção de justiça a não ser apontando para a justiça de Deus (embora haja uma maneira de *argumentar* em defesa dessa maneira de justificar nossa noção de justiça).

Embora a "mentalidade alargada" não sirva para justificar nossa noção de justiça, ela é essencial para o *enriquecimento e correção* seja de nossa noção de justiça, seja de nossa percepção do que é justo ou injusto. Nosso entendimento da justiça de Deus é imperfeito, e nós muitas vezes deturpamos a justiça mesmo quando procuramos exercê-la. Como funcionaria o processo de enriquecimento e correção? No Capítulo 6, vou apresentar com detalhes uma análise da arte da "mentalidade alargada" ou, como a chamo eu, "visão dupla". Por ora basta observar que alargamos a nossa mentalidade deixando que vozes e perspectivas de outros, especialmente aqueles com quem podemos estar em conflito, repercutam dentro de nós, permitindo que elas nos ajudem a enxergá-los assim como a nós mesmos, da perspectiva *deles*, e, se necessário, a reajustar as nossas perspectivas

---

[87] Ibid., p. 9.
[88] Dietrich Ritschl, *Zur Logik der Theologie. Kurze Darstellung der Zusammenhänge theologischer Grundgedanken* (München: Christian Kaiser, 1984), p. 284ss.

enquanto levamos em conta as perspectivas deles.[89] Nada pode garantir de antemão que as perspectivas no fim vão convergir e se chegará a um acordo. Podemos descobrir que temos de rejeitar a perspectiva do outro. No entanto, devemos procurar ver as coisas da perspectiva do outro na esperança de que justiças competitivas possam se tornar justiças convergentes e no fim se crie um acordo.

A inversão de perspectivas pode nos levar não apenas a aprender algo sobre o outro, mas também a olhar de novo para nossas tradições e redescobrir seus negligenciados e até mesmo esquecidos recursos. Considere-se o papel que o encontro com a tradição socialista e sua apropriação na teologia da libertação desempenhou no debate cristão mais amplo sobre a justiça. Ele nos forçou a reajustar nossa leitura da mensagem bíblica: conhecer a Deus significa fazer justiça (independentemente de qualquer outra coisa que conhecer a Deus possa significar); justiça é justiça para com os pobres; a justiça de Deus inclui a compaixão divina por aqueles que sofrem.[90] Vemos o que não vimos antes porque, no encontro com o outro, criamos espaço dentro de nós mesmos não apenas para a perspectiva do outro, mas com a ajuda do outro, também para vozes silenciadas de nossa própria tradição.

A ideia da "visão dupla" pode soar aos nossos ouvidos como algo razoável, mas há bons *fundamentos teológicos* para endossá-la? Há exemplos bíblicos? O próprio Jesus pode nos oferecer o melhor exemplo bíblico para a prática da "visão dupla", de ver com os olhos dos outros, aceitando a perspectiva deles e descobrindo o novo significado de compromissos básicos individuais. Considere-se o encontro dele com a mulher siro-fenícia — um texto do qual conclusões cristológicas demasiado precipitadas às vezes são inferidas.[91] Jesus se recusa a curar a filha dessa mulher gentia de uma região que explorava agricultores galileus[92] porque ele foi enviado "senão às ovelhas da casa de Israel" (Mt 15.24). Judith Gundry-Volf argumentou que a mulher

---

[89] A prática da "visão dupla", tal como a defendo aqui, pressupõe que possamos tanto *permanecer dentro de determinada tradição* quanto *aprender de outras tradições* (ver Nicholas Wolterstorff, *What New Haven and Grand Rapids Have to Say to Each Other* [Grand Rapids: Calvin College, 1993]).

[90] Karen Lebacqz, *Six Theories of Justice. Perspectives from Philosophical and Theological Ethics*, (Minneapolis, Augsburg, 1986), p. 103ss.

[91] Rita Nakashima Brock, *Journeys by Heart: A Christology of Erotic Power* (New York: Crossroad, 1988), p. 50ss.

[92] Gerd Theissen, *Lokalkolorit und Zeitgeschichte in den Evangelien: Ein Beitrag zur Geschichte der synoptischen Tradition* (Göttingen: Vandenhoeck & Ruprecht, 1989), p. 63-84.

desafia a "zelosa relutância de Jesus a operar um milagre em prol de uma gentia" com o princípio da "misericórdia [...] segundo o qual uma mulher administra sua família". Exatamente como uma mulher cuida de toda a sua família, assim também a misericórdia divina "não conhece nenhum preconceito étnico".[93] Essa é sua "fé", tão elogiada por Jesus. E no relato do evangelho essa fé levou Jesus não só a curar a filha, mas também a expandir sua missão para os gentios, num sentido lato. Gundry-Volf escreve:

> [A mulher siro-fenícia] acredita que a misericórdia divina não tem nenhum preconceito. E acredita que Jesus mostrará esse tipo de misericórdia. À medida que ela expressa essa fé nele, ele também começa a acreditar. Ele, aquele que foi enviado para as ovelhas perdidas da casa de Israel, pode também fazer um milagre em prol de uma mulher gentia. Pode estender sua ajuda até a uma siro-fenícia helênica, que fazia parte dos opressores dele e de seu povo.[94]

Imediatamente depois do encontro com essa mulher sem nome, Jesus vai para o mar da Galileia e atrai multidões de gentios que ele cura e alimenta (Mt 15.29-39). Por meio desse encontro, o entendimento da missão do próprio Jesus foi ampliado;[95] ele percebeu o conceito-chave de sua mensagem — a graça sem preconceitos — sob uma nova luz.

A razão teológica mais importante para a prática de "visão dupla" não está no exemplo de Jesus, mas sim na lógica profunda da teologia da cruz. Como argumentei anteriormente (Capítulo 4), na cruz Jesus abriu espaço no próprio ego de Deus para outros, ímpios outros, e abriu os braços para convidá-los a entrar. A prática de "visão dupla", pretendo argumentar aqui, é o *lado epistemológico da fé no Crucificado*. Quando foi pregado à cruz, Jesus estava, obviamente, não engajado em enxergar os fatos com os olhos daqueles que o crucificaram (embora, segundo alguns manuscritos, ele observou a ignorância deles a respeito do que estavam fazendo); ele sabia quem eram os perpetradores e quem era a vítima. Igualmente, mediante a recepção dispensada aos ímpios, Deus não estava empenhado em reverter perspectivas, mas em expor a impiedade deles no próprio ato de

---

[93] Judith M. Gundry-Volf, "Spirit, Mercy, and the Other", *Theology Today* 52, n. 1 (1995): p. 519.
[94] Ibid.
[95] Ibid., p. 521.

propiciar-lhes o perdão por essa impiedade. Será que isso invalida a minha argumentação? Não invalida. O Cordeiro de Deus *era* inocente, mas *nós* não somos, ou pelo menos não podemos presumir que somos; ele podia reconhecer infalivelmente a impiedade dos ímpios, mas nós *não* podemos. De fato, um dos princípios mais básicos da fé cristã é que *nós* somos os perpetradores que crucificaram Cristo, *nós* somos os ímpios cuja impiedade Deus denunciou. Para nós seres humanos pecadores e limitados, seguir os passos do Crucificado significa não apenas criar espaço em nós mesmos para os outros mas ao criar espaço para eles criar também espaço para a perspectiva deles sobre nós e sobre si mesmos — de modo que, pelo menos por algum tempo, possamos formar julgamentos inteligentes.

Se acreditarmos corretamente em Jesus Cristo que incondicionalmente nos abraçou a nós, os ímpios perpetradores, nosso coração se abrirá para receber os outros, até inimigos, e nossos olhos se abrirão para enxergar da perspectiva deles. Em *Cartas e anotações escritas na prisão*, Dietrich Bonhoeffer sugeriu que a fé nos capacita a nos "distanciar" de nosso próprio imediatismo e acolher em nós mesmos a toda-tensa polifonia da vida, em vez de forçar a vida a assumir "uma única dimensão". Pela fé, afirmava ele, "nós num certo sentido abrigamos a Deus e ao mundo inteiro dentro de nós".[96] Bonhoeffer tinha em mente sobretudo os recursos que a fé oferece em situações extremas, tais como a prisão da qual ele escrevia, em que as pessoas tendem a ser guiadas pelo imediatismo das prementes necessidades ou das raras ocasiões de alegria. Mas a capacidade de abrigar a Deus e o mundo inteiro dentro de nós gerada pela fé é igualmente significativa em situações de conflito. Elas também tendem a escravizar as pessoas no compromisso exclusivo para com "nossa causa". A fé em Jesus Cristo, que fez sua a nossa causa, nos liberta de perseguir apenas os nossos interesses e cria em nós o espaço para os interesses dos outros. Estamos prontos para perceber justiça onde antes só víamos injustiça — se de fato a causa dos outros é justa.

Buscar a justiça, combater a injustiça

Três objeções de vulto militam contra a prática da "visão dupla" como uma forma de combater a injustiça gerada pela luta da justiça contra a justiça.

---

[96] Dietrich Bonhoeffer, *Widerstand und Ergebung, Briefe und Aufzeichnungen aus der Haft* (München: Christian Kaiser, 1966), p. 209.

Enquanto trato delas, vou apresentar razões positivas de por que a prática é indispensável.

Primeiro, pode-se objetar que a proposta é um exercício de pensamento ilusório. Não funciona quando mais precisamos dele. Quando nos vemos uns aos outros através da mira de nossas armas, vemos apenas a retidão de nossa própria causa. Pensamos mais em como alargar nosso poder do que em como alargar nossa mentalidade; e nos esforçamos para varrer os outros do mundo, não para lhes conceder espaço em nós mesmos. Será que nossa resistência à "visão dupla" em situações de conflito invalida essa noção? Eu acho que não. Essa resistência enfatiza, porém, que *a vontade de abraçar os injustos precede acordos acerca da justiça*. Argumentei anteriormente (Capítulo 4) que a vontade de abraço é incondicional e indiscriminada. Como o sol, ela deveria surgir tanto sobre os maus como sobre os bons; como a chuva, ela deveria cair tanto sobre os justos como sobre os injustos. Para sua validação, a vontade de abraço não precisa nem da garantia de que ela de fato vai superar a inimizade nem das recompensas interiores que o prazer de amar alguém inamável pode fornecer. Trata-se apenas de algo que os que são filhos do "Pai celeste" e seguem a Cristo fazem, porque isso é o que significa ser filhos de Deus e seguir a Cristo (Mt 5.45). A mesma coisa se aplica à "visão dupla", que é o lado epistemológico da vontade de abraço.

A vontade de abraço — o amor — derrama a luz do conhecimento mediante o fogo que ela traz dentro de si. Os olhos precisam da luz desse fogo para perceber alguma justiça na causa e nas ações dos outros. Concordo, pode de fato não haver nenhuma justiça a ser percebida lá. Os outros podem comprovar que são tão injustos quanto à primeira vista nos parecem, e o que eles insistem que é justo pode ser uma perversão da justiça. Mas *se* houver alguma justiça na causa e nas ações deles, nós precisaremos da vontade de abraçá-los para sermos capazes de perceber isso, porque isso nos permitirá ver a eles e a nós mesmos com os olhos deles. De modo semelhante, a vontade de excluir — o ódio — cega pelo fogo que carrega consigo.[97] O fogo da exclusão projeta sua luz apenas sobre a injustiça de

---

[97] Nietzsche, *Human, All Too Human*, p. 244. Aqui minha formulação acerca do significado epistemológico da vontade de abraço e a vontade de exclusão inspira-se na alegação de Nietzsche de que "o amor e ódio não são cegos, mas são cegados pelo fogo que eles mesmos carregam consigo" (ibid.). Aqui, diferentemente de Nietzsche, eu penso que o fogo genuíno do amor não cega; pelo contrário, ele ilumina.

outros; qualquer justiça que eles possam possuir será envolvida nas trevas e rotulada como injustiça disfarçada — uma simples bondade forjada visando tornar sua maldade ainda mais letal. Tanto o "punho cerrado" quanto os "braços abertos" são *posturas epistemológicas*; são *condições morais da percepção moral* — uma alegação que se baseia num *insight* nietzschiano mais geral de que "todas as experiências são experiências morais, mesmo na esfera da percepção".[98] O punho cerrado dificulta a percepção da justiça dos outros e com isso reforça a injustiça; os braços abertos ajudam a detectar justiça por trás da áspera fachada de uma aparente injustiça e com isso reforçam a justiça. Para chegar a um acordo sobre a justiça em situações de conflito, é preciso querer mais que justiça; é preciso querer abraçar. Não pode haver *nenhuma justiça sem a vontade de abraço*. É, todavia, igualmente verdadeiro que não pode haver *nenhum genuíno e duradouro abraço sem justiça* (ver Capítulos 6 e 7).

A segunda objeção à noção de "visão dupla" diz respeito à luta contra a injustiça. Aqui a questão crítica não é saber se *conseguimos* praticar a "visão dupla" no furor da batalha, mas se *devemos* praticá-la quando enfrentamos uma evidente injustiça. Com todo o sofrimento causado pela exclusão e violência, como podemos nos permitir ficar cismando sobre uma *possível* justiça dos perpetradores? Quantas lágrimas devem ser derramadas antes de pormos um termo à espiral de perspectivas inversas, aquela interminável busca de um acordo sobre justiça que é tão facilmente usado de forma indevida como um disfarce para perpetrar injustiças? Quando sangue derramado clama aos céus, não é a ira dos profetas exigida? Não devemos deter os assassinos em vez de buscar ver as coisas da perspectiva deles? Não será a "mentalidade alargada" boa para os bairros ricos, mas perigosa para os centros urbanos e nos campos de mortíferas batalhas? Será que ela não vai provocar o riso de tiranos e os soluços de desespero de suas vítimas? Enquanto tropeçamos em busca de um acordo, a injustiça corre solta!

A resposta deve começar com uma simples, mas imensamente significativa observação: a capacidade humana de concordar sobre justiça nunca será páreo para a propensão humana de praticar injustiças. Temos, portanto, não só de emitir julgamentos antes que um acordo seja feito — algo

---

[98] Friedrich Nietzsche, *The Gay Science with a Prelude in Rhymes and an Appendix of Songs*, trad. Walter Kaufmann (New York: Vintage Books, 1974), p. 173s.

que de fato inevitavelmente fazemos;[99] temos também de *agir* de acordo com esses julgamentos. As Escrituras são unânimes quando nos pedem que mais que refletir sobre justiça *façamos* justiça. Os profetas fazem inúmeros apelos como "pratiquem o amor e a justiça" (Os 12.6, NVT), "promovam a justiça" (Am 5.15, NAA), "pratiques a justiça" (Mq 6.8). Observe as famosas palavras de Amós:

> Antes, corra o juízo como as águas;
> e a justiça, como ribeiro perene. (5.24)

A visão de Isaías da adequada adoração de Deus não é menos ativista:

> Porventura, não é este o jejum que escolhi:
> que soltes as ligaduras da impiedade,
> desfaças as ataduras da servidão,
> deixes livres os oprimidos
> e despedaces todo jugo? (58.6)

Na prática da justiça, Israel devia imitar seu Deus, que "faz justiça e defende a causa dos oprimidos" (Sl 103.6, NVT).[100] Praticar a justiça, lutar contra a injustiça, não era uma opção a mais da fé israelita; isso estava no seu próprio âmago. Conhecer a Deus é praticar a justiça.[101] Consequentemente, *a reflexão sobre a justiça deve servir à prática da justiça*. Se a "visão dupla" ocupa um lugar legítimo na vida cristã, então ela, mais do que algo que fazemos *antes* de travar uma luta contra a injustiça, será algo que fazemos *quando* travamos essa luta.

Assim que se estabelece a primazia da luta contra a injustiça sobre um acordo de justiça, o problema já não é saber como podemos continuar revertendo perspectivas, mas saber como podemos *não* fazer isso. O princípio não pode ser negado: quanto mais intensa for a luta contra a injustiça que sofremos, tanto mais cego seremos em relação à injustiça que causamos. Tendemos a traduzir o suposto erro de nossos inimigos numa

---

[99] Nietzsche, *Human, All Too Human*, p. 32.
[100] Stephen Charles Mott, *Biblical Ethics and Social Change* (New York: Oxford University Press, 1982), p. 59ss.
[101] Gustavo Gutiérrez, *A Theology of Liberation: History, Politics, and Salvation*, 2ª ed., trad. Caridad Inda e John Eagleson (Maryknoll, NY: Orbis, 1988), p. 194ss.

inabalável certeza de nossa própria retidão. Procurando fazer justiça, pervertemos a justiça, transformando-a em "veneno" (Am 6.12).

Como evitamos perpetrar uma injustiça na própria luta contra a injustiça? Ao contrário de Mark Taylor em *Remembering Esperanza* [Lembrando Esperanza], eu não acho que a chave seja "afirmar a pluralidade dentro dessa luta".[102] Embora a sensibilidade à pluralidade seja essencial, a *afirmação* da pluralidade é espúria. A única maneira de decidir entre muitas opções, todas com suas "visões diferentes 'do que é justo'",[103] é apelar para a nossa própria concepção de justiça. Em vez de simplesmente afirmar a pluralidade, devemos tomar consciência da nossa própria *falibilidade*.[104] Uma vez que não existe "nenhuma perspectiva imparcial", todas as construções do que é justo ou injusto, na verdade todos os julgamentos, são injustos e implicam cometer uma injustiça;[105] uma vez que não há nenhuma luta moralmente pura, todos os engajamentos a favor da justiça, na verdade "todos os *a favor* e todos os *contra*", estão implicados na perpetração da injustiça.[106]

Feridos por uma sensação de pecaminosidade, deveríamos deixar de emitir julgamentos e trabalhar em prol da justiça? A abdicação da responsabilidade será tentadora para aqueles que só sabem como viver num mundo nitidamente dividido em territórios de pura luz e de total escuridão. Mas não existe nenhum mundo assim, a não ser na imaginação dos presunçosos (ver Capítulo 3); a construção de um mundo assim é em si mesma um ato de injustiça. Num mundo impregnado de injustiças, a luta pela justiça deve ser travada por gente inevitavelmente manchada pela injustiça. Daí a importância da "visão dupla". Precisamos ver nossos julgamentos sobre justiça e nossa luta contra a injustiça através dos olhos do outro — até mesmo do evidentemente "injusto outro" — e estar dispostos a reajustar o nosso entendimento do que é justo e arrepender-nos de atos de injustiça que praticamos.

---

[102] Mark Kline Taylor, *Remembering Esperanza: A Cultural-Political Theology for North American Praxis* (Maryknoll, NY: Orbis, 1990), p. 42.

[103] Ibid., p. 41.

[104] Thomas Rentsch, "Unmöglichkeit und Selbsttranszendenz der Gerechtigkeit", *Die Gegenwart der Gerechtigkeit: Diskurse zwischen Recht, praktischer Philosophie und Politik*, ed. Christoph Demmerling e Thomas Rentsch (Berlin: Akademie, 1995) p. 195s.

[105] Reinhold Niebuhr, *The Nature and the Destiny of Man* (New York: Scribner's, 1964), vol. 2, p. 252; Nietzsche, *Human, All Too Human*, p. 35.

[106] Nietzsche, *Human, All Too Human*, p. 9.

Suponhamos que eu respondi adequadamente às duas objeções; nós podemos praticar a "visão dupla" se estamos dispostos a abraçar o outro, e devemos praticar isso se pretendemos chegar a um acordo acerca da justiça e evitar cometer injustiças enquanto lutamos pela justiça. Ainda resta uma incômoda pergunta, que compõe uma terceira objeção: Podemos *lutar contra a injustiça* enquanto estamos engajados na inversão de perspectivas? O problema aqui não é que o processo seja potencialmente interminável e que, portanto, nunca conseguiremos fazer justiça, mas que o problema parece implicar uma certa simetria altamente problemática: uma perspectiva parece tão válida quanto a outra. Se isso fosse verdade, o efeito seria de novo a incapacidade de fazer justiça, agora nem tanto porque estamos ocupados demais com o alargamento de nossa mentalidade, mas porque se cada lado tem a chance de estar certo, a neutralidade parece apropriada. Até mais do que simplesmente estimular a inação, a neutralidade é positivamente nociva. Em primeiro lugar, ela tacitamente apoia a parte mais forte, quer esteja ela certa ou errada. Em segundo lugar, a neutralidade protege os perpetradores e liberta as mãos deles precisamente por não denominá-los perpetradores. Em terceiro lugar, a neutralidade estimula o pior comportamento do perpetrador bem como da vítima. Se uma parte pode safar-se das atrocidades cometidas sem compensar a neutralidade, a outra parte, especialmente porque se vê lutando por uma causa justa, também recorrerá a atrocidades. As forças sérvias na guerra dos Balcãs fizeram membros da ONU reféns, mas a ONU manteve sua postura de escrupulosa neutralidade. Por que então os muçulmanos não fariam reféns também, se isso fosse útil para os seus propósitos?

Seja como for, a neutralidade é uma postura apropriada? Para aquelas pessoas que se guiam pelas tradições proféticas e apostólicas das Escrituras, *nenhuma neutralidade é de fato admissível*. Elas ouvem os gemidos dos que sofrem, assumem uma postura e agem. Depois elas refletem empenhando-se na "visão dupla", assumem de novo uma postura, e agem. Da perspectiva delas, os fundamentos sobre os quais elas assumem suas posturas e emitem seus julgamentos a respeito do que é justo não são meras expressões de suas preferências. Elas não estão livres nem para rejeitar os fundamentos sobre os quais emitem julgamentos nem para atribuir a esses fundamentos meramente a mesma validade que atribuem aos fundamentos que outras pessoas têm para as suas posturas. Afinal, elas são chamadas a buscar a justiça de *Deus* e a lutar por ela, não por sua própria justiça. Para elas, *aquela* justiça não é apenas uma dentre muitas possíveis e igualmente aceitáveis perspectivas acerca da justiça. Ela é *a* justiça — mesmo que elas tenham plena consciência de que a captam apenas de modo imperfeito e inadequado, e mesmo se elas buscam a correção e o enriquecimento proporcionados por outras pessoas de quem discordam, mas que não podem presumir que estejam totalmente erradas.

Há um outro sentido segundo o qual nenhuma neutralidade é possível. Para aqueles que apelam a tradições bíblicas, a presunção de que uma perspectiva é tão válida quanto a outra até que se prove o contrário é inaceitável. *A suspeita inicial contra a perspectiva dos poderosos* é necessária. Não porque os impotentes estão invariavelmente certos, mas porque os poderosos têm os meios para impor sua própria perspectiva mediante a argumentação e a propaganda, e sustentam a imposição tanto com a atração de sua "glória" quanto com o poder de seu armamento. Em parte, o poder deles reside na capacidade de produzir e conferir plausibilidade a ideologias que justificam esse poder.[107] Muitas vezes, o único recurso dos impotentes é o poder de seu grito desesperado. Os profetas judeus — e de fato a totalidade das Escrituras — tendem a favorecer os pobres. Essa opção preferencial pelos pobres implica um ouvido privilegiado em prol daqueles cujas vozes são excluídas,[108] o assim chamado "privilégio epistemológico dos oprimidos". Se for justiça o que buscamos, então nós interromperemos a poderosa retórica dos quem têm a fala mansa e apuraremos o ouvido para ouvir a débil e esganiçada voz "de todos os que se acham desamparados" (Pv 31.8). O gaguejar dos necessitados é muitas vezes um eloquente testemunho da violação de seus direitos; a oratória encantadora dos poderosos pode muito bem evidenciar sua consciência pesada. São sobretudo os poderosos que precisam praticar a "visão dupla" — os gemidos dos impotentes devem perturbar a serenidade de suas reconfortantes ideologias.

Buscar a justiça, abraçar o outro

"Não pode haver nenhuma justiça sem a vontade de abraço", observei anteriormente. Meu ponto era simples: para concordar acerca da justiça você precisa criar em si mesmo espaço para o outro, e para criar espaço você

---

[107] Niebuhr, *The Nature and Destiny of Man*, vol. 2, p. 252.
[108] Taylor, *Remembering Esperanza*, p. 64s.

precisa querer abraçar o outro. Se você insistir que os outros não fazem parte de você, nem você deles, que a perspectiva deles não deve atrapalhar a sua, você terá a sua justiça, e eles terão a deles; as diferentes justiças se chocarão e não haverá nenhuma justiça *entre* vocês. O conhecimento do que é justo dependerá do abraço. O relacionamento entre justiça e abraço depende da vontade de abraço. Contudo, o relacionamento entre justiça e abraço vai mais fundo. O abraço é parte integrante da própria *definição* de justiça. Não estou falando de compaixão branda manipulando uma justiça severa, mas de amor *moldando* o próprio conteúdo da justiça.

O velho princípio que melhor expressa o espírito de justiça é o *suum cuique* — dar a cada pessoa o que lhe é devido. Mas o que é devido a cada pessoa? Como determinar isso? Ser justo é ser imparcial, diz a predominante concepção da justiça. A justiça enxerga os seres humanos "de modo transparente", todos eles dignos de tratamento igual por causa de sua humanidade comum. Para agir justamente, sugere essa mesma concepção da justiça, a pessoa deve sair de um determinado relacionamento e — como um juiz — aplicar a regra da justiça sem perseguir nenhum outro *interesse*, a não ser o de julgar justamente. Feito isso, cada um receberá o que lhe é devido; feito isso, a justiça estará feita. Uma percepção da justiça algo parecida com essa fundamenta *Uma teoria da justiça* de John Rawls, por exemplo. Como mencionei anteriormente, para garantir que os "juízes" serão imparciais e desinteressados Rawls diz que as decisões sobre a justiça devem ser tomadas por trás do "véu de ignorância".[109] Uma ordem social será justa se for planejada por atores que não sabem quando, onde e em que circunstâncias eles ingressarão no mundo. Uma ideia semelhante da justiça podemos ler na antiga imagem da *Justitia* — a angélica mulher com os olhos vendados, empunhando uma espada com a mão direita e com a esquerda segurando uma balança. De olhos vendados, ela não busca nenhum interesse especial; a balança a ajuda a tratar cada uma e todas as pessoas igualmente; com a espada ela previne a discussão de seus julgamentos. Seja como for, devemos deixar de discutir esse conceito de justiça?

Se *Justitia* é justa, então Javé é claramente injusto. Considere, primeiro, o *interesse* de Deus. Há um padrão na história de Israel que é mais ou menos assim: os israelitas sofrem, erguem seu clamor ao Senhor, Deus os ouve, e Deus os liberta — e isso é denominado *justiça* (Jz 5.11). Parece que

---

[109] Rawls, *A Theory of Justice*, p. 136ss.

para o narrador não tem nenhuma importância se os israelitas sofreram porque "tornaram a fazer o que era mau perante o Senhor" (Jz 4.1). O que importa é o relacionamento especial de Deus com Israel. Deus está interessado no bem dos israelitas, e esse interesse faz parte da justiça divina. Deus nunca trata Israel como se Israel não fosse o povo da aliança de Deus, nunca se desvia do relacionamento para conseguir uma objetividade desinteressada, nunca suprime seu interesse pela salvação de seu povo. Se Deus fizesse isso, Deus poderia, por assim dizer, sair de seu ego divino e já não seria Deus. Consequentemente, a justiça de Deus e a bondade de Deus (Sl 145.17), a justiça de Deus e a salvação de Deus (Is 45.21), estão entrelaçadas. Quando Deus salva, Deus faz justiça; quando Deus faz justiça, Deus salva — a menos que alguém se recuse a ser salvo.

Há uma profunda "injustiça" envolvendo o Deus das tradições bíblicas. Ela se chama *graça*. Como argumentei no Capítulo 4, na história do filho pródigo (Lc 15.11-32), foi uma "injustiça" da parte do pai receber de volta o filho pródigo como filho e, ainda por cima disso, fazer para ele uma festa depois que esse filho tinha acabado de desperdiçar metade de sua herança. Mas o pai não se pautava pela "justiça". Ele agiu de acordo com um "imperativo" que estava acima do "imperativo" da "justiça" (15.32). Era o "imperativo" do pertencimento em conjunto como família. Em outras palavras, o relacionamento definiu a justiça; um abstrato princípio de justiça não definiu o relacionamento. Se nós quisermos o Deus dos profetas e o Deus de Jesus Cristo, teremos de aceitar a "injustiça" da graça de Deus — e repensar o conceito de justiça.

Considere-se, em segundo lugar, a *parcialidade* de Deus. Nas tradições bíblicas, quando Deus olha para uma viúva, por exemplo, Deus não enxerga apenas uma "agente racional e livre", mas sim uma mulher sem nenhuma posição na sociedade. Quando Deus olha para um forasteiro, Deus não vê simplesmente um ser humano, vê também um estrangeiro, isolado da rede de relacionamentos, sujeito a preconceitos e acusações. Como se porta o Deus que "faz justiça aos oprimidos" em relação a viúvas e estrangeiros? Exatamente da mesma forma como ele age em relação a qualquer outro ser humano? Não. Deus é parcial com eles. Deus "guarda o peregrino" e "ampara o órfão e a viúva" (Sl 146.9) de um modo diferente, não como protege e sustenta os poderosos.

Por que Deus é parcial com viúvas e estrangeiros? Em certo sentido, porque Deus é parcial com todo mundo — inclusive com os poderosos, a quem Deus se opõe para proteger a viúva e o estrangeiro. Deus enxerga cada ser humano concretamente, os poderosos não menos que os impotentes. Deus observa não apenas a humanidade comum deles, mas também suas histórias específicas, seus egos particulares, psicológicos, sociais e incorporados, com suas necessidades específicas. Quando Deus faz justiça, Deus não abstrai, mas julga e age de acordo com a natureza específica de cada pessoa. No entanto, não lemos que o Messias de Deus "não julgará segundo a vista dos seus olhos, nem repreenderá segundo o ouvir dos seus ouvidos, mas julgará com justiça os pobres e decidirá com equidade a favor dos mansos da terra" (Is 11.3-4)? Mas será que devemos concluir que os olhos do libertador estão fechados quando ele está fazendo justiça? Pelo contrário. Ele julgará sinceramente porque não julgará pelas aparências e rumores. Deus trata pessoas diferentes de modo diferente para que todos sejam tratados com justiça. "A imparcialidade", escreve corretamente Helen Oppenheimer em *The Hope of Happiness* [A esperança da felicidade], "não é uma virtude divina, mas um expediente humano para disfarçar os limites de nossa preocupação por um lado e a corruptibilidade de nossos afetos por outro."[110]

Por que Deus não trata todas as pessoas igualmente, mas cuida de cada uma em sua especificidade? Por que Deus não abstrai as pessoas de seus relacionamentos, mas em vez disso deixa que os relacionamentos moldem seus julgamentos e ações? Por que Deus é injusto? Não. Porque *a justiça que equaliza e abstrai é uma justiça injusta*! Reinhold Niebuhr argumentou que "nenhum esquema de justiça pode fazer justiça plena para com todos os variáveis fatores que a liberdade do ser humano introduz na história da humanidade"; é impossível, insistiu ele, "defender de modo absoluto o que devo ao meu semelhante, uma vez que nada do que ele é agora exaure o que ele pode vir a ser".[111] Nenhuma justiça que "calcula em proporções fixas"

---

[110] Helen Oppenheimer, *The Hope of Happiness* (London: SCM, 1983), p. 131. O apóstolo Paulo insiste que "para com Deus não há acepção de pessoas" (Rm 2.11). Observe, porém, o caráter da "imparcialidade" divina. Deus é imparcial, argumenta Paulo, porque "tribulação e angústia" devidas a todo o "que faz o mal" sucederão "ao judeu *primeiro*" exatamente como a "glória [...], e honra, e paz" devidas a todo o "que pratica o bem" sucederão "ao judeu *primeiro*" (2.9-10). A "imparcialidade" de Deus como Paulo a entende *implica* a prioridade dos judeus. Numa formulação paradoxal, Deus é imparcialmente parcial!

[111] Reinhold Niebuhr, "Christian Faith and Natural Law", *Love and Justice. Selection from the Shorter Writings of Reinhold Niebuhr*, ed. D. B. Robertson (Cleveland: The World Publishing Company, 1967), p. 49s.

pode portanto ser justa.¹¹² Um mapa adequado da justiça teria não apenas de "corresponder em tamanho à região que ele mapeia", como sugeriu Caputo, mas também de reajustar-se a todas as mínimas mudanças no solo.¹¹³

Todavia, até mesmo essa réplica perfeita seria profundamente injusta. Embora fizesse justiça com as diferenças, ela não faria justiça com a justiça. Pois o próprio imprevisível presente jogo de diferenças se apoia na *injustiça anterior*. Todo o presente está construído sobre a violência e o engano do passado, e, como enfatiza Nietzsche em *Humano, demasiado humano*, "nós, os herdeiros de todas essas condições, na verdade a convergência de tudo o que passou, não podemos por decreto nos excluir e não podemos querer remover uma parte particular".¹¹⁴ A história irreversível da injustiça pesa sobre os ombros do presente. O fardo não pode ser jogado fora.¹¹⁵ Nem vingança nem reparações podem corrigir velhas injustiças sem criar injustiças novas. As injustiças dos mortos continuam recriando e reforçando assimetrias e diferenças injustas entre os vivos, e as injustiças dos vivos preparam um mundo injusto para os que ainda não nasceram. Para voltar à imagem do mapa, um mapa perfeitamente correspondente e autoajustante apenas replicaria as injustiças do passado e do presente. A justiça exige não um mapa perfeito do mundo existente, mas nada menos que a anulação do mundo, passado e presente, e a criação de um mundo novo.

A justiça é impossível quando se pretende calcular, igualar, legalizar e universalizar qualquer ação. Se você quer justiça e nada mais que justiça, você inevitavelmente sofrerá uma injustiça. Se você quer justiça sem injustiça, você deve querer o amor. Um mundo de perfeita justiça é um mundo de amor. É um mundo sem "regras", no qual todo mundo vai fazer o que lhe agradar e todos se sentem satisfeitos com o que cada um faz; um mundo sem "direitos" porque não há injustiças das quais se proteger; um mundo sem "legítimos direitos adquiridos" porque tudo é permitido e nada é recusado; um mundo sem nenhuma "igualdade" porque todas as diferenças são amadas à sua própria maneira; um mundo no qual "méritos justos" não desempenham nenhum papel porque todas as ações se originam da graça superabundante.

---

[112] Paul Tillich, *Love, Power, and Justice. Ontological Analysis and Ethical Applications* (London: Oxford University Press, 1954), p. 63.
[113] Caputo, *Against Ethics*, p. 88.
[114] Nietzsche, *Human, All Too Human*, p. 216.
[115] Rentsch, "Unmöglichkeit und Selbsttranszendenz der Gerechtigkeit", p. 193.

Em suma, um mundo de justiça perfeita seria um mundo de justiça *transcendente*, porque seria um mundo de *perfeita liberdade e amor*. A venda seria retirada dos olhos de *Justitia* e ela se deleitaria com tudo o que visse; deixaria de lado sua balança porque não precisaria pesar nem comparar nada; deporia sua espada porque não haveria nada a policiar. *Justitia* seria como o Deus de justiça num mundo de justiça — o Deus que nada mais é do que perfeito amor (1Jo 4.8).

"Nada que não seja o amor pode ser justiça perfeita", escreveu Reinhold Niebuhr.[116] Num mundo de maldade, todavia, não podemos dispensar uma imperfeita e, portanto, essencialmente injusta justiça. A justiça imperfeita é uma espécie necessária de injustiça sem a qual as pessoas não podem ser protegidas de violentas incursões em seu próprio espaço. Os fracos, sobretudo, precisam dessa proteção. Consequentemente, eles lançam pedidos de justiça ao passo que os poderosos exaltam a justiça da ordem da qual se beneficiam, como observou Aristóteles.[117] A justiça injusta é, portanto, indispensável para satisfazer as demandas de amor num mundo injusto. Ela deve ser implacavelmente perseguida, sobretudo em prol dos oprimidos. Mas essa perseguição da justiça deve acontecer num contexto de amor. Gustavo Gutiérrez argumentou em *Falar de Deus a partir do sofrimento do inocente* que "a gratuidade do amor de Deus é a estrutura dentro da qual a exigência da prática da justiça deve ser inserida".[118] Na minha terminologia, se você está procurando a justiça, você deve em última análise procurar o abraço. Num mundo de opressão, que serviço presta o abraço à justiça?

Primeiro, a graça do abraço deve ajudar a justiça a lidar adequadamente com as sempre cambiantes diferenças entre seres humanos. A estabilidade e universalidade da justiça precisam ser mantidas flexíveis pela sensibilidade da compaixão para com as particularidades de uma situação dada.[119] Contra essa proposta alguém poderia argumentar que a sensibilidade é uma demanda de *justiça*, que insiste que *iguais* devem ser tratados como

---

[116] Niebuhr, "Christian Faith and Natural Law", p. 50.
[117] Aristóteles, *Política*, 1318b.
[118] Gutiérrez, *On Job: God-Talk and the Suffering of the Innocents*, trad. Matthew J. O'Connell (Maryknoll, NY: Orbis, 1987), p. 89.
[119] Michael Welker, *God the Spirit*, trad. John F. Hoffmeyer (Minneapolis: Fortress, 1994), p. 120.

iguais,[120] e acrescentar que é precisamente a busca da justiça — cada ser humano deve ter o que lhe é devido — que é mais capaz de dizer como os casos são iguais e como são diferentes.[121] Contudo, as pessoas nunca são "iguais", e para tratá-las com justiça, mais que calcular diferenças e similaridades entre casos, precisamos avaliar o que é apropriado a situações particulares individuais. A avaliação não pode ser feita de modo adequado, quero argumentar, se nenhum amor estiver em jogo. Sem a vontade de abraço, a justiça tende a ser injusta.

Segundo, uma vez que a "justiça" é impotente diante da injustiça do passado, a reconciliação em última análise só é possível mediante o perdão e finalmente o esquecimento (ver Capítulo 4). O ato do perdão chamará a injustiça de injustiça e assim exige que suas causas sejam removidas; a autolibertação para a não lembrança só será possível depois do desaparecimento da ameaça de mais violações. No entanto, as exigências de "justiça" terão de continuar insatisfeitas. O abraço só pode acontecer além da "justiça" — a menos que reformulemos o conceito de justiça. E é precisamente isso que constatamos nas tradições bíblicas: a graça do abraço é parte integrante da ideia de justiça. Expressando isso nos termos mais gerais da ideia de justiça — *suum cuique* — o que é devido a cada pessoa é buscar o seu próprio bem,[122] e o bem de cada pessoa só pode em última instância ser conseguido quando a pessoa "é novamente aceita na unidade à qual ela pertence".[123] A justiça será feita em prol de cada pessoa quando cada pessoa se perceber reconciliada conosco no abraço do Deus trino. A "justiça" não pode dar a cada pessoa o que lhe é "devido" — a menos que seja uma justiça que, num ato de injustiça evidente, justifica o injusto (Rm 3.26; 4.5). Será que a ira contra a injustiça é apropriada? Com certeza! Será que o perpetrador deve ser contido? Com certeza ainda maior! Será que a contenção, a correção e a opinião pública como castigo pela violação são indispensáveis? Provavelmente. Mas todas essas ações obrigatórias contra a injustiça devem ser encaixadas na moldura da vontade de abraçar

---

[120] Jeffrie G. Murphy e Jean Hampton, *Forgiveness and Mercy* (Cambridge: Cambridge University Press, 1990), p. 169ss.
[121] Nietzsche, *Human, All Too Human*, p. 265s.
[122] Robin W. Lovin, *Reinhold Niebuhr and Christian Realism* (Cambridge: Cambridge University Press, 1996), p. 203.
[123] Tillich, *Love, Power, and Justice*, p. 86.

o injusto. Pois somente em nosso mútuo abraço dentro do abraço do Deus trino podemos encontrar redenção e provar a justiça perfeita.

Por que não devemos perseguir uma rigorosa justiça e, num mundo imperfeito, aceitar a injustiça dessa justiça? Por que a injustiça da justiça não deve ser preferível à injustiça do abraço? Por que não calcular simplesmente o que se deve fazer em vez de dar ouvidos à sabedoria do amor? Por que não exigir reparação e compensação em vez de perdoar? Se os seres humanos fossem simplesmente "agentes racionais", "seres autônomos" e "egos livres", então poderia de fato não haver nenhum bom motivo para que preferíssemos a justiça moldada pelo abraço à justiça por conta de seus próprios dispositivos e para que preferíssemos admitir a injustiça do abraço a tolerar a injustiça da "justiça". Mas se considerarmos os seres humanos como filhos do Deus único, criados por Deus para integrar todos juntos uma comunidade de amor, então haverá boas razões para deixar o abraço — amor — definir o que é justiça.

Em seus estudos sobre o desenvolvimento moral, Carol Gilligan sugere que a "ética do cuidado" deve suplementar a "ética da justiça". Resumindo sua posição sobre a ética do cuidado, ela escreve:

> Como uma estrutura da decisão moral, o cuidado se fundamenta na suposição de que o ego e o outro são interdependentes, uma suposição refletida na visão de uma ação responsiva e, portanto, decorrente de um relacionamento mais do que na visão de uma ação emanada do ego e, portanto, "controlada pelo ego". [...] Dentro dessa estrutura, o desinteresse, seja do ego, seja dos outros, é moralmente problemático, porque gera cegueira moral ou indiferença — uma incapacidade de discernir a necessidade ou de responder a ela. [...] Nesse contexto a justiça é entendida como respeito pelas pessoas nos próprios termos delas.[124]

Não há aqui nenhuma necessidade de entrar no complexo e furioso debate provocado pela obra de Gilligan.[125] O importante para o meu objetivo

---

[124] Carol Gilligan, "Moral Orientation and Moral Development", Women and Moral Theory, ed. E. E. Kittay e D. T. Meyers (Totowa: Rowman & Littlefield, 1987), p. 24.

[125] Benhabib, Situating the Self, 1992; Lawrence A. Bloom, "Gilligan and Kohlberg: Implications for Moral Theory", Ethics 98, n. 2 (1988): p. 471-98; Owen Flanagan e Kathryn Jackson, "Justice, Care, and Gender: The Kohlberg-Gilligan Debate Revisited", Ethics 97, n. 2 (1987): p. 622-37.

é apenas a observação de que a mudança no entendimento da identidade de pessoas sugere uma mudança no entendimento da justiça. Se nossas identidades são moldadas na interação com os outros, e se somos em última instância chamados a estar interligados, então precisamos mudar o conceito de justiça para longe de uma ênfase exclusiva na emissão de julgamentos desinteressados e para perto de relacionamentos reconfortantes; para longe da imparcialidade cega e para perto da sensibilidade pelas diferenças. E se nós, os egos comunitários, somos chamados a participar da eterna comunhão com o Deus trino, então a *verdadeira justiça estará sempre a caminho do abraço* — a caminho de um lugar onde estaremos interligados com as nossas identidades pessoais e culturais preservadas e ao mesmo tempo transformadas, mas certamente enriquecidas pelo outro.

Línguas nativas, posses compartilhadas

Será que a justiça chegará ao abraço e, por assim dizer, permitirá que ela mesma fique para atrás? Isso acontecerá quando se constatar que "as primeiras coisas passaram" e "o tabernáculo de Deus" se estabeleceu entre a humanidade (Ap 21.3s.). Aquele dia, porém, quando Deus fará "novas todas as coisas" (21.5), ainda está por vir. O que já veio é o dia de Pentecostes, quando Deus derramou o Espírito sobre "sobre toda a carne" (At 2.17). A palavra *justiça* não ocorre na história da vinda do Espírito. Mesmo assim, num certo sentido, essa história tem tudo a ver com a justiça, a justiça que chegou ao abraço. Digo "num certo sentido" porque depois de Atos 2 temos Atos 6. Mas primeiro, Atos 2.

Pentecostes, alega-se às vezes, é a reversão de Babel.[126] Em Gênesis 11, Deus puniu a arrogância humana confundindo as línguas e dispersando os habitantes do mundo. Em Atos 2, Deus anulou o castigo e restaurou a unidade: habitantes de todas as nações reúnem-se num único lugar e falam e entendem a língua da fé. A interpretação adequadamente conecta os dois textos, mas não faz justiça a nenhum deles. Considere-se a narrativa da Torre de Babel. Morando numa "planície na terra de Sinar", a humanidade, que ainda fala uma única língua, é atormentada pelo medo de ser dispersa pelo mundo e é impulsionada pelo desejo de tornar "célebre o nosso nome" (Gn 11.1-4). Para combater a ameaça de desintegração e triunfar sobre sua insignificância,

---

[126] Avery Dulles, *The Catholicity of the Church* (Oxford: Oxford University Press, 1987), p. 173.

eles constroem uma cidade e uma torre que chega "até aos céus" (11.4). Um único "lugar", uma única "língua" e uma única "torre" fornecerão os pilares para um sistema político, econômico e religioso com pretensões universais. A humanidade será seguramente unificada e visivelmente grande.

Da perspectiva de Deus o empreendimento está fadado ao fracasso. Com uma boa medida de ironia o narrador descreve como Deus "desceu" para ver o que fora concebido para interferir no celeste quintal de Deus.[127] Quando Deus desaprova, é por causa da inerente violência e impiedade de todos os projetos imperiais (Jr 50-51; Ap 18), não obstante suas autolegitimações da justiça e piedade.[128] Arquitetos imperiais procuram unificar mediante a supressão das diferenças que não se encaixam num único grandioso esquema; eles se esforçam para tornar seu próprio nome famoso mediante o apagamento de nomes de gente simples e nações pequenas. Por isso Deus confundiu as línguas e espalhou pelo mundo os arquitetos imperiais. Deus se opôs ao pensamento totalitário de que "não haverá restrição para tudo que intentam fazer" (11.6) e interrompeu o projeto totalitário de centralizar, homogeneizar e controlar. As diferenças são irredutíveis. Centros políticos, econômicos e culturais têm de ser plurais. A unidade não deve deixar a "dispersão" para trás. Sem a preservação das diferenças, sem uma centralidade múltipla e sem dispersão, reinará a violência, sancionada por uma "justiça" concebida visando um único objetivo: manter a homogeneizante "torre" em seu lugar. Se Walter Brueggemann estiver certo, em Gênesis 11 "dispersar" não é apenas uma atividade negativa, uma punição imposta por Deus. Originalmente, "dispersar" ou "espalhar" é "abençoado, sancionado e desejado por Javé" (cf. Gn 10.18,32), uma maneira de realizar o plano de Deus para a humanidade (1.28).[129] Um deslocado temor de desintegração alimentado pelo desejo de falsa glória causou a rejeição da salutar "dispersão" e a opressora "reunião" universal.

Jacques Derrida argumentou que Deus respondeu à "violência colonial" dos arquitetos da torre impondo à humanidade "a irredutível multi-

---

[127] Gordon J. Wenham, *Genesis 1—15*, Word Biblical Commentary, vol. 1 (Waco: Word Books, 1987), p. 245.

[128] William Schweiker, "Power and Agency of God", *Theology Today* 52 (1995): p. 216.

[129] Walter Brueggemann, *Genesis*, Interpretation: A Bible Commentary for Teaching and Preaching, vol. 1, ed. James Luther Mays (Atlanta: John Knox Press, 1982), p. 98. Para uma leitura semelhante, ver Ted Hiebert, *The Beginning of Difference* (Nashville: Abingdon, 2019).

plicidade de idiomas", juntamente com a necessária mas impossível tarefa da tradução.[130] Deus proibiu a "transparência" e impossibilitou a "univocidade"; Deus destinou a humanidade à "incompletude, à impossibilidade de terminar, de totalizar".[131] Derrida está certo na medida em que Babel permanecerá para sempre um projeto inacabado, apesar de incessantes tentativas de continuar onde os construtores iniciais pararam. Contudo, a "confusão" e a falsa "dispersão" que resultam dela (Gn 11.7) não são a última resposta de Deus a projetos imperiais humanos. A preventiva e punitiva reação divina à unidade opressora, não menos que a transgressão original, clama por remédio.

Babel — confusão — não é a situação final; Deus não está apenas "desconstruindo"[132] uma falsa unidade, mas também "construindo" uma salutar harmonia. No dia de Pentecostes, uma de uma longa série de respostas a Babel que começou com o chamado de Abraão (Gn 12.1-3), Deus está trazendo ordem à "confusão". Observem-se os paralelos e contrastes entre Babel e Pentecostes. Em Jerusalém todos os integrantes do grupo de discípulos de Jesus estão "reunidos no mesmo lugar" (At 2.1), como a humanidade na terra da Babilônia. O medo deles, porém, não é de serem dispersados, mas de perderem a vida nas mãos de um centro que pretendia a integração ou a aniquilação deles. Eles também têm sonhos políticos; anseiam pela restauração do "reino de Israel" (1.6), mas o Messias crucificado, que no tempo adequado trará essa restauração, os chama não para "construir uma cidade", mas primeiro para o arrependimento e o batismo a fim de que seus pecados possam ser perdoados (2.38). Em vez de trabalhar visando a fama, proclamam "as grandezas de Deus" (2.11). O ascendente movimento babilônico para perfurar os céus, que atrai tudo para uma homogeneidade centralizada, deu lugar ao descendente movimento de Pentecostes, que visa um "derramamento" dos céus (2.17), que, qual chuva, capacita cada um dos "variados seres vivos a irromper numa nova vida".[133] A torre que está no centro e controla todo exterior ao seu redor é substituída pelo Espírito, que enche "toda a casa" ao descer "sobre cada um deles" (2.2-3).

[130] "Force of Law", p. 8.
[131] Ibid., p. 3.
[132] Ibid., p. 7.
[133] Welker, *God the Spirit*, p. 217.

Em Pentecostes cria-se uma alternativa à unidade imperial sem, todavia, retornar a um estado pré-babélico. Antes de Babel toda a humanidade falava uma *única* língua; em Jerusalém a nova comunidade fala *muitas* línguas. Quando as línguas de fogo se dividem e pousam sobre cada um dos discípulos, "cada um" dos judeus "vindos de todas as nações" representando a comunidade global os ouve "na própria língua materna" (2.3-7). Uma leitura teológica (em vez de simplesmente histórica) do relato de Pentecostes sugere que, quando o Espírito vem, todos se entendem uns aos outros, não porque uma língua única é restaurada ou uma nova pan-abrangente metalinguagem é concebida, mas porque cada pessoa ouve sua própria língua sendo falada. Pentecostes supera a "confusão" e a consequente falsa "dispersão", mas não faz isso revertendo à unidade da uniformidade cultural, mas sim avançando para a harmonia da diversidade cultural.

Observe-se quem fala em outras línguas. O relato do evento feito por Lucas diz simplesmente "todos", significando "todos os discípulos": "Todos ficaram cheios do Espírito Santo e passaram a falar em outras línguas, segundo o Espírito lhes concedia que falassem" (2.4). A interpretação de Pedro depois do evento ganha corpo. O milagre de transcender a comunicação fragmentada é o cumprimento de uma profecia de Joel. Ele declara:

> E acontecerá nos últimos dias, diz o Senhor,
>   que derramarei do meu Espírito sobre toda a carne;
> vossos filhos e vossas filhas profetizarão;
>   vossos jovens terão visões, e sonharão vossos velhos;
> até sobre os meus servos e sobre as minhas servas
>   derramarei do meu Espírito naqueles dias,
>   e profetizarão. (2.17-18)

A alegação de Lucas de que "todos" falavam contém uma ponta de crítica: até àqueles que não tinham voz nenhuma foi dada uma voz. Enquanto a torre procura fazer que as pessoas "não enxerguem" e "não falem" e suga as energias das margens para estabilizar e engrandecer o centro, o Espírito derrama energias nas margens, abre os olhos de pessoas humildes para que vejam o que ninguém viu antes, põe em suas bocas palavras criativas e lhes confere poder para que sejam agentes do reino de Deus. No dia de Pentecostes a todos é dada uma voz e todos têm permissão para usá-la em sua língua nativa. O milagre de Pentecostes consiste numa inteligibilidade universal e numa ação sem entraves no meio de uma heterogeneidade social e cultural.[134]

A fala de filhas e escravos no meio de Atos 2 nos prepara para o que vem no fim. Aqueles que estão habilitados a entender uns aos outros enquanto falam em suas línguas nativas também *compartilham suas posses*: "Vendiam as suas propriedades e bens, distribuindo o produto entre todos, à medida que alguém tinha necessidade" (2.45). Comunismo cristão primitivo? Não, se "comunismo" significar um esquema estável de justiça distributiva, organizado de cima para baixo e administrado por um centro que não deixa de ser hegemônico. Nenhuma norma exigia que todos se desfizessem oficialmente de suas posses ao ingressar na comunidade; nenhuma regra obrigava a todos a vender ou doar; nenhuma lei universal incluindo exigências de justiça ao que parece estava em jogo. O Espírito, que pousou sobre todos e do qual todos ficaram "cheios", fez cada pessoa considerar sua propriedade "destinada ao uso da comunidade como um todo".[135] Comunismo cristão primitivo? Sim, se "comunismo" significar a visão de justiça que informa o projeto original de Marx.[136] Cada um contribuía de acordo com sua capacidade — aqueles que "possuíam terras ou casas" iriam vendê-las e doar os rendimentos à comunidade (4.34). E cada um se beneficiava de acordo com suas necessidades — os bens eram doados a quem "tinha necessidade" (4.35). Essa é "justiça em êxtase", para tomar emprestada a expressão de Paul Tillich,[137] justiça fora de si no amor, exatamente como a comunidade que a praticava estava "em êxtase", fora de si no Espírito. Eis, então, a "justiça" de Pentecostes que não se distingue do abraço: todos têm suas necessidades satisfeitas, e é satisfeito o profundo desejo de as pessoas serem quem são, de agirem por sua própria conta, sendo, no entanto, entendidas e afirmadas.

Nada em Atos 2 nos prepara para o que sucede em Atos 6 — excetuada nossa suspeita de que o céu da "justiça" de Pentecostes não pode durar muito sobre a terra de desejos e temores babilônicos. À medida que o

---

[134] Ibid., p. 230ss.

[135] I. Howard Marshall, *The Acts of the Apostles. An Introduction and Commentary* (Grand Rapids: Eerdmans, 1980), p. 108.

[136] Miroslav Volf, *Zukunft der Arbeit-Arbeit der Zukunft: Der Arbeitsbegriff bei Karl Marx und seine theologische Wertung* (München: Christian Kaiser, 1988); Miroslav Volf, *Work in the Spirit. Toward a Theologie of Work* (New York: Oxford University Press, 1991).

[137] Tillich, *Love, Power, and Justice*, p. 83.

número de discípulos crescia, por detrás do cenário Pentecostes ia sendo desmantelado. Em Atos 6 a cortina é arrancada, e nós testemunhamos o fato ocorrido. Os helênicos, judeus da diáspora de fala grega, estão se queixando contra os hebreus, judeus da Palestina de fala aramaica. Uma disputa surgiu acerca das viúvas cujas necessidades não estavam sendo atendidas. Administradores hebreus estavam negligenciando viúvas de fala grega "na distribuição diária" de alimento (6.1). Uma vez que uma injustiça foi perpetrada, a justiça tinha de descer de suas extáticas alturas. Dados os recursos limitados, os desejos potencialmente ilimitados e os administradores parciais, a questão de quanto cada pessoa devia receber para que os desejos de todos fossem satisfeitos de forma justa precisou ser abordada.

Todavia, a injustiça contra as viúvas de fala grega era apenas a ponta "econômica" do *iceberg*. Se Martin Hengel estiver certo, debaixo da superfície duas concepções genéricas da fé cristã se chocavam.[138] Não há nenhuma necessidade de examinar o conteúdo das disputas. Para os meus objetivos basta salientar que os protagonistas na luta eram falantes de duas línguas diferentes, membros de duas comunidades culturalmente distintas, embora não necessariamente monolíticas: hebreus e helênicos. Em jogo estavam suas atitudes para com o judaísmo e, consequentemente, nada menos que a própria identidade da comunidade cristã. Os falantes de "línguas nativas" bem entendidos em Pentecostes discordavam agora profundamente uns dos outros, e as viúvas sofriam as consequências econômicas do conflito. As necessidades não eram satisfeitas; as línguas não eram entendidas; Pentecostes foi anulado.

Bem, quase foi. Mas uma solução foi encontrada. Os apóstolos reuniram *toda* a comunidade, o que significa dizer que helênicos e hebreus ainda se consideravam interligados. O objetivo da reunião não era descobrir maneiras de aplicar um princípio abstrato de justiça que permitiria que todos recebessem os que lhes era devido; o objetivo era que toda a comunidade, agindo em conjunto, escolhesse "sete homens de boa reputação" simplesmente para executar o serviço da distribuição de alimento (6.3). Como os nomes dos sete escolhidos indicam, eram todos helênicos. Isso poderia

---

[138] Martin Hengel, *Between Jesus and Paul: Studies in the Earliest History of Christianity*, trad. John Bowden (London: SCM, 1983), p. 1-29, p. 133-56; Hengel, *Judaism and Hellenism* (1991), p. 68s.; Craig C. Hill, *Hellenists and Hebrews: Reappraising Division within Earliest Christianity* (Minneapolis: Fortress, 1992).

sugerir uma derrota: os helênicos deveriam cuidar dos helênicos, caso contrário será cometida uma injustiça. De fato, porém, foi uma pequena vitória: representantes da parte prejudicada foram indicados para cuidar de *todas* as viúvas, as deles mesmos e aquelas da parte que cometeu a ofensa. A justiça teve de ser buscada mediante a inversão de perspectivas e vendo o problema através dos olhos dos ofendidos. Além disso, os homens encarregados tinham de ser "cheios do Espírito" (6.3). Tinham de emitir julgamentos acerca do certo e do errado no mesmo Espírito do abraço que em Pentecostes os levou a entender a língua uns dos outros e a partilhar posses. Finalmente, eles eram cheios "de sabedoria" (6.3). A sabedoria prática, não cálculos abstratos, devia conectar a visão da "justiça que se tornou amor" com a situação concreta do conflito. As forças que tentaram anular Pentecostes foram neutralizadas por meio da prática da "visão dupla" guiada pela vontade de abraço. Esses foram pequenos mas significativos atos de resistência, inspirados pela memória de Pentecostes, a memória de preservar a identidade pessoal e, no entanto, ser entendido, e de ter a necessidade pessoal satisfeita simplesmente por se tratar de uma necessidade genuína.

Como nestes nossos dias de hoje, em que a cultura se choca com a cultura e a justiça luta contra a justiça, nós deveríamos buscar inspiração tanto em Atos 2 como em Atos 6. Precisamos de uma grandiosa visão da vida cheia do Espírito de Deus. Precisamos de lembretes de que o impossível é possível: nós podemos e nós vamos nos comunicar uns com os outros enquanto falamos nossa própria língua; vozes submersas vão profetizar destemidas, e olhos fechados serão abertos para contemplar visões; as necessidades de todos serão satisfeitas porque ninguém de nós considerará nossas coisas exclusivamente nossas. Mas juntamente com as grandiosas visões nós precisamos de histórias de pequenos e bem-sucedidos avanços na aprendizagem da convivência, mesmo quando não entendemos as línguas uns dos outros, mesmo quando abafamos as vozes uns dos outros, e mesmo quando ainda nos apegamos demais às nossas posses e roubamos as posses dos outros. A visão grandiosa e os pequenos avanços irão juntos nos manter numa jornada rumo à genuína justiça entre culturas. À medida que abrimos espaço em nós mesmos para a perspectiva do outro nessa jornada, num certo sentido nós já chegamos àquele lugar onde o Espírito foi derramado sobre toda carne. E à medida que desejamos abraçar o outro enquanto permanecemos fiéis à nossa fé e ao Messias crucificado, num certo sentido nós já estamos onde estaremos quando a casa de Deus for estabelecida entre mortais.

6

Engano e verdade

Um brinde ao passado

"Ao passado!", diz Winston Smith, o trágico herói do romance *1984* de George Orwell, ao levantar a taça para brindar sua adesão à luta da Confraria contra o regime da Oceania. Não à confusão da Polícia das Ideias, não à morte do Grande Irmão, nem mesmo à humanidade, mas *ao passado*! Seu suposto colega conspirador, O'Brian, que acaba se revelando um alto oficial do Partido e seu futuro torturador, concorda gravemente: "O passado é mais importante". Pois "quem controla o passado, controla o futuro: quem controla o presente, controla o passado".[1]

Algum tempo antes desse encontro com O'Brian, Winston havia rabiscado em seu diário secreto uma versão mais longa do brinde:

> Ao futuro ou ao passado, a um tempo em que o pensamento é livre, em que os homens são diferentes um do outro e não vivem a sós — a um tempo em que *a verdade existe e o que está feito não pode ser desfeito*.[2]

Quanto ao presente, Winston sabia que o Partido "podia meter a mão no passado e dizer, deste ou daquele acontecimento, *isso jamais aconteceu*".[3] Quando a mão do Partido terminou seu trabalho de limpeza, o passado "não fora simplesmente alterado, fora de fato destruído". Pois como você poderia estabelecer até mesmo o fato mais óbvio, raciocinou ele, "quando não existia nenhum registro fora de sua própria memória"?[4] Apagado o passado, o Partido reescrevia, o Partido controlava — o presente, o passado

---

[1] George Orwell, *Nineteen Eighty-Four* (New York: Harcourt, Brace and Co., 1949), p. 177.
[2] Ibid., itálicos meus.
[3] Ibid., p. 35.
[4] Ibid., p. 36.

e o futuro.⁵ Na superfície, o brinde ao passado foi um brinde ao respeito pelo que passou, à deferência pelo que denominamos "fatos". Num nível mais profundo, um brinde ao passado foi um brinde contra a arbitrariedade dos poderosos que mascaram seus desmandos por meio da negação de que eles aconteceram.

A pergunta "O que aconteceu?" obviamente estimula nossa curiosidade. O que impulsiona a vontade de saber não é simplesmente um desejo desinteressado de decifrar "um mistura de dicas e códigos" sobre o passado.⁶ Se acontecer de não sermos pagos pela nossa curiosidade, teremos menos interesse pelo fascinante jogo de decifrar códigos e montar quebra-cabeças do que em participar da atividade muito mais séria de estabelecer "Quem fez o que a quem e por quê?". Pense nas famílias daqueles que desapareceram nos porões de tortura dos regimes de direita da América Latina. Elas querem saber quem foram os perpetradores e o que eles fizeram com suas numerosas vítimas; querem que os registros sejam corrigidos. Pense nos cidadãos das antigas nações comunistas da Europa central e oriental. Eles querem saber quem eram os informantes e o que os anônimos agentes do serviço secreto escreveram em seus volumosos arquivos.⁷ Será que eles estão simplesmente satisfazendo sua curiosidade? Muito mais está em jogo. Querendo saber "o que aconteceu" eles estão querendo que o insulto da ocultação não se some à injúria da opressão; estão procurando restaurar e preservar a dignidade humana, proteger os fracos dos cruéis. A verdade sobre o que aconteceu é aqui muitas vezes uma questão de vida e de morte.

Pela mesma razão pela qual nós queremos saber, também queremos *lembrar* o que viemos a saber. Elie Wiesel concluiu seu testemunho no julgamento de Klaus Barbie em Lyon com as seguintes palavras: "Embora ele aconteça sob o signo da justiça, este julgamento precisa também honrar a

---

⁵ Como diz Milan Kundera em *The Book of Laughter and Forgetting* (trad. Michael Henry Heim [New York: Penguin, 1986], p. 158), o mundo que o Partido criou era "um mundo sem memória" administrado pelos "presidentes do esquecimento".

⁶ Joice Appleby, Lynn Hunt, e Margaret Jacob, *Telling the Truth About History* (New York: Norton, 1994), p. 259.

⁷ Lewis Smedes observou com acerto que, historicamente, "os governos que melhor sabem esconder das pessoas a verdade são os regimes que não permitem que seu povo tenha segredos de qualquer espécie" (*Forgive and Forget: Healing the Hurts We Don't Deserve* [San Francisco: Harper & Row, 1984], p. 3). Sonegar a verdade e não querer respeitar a privacidade de algumas verdades são estratégias importantes nas políticas da força bruta.

memória".[8] Reprisando alguns de seus temas favoritos, anteriormente no mesmo discurso ele explicou por quê:

> Justiça sem memória é justiça incompleta, falsa e injusta. Esquecer seria uma injustiça absoluta da mesma forma que Auschwitz foi um crime absoluto. Esquecer seria o crime final do inimigo.[9]

Apague a memória e você eliminará o sangue das mãos dos perpetradores, você desfará o feito realizado fazendo-o desaparecer da história. Apague as lembranças das atrocidades e você estimulará futuros perpetradores com a imunidade. Inversamente, lembre-se dos delitos e você erguerá uma barreira contra delitos futuros. Como diz Wiesel, "a memória da morte servirá como um escudo contra a morte".[10] O esquecimento é danação; a memória é redenção. "A salvação", escreve ele, de algum modo exagerando seu argumento, "só pode ser encontrada na memória."[11] Podemos insistir que a salvação exige mais do que memória, até mesmo que no fim ela implica uma certa espécie de "esquecimento", como argumentei anteriormente (Capítulo 4). Mas como podemos discutir que sem a memória do sofrimento infligido e suportado nenhuma salvação é possível nem para as vítimas nem para os perpetradores?

A preocupação de Wiesel com a memória repercute a ordem bíblica para lembrar. Como ele mesmo observa no prefácio a *From the Kingdom of Memory*:

> Lembre-se. [...] Lembre-se de que você foi um escravo no Egito. Lembre-se de santificar o Sábado. [...] Lembre-se de Amaleque, que quis aniquilar você. [...] Nenhum outro mandamento bíblico é tão persistente. Os judeus vivem e crescem sob o signo da memória.[12]

Os cristãos também convivem com a obrigação de se lembrar porque vivem sob a sombra da cruz. Quando celebram a Ceia do Senhor, eles

---

[8] Elie Wiesel, *From the Kingdom of Memory: Reminiscences* (New York: Summit Books, 1990), p. 189.
[9] Ibid., p. 187.
[10] Ibid., p. 239.
[11] Ibid., p. 201.
[12] Ibid., p. 9.

repetem as palavras de Jesus Cristo: "Isto é o meu corpo, que é dado por vós; fazei isto em *memória* de mim. [...] Este cálice é a nova aliança, no meu sangue; fazei isto, todas as vezes que o beberdes, em *memória* de mim" (1Co 11.24-25). A Ceia do Senhor é o tempo ritual em que lembramos o corpo massacrado e o sangue derramado de nosso Salvador. Enquanto compartilhamos desse rito, relembramos aquela noite na qual o "Senhor da glória" foi traído, humilhado, sujeitado a um falso julgamento e brutalmente assassinado; relembramos por que Jesus Cristo foi crucificado e quais foram as consequências. Não pode haver nenhum cristão sem *essa* memória; *tudo* na fé cristã depende disso.

Enquanto relembramos os sofrimentos de Cristo, somos alertados para nos lembrar dos sofrimentos de seus irmãos e irmãs, por quem ele morreu. Na memória dos sofrimentos de Cristo, a memória de todo sofrimento infligido e sofrido é santificada.[13] A Ceia do Senhor, aquele profundo ritual que está no centro da fé cristã e simboliza a totalidade da salvação, é um brinde à recordação. Todas as vezes que erguemos a taça da bênção de Deus, deveríamos nos lembrar do sofrimento causado pela maldição do diabo.

O que passamos a conhecer devemos lembrar, e o que lembramos devemos *dizer*. "Porque, todas as vezes que comerdes este pão e beberdes o cálice, *anunciais* a morte do Senhor, até que ele venha" (1Co 11.26). Exatamente como a memória da morte de Cristo deve ser anunciada, assim também a memória do sofrimento humano, causado e experimentado, deve tornar-se pública. Relata-se que Rosa Luxemburgo disse: "O feito mais revolucionário é, e sempre continuará sendo, dizer alto e bom som o que está acontecendo". Ora, todos os tipos de coisas podem estar acontecendo, como por exemplo, que o proverbial gato subiu no telhado. Dizer essas coisas em voz alta pode ser algo corriqueiro, talvez até um pouco tolo. Mas nesses casos a "verdade" não tem muita importância. Todavia, quando um "regime de verdade" é imposto, quando costumes culturais, opiniões públicas ou decretos de um estado totalitário codificam o que se pode ou não se pode dizer, dizer alto e bom som o que está acontecendo pode de fato ser revolucionário. Se você disser alto demais algumas coisas

---

[13] Em várias publicações Johann Baptist Metz enfatizou a importância da *memoria passionis*, mais recentemente em "The Last Universalists" (*The Future of Theology: A Festschrift for Jürgen Moltmann*, ed. Miroslav Volf [Grand Rapids: Eerdmans, 1996], p. 47-51).

que você sabe que estão acontecendo, pode não só perder um amigo ou um emprego, mas até mesmo a vida.[14]

Nas Escrituras, o sofrimento foi o destino básico de profetas. Eles "viam" o que os poderes lhes diziam que não deveriam ter visto; eles diziam em praça pública o que outros ousavam apenas sussurrar em salas secretas. Considere a reflexão de Isaías sobre o que ele viu e o que o povo queria ouvir:

> Porque povo rebelde é este,
>   filhos mentirosos,
>   filhos que não querem ouvir a lei do SENHOR.
> Eles dizem aos videntes:
> Não tenhais visões;
>   e aos profetas:
> Não profetizeis para nós o que é reto;
>   dizei-nos coisas aprazíveis, profetizai-nos ilusões. (Is 30.9-10)

Por que Israel quer ouvir "coisas aprazíveis" e "ilusões"? Porque prefere confiar "na opressão e na perversidade" (30.12).[15] Essas duas coisas são inseparáveis: se você oprime, você procurará ocultar sua injustiça por meio do engano: a opressão precisa da escora do engano. Em termos marxistas, a exploração busca legitimação na ideologia. Retire o revestimento do engano, e a opressão fica nua, com vergonha de si mesma. O segredo é indispensável para a operação do poder,[16] e por isso dizer em voz alta o que está acontecendo pode ser um perigoso ato de subversão. Mais do que ninguém, os oprimidos têm consciência do perigo. Num clima de engano que oculta a opressão, as pessoas muitas vezes optam por evitar um ataque direto contra o engano. Em vez disso, elas se engajam em atos de guerrilha empregando pequenas fraudes e inverdades como armas contra grandes mentiras e distorções. Embora essa estratégia possa conseguir subverter o controle dos opressores sobre a verdade, ela entronizará exatamente o inimigo que pretende combater — o poder do engano. A grandeza dos

---

[14] Václav Havel, *Living in Truth* (London: Faber and Faber, 1986).
[15] Dale Aukerman, *Reckoning with the Apocalypse: Terminal Politics and Christian Hope* (New York: Crossroad, 1993), p. 59s.
[16] Michel Foucault, *History of Sexuality. Volume I: Introduction*, trad. Robert Hurley (New York: Random House, 1978), p. 86.

profetas consiste na recusa de se deixarem envolver na guerra de dissimulações. Em vez de apresentar suas próprias "contraverdades" como armas numa batalha, eles simplesmente ousavam ver o que estava por trás do véu do engano e tinham a coragem de dizer em altos brados a verdade acerca dos opressores. Essa visão e essa proclamação constituíram, veja só, a revolução profética original.

Todas as outras revoluções se baseiam nessa. No romance *1984* de George Orwell, Winston Smith ergue sua taça e diz: "Ao passado!". Quero unir-me a ele e dizer: "À vontade de saber o que aconteceu! Ao poder de lembrar-se disso! À coragem de proclamar isso alto e bom som!".[17]

Um contrabrinde

Depois de fazer meu brinde, ter provado um gole de um bom vinho e me sentar, uma pessoa que se recusou a beber de sua taça pôde levantar-se e discordar: "Senhoras e senhores, sugiro que o brinde proposto pelo prof. Volf está errado em dois pontos importantes. Minha primeira objeção diz respeito à *memória*. 'A salvação está na memória', ouvimos dizer. Mas será que toda memória salva? Elie Wiesel, a quem se fez uma menção, tinha consciência de um potencial problema. No mesmo livro em que elogiou a memória ele se perguntou: 'Será que não há um perigo de que a memória possa perpetuar o ódio?'. Ouçam a resposta dele e julguem por si mesmos se ela é convincente: 'Não, não existe esse perigo. A memória e o ódio são incompatíveis, pois o ódio destrói a memória. O contrário disso é verdadeiro: a memória pode servir como um poderoso remédio contra o ódio'.[18] Suponho que ninguém contestaria que o ódio às vezes distorce a memória, às vezes até destrói a memória. No entanto, infere-se disso que a memória e o ódio são incompatíveis, como afirma Wiesel? De modo algum. Nem mesmo Wiesel está completamente convencido disso. Embora postule uma incompatibilidade entre a memória e o ódio, ele só consegue dizer que a memória *pode* servir como um remédio contra o ódio, não

---

[17] No epílogo a *The Conquest of America* (trad. Richard Howard [New York: Harper/Collins, 1984], p. 247), Tzvetan Todorov explica que escreveu o livro devido à sua crença "na necessidade de 'buscar a verdade' e à obrigação de torná-la conhecida", o que em si mesmo se fundamenta na convicção de que a memória "do que pode acontecer se nós não conseguirmos descobrir o outro" tem profunda importância.

[18] Wiesel, *From the Kingdom of Memory*, p. 201.

que ela *fará* isso. A História é suficientemente brutal. Não é preciso inventar danos a fim de encontrar razões para odiar; os crimes reais já bastam. Que recursos tem a memória, pergunto eu, para dissuadir-me de odiar aqueles que eu sei que infligiram sofrimento a mim e ao meu povo? Vocês poderiam argumentar que a memória ensina a odiar, que vocês precisam atacar um potencial perpetrador hoje, se quiserem prevenir-se de sofrer uma injustiça amanhã. Como diz Amos Elon, "lembrar-se pode ser uma 'forma de vingança'".[19]

"Percebam, é importante não apenas *que* nos lembramos, mas também *como* nos lembramos — com amor ou com ódio, buscando uma reconciliação ou partindo para uma vingança. A salvação, senhoras e senhores, não reside simplesmente na memória; ela também reside *naquilo que fazemos* com a nossa memória.[20] A memória em si deve ser redimida antes que ela possa nos salvar. Se vocês exaltarem as virtudes da memória, não deixem de nos dizer o que a santificará.

"Minha segunda objeção ao brinde que o prof. Volf propôs é mais complicada, mas tenham paciência comigo porque serei breve. A objeção pode ser formulada mais ou menos assim: além de sermos cuidadosos acerca de *como* nos lembramos, precisamos também observar do *que* nos lembramos. O poder da memória está em sua reivindicação de ser verdadeira e em sua implícita asserção de que aquilo que é lembrado de fato aconteceu. Vocês vão dizer, sem dúvida, que a falsa memória também tem um poder imenso. E vocês estão certos — desde que as pessoas acreditem que a falsa memória é verdadeira. Removam a pretensão à verdade, e a falsa memória se torna impotente. O problema de lembrar-se do passado nos leva assim ao problema de *conhecer* o passado.

"Foi-nos dito que devemos conhecer quem fez o que a quem e por que fez, que devemos nos lembrar disso e dizê-lo alto e bom som. Mas como sabemos o que é digno de ser lembrado? Sem dúvida vocês vão dizer: 'Lembrando o que aconteceu!'. Faz bastante sentido. Mas não pensem que podem imaginar o que aconteceu tão facilmente como somar dois mais

[19] Amos Elon, "The Politics of Memory", *The New York Review of Books* 40 (7 de out., 1993): p. 5.
[20] Em *Genocide and the Politics of Memory: Studying Death to Preserve Life* (Chapel Hill: University of North Carolina Press, 1995), Herbert Hirsch enfatizou a importância da correta política da memória com o argumento de que "a história é memória reconstruída, e estados e indivíduos a manipulam visando fins às vezes nada nobres" (p. 34).

dois. Permitam-me adverti-los, senhoras e senhores, acerca do óbvio: pessoas diferentes veem e lembram as mesmas coisas de modos diferentes. Por que há memórias diferentes acerca das mesmas coisas? Permitam-me responder dando um exemplo do passado do país de origem do prof. Volf.

"Na superfície, a disputa é sobre números — quantos sérvios foram mortos nos campos de concentração croatas durante a Segunda Guerra Mundial. Números, mais que qualquer outra coisa, deveriam ser fáceis de calcular, pensaria alguém. Não são. Historiadores sérvios falam em setecentas mil vítimas; historiadores croatas falam em 'apenas' trinta mil, e acrescentam que os sérvios assassinaram outros tantos croatas, senão mais, durante a guerra e imediatamente depois. Os croatas lhes diriam que os historiadores sérvios inflaram os números porque o *status* de vítimas proporciona legitimação moral a uma dominação no passado e uma agressão no presente; como um líder deles, um sacerdote, disse: 'Nosso poder está em nossas sepulturas'. Os sérvios responderiam que, como qualquer perpetrador, os croatas estão caiando de branco seus crimes. E os croatas retorquiriam que, como qualquer vencedor, os sérvios escrevem a história da maneira que lhes convém. À medida que cada acusação enfrenta uma contra-acusação torna-se claro que as memórias são seletivas. Para que o prof. Volf, um nativo da Croácia, não me interprete mal, meu ponto não é que toda memória é tão boa quanto qualquer outra, mas sim que memória nenhuma diz simplesmente 'o que aconteceu' porque cada lembrança concreta está carregada de desejos e interesses individuais e coletivos bem como de convicções partilhadas coletivamente, e elas mesmas são moldadas por aquilo que Jan Assmann denomina 'memória cultural'.[21]

"Percebam, a disputa sobre os números não é simplesmente sobre números. Pessoas de carne e osso não são cifras sobre uma folha branca de papel; quando vocês lidam com elas vocês nunca lidam apenas com números. Permitam-me tomar por um momento um exemplo diferente do mesmo brutal período da história europeia. Muito mais gente estaria mais disposta a dizer que os nazistas mataram 'x' milhões de judeus do que a dizer que os aliados mataram 'x' milhões de alemães, mesmo se não houvesse nenhuma discussão sobre o número de pessoas que morreram no decurso da guerra. Faz muita diferença saber se alguém é morto em

---

[21] Jan Assmann, *Das kulturelle Gedächtnis: Schrift, Erinnerung und politische Identität in frühen Hochkulturen* (München: C. H. Beck, 1992).

legítima defesa ou num ato de agressão e em busca de políticas genocidas. E aqui, como vocês sem dúvida concordam, as questões de interpretação invadem a mente. Quem começou o quê, quando e por quê? Há casos em que podemos dar respostas bastante claras a essas perguntas, como no caso do extermínio nazista de judeus. Mas em sua maioria os casos não são tão claros. Deixem-me apresentar as coisas de um modo um tanto filosófico e, em seguida, vou concluir: a declaração de que isso ou aquilo aconteceu não pode ser isolada de uma reconstrução da história que atribua sentido a tal declaração. Fatos e acontecimentos precisam de narrativas mais amplas para se tornarem inteligíveis; e uma vez que narrativas mais amplas são questionadas, fatos e acontecimentos também são questionados.[22]

"Senhoras e senhores, aqui estão as minhas duas objeções em termos claros: primeira, nós nos lembramos do que queremos nos lembrar porque sabemos o que escolhemos saber. Segunda, nós fazemos o que queremos com as nossas memórias porque elas mesmas não nos ditam o que deve ser feito com elas. Se essas duas objeções tiverem algum valor, o brinde à vontade de saber, à obrigação de lembrar, à coragem de dizer o que aconteceu, em que pese sua boa intenção, está profundamente enganado. Que brinde proporia eu em seu lugar? Eu lhes apresento *dois* brindes, e vocês escolhem aquele que mais lhes convém, ou aceitam os dois, se assim quiserem". Ela ergueu sua taça e, com seu olhar varrendo a mesa, declarou: "À verdade de cada comunidade! À verdade de cada simples nome!"[23]

"Belo discurso", pensei comigo, "uma beleza! Até mesmo o brinde não foi nada ruim, desde que entendido corretamente. Como teria eu respondido se tivesse tido mais tempo do que apenas para uma réplica de cortesia no sentido de que as objeções de nossa amiga são importantes e, sob muitos aspectos, corretas; de que ela não interpretou bem o que eu disse e que, apesar de tudo, eu mantinha o meu brinde por razões que a ocasião social daquele momento não me permitia elaborar!?" Todos os olhares convergiram para mim, de modo que me levantei, fiz minha réplica de cortesia com sorriso e acrescentei: "Quero convidar vocês para uma palestra na qual vou explorar as questões: Em que medida podemos saber 'o que

---

[22] Lionel Gossman, *Between History and Literature* (Cambridge: Harvard University Press, 1990), p. 290ss.
[23] Cf. Bernard-Henri Lévy, *Gefährliche Reinheit*, trad. Maribel Königer (Wien: Passagen Verlag, 1995), p. 209s.

aconteceu'? e Como devemos proceder para descobrir isso em situações de conflito? Vocês todos estão convidados...". O que vem em seguida é a palestra para a qual julguei oportuno convidar minha fictícia oponente. Vou começar com uma crítica e depois apresentar, na segunda parte, uma proposta construtiva. Na conclusão vou resumir tanto as manobras construtivas como as desconstrutivas acerca do engano e da verdade mediante o exame do encontro entre Jesus e Pilatos e deduzir algumas implicações para a relação entre verdade, liberdade e violência.

Antes de prosseguir, peço permissão para fazer um comentário metodológico. Até aqui deixei que os termos "memória" e "história" entrassem nos campos semânticos um do outro sem dar muita atenção aos limites. Em sua clássica obra sobre memória coletiva, Maurice Halbwachs fez uma distinção entre "história" objetiva e universal e "memória" subjetiva e coletiva.[24] Embora não se possa sustentar uma nítida polaridade entre as duas realidades, a distinção entre a reconstrução crítica do passado ("história") e a lembrança do passado que molda a identidade ("memória") é necessária. Todavia, todos os limites são fluidos. Todas as reconstruções históricas são moldadas por identidades e interesses particulares, e memórias do passado devem ser separadas de mitos envolvendo o passado. A "história" não é mais que um caso especial de "memória" social,[25] e, à sua maneira, a "memória" não menos que a "história" deve mostrar-se deferente diante de "o que aconteceu". Embora no que segue eu venha a me concentrar mais na "história" do que na "memória", o tópico da minha exploração é em que sentido podemos saber e lembrar o que aconteceu entre pessoas e quais podem ser os pressupostos morais e a importância social desse conhecimento e dessa memória.

Dizer a coisa como ela realmente foi

Houve um tempo não muito distante em que se esperava que um historiador dissesse as coisas da maneira como elas realmente aconteceram; essa era a principal tarefa do historiador. Uma revolução clássica dessa

---

[24] Maurice Halbwachs, *Das Kollektive Gedächtnis* (Frankfurt: Suhrkamp, 1985), p. 74.
[25] P. Burke, "Geschichte als soziales Gedächtnis", *Mnemosyne*, ed. A. Assmann e D. Harth (Frankfurt: Suhrkamp, 1991).

expectativa tem sua origem na descrição que o jovem Leopold von Ranke fez de sua própria obra como historiador:

> As pessoas atribuíram à história a função de julgar o passado e instruir a presente geração em benefício de tempos futuros: a presente tentativa não aspira a funções tão elevadas: *ela simplesmente quer mostrar como as coisas realmente aconteceram*.[26]

A palavra "simplesmente" é enganosa por sua modéstia, apesar das garantias de von Ranke de não aspirar a essas altas funções de julgar o passado e instruir a geração presente. Por trás desse despretensioso objetivo se esconde um programa bastante imodesto: os historiadores devem reconstruir o que de fato aconteceu, nada mais nem menos que isso; devem descobrir e contar a verdade, e nada mais que a verdade. Para atingir esse objetivo o narrador histórico tinha de situar-se "acima da superstição e do preconceito a fim de inspecionar com calma e de forma não passional os cenários do passado e contar uma verdade que seria aceitável para qualquer outro pesquisador que tivesse visto a mesma evidência e aplicado as mesmas regras".[27] Esse era o elevado ideal moderno da pesquisa histórica.

Dizem às vezes que historiadores que perseguiam esse ideal tinham-se na conta de narradores oniscientes: presumiam saber tudo e, portanto, achavam que podiam contar a coisa como ela realmente foi. Embora algumas mentes menores talvez se tenham julgado em termos tão sublimes, os melhores historiadores tinham consciência de sua própria falibilidade e subjetividade. Von Ranke certamente sabia que seu conhecimento era limitado e sua perspectiva, relativa; nunca imaginou que pudesse transcender seu objeto de estudo como Zeus podia flutuar sobre os combatentes inimigos da guerra de Troia. Todavia, os historiadores mais tipicamente modernos tinham duas coisas em comum: aspiravam à objetividade e à verdade e acreditavam que um único método correto poderia restringir o relativismo e deixar a luz da verdade brilhar intensa. Só existe uma visão correta acerca de qualquer assunto específico e uma única maneira correta de alcançá-la, afirmavam eles. Siga o método, e você será capaz de mostrar as coisas como

---

[26] Leopold von Ranke, *Geschichte der romanischen und germanischen Völker, 1494–1535* (Berlin: Reimer, 1824), p. vii, itálicos acrescentados.

[27] Appleby et al., *Telling the Truth About History*, p. 73.

elas realmente foram — mais ou menos, mais cedo ou mais tarde. O que caracterizava os historiadores modernos não era a presumida onisciência, mas sim a crença na objetividade, não a alegação de infalibilidade, mas a alegação de um método concebido para combater a infalibilidade. Os historiadores, naturalmente, partilhavam essa crença com outros seguidores do método "racional", que pressupunham poder eventualmente reduzir diferentes pontos de vista a uma única moeda comum da verdade.[28]

Por muito tempo se acreditou que a abordagem moderna da história e do conhecimento em geral foi inventada por ociosos filósofos afastados das duras realidades da vida humana, pensadores desinteressados que seguiam rigorosamente o rumo que seu pensamento puro lhes indicava e descobriram um indubitável fundamento do conhecimento e um método inerrante de conquistá-lo. Como filho de uma prolongada solidão, o método racional emergiu na mente de espíritos livres e substituiu a confiança medieval na tradição e superstição. Esse relato tradicional do surgimento do moderno método racional corresponde à natureza do método: uma certa sensação de propriedade (embora não a rigorosa lógica) exigia que a descoberta de um método puramente objetivo não dependesse dos acidentes da história. Bem, dependeu.

Em *Cosmopolis* Stephen Toulmin argumentou a favor de uma necessidade de revisar a narrativa tradicional da emergência do método racional. Em vez de ter nascido de uma tranquila reflexão descontextualizada, ele foi formulado em resposta a uma determinada situação histórica — à devastação da Guerra dos Trinta Anos travada em nome de divergentes persuasões religiosas. Toulmin escreve:

> Se a incerteza, a ambiguidade e aceitação do pluralismo levou, na prática, apenas a uma intensificação da guerra religiosa, era chegado o tempo de descobrir algum *método racional* para demonstrar a essencial correção ou incorreção das doutrinas filosóficas, científicas ou teológicas.[29]

Entra em cena Descartes. Em *Discurso sobre o método* ele propôs o único método correto de chegar ao conhecimento absolutamente certo. A

---

[28] Michael Luntley, *Reason, Truth and Self: The Postmodern Reconditioned* (London: Routledge, 1995), p. 33.

[29] Stephen Toulmin, *Cosmopolis: The Hidden Agenda of Modernity* (New York: Free Press, 1990), p. 53.

Guerra dos Trinta Anos talvez tenha tido mais a ver com essa proposta do que teve o dia que ele passou "trancado numa sala aquecida por uma estufa" onde havia, segundo ele escreve, "total ociosidade para meditar sobre meus próprios pensamentos".[30]

Desde Descartes, a modernidade foi sempre dominada pelos "encantos da certeza e singularidade"[31] e continuou sonhando com um método puramente racional e uma ciência unificada que forneceria uma única resposta certa a qualquer questão apresentada. Sem um método racional acabaremos discordando, e sem um acordo acabaremos guerreando. O desejo de paz gerou a crença de que podemos mostrar a única verdade acerca de nossas sociedades e sua história, e de fato acerca da constituição de todo o mundo. Sem essa verdade, a guerra parecia inevitável.

O argumento de que existe uma verdade singular acerca de algumas questões importantes e que não se deve medir esforços para encontrá-la deveria ser plausível para os cristãos. No fim das contas, não acreditamos nós que um dia virá em que os segredos dos corações serão revelados e em que Deus dirá alto e bom som como as coisas realmente aconteceram — quem fez o que a quem e por quais meios? Sem dúvida, o julgamento divino é muito mais complexo do que a tarefa de acertar registros da história; o juiz Único no fim da história é o mesmo juiz Único que "justifica os pecadores" no meio da história. Mas será que o julgamento divino pode ser algo inferior a um acerto de registros? Qualquer pessoa que segue a clássica doutrina cristã de Deus será forçada a investigar, em algum sentido, "como as coisas foram". Como argumentam Richard J. Mouw e Sander Griffioen, se existe uma Pessoa divina que é onisciente e pura sabedoria, de cuja perspectiva tudo o que acontece importa, então é difícil ver como os cristãos poderiam negar que existe uma verdade "objetiva" acerca da história e que é importante tentar descobri-la.[32]

Todavia, tentar não é o mesmo que obter êxito. Embora Deus saiba como as coisas foram e um dia o dirá alto e bom som, os seres humanos sabem apenas parcialmente e só podem dizê-lo de modo inadequado. Não há jeito de subir ao trono de julgamento de Deus para fazer

---

[30] René Descartes, *Discourse on Method and the Meditations*, trad. F. E. Sutcliffe (Harmondsworth: Penguin, 1968), p. 35.
[31] Toulmin, *Cosmopolis*, p. 75.
[32] Richard Mouw e Sander Griffioen, *Pluralism and Horizons: An Essay in Christian Public Philosophy* (Grand Rapids: Eerdmans, 1993), p. 101ss.

pronunciamentos infalíveis, por assim dizer, no lugar de Deus como seus representantes na terra. Os cristãos conhecem Deus, mas não conhecem tudo o que Deus conhece — pelo menos não por enquanto, embora Tomás de Aquino acreditasse que um dia eles conhecerão.[33] Conhecemos apenas algo do que Deus conhece — tanto quanto Deus nos revelou. Acontece que Deus nos diz muito sobre quais são seus propósitos em relação à humanidade e ao mundo e sobre como eles devem ser realizados, mas nada sobre a história da América nativa depois da chegada dos europeus ou sobre o que aconteceu entre os tâmules e os senegaleses no Sri Lanka durante as últimas décadas. Apesar de nossa crença num Deus onisciente, somos deixados a sós em nossa busca daquilo "que aconteceu", sustentados pela convicção de que existe uma verdade eterna, uma verdade não distorcida por pontos de vista particulares porque existe um Deus eterno e universal.

A crença num Deus onisciente deveria inspirar a busca da verdade; todavia, a consciência de nossas limitações humanas deveria nos tornar modestos acerca das alegações de que já a encontramos. Nós conhecemos "em parte" (1Co 13.12), em primeiro lugar, porque somos seres finitos. Como diz Thomas Nagel, "mesmo se cada um de nós possui uma grande capacidade latente para a autotranscendência objetiva, nosso conhecimento do mundo sempre será fragmentário, por mais que o ampliemos".[34] Nós conhecemos "em parte", em segundo lugar, porque nosso conhecimento limitado é moldado pelos interesses que perseguimos e filtrado pelas culturas e tradições em que estamos inseridos. Como argumentou Alasdair MacIntyre em *Three Rival Versions of Moral Enquiry*,

> a noção de uma história singular, neutra e apartidária é mais uma ilusão gerada pela perspectiva acadêmica dos enciclopedistas; é a ilusão de que existe um passado esperando ser descoberto, *wie es eigentlich gewesen*, independente de alguma caracterização a partir de uma perspectiva particular.[35]

---

[33] Thomas Aquinas, *Summa Contra Gentiles* (Notre Dame, IN: University of Notre Dame Press, 1975), 3/1, p. 196s.

[34] Thomas Nagel, *The View from Nowhere* (New York: Oxford University Press, 1986), p. 86.

[35] Alasdair MacIntyre, *Three Rival Versions of Moral Enquiry: Encyclopaedia, Genealogy, and Tradition* (Notre Dame, IN: University of Notre Dame Press, 1990), p. 151.

A agenda da modernidade ultrapassou seus próprios limites. Seu otimismo acerca das capacidades humanas está fora de lugar e seu pressuposto de que existe uma perspectiva neutra está errado. Não pode existir um fundamento indubitável do conhecimento, nenhuma experiência que não seja interpretada, nenhuma leitura do mundo completamente transparente. Uma linguagem cósmica ou divina para expressar "o que aconteceu" não está disponível para nós; todas as linguagens são linguagens humanas, dialetos plurais crescendo num solo de tradições culturais e condições sociais diversas.[36] Não temos acesso aos "fatos puros" e não somos capazes de reconstruir narrativas rigorosamente objetivas do que de fato aconteceu. A sedução do "realismo mimético" — aquela crença de que nossas declarações podem corresponder exatamente à realidade — deve ser combatida; a noção de que podemos segurar um espelho para o passado e ver nele "fatos puros" deve ser rejeitada. O que veremos no espelho de nossa reconstrução é o passado misturado com algum presente; contemplaremos o outro no qual nós mesmos estamos indistintamente sobrepostos. Como consequência disso, devemos "equilibrar a esperança de certeza e claridade na teoria com a impossibilidade de evitar a incerteza e a ambiguidade na prática".[37]

Reconstruir o passado exatamente como ele aconteceu, sem depender de uma perspectiva particular, é impossível. Presumir de outra forma não é apenas ingenuamente errado mas também positivamente perigoso. Pois a alegação da verdade universal serve para legitimar interesses muito particulares. Esses interesses podem ser nobres, como o desejo de paz universal num mundo destroçado pela guerra, mas também podem ser maldosos, como o desejo de preservar posições privilegiadas de poder pessoal. Pense nas verdades "objetivas" sobre a natureza das mulheres ou dos negros, que não são nada além do que o anverso cognitivo da opressão de machistas e brancos! De maneira semelhante, a alegação do comunismo de ser a resolução final do "enigma da história" serviu apenas para reforçar o poder opressor do Partido sobre todas as esferas da vida das pessoas. Essas verdades objetivas são objetos terríveis, eficazes por gerar a ilusão de sua própria inevitabilidade, mortíferas por transpirar inocência.

Isso me traz à contemporânea, moderna suspeita acerca da verdade.

---

[36] Luntley, *Reason, Truth and Self*, p. 15-17, 137-44.
[37] Toulmin, *Cosmopolis*, p. 75.

Regimes de verdade

Nas últimas décadas o desejo de falar a verdade sobre o que aconteceu (ou sobre o que acontece) caiu em sério descrédito. Se uns cem anos atrás uma teoria de que "nada é verdadeiro" foi a prerrogativa de uma elite, hoje ela se tornou "um argumento vulgar, descontraidamente adotado e usado sem nenhum discernimento".[38] Quando justificam a teoria de que "nada é verdade", seus proponentes contemporâneos nos dizem que existe algo ao mesmo tempo perverso e malicioso acerca do desejo de verdade — perverso porque ele nunca pode ser satisfeito, malicioso porque falar a "verdade" é simplesmente outro golpe numa luta pelo poder. Deixe-me explicar essa perspectiva bastante cínica da verdade mediante a observação de alguns aspectos do pensamento de Michel Foucault.

Foucault aprendeu a desconfiar da verdade com Friedrich Nietzsche, o primeiro crítico da "vontade de verdade".[39] O sofisticado aluno e profundo polemista contra "os regimes de verdade" é hoje, todavia, muito mais influente do que a crítica do mestre da "vontade de verdade". Considere a seguinte breve declaração de Foucault sobre a questão extraída de *Power/Knowledge* [Poder/conhecimento]:

> A verdade é uma coisa deste mundo: é produzida apenas em virtude de múltiplas formas de restrição. E provoca efeitos regulares de poder. Cada sociedade tem seu regime de verdade, sua "política geral" da verdade: isto é, os tipos de discurso que essa sociedade aceita e faz funcionar como verdadeiros; o mecanismo e as instâncias que capacitam alguém a distinguir afirmações verdadeiras e falsas, os meios pelos quais cada afirmação é sancionada; as técnicas e procedimentos reconhecidos como válidos na aquisição da verdade; o *status* dos encarregados de dizer o que conta como verdadeiro.[40]

No texto acima um leitor inocente vai de imediato tropeçar na estranha associação entre verdade e *produção*. Uma venerável tradição teológica e filosófica ensinou que a verdade é revelada ou descoberta. Foucault insiste

---

[38] Johan Goudsblom, *Nihilism and Culture* (Oxford: Blackwell, 1980), p. 190.
[39] Friedrich Nietzsche, *The Birth of Tragedy and the Genealogy of Morals*, trad. Francis Golffing (Garden City: Doubleday, 1956), p. 286ss.
[40] Michel Foucault, *Power/Knowledge: Selected Interviews and Other Writings 1972–1977*, trad. Colin Gordon et al. (New York: Pantheon Books, 1980), p. 131.

que ela é "produzida". Declarações não são verdadeiras ou falsas em si mesmas ou por si mesmas; elas são "forçadas a funcionar" *como verdadeiras ou falsas*. O que é que ele está querendo? Ele está simplesmente afirmando o óbvio, isto é, que falsidades são muitas vezes vendidas como verdades evidentes por pessoas iludidas ou inescrupulosas, que demagogos tingem "uma falsa conscientização" como verdade libertadora? Ele está se queixando de mentiras e ideologias? Não, porque tanto mentiras quanto ideologias pressupõem que existe uma verdade lá fora que pode ser dita e não pode ser mascarada. Para Foucault, que deseja se afastar tanto da desaprovação de mentiras pelo bom senso quanto do desmascaramento marxista de ideologias, essa tal verdade não existe — ou pelo menos, se ela existir, ele não está interessado nela. Foucault escreve:

> o problema não consiste em traçar a linha entre aquilo que num discurso se encaixa na categoria de cientificidade ou verdade, e aquilo que se encaixa em alguma outra categoria, mas sim em ver historicamente como *efeitos da verdade* são produzidos em discursos que em si mesmos não são nem verdadeiros nem falsos.[41]

Se a verdade é produzida, então o que importa são os mecanismos pelos quais o verdadeiro e o falso são separados dentro de uma determinada ordem e as autoridades que foram investidas com o poder de declarar que algo é verdadeiro ou falso. A questão importante não é tanto saber *o que* aconteceu mas *por que* e *como* se declara e se acredita que aquilo aconteceu. Por que é que, por exemplo, no século 19 a ciência médica declarou que "o corpo masculino expressa uma força positiva, que aperfeiçoa o entendimento e a independência masculinos, equipando os homens para a vida pública, nas artes e ciências", ao passo que "a espaçosa pélvis destina as mulheres à maternidade" e seus "fracos, frágeis membros e delicada pele são testemunho de uma esfera mais reduzida de atividades, de atividades caseiras e da tranquila vida em família"?[42] Por que a ciência médica de hoje não nos diz nada dessa natureza? Por que razão nossos predecessores do século 19 acreditavam tanto na ciência deles como nós acreditamos na

---

[41] Ibid., p. 118, itálicos acrescentados.
[42] Barry Allen, *Truth in Philosophy* (Cambridge: Harvard University Press, 1993), p. 172s.

nossa? A resposta de Foucault é que existe um "regime" de verdade no qual certas declarações podem *passar como* verdadeiras e outras como falsas.

Observe-se, em segundo lugar, a associação entre *verdade e poder*, sugerida pela frase "regime de poder". Para produzir e sustentar a verdade você precisa de "múltiplas formas de restrição",[43] e para restringir você precisa de poder social — seja esse poder concentrado na pessoa de um soberano, seja ele difuso num sistema social como um todo. Primeiro vem o poder, depois vem a verdade; sem poder, sem verdade. A relação entre poder e verdade, porém, não é uma via de sentido único: só o poder produzindo a verdade. A verdade em si não é impotente; ela detém o domínio sobre as pessoas ou, como afirma Foucault, ela "induz efeitos regulares de poder".[44] A "verdade", portanto, confere ainda mais poder aos poderosos. A verdade é produzida por um poder a fim de exercer o poder. Ela é uma arma na luta social.

Aplique às ciências históricas a ideia de verdade como uma arma e você tem o quadro seguinte:

> Na aparência, ou melhor, de acordo com a máscara que ela usa, a consciência histórica é neutra, despojada de paixões e unicamente comprometida com a verdade. Mas se ela examinar a si mesma e se, mais geralmente, interrogar as várias formas de consciência científica em sua história, ela descobre que todas essas formas e transformações são aspectos da vontade de saber: instinto, paixão, devoção, cruel sutileza e malícia do investigador.[45]

Malícia? Crueldade? Devoção do investigador? No trabalho de um historiador? Isso mesmo, responde Foucault. À medida que os historiadores se esforçam para ser neutros e abrangentes, eles silenciam vozes que não se encaixam, excluem diferenças; à medida que procuram universais, distorcem particularidades.[46] Em sua busca do "conhecimento total" eles pisoteiam

---

[43] Foucault, *Power/Knowledge*, p. 131.
[44] Ibid.
[45] Michel Foucault, *Language, Counter-Memory, Practice: Selected Essays and Interviews*, trad. Donald E. Bouchard e Sherry Simon (Ithaca, NY: Cornell University Press, 1977), p. 162.
[46] Jürgen Habermas sugeriu que de uma certa perspectiva a crítica de Foucault pode ser vista como pressupondo sua própria autopercepção como "um historiador em estado destilado", que não quer nada mais que estoicamente dizer a maneira como as coisas aconteceram (*Der Philosophische Diskurs der Moderne: Zwölf Vorlesungen* [Frankfurt: Suhrkamp, 1985], p. 324). No entanto, isso ou isentaria a própria linguagem de Foucault da imersão no poder ou exigiria que ele postulasse uma correlação entre "conhecimento verdadeiro" e

a vida social e sua delicada textura e diferenciações com suas demasiado grandes e generalizantes botas. De modo muito parecido com a busca de qualquer outro conhecimento, a busca do conhecimento histórico comete uma violência contra seu objeto. Por quê? Porque "a esfera pré-discursiva da qual o discurso é formado nunca pode ser incluída completamente no discurso", ou falando de um modo mais simples, porque "a vida implica muito mais coisas do que saber".[47] Foucault diz isso da maneira seguinte:

> Não devemos imaginar que o mundo nos mostra uma face legível que nós só teríamos de decifrar; o mundo não é o cúmplice do nosso conhecimento; não existe nenhuma providência pré-discursiva que predispõe o mundo em nosso favor. Devemos conceber o discurso como uma violência que impingimos às coisas, ou, de qualquer modo, como uma prática que impomos a elas.[48]

O conhecimento é uma violência, a verdade uma imposição! Isso difere muito de como pensamos acerca do conhecimento e da verdade. O conhecimento supostamente representa a realidade; se ele faz isso, ele é verdadeiro; se não faz, é falso. Por instinto pensamos que Foucault deve estar profundamente equivocado. No entanto, até os mais inocentes percebem que ele talvez estivesse tratando de algo importante. No mundo complicado das relações sociais, todos nós sabemos como é extremamente difícil concordar sobre o que aconteceu num determinado tempo entre pessoas individuais, que dizer do que aconteceu entre grupos de pessoas. Nossos desejos e interesses, os desejos e interesses de nossas comunidades, uma história comum de agressão e sofrimento, nos obrigam a enxergar o que suspeitamos que vamos encontrar e a acreditar naquilo que queremos acreditar (como sublinhou minha oponente no início deste capítulo).

Em seu famoso comentário sobre orgulho e memória, Nietzsche expressa esse pensamento de modo inesquecível: "'Eu fiz aquilo' diz minha memória. 'Não posso ter feito aquilo', diz meu orgulho e se mantém

o "exercício apropriado do poder". De qualquer maneira, dessa perspectiva Foucault apareceria como um crítico de ideologias, uma descrição que ele explicitamente rejeita.

[47] William Connolly, "I. Taylor, Foucault, and Otherness", *Political Theory* 13, n. 3 (1985): p. 367.

[48] Michel Foucault, *The Order of Things* (London: Travistock Publications, 1970), p. 316.

inexorável. No fim, a memória cede".[49] Todavia, o que está em jogo na questão acerca da verdade não é apenas o nosso orgulho, mas o nosso poder. Ao relatar o passado estamos manipulando uma posição. Quanto mais árdua a competição, tanto menos dispostos estaremos a aceitar qualquer declaração que questione o nosso poder. Não é apenas que nosso conhecimento humano é inevitavelmente limitado porque somos seres finitos ou que aquilo que sabemos é colorido pela nossa cultura. O pouco conhecimento que temos é distorcido porque suprimimos a verdade por meio do desejo de superar os outros e proteger a nós mesmos. Enquanto buscamos saber, somos apanhados no campo de poderes que distorcem nossa visão. Michel Foucault com razão nos lembrou disso. E Richard Rorty com razão nos disse para não sermos incrédulos nem ficarmos horrorizados pelo lembrete de Foucault, mas sim reconhecermos "que foi apenas o falso exemplo que nos deu Descartes (e a consequente superestima da teoria científica que, em Kant, produziu 'a filosofia da subjetividade') que nos fizeram pensar que a verdade e o poder *eram* separáveis".[50] A visão do envolvimento do conhecimento com o poder e do poder com o conhecimento, da impossibilidade de que "os jogos da verdade pudessem circular livremente", não deveria ser abandonada.[51]

Foucault, todavia, quer dizer mais do que simplesmente que "estratégias de poder são intrínsecas à vontade de saber"[52] — muito mais. O que parece incomodá-lo não é apenas a imodéstia de todas as reivindicações de possuir a verdade pura, nem simplesmente as múltiplas formas de "racionalidades do terror",[53] mas é a noção tradicional da verdade em si. A verdade, alega ele, é produzida, construída, imposta; verdadeiro é o que *passa por verdadeiro*.[54] Observe-se a extremamente infeliz consequência dessa visão. Como disse Charles Taylor, "se toda verdade é imposição, nenhuma

---

[49] Friedrich Nietzsche, *Jenseits von Gut und Bose*, vol. 6/2, Nietzsche Werke, ed. G. Colli e M. Montinari (Berlin: Walter de Gruyter, 1968), p. 68.

[50] Richard Rorty, "Habermas and Lyotard on Post-modernity", *Praxis International* 4, n. 1 (1984): p. 42.

[51] Michel Foucault, "The Ethic of Care of the Self as a Practice of Freedom", *The Final Foucault*, ed. James Bernauer e David Rasmussen (Cambridge: MIT Press, 1988), p. 18.

[52] Foucault, *History of Sexuality*, p. 73.

[53] Maurice Blanchot, *Michel Foucault*, trad. Barbara Wahlster (Tübingen: Edition Diskord, 1987), p. 31.

[54] Allen, *Truth in Philosophy*, 1993.

mudança pode ser um ganho"[55] — pelo menos nenhum ganho em conhecimento. Todos os sistemas culturais devem então ser igualmente verdadeiros, e (ao que parece) todas as alegações de verdade igualmente válidas — as verdades das vítimas e as verdades dos perpetradores. Pelo menos, como diz Bernard-Henri Lévy, esse é o risco dessa posição.[56]

Embora sua retórica o empurre na direção de um complacente relativismo,[57] Foucault não é nenhum confesso nem sequer incoerente relativista praticante. Kyle Pasewark argumentou que na última fase da obra de Foucault "a liberdade estética, através da qual cada pessoa forma sua própria subjetividade", emerge como o embasamento da crítica do domínio e da exclusão feita por Foucault.[58] O preço que Foucault paga por apresentar esse embasamento, todavia, é abandonar pelo menos alguns de seus distintivos e mais importantes *insights*, isto é, o envolvimento do conhecimento com o poder. O conhecimento do ego e da liberdade do ego, que sustenta a crítica de Foucault, não é problematizado, mas sim implicitamente afirmado como puro, livre do peso do poder.[59]

---

[55] Charles Taylor, "Connolly, Foucault, and Truth", *Political Theory* 13, n. 3 (1985): p. 377-85, 383.

[56] Bernard-Henri Lévy, *Gefährliche Reinheit*, trad. Maribel Königer (Wien: Passagen Verlag, 1995), p. 210. Uma consequência dessa visão é que, como observou Alasdair MacIntyre em *Three Rival Versions of Moral Enquiry*, um genealogista como Foucault não pode, "primeiro na caracterização e explicação de seu projeto para si mesmo bem como para outros, e depois na avaliação de seu sucesso ou fracasso nos próprios termos do genealogista, evitar recair num modo acadêmico não genealogista, difícil de discriminar daquela forma acadêmica professoral dos enciclopedistas no repúdio da qual o projeto genealogista teve sua gênese e fundamentação" (MacIntyre, *Three Rival Versions of Moral Inquiry*, p. 53).

[57] Habermas, *Der Philosophische Diskurs der Moderne*, p. 327.

[58] Kyle A. Pasewark, *A Theology of Power: Being Beyond Domination* (Minneapolis: Fortress, 1993), p. 38.

[59] Ibid., p. 39-51. A incapacidade de Foucault de justificar racionalmente sua luta contra a dominação foi observada por muitos pensadores. Nancy Fraser, por exemplo, sublinha que ele é incapaz de apresentar para si mesmo ou para qualquer outra pessoa um embasamento de por que a liberdade é melhor que a dominação e a luta é melhor que a submissão ("Foucault on Modern Power: Empirical Insights and Normative Confusions", *Praxis International* 1 [1981]: p. 272-87). Hubert L. Dreyfus e Paul Rabinow perguntam diretamente: com base nas premissas de Foucault, "o que há de errado na sociedade carcerária? A genealogia mina a posição que se opõe a ela com base na lei natural ou na dignidade humana, e ambas as coisas pressupõem as suposições da filosofia tradicional. A genealogia também mina a oposição à sociedade carcerária com base em preferências e intuições subjetivas (ou constituindo certos grupos como portadores de valores humanos capazes

Se a verdade é imposta, não pode haver nenhum ganho de conhecimento, mas pode haver ganho de poder. Considere como Foucault entende sua tarefa como filósofo e historiador. Tradicionalmente, os filósofos lutaram "a favor" da verdade; buscaram eliminar a ignorância, denunciar mentiras ou desmascarar ideologias. Foucault não fará nada disso por não estar interessado na "verdade", mas sim no que passa por verdade, naquilo que ele denomina "efeitos da verdade". Como filósofo ele deve, portanto, entrar na arena em que os "efeitos da verdade" guerreiam um contra o outro. Ele escreve: "O problema não é mudar a consciência das pessoas — ou o que elas têm na cabeça — mas o regime político, econômico, institucional da produção da verdade".[60] Como mudar o regime da verdade se você é um filósofo? Exercendo o tipo de poder que você tem, o poder de um argumento bem-elaborado que expressa uma visão atraente da vida. Se você tem uma fala fácil ou uma voz mais forte do que a de seu oponente, você vence — até que apareça alguém mais forte que não respeite o poder da palavra. Uma vez que, numa guerra, os esforços intelectuais são apenas manobras táticas, não está claro por que não seria aceitável subjugar o poder das palavras pelo poder do canhão; e, portanto, também não está claro por que alguém se preocuparia muito com a vida intelectual, que não é o caminho mais seguro nem o mais rápido rumo ao poder.[61]

A solução de Foucault é tão sedutora quanto equivocada. Nadamos num mar de distorções e enganos, e a verdade parece não ter forças para nos sustentar. Confiamos no poder da verdade, mas a "verdade" do poder se mostra mais forte — aquele punho de ferro na luva de veludo de estatísticas, resultados de pesquisas, pronunciamentos de autoridades indiscutíveis, de apelos à tradição e ao bom senso. A única coisa sensata parece ser dar o troco na mesma moeda, definir sua própria verdade e afirmá-la na cara de seus opositores com o auxílio de intimidação, propaganda e manipulação. Quando opiniões se chocam, as armas devem em última análise decidir porque os argumentos se mostram impotentes. A lógica da violência é tentadora, mas será que podemos nos dar ao luxo de ceder a ela?

---

de se opor à sociedade carcerária). Quais são os recursos que nos capacitam a sustentar uma posição crítica?" (*Michel Foucault: Beyond Structuralism and Hermeneutics*, 2ª ed. [Chicago: University of Chicago Press, 1983], p. 206).

[60] Foucault, *Power/Knowledge*, p. 133.

[61] Amy Gutmann, "Introduction", *Multiculturalism: Examining the Politics of Recognition*, ed. Amy Gutmann (Princeton: Princeton University Press, 1994), p. 18s.

A resposta é fácil: não podemos, porque a violência não deve ter a última palavra. Mas resta uma questão mais difícil: que recursos nos ajudarão a resistir à tentação da violência?

Uma alternativa à explicação de Foucault da relação entre conhecimento e poder que evita os problemas que habitam a ideia de verdade "produzida" e "imposta", preservando ao mesmo tempo o *insight* do envolvimento do poder com o conhecimento, seria sugerir que, pelo menos na esfera das atividades humanas, *para conhecer realmente nós precisamos querer exercer o poder de modo correto*. No restante deste capítulo pretendo argumentar em defesa desse ponto. Dada a natureza do caso, essa argumentação não pode ser feita a partir de um ponto de vista neutro localizado numa zona isenta de poder. Vou fazê-la a partir de um compromisso com uma vertente particular da tradição cristã e suas práticas. Não há razões *a priori*, todavia, para que aqueles que não pertencem a essa tradição considerem a argumentação inaceitável.

Visão dupla

De nossa discussão até aqui emerge um visível contraste entre duas concepções da natureza e da importância da verdade, nenhuma das quais é inteiramente satisfatória. O objetivo de nossos predecessores modernos foi, como diz Lionel Gossman em *Between History and Literature* [Entre a história e a literatura], "separar o conhecimento das lutas pelo poder e desarmar a violência da confrontação estabelecendo uma verdade do fato capaz de dissipar a agressividade das opiniões brandidas pelas partes em conflito". Como o exemplo de Foucault mostra, o objetivo de muitos de nossos contemporâneos pós-modernos é "exibir as manifestações de poder e confrontação de forças competindo por trás das noções de direito, significado e verdade".[62] Contra a abordagem moderna argumentei que a "verdade de fato" não pode ser estabelecida porque, por mais que tentemos, não conseguimos descartar nosso ponto de vista e perspectiva. Contra a abordagem pós-moderna objetei que a denúncia das "manifestações de poder" por trás da própria noção de verdade com efeito entroniza a violência. Se nem a "verdade do fato" nem a "verdade do poder" podem nos salvar do reino do terror, o que poderá fazê-lo?

[62] Gossman, *Between History and Literature*, p. 323.

Em *Visão a partir de lugar nenhum* Thomas Nagel sugere que para conhecer o mundo adequadamente precisamos "sair de nós mesmos" e perguntar "como deve parecer o mundo de nenhum ponto de vista".[63] Quando nos distanciamos de nós mesmos "cada um de nós [...], além de ser uma pessoa comum, é um ego objetivo particular, o sujeito de um concepção da realidade sem perspectivas".[64] Nagel tem consciência de que jamais conseguiremos deixar a "pessoa comum" totalmente para trás: "Por mais que tentemos sair de nós mesmos, algo terá de ficar atrás da lente, algo em nós determinará o quadro resultante".[65] De fato, ele sugere que uma visão *puramente* sem perspectiva — uma visão *apenas* de lugar nenhum — não seria sequer desejável. Pois minha própria vida nunca pode ser para mim "simplesmente uma de milhares de cintilações sencientes" num mundo que meu ego objetivo observa de fora.[66] Nagel conclui: "É preciso de alguma maneira dar um jeito de ver o mundo de lugar nenhum e daqui mesmo, e viver de acordo com isso".[67] Esse ver o mundo "de lugar nenhum" e "daqui mesmo" ele denomina "visão dupla".

Sugiro que mantenhamos a visão dupla, mas que, pelo menos quando se trata de conhecer o mundo social, nós substituamos a visão "de lugar nenhum" pela "visão de *lá*". Devemos tentar ver o mundo "de *lá*" e "de *cá*".[68] Ver os outros "de lugar nenhum" significaria neutralizar a nossa perspectiva bem como a perspectiva deles. Isso, como argumentei antes (e Nagel concorda), não é possível. Além do mais, mesmo se fosse possível, *não deveria* ser feito; nunca podemos entender adequadamente os seres humanos de um ponto de vista puramente objetivo. Em vez de ver o ego e o outro ou as duas culturas e sua história comum de perspectiva nenhuma devemos tentar vê-las *de ambas* as perspectivas, tanto "de cá" como "de lá".

Idealmente, é óbvio, devemos ver as coisas *de toda parte* (e é provável que isso seja o que Nagel tem em mente, pelo menos em parte, quando fala sobre "o sujeito sem perspectivas que constrói uma concepção do mundo sem um centro lançando *todas as perspectivas no conteúdo daquele*

---

[63] Nagel, *The View from Nowhere*, p. 62.
[64] Ibid., p. 63s.
[65] Ibid., p. 68.
[66] Ibid., p. 86.
[67] Ibid.
[68] Ver Charles Taylor, *Philosophy and the Human Sciences*, Philosophical Papers, vol. 2 (Cambridge: Cambridge University Press, 1985), p. 116-33.

mundo".[69] O que acontece "cá" e "lá" não são acontecimentos isolados, mas são uma parte de uma corrente maior de acontecimentos sociais. "De toda parte" é como Deus vê os seres humanos, argumentaria eu. Deus vê não apenas de fora, mas também de dentro, não abstraindo histórias a partir de peculiaridades de um indivíduo, mas concretamente, não de modo desinteressado, mas buscando o bem de toda a criação.[70] A verdade de Deus é eterna, mas é enfaticamente não "não local", como Nagel sugere que a verdade filosófica deve ser — eterna e também não local.[71] A verdade de Deus é *panlocal*, para usar a linguagem de Nagel. É por isso que a verdade de Deus não é simplesmente uma dentre muitas perspectivas, mas é *a verdade* acerca de cada uma e de todas as perspectivas.

De um modo próprio das criaturas devemos tentar imitar o jeito de Deus de conhecer. Não que possamos penetrar na mente de Deus e ver as coisas de sua perspectiva panlocal. Mas podemos tentar ver o outro de um modo concreto e não de um modo abstrato, de dentro e não simplesmente de fora. Que maneira humana de ver corresponde à visão de Deus "de toda parte"? É a visão "de cá" e "de lá". Somente essa visão dupla nos garantirá que não vamos domesticar a alteridade dos outros, mas permitir que eles preservem a sua autonomia.[72]

O ver "de cá" acontece naturalmente. É como naturalmente vemos, da nossa própria perspectiva, guiados pelos nossos valores e interesses que são moldados pelas culturas e pelas tradições sobrepostas em que estamos inseridos. Mas o que se faz necessário para ver "de lá", da perspectiva dos outros? Primeiro, nós *saímos de nós mesmos* — uma manobra que de modo algum implica a negação de nossa natureza de criaturas humanas e de nossa localização em nome de uma ilusória absoluta transcendência de nós mesmos, mas é "uma parte constitutiva daquele modo específico de inserção num mundo que denominamos humano".[73] Examinamos o que consideramos serem claras verdades sobre os outros, dispostos a acalentar a ideia

---

[69] Nagel, *The View from Nowhere*, p. 62, itálicos acrescentados.
[70] Marjorie Hewitt Suchocki, *The Fall to Violence: Original Sin in Relational Theology* (New York: Continuum, 1995), p. 50s., p. 59.
[71] Nagel, *The View from Nowhere*, p. 10.
[72] Charles Taylor, "Comparison, History, Truth", *Myth and Philosophy*, ed. Frank Reynolds e David Tracy (New York: State University of New York Press, 1990), p. 40ss.
[73] Terry Eagleton, "The Death of Self-Criticism", *Times Literary Supplement* (24 de nov., 1995): p. 6.

de que essas "verdades" podem ser apenas desagradáveis preconceitos, frutos amargos de nossos temores imaginários, ou nossos sinistros desejos de dominar e excluir. Também observamos nossas próprias imagens de nós mesmos e de nossa história. Sair de nós mesmos significa nos distanciarmos por um momento do que está dentro, prontos para uma surpresa.

"Por um momento" qualifica o distanciamento, porque depois que demos um passo para fora de nós mesmos temos de voltar, como veremos em breve. É importante também ter em mente que quando nos distanciamos de nós mesmos, não podemos sair completamente para fora de nós, nem sequer por um momento. Não que não teríamos nenhum lugar para ir de modo que se saíssemos de nós mesmos seríamos engolidos por um abismo. Afinal, existe o mundo do outro lá fora; poderia também haver um tênue "mundo liminar" que resulta de um prolongado encontro entre nós e o outro, como argumentou Mark Taylor.[74] Não é pela falta de espaço aonde ir que não podemos sair completamente de nós mesmos. É antes pelo fato de que a ruptura entre um ego "localizado" e um ego "que se distancia" não pode nunca ser completa; para cada lugar aonde vamos em nosso ego "que se distancia" *temos de levar a nós mesmos conosco*. Podemos sair de nós mesmos, por assim dizer, apenas com um pé; o outro sempre fica dentro.

Segundo, nós *atravessamos um limite social e entramos no mundo do outro* para habitá-lo temporariamente.[75] Mantemos os ouvidos abertos para saber como os outros percebem a si mesmos e também como eles nos percebem. Usamos a imaginação para ver por que a perspectiva deles acerca de si mesmos, acerca de nós e de nossa história comum pode ser tão plausível para eles, ao passo que para nós ela é implausível, profundamente estranha ou até mesmo ofensiva. Deslocar-se para dentro significa procurar chegar tão perto dos outros como eles estão de si mesmos, entrar numa "íntima correspondência de espírito" com eles, colocar-se na pele deles, como diz Clifford Geertz do trabalho do antropólogo.[76]

[74] Mark Kline Taylor, "Religion, Cultural Plurality, and Liberating Praxis: In Conversation with the Work of Langdon Gilkey", *The Journal of Religion* 72, n. 2 (1991): p. 152ss.

[75] Alasdair MacIntyre, "Are Philosophical Problems Insoluble? The Relevance of Systems and History", *Philosophical Imagination and Cultural Memory: Appropriating Historical Traditions*, ed. Patricia Cook (Durham: Duke University Press, 1993) p. 78.

[76] Clifford Geertz, "'From the Native's Point of View': On the Nature of Anthropological Understanding", *Local Knowledge: Further Essays in Interpretative Anthropology* (New York: Basic Books, 1983), p. 58.

Terceiro, nós *acolhemos o outro em nosso próprio mundo*. Comparamos a visão "de lá" e a visão "de cá". Isso não quer dizer que vamos necessariamente rejeitar a visão "de cá" e adotar a visão "de lá"; nem mesmo que vamos buscar algum compromisso entre as duas visões. Há dois resultados possíveis da comparação, mas outros resultados também são possíveis. Poderíamos decidir que precisamos rejeitar a visão "de lá". A única coisa que temos de fazer quando acolhemos outros dentro do nosso mundo é deixar que a perspectiva deles se situe ao lado da nossa e refletir se esta ou aquela está correta, ou se ambas estão parcialmente corretas e parcialmente erradas.

Quarto, nós *repetimos o processo*. Antes que comece o movimento de afastamento do ego em direção ao outro e depois de volta, nós inevitavelmente emitimos julgamentos explícitos ou implícitos acerca da retidão ou do erro da visão "de cá" e da visão "de lá"; seria tão impossível quanto indesejável suprimir esses julgamentos. Mas nenhum julgamento deve ser definitivo, interrompendo o movimento. Nunca podemos presumir que nos livramos completamente das distorções de outros e dos enganos acerca de nós mesmos, que nós possuímos "a verdade". Todo entendimento que conseguimos é forjado a partir de uma perspectiva limitada: é *uma visão "De cá"* sobre como as coisas aparecem "de cá" e "de lá". O objetivo modesto que *podemos* alcançar, todavia, é adquirir "uma linguagem comum, um entendimento humano comum, que nos permitiria a nós e a eles existir de um modo que não implique distorções"[77] — um entendimento que vai, esperamos, de algum modo se aproximar da maneira como o Deus onisciente, que vê todas as coisas de outro lugar, vê a nós e a eles.

Todavia, o que acontece *antes* que tenhamos adquirido "uma linguagem comum"? Será que vamos do primeiro passo para o segundo, para o terceiro e depois de volta para o primeiro? Alguns privilegiados que são pagos para refletir podem dar-se ao luxo de permitir que o duplo movimento para o outro e de volta para o ego continue até que se alcance um acordo completo. Aqueles que são apanhados no meio de lutas pessoais e sociais não podem fazer isso. Devem agir. Como observa Langdon Gilkey:

> A práxis implica uma opção *forçada*, que é inevitável. Quando a práxis é exigida, a imobilidade atônita diante da contradição ou a aceitação

[77] Taylor, "Comparison, History, and Truth", p. 42.

indiferente da pluralidade de opções devem ambas cessar — pois para existir humanamente temos de apostar, temos de fazer nossa aposta.[78]

Como temos de agir *antes* de termos resolvido uma contradição e escolhido entre múltiplas opiniões, assim também temos de agir antes de termos chegado a um "entendimento humano comum, que nos permitiria a nós e a eles existir de um modo que não implique distorções". Mas antes e depois de agir, podemos e devemos ver a nós mesmos e aos outros com uma visão dupla. Em outra parte, explorei por que a "visão dupla" é necessária quando estamos envolvidos em conflitos e como devemos atuar nessas situações (Capítulo 5). Aqui pretendo discutir o que é preciso para começar e manter atuante o movimento do ego para o outro em busca da verdade entre duas pessoas.

Veracidade e abraço

Por que se empenhar para ver as coisas tanto "de cá" como "de lá", conforme argumentei? Por que se preocupar com a visão das coisas da perspectiva de Deus? Por que mesmo se incomodar com a verdade? Se a "verdade" estiver a nosso favor, vamos usar a ajuda da verdade. Se a "verdade" for contra nós, por que deveríamos ser a favor dela? Por que deveríamos abandonar o autoengano e o preconceito se eles nos conferem poder e privilégios? Será porque "a verdade nos libertará" (Jo 8.32)? Mas por que não deveríamos preferir a "prisão" com poder e privilégios à "liberdade" com fraqueza e sofrimento? Por que não tratar a "verdade" e a "inverdade" simplesmente como termos políticos, "armas na competição pelo poder"?[79] Respostas a essas perguntas diferem bastante. A exploração de várias delas, escolhendo aquelas que possivelmente são as mais certas, e da forma de convencer quem discorda de nós, pode ser aqui deixada de lado. Meu objetivo ao fazer essas perguntas é frisar uma questão simples, mas com frequência ignorada: *antes que se possa procurar a verdade é preciso estar interessado em encontrá-la.*

---

[78] Langdon Gilkey, "Plurality and Its Theological Implications", *The Myth of Christian Uniqueness: Toward a Pluralistic Theology of Religions*, ed. John Hick e Paul Knitter (Maryknoll, NY: Orbis, 1987), p. 46.

[79] E. G. Bailey, *The Prevalence of Deceit* (Ithaca, NY: Cornell University Press, 1991), p. 128.

Considere a seguinte declaração do profeta Ezequiel: "Filho do homem, tu habitas no meio da casa rebelde, que tem olhos para ver e não vê, tem ouvidos para ouvir e não ouve, porque é casa rebelde" (Ez 12.2; cf. Ap 2.7). Pode-se ler o texto como uma representação da fundamental questão epistemológica acerca da adequação dos sentidos da percepção. O que é necessário para que os olhos vejam e os ouvidos ouçam? Parte da resposta, sugerida nas entrelinhas, é que os órgãos da percepção devem funcionar adequadamente se, ajudados pela atividade interpretativa da mente, quiserem conectar de modo adequado o conhecedor e o objeto conhecido. O texto pressupõe, todavia, que essa condição do conhecimento foi satisfeita advertindo que as pessoas concernidas têm "olhos para ver" e "ouvidos para ouvir". Posso deixar de lado aqui a questão de saber se essa suposição ingenuamente contorna o problema da confiabilidade da percepção sensorial[80] ou acertadamente sugerir que demasiada conversa sobre a confiabilidade da percepção sensorial desvia a atenção de outros tipos de condições do conhecimento que estão no âmago da razão pela qual pessoas diferentes percebem as mesmas coisas de modo diferente, especialmente em situações de conflito. Num e no outro caso, o texto sublinha que o conhecimento pode falhar mesmo se supusermos que "o mecanismo da percepção" funciona de modo adequado. O problema epistemológico fundamental no entendimento do profeta é que *com olhos aptos para ver as pessoas não veem e com ouvidos aptos para ouvir as pessoas não ouvem.* A razão disso, afirma ele, é que elas são "casa rebelde". Cegadas por reforçarem mutuamente padrões de "rebeldia" privada e coletiva, elas não conseguem ver a verdade com a qual se confrontam e, em vez disso, produzem suas próprias "verdades" que correspondem à sua rebeldia. Para empregar o vocabulário de Tomás de Aquino, a vontade e o intelecto, influenciando-se mutuamente,[81] estão presos numa espiral descendente na qual mutuamente se corrompem; uma direção errada da vontade prepara o caminho para o fracasso do intelecto, e um fracasso do intelecto reforça a direção errada da vontade. Quanto à busca da verdade em permutas entre seres humanos, a distinção mais importante não acontece entre aqueles que

---

[80] William P. Alston, *The Reliability of the Sense Perception* (Ithaca, NY: Cornell University Press, 1996).
[81] Ver Thomas Aquinas, *Summa Theologica*, trad. Fathers of the English Dominican Province (New York: Benzinger, 1948), vol. Ia, q. 83, art. 3-4.

estão "tecnicamente" equipados para perceber a verdade e aqueles que não estão; acontece entre aqueles "que querem querer a verdade" e aqueles "que dão as costas à verdade" porque a vontade deles não quer se esforçar para alcançá-la.[82] Conhecer adequadamente não é apenas uma questão do que os olhos, os ouvidos e a mente fazem, mas também do que o "coração" faz, não apenas uma questão de percepção, mas também de hábitos e práticas.

A vontade de verdade nunca foi fácil de sustentar. Nietzsche sabia bem disso e, portanto, atacou vigorosamente a desonestidade intelectual que tantas vezes se esconde por trás da "vontade de verdade" assim como atacou a própria "vontade de verdade".[83] A verdade é uma patroa severa; "servir à verdade é o mais árduo serviço".[84] Por isso até os filósofos, diz Nietzsche, prefeririam "fugir da realidade"[85] e vender "superstições populares" como sublimes verdades[86] a submeter-se aos rigores do serviço prestado à verdade. Existem, é claro, verdades triviais que só exigem uma mudança de opinião, como a verdade acerca do que você comeu no jantar do seu décimo aniversário de casamento ou qual a cor do terno que Martin Luther King Jr. usava quando foi assassinado. Outras verdades não são nada triviais e exigem uma radical mudança de comportamento, como a verdade sobre você ter ou não esquecido o seu aniversário de casamento por cinco anos seguidos ou a verdade sobre as razões do assassinato de Martin Luther King Jr. Verdades como essas reivindicam muito mais que a mente e, portanto, exigem que "se seja rigoroso com o próprio coração".[87] Para aceitá-las e mais ainda para ativamente persegui-las, temos de estar dispostos a nos afastar do autoengano que aumenta o ego e das ideologias mantenedoras do poder, temos de estar preparados para reescrever a história de nossa identidade e reformar nossos hábitos. Se nós não aceitarmos ser perturbados e transformados, fugiremos da verdade e nos ateremos

---

[82] Lévy, *Gefährliche Reinheit*, 211. O próprio Lévi rejeita a "transcendência da verdade". Ele insiste, acertadamente, que "até mesmo se a verdade existisse" (o que, na opinião dele, não acontece), a vontade teria primazia sobre a competência epistemológica técnica.

[83] Friedrich Nietzsche, *Twilight of the Idols and the Anti-Christ*, trad. R. J. Hollingdale (London: Penguin, 1979), p. 98.

[84] Ibid.

[85] Friedrich Nietzsche, *Ecce Homo: How One Becomes What One Is*, trad. R. J. Hollingdale (London: Penguin, 1979), p. 98.

[86] Friedrich Nietzsche, *Thus Spoke Zarathustra: A Book for Everyone and No One*, trad. R. J. Hollingdale (London: Penguin, 1969), p. 126.

[87] Nietzsche, *Twilight of the Idols and the Anti-Christ*, p. 179.

às nossas crenças favoritas, que nos tornam "bem-aventurados" precisamente porque nos contam mentiras. A vontade de verdade não pode ser mantida sem a *vontade de obedecer* à verdade.

Mas de onde se origina essa vontade de obedecer à verdade? Ela é um fruto de um caráter honesto. Como argumentou Stanley Hauerwas, a verdade exige uma *vida verdadeira*. "Nossa capacidade de 'dar um passo para trás' afastando-nos de nossos enganos depende da história dominante, da imagem controladora, que incorporamos em nosso caráter", escreve ele.[88] Hauerwas conta a história de Albert Speer, o arquiteto e depois Ministro dos Armamentos de Hitler, para ilustrar seu argumento. Como podia um homem inteligente como Speer dar-se bem com Hitler? Speer explica à sua filha:

> Você precisa entender que aos trinta e dois anos de idade, na qualidade de arquiteto, eu tinha as mais esplêndidas tarefas de meus sonhos. Hitler disse à sua mãe certo dia que o marido dela podia projetar prédios nunca antes vistos nos dois últimos milênios. Alguém teria de ser muito estoico para recusar a proposta. *Mas eu não era nada disso.*[89]

Speer era "acima de tudo um arquiteto" e, "temendo descobrir algo que o pudesse fazer deixar sua rota", ele escolheu não saber. "Eu tinha fechado os olhos", escreve ele. De olhos fechados, esquecia-se inteiramente dos crimes do sistema ao qual servia, sendo incapaz até mesmo de "enxergar alguma base moral fora do sistema onde eu deveria ter expressado minha opinião".[90] Speer suprimiu a verdade para não ter de "deixar sua rota". Seu caráter foi moldado pela ambição, não pela verdade. A história de Speer mostra que, como diz James McClendon, nossa tarefa comum não é tanto descobrir a verdade que se esconde entre pontos de vista contrários quanto conseguir ter uma individualidade que já não evita e foge da verdade com a qual inoportunamente se confronta.[91]

---

[88] Stanley Hauerwas, Richard Bondi e David R. Burrell, *Truthfulness and Tragedy: Further Investigations in Christian Ethics* (Notre Dame, IN: University of Notre Dame Press, 1977), p. 95.
[89] Ibid., p. 91.
[90] Ibid., p. 90.
[91] James Wm. McClendon Jr., *Ethics: Systematic Theology*, vol. I (Nashville: Abingdon, 1986), p. 352.

Os autores do Novo Testamento apresentam o caso da seguinte maneira: antes de podermos aceitar a verdade, antes de podermos desmascarar enganos e ideologias, a verdade precisa estar "em nós" (ver Jo 8.45; 2Co 11.10). Numa famosa passagem em Efésios, os leitores são advertidos para não serem "agitados de um lado para outro e levados ao redor por todo vento de doutrina, pela artimanha dos homens, pela astúcia com que induzem ao erro" (Ef. 4.14). Que âncora evitará que eles sejam levados pelas distorções da verdade? Eles devem *alētheuein en agapē*, diz o autor (4.15). Os comentadores geralmente traduzem isso como "falar a verdade em amor", mas o verbo usado no original não é "falar" e sim "*verdadear*", que além de falar a verdade pode significar acalentar, manter, fazer, ou viver a verdade (ver Jo 3.21). Uma vez que a noção de "astúcia que induz ao erro", que funciona como um contraste, denota mais do que simplesmente falar falsidades, *alētheuein* inclui aqui tanto dizer como viver a verdade.[92] Falar é apenas parte do que fazemos com a verdade enquanto lutamos contra suas distorções; viver a verdade é com certeza igualmente importante. A inverdade mantém cativas ambas a vida e a mente e, portanto, não pode ser superada apenas com ideias certas e palavras certas. Faz-se necessária uma *vida verdadeira* para querer sair em busca da verdade, para enxergar a verdade quando somos confrontados por ela, e dizer sem medo a verdade alto e bom som.

Note-se que Efésios qualifica a prescrição "viver a verdade" com a frase "em amor" (Ef 4.15). Se a busca da verdade fosse apenas uma questão restrita entre o sujeito do conhecimento e seu objeto, a virtude da veracidade seria suficiente; quando encontrássemos a verdade, nós nos submeteríamos a ela, dispostos a ir aonde fosse preciso e fazer qualquer coisa que ela exigisse de nós. Se, todavia, estamos procurando manter a "unidade do conhecimento" *entre pessoas* (ver 4.13), a virtude da veracidade não será suficiente; o amor pelo outro precisa ser adicionado. Isso porque existe uma espécie perversa de obediência à severa patroa que lança mão de todos os seus poderes para subjugar e destruir o outro. Em *A conquista da América*, Tzvetan Todorov se refere ao "entendimento-que-mata", sustentado por "um julgamento inteiramente negativo de valor do Outro"[93] e baseado na

---

[92] F. F. Bruce, *The Espistles to the Colossians, to Philemon, and to the Ephesians*, NICNT (Grand Rapids: Eerdmans, 1984), p. 352.
[93] Todorov, *The Conquest of America*, p. 127.

vontade de dominar. Para servir à vida e não à morte, a vontade de verdade precisa estar acompanhada pela *vontade de abraçar o outro, pela vontade de comunidade*.

Argumentei anteriormente que a busca da verdade entre indivíduos e grupos culturais acontece por meio do movimento do ego para o outro e de volta; ela envolve um "visão dupla", ver as coisas "de cá" bem como "de lá". Mas quando a guerra está se alastrando — uma guerra com palavras violentas ou com armas — por que devemos *querer* fazer um movimento do ego para o outro? Quando nada em nossa perspectiva sugere que eles podem estar certos, por que ainda iríamos querer ver as coisas da perspectiva deles? Por que permitir que a perspectiva deles confronte e desafie a nossa? O que fará que nos submetamos à verdade acerca de nossos inimigos, especialmente se isso mina preconceitos que sustentam nossa inimizade? Nada o fará. Nada, isto é, a menos que no meio da inimizade nos recusemos a projetar sobre eles imagens que os desumanizam e nos esforcemos para abraçá-los como amigos.

No ensaio "Teonomia e/ou autonomia", Paul Ricoeur usou uma espécie semelhante de argumentação contra a ética comunicativa de Jürgen Habermas. Uma maneira incisiva de apresentar a opção social fundamental como Habermas a vê é o recurso a uma forma alternativa: ou discurso racional ou violência irracional. A alternativa foi formulada a fim de tornar a escolha óbvia: nós somos a favor do discurso e contra a violência. No entanto, em situações de conflito a pergunta é precisamente *por que* fazer essa mais que fundamental escolha do discurso em vez da violência, uma pergunta que não pode ser respondida por meio do discurso em si precisamente porque a escolha pró ou contra o discurso é uma escolha pró ou contra "o modo utópico de vida no qual o respeito e a reciprocidade reinam".[94] Assim que os protagonistas optam pelo discurso — assim que "decidem não recorrer em seus conflitos a nada que não seja o argumento da melhor argumentação"[95] — o conflito está meio resolvido. Mas o que os levará a querer ouvir a melhor argumentação em vez de disparar as

---

[94] Seyla Benhabib, *Situating the Self: Gender, Community, and Postmodernism in Contemporary Ethics* (New York: Routledge, 1992), p. 38; Michael Walzer, *Thick and Thin: Moral Arguments at Home and Abroad* (Notre Dame, IN: University of Notre Dame Press, 1994), p. 12s.

[95] Paul Ricoeur, "Theonomy and/or Autonomy", *The Future of Theology: Essays in Honor of Jürgen Moltmann*, ed. Miroslav Volf (Grand Rapids: Eerdmans, 1996), p. 298.

mais poderosas armas? Ricoeur acertadamente enfatiza que uma "amorosa obediência" baseada no amor do Amante deve sustentar a "formação da vontade discursiva".

A vontade de verdade e de comunhão se apoia na bondade que é o exato oposto da bondade dos "bons", de quem Nietzsche diz que "nunca dizem a verdade" porque "menos que todos" são capazes de ser "verdadeiros".[96] Embora a "bondade" que consiste ou na obediência cega ou na presunção narcisista impeça a procura da justiça, a bondade que abre espaço no ego para o outro facilita a procura da verdade. De fato, sem *essa* bondade nenhum movimento do ego para o outro e de volta começará, nenhum acordo será alcançado. Cada parte continuará só com sua própria verdade, igualmente persuadida da injustiça dos que discordam de sua própria retidão. E quando as partes se chocam, as verdades delas se transformarão em "entendimentos-que-matam"; quanto mais verdadeiros eles são considerados, tanto mais mortíferos serão. Sem a vontade de abraço não haverá nenhuma verdade *entre as pessoas*, e sem a verdade entre as pessoas não haverá nenhuma paz.

Será que depois da ênfase na singular importância da vontade de verdade e de comunhão, o que sobra agora, em última análise, é um choque de vontades competitivas? Baseado em parte em razões semelhantes às que usei nesta seção, Stanley Fish argumentou que "por trás de qualquer disputa que acontece estará um conflito de convicções que não pode ser resolvido de modo racional porque é também necessariamente um conflito de racionalidades, e quando há um conflito de racionalidades o único recurso a seu dispor é, digamos, conflitar pois não existe nenhuma base comum em relação à qual um diálogo possa prosseguir".[97] Fish exagera e também interpreta mal o problema. O tipo de forte incomensurabilidade — a crença de que não existe *nenhuma* base comum de qualquer espécie — que Fish pressupõe me parece claramente falsa. Minha proposta anterior de perseguir uma "visão dupla" foi concebida precisamente como uma alternativa a essa crença. Em algumas (não todas) disputas a única opção é "conflitar". Quando um conflito tão irracional é inevitável, todavia, não é tanto porque há um choque de racionalidades

---

[96] Nietzsche, *Thus Spoke Zarathustra*, p. 218.
[97] Stanley Fish, "Why Can't All We Just Get Along", *First Things* 60, n. 2 (1996): p. 18-26, p. 23.

(regras básicas de evidência e argumentação) quanto porque a vontade de verdade e de comunicação está ausente. Supra essa vontade, e a comunicação racional começará e substituirá o conflito irracional.

Verdade e comunidade

Não pode haver nenhuma verdade entre as pessoas sem a vontade de abraçar o outro, acabei de argumentar. Inversamente, a vontade de abraço não pode ser sustentada e não vai resultar num abraço efetivo se a verdade não reinar. Se a verdade não pode prescindir da vontade de abraço, tampouco pode o abraço prescindir da vontade de verdade. Aqui pretendo examinar este outro lado do relacionamento entre o abraço e a verdade: a necessidade do abraço em prol da verdade.

A ideia de que a verdade sustenta a comunidade enquanto o engano a destrói está entretecida na própria noção da verdade que encontramos nas tradições bíblicas. Junto com a maioria dos estudiosos, A. Jepsen argumentou que na Bíblia hebraica a verdade "era usada para coisas que se haviam mostrado confiáveis. [...] 'Reliability' [confiabilidade] seria a palavra em inglês mais abrangente para transmitir a ideia. A verdade é aquilo em que outros podem confiar".[98] Especialmente quando usada referindo-se a Deus, a verdade denota fidelidade. Como diz Thomas F. Torrance, a verdade é "Deus sendo verdadeiro para consigo mesmo, sua fidelidade ou coerência. A verdade de Deus significa, portanto, que ele mantém a verdade ou a fé para com seu povo e exige que o povo mantenha a verdade ou a fé para com ele".[99] Fidelidade e confiabilidade são termos pessoais e sociais. Descrevem o caráter de uma pessoa como ela é em si mesma e como ela é para com outros. Exatamente como "Deus é quem Deus é" para com outros — isso é o que significa o nome de Deus "Javé" (Êx 3.13ss.) — assim também os seres humanos devem ser quem são para com outros, transparentes e confiáveis. A verdade é um braço estendido para outros; o engano é uma espada que os mantém à distância e corta a

---

[98] Alfred Jepsen, "Aman", *Theological Dictionary of the Old Testament*, ed. G. J. Botterweck e H. Ringgren (Grand Rapids: Eerdmans, 1974), p. 313.

[99] Thomas F. Torrance, "One Aspect of the Biblical Conception of Faith", *Expository Times* 67, n. 4 (1957): p. 112.

carne deles. Sem a veracidade integrada nas fundações da comunidade, seus pilares vão rachar e erodir.[100]

É lamentável que os teólogos que enfatizam "a verdade como fidelidade" às vezes julguem que precisam descartar "a verdade como conformidade com a 'realidade'"; uma é hebraica e boa, a outra é grega e ruim, dizem-nos eles. Segundo mostra um estudo cuidadoso dos textos bíblicos,[101] isso seguramente constitui uma alternativa falsa, exatamente como é falsa a alternativa entre a "mentira como uma ofensa contra a confiança" e a "mentira como uma ofensa contra a verdade".[102] Em textos bíblicos as noções de "confiabilidade" e de "discurso verdadeiro" muitas vezes aparecem juntas e estão inextricavelmente entrelaçadas, embora nenhuma das duas possa ser reduzida à outra. Considerem-se as duas seguintes passagens. A primeira de Jeremias:

> Guardai-vos cada um do seu amigo e de irmão nenhum vos fieis;
> porque todo irmão não faz mais do que enganar,
> e todo amigo anda caluniando.
> Cada um zomba do seu próximo, e não falam a verdade;
> ensinam a sua língua a proferir mentiras;
> cansam-se de praticar a iniquidade.
> Vivem no meio da falsidade;
> pela falsidade recusam conhecer-me, diz o SENHOR. (9.4-6)

---

[100] A veracidade não é, obviamente, a única coisa que mantém as comunidades unidas. Isso explica por que o tecido social pode suportar uma boa carga de mentiras. Harry Frankfurt observou que "a real quantidade de mentiras é no fim das contas enorme, e mesmo assim a vida social continua. O fato de as pessoas mentirem com frequência não torna impossível o benefício de estar com elas. Significa apenas que precisamos ser cuidadosos" ("The Faintest Passion", *Proceedings and Addresses of the A. P. A.* 66, n. 3, [1992]: p. 6). É a *qualidade* da vida social, não a vida social em si, que a prática de mentir e de dizer a verdade sustenta ou destrói. MacIntyre argumentou, por exemplo, que "o mal de mentir" consiste "em sua capacidade de corromper e destruir a integridade dos relacionamentos racionais" (Alasdair MacIntyre, "Truthfulness, Lies, and Moral Philosophers: What Can We Learn from Mill and Kant?", *The Tanner Lectures on Human Nature*, ed. Grete B. Peterson [Salt Lake City: University of Utah Press, 1955], p. 355).

[101] James Barr, *The Semantics of Biblical Language* (Oxford: Oxford University Press, 1961), p. 161-205; Anthony C. Thiselton, "Truth", *The New International Dictionary of New Testament Theology*, ed. Colin Brown (Grand Rapids: Zondervan, 1986), vol. 3: p. 874-902.

[102] MacIntyre, "Truthfulness, Lies, and Moral Philosophers".

ENGANO E VERDADE

Não se deve confiar nada em pessoas que ensinaram a língua a contar mentiras, insiste Jeremias. O apóstolo Paulo sublinha o anverso da mesma ideia enfocando a relação entre a confiança e o discurso verdadeiro mais do que entre a desconfiança e a trapaça: "rejeitamos as coisas que, por vergonhosas, se ocultam, não andando com astúcia, nem adulterando a palavra de Deus; antes, nos recomendamos à consciência de todo homem, na presença de Deus, pela manifestação da verdade" (2Co 4.2).

A concretude das narrativas de Jeremias e de Paulo sobre a verdade e o engano ao relacionarem-se com a comunidade contrasta com certo caráter abstrato da reflexão epistemológica tipicamente moderna. Note-se, primeiro, o óbvio. Nos dois textos "verdadeiro" se refere àquilo que em certo sentido *se conforma com a realidade*. Jeremias contrasta "falar a verdade" com "zombar", "mentir" e "caluniar". Paulo contrasta "manifestação da verdade" com "ocultar", "andar com astúcia" e "adulterar". Para ambos as coisas devem ser ditas do jeito que são, em vez de serem distorcidas ou dissimuladas; as palavras devem corresponder à realidade num sentido não especificado (e talvez não especificável).

Segundo, note-se que nem Jeremias nem Paulo falam de modo abstrato da relação entre "mentes" e "fatos", do modo como a tradição filosófica do Ocidente gostava de estabelecer a relação entre o conhecedor e o objeto do conhecimento. Num certo sentido, para eles não existem coisas como "mentes" e "fatos". Em vez de forjar categorias abstratas de "fatos" e "mentes", eles narram as *coisas que as pessoas fazem umas para com as outras*. Em Jeremias irmãos cometem iniquidades e amontoam falsidade sobre falsidade. Os inimigos de Paulo fazem coisas vergonhosas e praticam a dissimulação enquanto ele alega fazer exatamente o contrário. Pode-se rotular ações perversas, opressoras, vergonhosas ou dissimuladas como "fatos", mas não se deve então esquecer que esses fatos só existem dentro de um complexo campo de forças que a interação humana sempre representa. De modo semelhante, em vez de "mentes", em Jeremias encontramos os "amigos" — "todos", diz o profeta! — engajados num projeto de ensinar suas línguas a contar mentiras e superar-se uns aos outros na arte de enganar. De modo semelhante, Paulo, que está aflito com as dificuldades e é caluniado pelos inimigos, e está tentando falar em nome de Cristo para a igreja de Cristo, não é uma "mente" pura. É óbvio que todas essas pessoas *têm* "mentes", mas são mentes incorporadas, arrastadas para várias direções por vários desejos, interesses e conflitos, e moldadas por convicções e práticas culturais e religiosas.

Para Jeremias e Paulo a razão de falar a verdade, como oposição a enganar, não é vencer a competição para saber qual "mente" pode corresponder melhor aos "fatos" concretos, *mas nomear adequadamente o que acontece entre as pessoas*. A discussão epistemológica recente sugere que nada mais do que isso é possível porque toda experiência depende da interpretação prévia e todas as interpretações são apresentadas em linguagens particulares e guiadas por interesses particulares. Todavia, seria um erro pensar que a "verdade" deve ficar irremediavelmente perdida sob um monte de interesses, línguas e interpretações particulares. Existe essa tal coisa que é uma verdade simples, humana e localizada que, de um modo criatural, corresponde à verdade divina. Isso é reconhecido na observação de que "quando emitimos um julgamento, temos uma noção sobre se o que dissemos é ou não é correto, não importando o que possamos estar pensando".[103] Embora possamos ter dificuldades filosóficas ao defender até mesmo essa pequena noção de uma "simples" verdade, a maioria de nós sabe dizer a diferença entre a verdade e uma mentira num caso concreto — se somos sinceros, se o nosso relacionamento com outros nos importa e se queremos fazer um movimento do ego em direção ao outro e de volta. A maioria de nós também sabe que nada levará aquelas pessoas que, por uma razão qualquer, insistem em se enganar a si mesmas ou em iludir outros, a enxergar e respeitar a verdade.

Terceiro, nos dois textos *a verdade sustenta a comunidade e as mentiras a destroem*. Paulo está tentando ser aprovado pelos coríntios, que o acusam de dizer, "simultaneamente, o sim e o não" (2Co 1.17). Inversamente, quando todos proferem mentiras e calúnias, as pessoas têm de "guardar-se" de seus amigos (Jr 9.4). Não se deve "fiar-se" (9.4) naqueles que contam mentiras (9.5), pois esses que amontoam falsidade sobre falsidade amontoam também opressão sobre opressão. A verdade sustenta a confiança, o engano a destrói. Se não reinar a verdade, não confiaremos nos outros e nós mesmos não seremos dignos de confiança.

Todavia, simplesmente *dizer* a verdade não bastará. É preciso *praticar* a verdade. Observe o profundamente perturbador caso de Ananias e Safira em Atos dos Apóstolos. Quando Ananias foi ao encontro de Pedro com

---

[103] Luntley, *Reason, Truth, and Self*, p. 108.

um presente, o apóstolo intuiu o engano e perguntou: "Ananias, por que encheu Satanás teu coração, para que mentisses ao Espírito Santo, reservando parte do valor do campo? Conservando-o, porventura, não seria teu? E, vendido, não estaria em teu poder?" (At 5.3-4). Ananias enganou contando uma mentira. Ele "reservou parte" apesar de fingir doá-lo todo. A mentira proferida minou a confiança: Ananias e Safira queriam receber seu sustento da comunidade e no entanto recusaram-se a entregar a ela suas posses. Depois de desmascarados, caíram fulminados, e nós ficamos estarrecidos sem saber as razões da severidade da punição. Embora muitas desconfortáveis razões persistam, uma coisa é clara: quando caíram mortos e foram "levados" (5.6,10), eles foram fisicamente separados da comunidade da qual se excluíram *praticando* o engano. Em grande medida o engano é a morte porque o isolamento é a morte, e a verdade é a vida porque a comunidade é a vida.

Ponderados juntos, os três comentários acima sugerem que a preocupação com a verdade e a preocupação com a confiança são complementares. No ensaio "Veracidade, mentiras e filósofos morais", Alasdair MacIntyre argumentou que essa complementaridade faz sentido se nós "entendermos as regras que prescrevem a veracidade incondicional como determinante de relacionamentos, mais do que de indivíduos separados de seus relacionamentos".[104] Dizer o que se acredita ser verdadeiro é um jeito de ser leal num relacionamento; dizer o que se acredita não ser verdadeiro é um jeito de ser faltoso num relacionamento. Uma consequência disso é que "se considera que as virtudes da integridade e fidelidade estão em jogo em todas as situações em que a virtude da sinceridade está em jogo".[105] Dizemos a verdade porque a comunidade é importante para nós e sustentamos a comunidade que é importante para nós falando a verdade.[106] A mesma ideia é sublinhada pela maneira tanto de Jeremias como de Paulo de mencionarem Deus na questão de dizer a verdade à comunidade. Pleiteando que se diga a verdade, ambos Paulo e Jeremias apelam para o *caráter de Deus*.

---

[104] MacIntyre, "Truthfulness, Lies, and Moral Philosophers", p. 359.
[105] Ibid.
[106] Em Efésios, os dois aspectos da relação entre a verdade e a comunidade são mencionados no mesmo contexto. De um lado, a injunção "fale cada um a verdade com o seu próximo" é corroborada pela alegação de que "somos membros uns dos outros" (4.25). De outro lado, o crescimento do corpo na unidade acontece em parte falando "a verdade em amor" (4.15).

Quando Paulo diz a verdade, ele não faz isso apenas perante todo mundo, mas também "na presença de Deus" (2Co 4.2). Antes na mesma carta ele elege a fidelidade de Deus como um modelo para sua própria sinceridade: "Antes, como Deus é fiel, a nossa palavra para convosco não é sim e não" (2Co 1.18). De modo semelhante, para Jeremias, o engano, junto com a opressão, é uma recusa a reconhecer Deus (9.6).

Mas como funcionam esses apelos a Deus? Seria possível ler o comentário de Paulo em 2Coríntios como uma implicação de que a universalidade da verdade ("de todo homem") implica fundamentos transcendentais ("na presença de Deus"). Como argumentei anteriormente, para a teologia cristã Deus oferece bases transcendentais para a noção de verdade e a obrigação de dizer a verdade. Esse não é, todavia, o primeiro objetivo dos textos bíblicos acerca de Deus e dizer a verdade. Há bons motivos para isso, creio eu. Pode ser que a vontade de verdade não possa ser *justificada* sem que se recorra a Deus, de modo que sem Deus os únicos princípios intelectualmente convincentes seriam "nada é verdadeiro" e "tudo é permitido".[107] É inegável, todavia, que a vontade de verdade pode ser *praticada* sem nenhum recurso a Deus de qualquer espécie. Em meio a impressionantes quantidades de mentiras as pessoas continuam se engajando em quantidades até maiores de verdades ditas, porque, se não por outro motivo, o mentir só é possível contra o pano de fundo do dizer a verdade.[108] A maior parte do dizer a verdade acontece sem um único pensamento visando sua justificação filosófica, e a maior parte do mentir continuaria mesmo se todos julgassem que o dizer a verdade está enraizado na existência de Deus. É mais importante ver Deus como *um guerreiro empenhado na luta pela verdade*, como fazem os profetas e os apóstolos, do que como a condição transcendental para a possibilidade do discurso verdadeiro.

Veja a profecia de Isaías contra os "zombadores", os dirigentes de Jerusalém:

> Porquanto dizeis: [...] por nosso refúgio, temos a mentira
> e debaixo da falsidade nos temos escondido.
> Portanto, assim diz o SENHOR Deus:
> Eis que eu assentei em Sião uma pedra, pedra já provada,

---

[107] Nietzsche, *The Birth of the Tragedy and the Genealogy of Morals*, p. 287.
[108] MacIntyre, "Truthfulness, Lies, and Moral Philosophers", p. 311ss.

> pedra preciosa, angular, solidamente assentada;
> aquele que crer não foge.
> Farei do juízo a régua e da justiça, o prumo;
> a saraiva varrerá o refúgio da mentira,
> e as águas arrastarão o esconderijo. (28.15-17)

A passagem é absolutamente agonística. Mentiras e falsidades são o refúgio e o abrigo dos governantes corruptos; eles temem pelo seu poder, na verdade pela própria vida porque oprimem aqueles a quem deveriam servir. No entanto, os governantes sabem que suportarão os ataques enquanto conseguirem fazer passar por verdade o que de fato é uma mentira. A batalha pelo poder é uma batalha pelo controle sobre a verdade. É aqui que entra Deus para Isaías. Deus está do lado dos que são fracos demais para opor resistência aos "regimes da verdade". As mentiras e falsidades não conseguem proteger de Deus os governantes corruptos. Como uma forte inundação, Deus arrastará para longe o refúgio deles e esmagará seu abrigo. Deus denunciará o jogo de poder que os governantes fazem e exporá a injustiça deles à luz do dia; Deus os derrubará de seus tronos e coroará em Sião um governante. Uma "pedra já provada", ele será o firme fundamento de uma nova comunidade de justiça e paz porque não enganará os que nele confiam. A comunidade depende da verdade, e a verdade depende não tanto da plausibilidade das condições transcendentais de sua possibilidade, mas da luta dos verdadeiros guerreiros em defesa da verdade.

A igreja primitiva viu essa passagem de Isaías como uma profecia messiânica, cumprida na vinda de Jesus Cristo (ver Rm 9.33; 1Pe 2.6). No que segue, vou juntar os aspectos daquilo que disse acerca da verdade bem como levar a discussão um passo adiante por meio da reflexão sobre um segmento da narrativa acerca de Jesus Cristo: seu encontro com um representante do mais forte poder político e militar da época que o condenou à morte na cruz.

Jesus diante de Pilatos: verdade *versus* poder

Alguns dos comentários mais profundos do Novo Testamento acerca da verdade encontram-se no Evangelho de João, especialmente no drama da prisão, julgamento e execução de Jesus (Jo 18—19). Vou destacar os aspectos sociais da narrativa, concentrando-me na relação entre poder e verdade. Essa não é a única leitura possível do texto, nem sequer a única importante. O primeiro objetivo de João, de qualquer forma, é engendrar a crença em Jesus Cristo, que é a Verdade (ver Jo 20.30s.) A perspectiva soteriológica da verdade, todavia, tem importantes dimensões sociológicas e espistemológicas. A narrativa em si nos convida a deduzi-las pois se movimenta simultaneamente em planos teológicos e sociais: ao decidir sobre a verdade das alegações contra Jesus e o lugar dele no seu mundo social, decide-se a favor ou contra "a Verdade".[109]

Durante o julgamento Jesus se viu preso no campo de forças sociais com bases religiosas, étnicas e políticas, todas interessadas em manter e aumentar seu poder. Os principais protagonistas são os líderes judeus e Pilatos. O líderes judeus, que trouxeram Jesus a Pilatos, temem a popularidade dele.[110] Se ele continuar seu ministério "todos crerão nele", raciocinam, e "virão os romanos e tomarão não só o nosso lugar, mas a própria nação" (Jo 11.48).[111] Visando impedir sua deposição do cargo de protetores da nação e sua religião, eles tramam a morte de Jesus e, como muitas vezes fazem os governantes, exprimem seu desejo de poder com a preocupação do bem-estar do povo (11.50). Todavia, a retórica da benevolência não consegue esconder completamente a motivação deles: é melhor para *eles* ("vos convém", diz o sumo sacerdote Caifás) "que morra um só homem

---

[109] Para os meus objetivos, nesta narrativa não é necessário separar materiais "históricos" de "não históricos". Leio o texto como uma *história* sobre a natureza e a importância do compromisso com a veracidade. Meu argumento em defesa da importância de narrar "o que aconteceu" (num sentido cuidadosamente qualificado) de modo algum implica que não podemos continuar repetindo narrativas cujo objetivo não é contar "o que historicamente aconteceu" ou que não podemos aprender acerca da importância de contar "o que aconteceu" a partir das narrativas que não pretendem contar "qual foi historicamente o caso".

[110] Analisando a relação entre verdade e poder por meio do encontro entre Jesus, os líderes religiosos judeus e Pilatos, de modo algum desejo perpetuar atitudes e ações antijudaicas que tanto caracterizaram a história da igreja cristã e se inspiraram em parte no Evangelho de João. Uma vez que o próprio Jesus era um judeu, "líderes religiosos judeus" na minha leitura do texto não representam uma categoria geral "dos judeus". A história do encontro entre Jesus e Pilatos nos convida a imitar *o judeu Jesus* mediante a renúncia à violência em nome do compromisso com a verdade *mais do que* converter o povo judeu num bode expiatório sob o pretexto de "vingar" a morte de um Jesus erroneamente desjudaizado.

[111] Seguindo George R. Beasley-Murray (*John*, Word Biblical Commentary, vol. 36 [Waco: Word, 1987], p. 196) eu prefiro a leitura acima à alternativa ("os romanos virão e *destruirão* o nosso lugar sagrado bem como a nossa nação").

pelo povo e que não venha a perecer toda a nação" (11.50). Entre uma nação inteira com sua venerável tradição religiosa (incluindo seus sábios líderes) e um único homem, a escolha é fácil.

Pilatos representa o poder romano. A maioria dos comentadores o retratam como um justo mas inexplicavelmente impotente juiz que tenta sem sucesso soltar Jesus. Como diz Raymond Brown, Pilatos é "a pessoa-em-cima-do-muro que não deseja tomar uma decisão e assim tenta em vão reconciliar forças opostas".[112] David Rensberger, em contrapartida, argumentou que deveríamos vê-lo como um astuto representante do poder romano que ridiculariza judaicas "esperanças nacionais por meio de Jesus".[113] Embora eu julgue que Rensberger está certo, nós precisamos aqui decidir entre duas interpretações. Em ambos os casos, o objetivo de Pilatos foi preservar seu próprio poder — seu domínio sobre uma província, seu direito de decidir sobre a vida e a morte (19.10) — e o poder de César. Se durante o julgamento Pilatos agiu como um astuto Procurador, então o que lhe importava não era saber se Jesus de fato tinha aspirações ao trono judaico, mas se as *pessoas acreditavam* que ele era o rei; no mundo da política, poder percebido é poder real e deve ser mantido sob controle. Se, em contrapartida, Pilatos foi um fraco intermediário, o que lhe importava era manter o poder em sua débil garra; a verdade e a justiça tinham de subordinar-se àquele objetivo. "Um homem precisa ser sacrificado por causa do meu poder e para a glória de César", pensou Pilatos. "Um homem não deve atrapalhar o nosso governo para o bem da nossa nação e a sobrevivência da nossa religião", argumentou Caifás.

Note-se a natureza do diálogo entre os líderes religiosos e Pilatos durante o julgamento. É um discurso de poder. Eles trazem Jesus a Pilatos e querem que ele seja condenado porque já decidiram que ele merece a morte. Não apresentam argumentos; decretam a morte. Quando Pilatos hesita devido à inocência de Jesus, eles *gritam* "Crucifica-o! Crucifica-o!" (19.6). Quando Pilatos faz um esforço para soltar Jesus, eles recorrem à prática da intimidação: "Se soltas a este, não és amigo de César" (19.12). Eles nem se preocupam com o fornecimento de "motivos" para o seu desejo

---

[112] Raymond E. Brown, *The Death of the Messiah: From Gethsemane to the Grave: A Commentary on the Passion Narrative in the Four Gospels*, vol. 1 (New York: Doubleday, 1994), p. 744.

[113] David Rensberger, "The Politics of John: The Trial of Jesus in the Fourth Gospel", *JBL* 103, n. 3 (1984): p. 402.

de ver Jesus morto. A troca de motivo e contramotivo, apropriada para a sessão no tribunal, foi substituída pela retórica da pressão. Esse é o quadro que aparece se vemos Pilatos apenas como um mero "em-cima-do-muro". Se ele fosse um cruel defensor do regime de César, como argumenta Rensberger, então venceria por meio de astuto engano: ele consegue mandar crucificar um popular pregador e potencial agitador social e responsabilizar os líderes judeus pelo ato; ele consegue ao mesmo tempo fazer os líderes religiosos expressarem publicamente sua lealdade a César como seu único rei (19.15) e tornar o destino de Jesus uma demonstração endereçada aos pretendentes ao título de rei dos judeus (19.21). Os líderes religiosos pretendem convencer Pilatos, mas ele os torna os carrascos de seus próprios objetivos ocultos. Nos dois casos — pressão de líderes religiosos e astúcia de Pilatos — a comunicação é um instrumento de violência, não um instrumento de diálogo racional.

Supõe-se que julgamentos visam descobrir o que aconteceu e fazer justiça. No julgamento de Jesus, nem os acusadores nem o juiz se preocuparam com a verdade. Os acusadores querem a condenação; eles até se sentem insultados quando o juiz pede que especifiquem o crime: "Se este não fosse malfeitor, não to entregaríamos" (18.30). O juiz despreza a própria noção de verdade: "Que é a verdade?", pergunta ele, e, desinteressado na resposta, deixa a cena do diálogo com o acusado para voltar à arena onde o jogo de forças que se chocam determina o resultado final. Tanto para os acusadores como para o juiz, a verdade é irrelevante porque ela funciona com objetivos diferentes visando sua manutenção do poder. A única verdade que eles reconhecem é "a verdade do poder". Foi o acusado que levantou a questão da verdade lembrando sutilmente ao juiz sua maior obrigação — descobrir a verdade. E de modo bastante significativo, ele, o inocente impotente, ficou sozinho com seu interesse na verdade. Como vítima inocente em busca da verdade, Jesus é o juiz de seu juiz. Na narrativa joanina percebemos um contrajulgamento em ação, no qual Pilatos será julgado.[114]

No diálogo com Pilatos, Jesus argumenta contra a "verdade do poder" e a favor do "poder da verdade". "És tu o rei dos judeus?", pergunta Pilatos (18.33). Ele quer dizer: "Tu és detentor de um poder que compete com o

---

[114] Thomas Söding, "Die Macht der Wahrheit und das Reich der Freiheit: Zur Johanneischen Deutung des Pilatus-Prozesses (Jo 18,28—19,6)", *Zeitschrift für Theologie und Kirche* 93 (1996): p. 40.

poder dos líderes religiosos, com o meu poder e com o poder de César?". Jesus não recusa o título de "rei", mas altera seu conteúdo. Seu reino "não é daqui", não é "deste mundo" (18.36). O ponto dessas negações não é que o reino de Jesus não seja uma força definidora da realidade social. No fim das contas, ele veio "ao mundo" (18.37) e seus discípulos "continuam no mundo" (17.11), inseridos no jogo de forças sociais. Como "rei", todavia, ele não está na mesma arena com outros concorrentes ao poder, lutando a mesma batalha visando a supremacia. Ele não é um poder alternativo como os poderes de Caifás, Pilatos e César. Se fosse, seus seguidores "lutariam" para impedir que ele "fosse entregue" a seus acusadores, que por sua vez o entregaram a Pilatos (18.36). Seu reino não se apoia na "luta" e, portanto, não resulta na "entrega" de pessoas a outros poderes. A violência da eliminação de outros concorrentes ao poder ou o controle exercido sobre eles tratando-os como coisas não faz parte do seu governo. Num sentido profundo, o tipo de governo que Jesus defende não pode ser obtido pela luta nem tomado pela violência. É um governo que deve ser dado, conferido (19.11), e que só continuará enquanto não se tenta sequestrá-lo.

Renunciando ao poder da violência, Jesus defendeu *o poder da verdade*. "Eu para isso nasci e para isso vim ao mundo, a fim de dar testemunho da verdade" (18.37), diz ele a Pilatos. Ser testemunha da verdade não significa renunciar a todo poder. Pois a verdade em si é um poder tão grande que testemunhar a favor dela pode ser descrito como *realeza*.[115] Como aquele que dá testemunho da verdade, Jesus é rei. Será que ele então é uma ameaça a César? Não diretamente, porque ele não está disposto a enfrentar César com as armas de César. Como ressalta Rensberger, "tanto a contínua expectativa de um Messias revolucionário como a acomodação da emergente liderança farisaica ao reino de Cesar" eram inaceitáveis.[116] Mas, precisamente ao recusar a espada, Jesus questiona da forma mais radical o poder de César. "César é rei" e "Jesus é rei" constituem, portanto, duas reivindicações concorrentes e, em última análise, incompatíveis. São reivindicações concorrentes, porque o *reino* de Jesus reivindica as mesmas lealdades e investimentos do ego que o reino de César; são incompatíveis, porque o *governo* de Jesus é de uma natureza inteiramente diferente.

---

[115] Paul Anderson, "Was the Fourth Evangelist a Quaker?" *Quaker Religious Thought* 76, n. 2 (1991): p. 41.
[116] Rensberger, "The Politics of John", p. 407.

O poder da verdade é um poder diferente do poder de César. Num sentido abrangente, a verdade *não* é "uma coisa deste mundo", como diria Foucault. Em vez disso, a verdade é um poder de um mundo *diferente*. O instrumento desse poder não é a "violência", mas o "testemunho". Qual é a tarefa de uma testemunha? Dizer o que viu ou ouviu; sua obrigação é dizer a coisa como ela aconteceu, apontar a verdade, não produzir a verdade. Muito semelhante à língua como sistema de signos no relato da tradição clássica de Foucault, a testemunha "existe apenas para ser transparente".[117] Falando de si mesmo, Jesus alega, nós "testificamos o que temos visto" (Jo 3.11); ele falava "a verdade" que tinha *ouvido* "de Deus" (8.40). Uma testemunha que não se deixa seduzir pelo encanto do poder se esforça para não acrescentar nada de seu à sua fala; não visando "sua própria glória" (7.18), a testemunha se esforça para mostrar com precisão o que *não* é dela mesma. Nada melhor para resumir a missão de Jesus como testemunha do que sua declaração: "O meu ensino não é meu, e sim daquele que me enviou" (7.16; cf. 12.49; 14.24).

Ser uma testemunha significa esforçar-se para executar a tarefa modesta e nada criativa de dizer a verdade. Isso não significa que uma testemunha terá de localizar-se em lugar nenhum e com sublime desinteresse fazer pronunciamentos sem perspectiva sobre o que todo mundo ou alguém deve ter visto ou ouvido. Não, situando-se aqui ou ali, uma testemunha contará com suas próprias palavras o que tiver visto ou ouvido. Mas, embora uma boa testemunha não possa, e não precise, abstrair-se de sua situação particular, ela irá querer renunciar ao clandestino imperialismo de seu ego fechado em si mesmo, que se recusa a criar espaço para o outro *enquanto* outro em sua cognição. Que uma testemunha raramente conseguirá isso plenamente e que às vezes nem tentará conseguir nem é preciso dizer. Por isso, não afastamos de nós a suspeição mesmo quando ouvimos aquelas pessoas que temos na conta de boas testemunhas. Mas nem a nossa suspeição nem as frequentes falhas das testemunhas alteram a obrigação e a capacidade da testemunha de respeitar a alteridade do outro — mediante o *esforço* de dizer a verdade.

Inserir "algo estritamente pessoal" no ato de testemunhar é sempre um velado ato de violência, talvez pequeno e insignificante, mas, mesmo assim, real. Jesus renuncia a essa violência porque aceitá-la seria ceder

---

[117] Foucault, *The Order of Things*, p. 376.

àqueles que definem a interação social como um jogo de poder. Ele preferiria morrer testemunhando a viver manipulando outros e fazendo sua própria agenda passar por verdade. Preferiria que a verdade fosse vitoriosa, enquanto ele mesmo sofria a derrota, a pisotear a verdade e emergir como um "herói". Por quê? Porque todo o objetivo de sua existência é testemunhar a verdade. De fato, a verdade define seu próprio ser. "Eu *sou* [...] a verdade", disse Jesus, acrescentando que ele é também "a vida" (14,16). A derrota da verdade é a derrota da vida; a vitória da verdade é a vitória da vida. Um homem vestindo uma túnica púrpura com uma coroa de espinhos na cabeça, um homem deixado nu pendendo da cruz, representa a vitória da verdade e da vida, não a derrota delas. Devemos nos surpreender que João considere a crucificação um ato de *glorificação* (13.31-32)!?

"Isso é ingênuo", poderia alguém protestar. "Você faz o Jesus joanino defender a espécie de ingenuidade que, do ponto de vista filosófico bem como do social, é implausível! Acaso não inserimos sempre nossos próprios pontos de vista no que vemos e ouvimos, sem falar no que testemunhamos? Não é verdade que a luta social, da qual inescapavelmente fazemos parte, inevitavelmente matiza nossas perspectivas?" Fazemos isso, e isso é verdade (embora o caso de Jesus, o Verbo que se fez carne, seja único). Mesmo assim, a objeção é inapropriada. Já afirmei que a "objetividade" abstrata não é essencial para testemunhar. Observe-se, além disso, que o Jesus joanino sublinha que a testemunha, mesmo quando diz a verdade, não pode ter certeza de que vai persuadir seus ouvintes; não é possível conceber regras que controlem o diálogo entre a testemunha e os ouvintes para garantir uma transmissão adequada do "verdadeiro conhecimento". Isso, a meu ver, está implícito quando, depois de dizer que veio para testemunhar a verdade, Jesus de modo misterioso acrescentou: "Todo aquele que é da verdade ouve a minha voz" (18.37).

O que significa essa história sobre "ser da verdade"? Que o testemunho é *endereçado* a uns poucos escolhidos? Que o acesso à verdade é restrito aos eleitos? Durante seu interrogatório diante do sumo sacerdote, Jesus insiste que falou "francamente ao mundo" e que "nada disse em oculto" (18.20; cf. 10.24ss.). De que outro modo poderia falar alguém cujo exato motivo de vir ao mundo era testemunhar a verdade? Ele falou em lugares públicos — em sinagogas e no templo — "onde *todos* [...] se reúnem"

(18.20). Seu testemunho foi público, aberto a todos.[118] Suas alegações de verdade eram acessíveis a todo mundo, pedindo assentimento e expondo-se à rejeição. A verdade que ele veio testemunhar não era restrita à sua própria comunidade. De que outro modo estaria ele habilitado a declarar que tanto seus acusadores como seu juiz eram culpados por interpretar mal e julgar mal suas ações? "Quem me entregou a ti maior pecado tem" (19.11), diz ele a Pilatos, sugerindo que Pilatos também era culpado.

No entanto, se todos puderam ouvir, nem todos concordaram. De fato, Jesus dá a entender que todos *não podiam ter concordado*. Por quê? Além de ouvir o testemunho da verdade, a aceitação da verdade exige que o ouvinte seja "da verdade", disse Jesus. Em João 8 — uma passagem cujas reverberações antijudaicas precisamos cuidadosamente evitar — Jesus contrasta aqueles que são "da verdade" e, em última instância, "de Deus" com aqueles que são do diabo e são mentirosos. Num visível contraste com Jesus, que é a verdade e a vida, o diabo é "um homicida desde o princípio" e, portanto, um "mentiroso e pai da mentira"; quando fala mentiras ele "fala do que lhe é próprio" (8.44). Aqueles que são do diabo querem pôr em prática os desejos do diabo.

Por isso eles não entendem e não podem aceitar a verdade. Em contrapartida, para ser capaz de aceitar o testemunho da verdade deve-se "firmar na verdade" e a verdade deve estar "na" pessoa (8.44). A disposição de ouvir a verdade depende do modo de vida individual: exatamente como "aquele que pratica o mal aborrece a luz e não se chega para a luz", assim também "quem pratica a verdade aproxima-se da luz" (3.20-21). Daí decorre que Jesus pode dizer a seus opositores que eles não acreditam nele, não *embora* ele esteja lhes dizendo a verdade, mas *porque* ele está lhes dizendo a verdade (ver 8.45).

A capacidade de conhecer a verdade não é apenas uma questão do que a mente faz — se ela se ajusta adequadamente à realidade ou pensa de modo coerente — mas é também uma questão do caráter de sua pessoa. Você precisa ter uma afinidade com a verdade sendo "santificado" na verdade (17.17). Na terminologia de Michel Foucault, uma vez que o conhecimento nunca é "puro" — pelo menos não é puro quando se trata dos tipos de conhecimento que são mais significativos do que saber o número do telefone do seu avô — mas sempre já imerso nas múltiplas relações de

---

[118] Söding, "Die Macht der Wahrheit und das Reich der Freiheit", p. 37.

poder que moldam o ego,[119] o ego deve tornar-se verdadeiro antes de poder conhecer e aceitar a verdade. Uma vez que o ego não pode ser levado para um espaço isento de poder no qual sua cognição poderia funcionar sem ser perturbada por relações de poder, o ego deve ser de novo moldado no âmbito das relações de poder de modo a estar disposto e capacitado a buscar e aceitar a verdade. Nesse sentido, a veracidade do ser é uma precondição da adequação do conhecimento.

Que dizer daqueles — na verdade, de todos *nós* — que não são verdadeiros? Será que dividi a humanidade num punhado de pessoas verdadeiras e no resto que está escravizado na falsidade? Será que os falsos estão destinados a caminhar eternamente nas trevas porque não conseguem encontrar o que os olhos deles não conseguem enxergar? Num sentido profundo, para conhecer a verdade devemos ser conduzidos "a toda a verdade" pelo "Espírito da verdade" (16.13). Devemos então dizer que a compreensão da verdade "não é um ato livre da existência", mas está fundamentado na "determinação da existência da realidade divina", como disse Rudolph Bultmann?[120] A oposição entre os dois grupos é falsa — pelo menos no nível social no qual estou aqui lendo o Evangelho de João. Todos nós somos continuamente empurrados pelo Espírito da verdade; todavia, apenas alguns permanecem na verdade. Os que permanecem, diz João, conhecerão a verdade, e a verdade os libertará (8.32).

Melhor que muita gente, Nietzsche sabia o que estava em jogo com a questão da verdade. Contestando a correlação joanina entre verdade e liberdade, ele insistiu em *Genealogia da moral* que enquanto os seres humanos "ainda acreditam na verdade", eles estão "muito longe de ser espíritos *livres*". A "verdadeira liberdade" só pode ser obtida onde "a noção da verdade em si foi descartada".[121] Daí decorre que em *O anticristo* Pilatos é a única figura do Novo Testamento que impõe respeito a Nietzsche. O "nobre desprezo" desse governador romano "diante do qual um emprego imprudente da palavra 'verdade' aconteceu", escreve Nietzsche, "enriqueceu o Novo Testamento com a única expressão que tem valor — que é sua crítica, até mesmo seu *aniquilamento*: 'Que é a verdade?'".[122] Se o desprezo

---

[119] Foucault, *History of Sexuality*, p. 73.
[120] Rudolph Bultmann, *"Alētheia", Theological Dictionary of the New Testament*, ed. G. Kittel (Grand Rapids: Eerdmans, 1964), vol. I: p. 246.
[121] Nietzsche, *The Birth of the Tragedy and The Genealogy of Morals*, p. 287.
[122] Nietzsche, *Twilight of the Idols and the Anti-Christ*, p. 174.

pela verdade representa a aniquilação do cristianismo ou um inconsciente suicídio do próprio pensamento de Nietzsche, todavia, nós vamos decidir em parte baseados no que fazemos com outro tipo de desprezo, que é o anverso do desprezo pela verdade, o desprezo pela vida humana. Nietzsche sabia que ao não levar a verdade a sério Pilatos estava decidindo não levar a sério "um caso judaico". E ele compartilhava o desprezo de Pilatos pelo "pequeno judeu" da Galileia: "Um judeu a mais ou a menos — o que isso importa?".[123] Ao contrário de Pilatos e Nietzsche, todavia, os seguidores do crucificado Messias devem ter uma paixão pela liberdade de "todos os pequenos judeus". Por isso nós procuramos dizer a verdade bem como ser pessoas sinceras.

Verdade, liberdade, violência

Num contexto pós-nietzschiano, pós-moderno, provavelmente os dois aspectos mais perturbadores do que o Jesus joanino diz sobre a "verdade" seja a dupla alegação de que é possível "conhecer a verdade" e de que "a verdade liberta". Que audácia alguém insistir que conhece *a* verdade! Que ingenuidade (ou será malícia?) sustentar que *a* verdade libertará as pessoas! Não, *a* verdade não liberta, nos dizem nossas sensibilidades pós-modernas; ela escraviza. A única grande Verdade não é mais que a única grande Mentira concebida para passar como verdade a fim de vestir os perversos detentores do poder opressor com os trajes dos santos guardiões da Verdade libertadora. Para libertar as pessoas precisamos pulverizar a única grande Verdade em muitas pequenas verdades. Suspeitando profundamente de qualquer alegação do conhecimento *da* verdade, nós só nos sentimos confortáveis com o jogo de muitas perspectivas. O que podem os pós-modernos aprender da pré-moderna interface entre "verdade" e "poder", tal qual ela foi representada no encontro entre Jesus, Caifás e Pilatos?

Em conclusão, deixe-me extrair duas implicações dessa interface para a questão de concorrentes alegações da verdade na luta pelo reconhecimento individual e comunitário. As implicações dizem respeito às posturas que devemos assumir na busca da verdade. Preciso prefaciar o que estou prestes a dizer apresentando uma protetora isenção de responsabilidade contra falsas inferências. A primeira coisa que precisamos lembrar quando

[123] Ibid., p. 174.

queremos aprender o que quer que seja de Jesus Cristo é que *nós não somos Jesus Cristo*. Isso aplicado à questão da verdade significa que, ao contrário de Jesus Cristo, nós *não* somos a verdade e *não* somos modestas testemunhas da verdade. É por isso que acreditamos em Jesus Cristo — que vai nos ajudar a enxergar que não somos aquilo que deveríamos ser e nos ajudar a nos tornarmos aquilo que deveríamos ser. Nosso compromisso com Jesus Cristo que é a verdade não deve, portanto, traduzir-se numa alegação de que somos detentores da verdade absoluta. Se conhecemos a verdade, nós a conhecemos à nossa própria maneira humana e corrompida; como diz o apóstolo Paulo, conhecemos agora "em parte", vemos "como em espelho, obscuramente" (1Co 13.12s.). Há uma opacidade irremovível no nosso conhecimento das coisas divinas. Da mesma forma, há uma opacidade irremovível no nosso conhecimento das coisas humanas.

A primeira implicação do encontro entre Jesus, Caifás e Pilatos é uma incômoda percepção de que em grande medida *a verdade importa mais do que meu próprio ego*. Jesus Cristo foi crucificado como testemunha da verdade. Prensado entre os poderes de Caifás e Pilatos, esse "judeu marginal" recusou-se a colocar seu próprio ego acima da verdade — e tornou-se o Messias do mundo. Por que essa recusa de autonegação diante dos poderes que ameaçavam esmagar a ele e seu projeto? Porque quando nos colocamos a nós mesmos acima da verdade abrimos as comportas da violência cujas torrentes são extremamente mortíferas para os fracos. Se a verdade deixar de ter mais importância do que os nossos interesses individuais ou comunitários, a violência reinará e aqueles com línguas gaguejantes e mãos fracas serão presas fáceis daqueles que têm palavras agradáveis e espadas afiadas.[124]

Mas que dizer daqueles que, em nome da verdade, oprimem os fracos? Isso me leva à segunda implicação do encontro entre Jesus, Caifás e Pilatos, que deve sempre complementar a primeira: *o ego do outro é mais importante que a minha verdade*. Embora eu deva estar disposto a negar a mim mesmo por causa da verdade, não posso sacrificar o outro sobre o altar da *minha* verdade. Jesus, que alegou ser a verdade, recusou-se a fazer uso da violência para "persuadir" aqueles que não reconheceram a sua verdade. O reino da verdade, que ele veio proclamar, era o reino

---

[124] Stanley Hauerwas argumentou que perder o controle da verdade significa "submeter-se à ordem da violência" ("In Praise of Centesimus Annus", *Theology* 95 [1992]: p. 416-32).

da liberdade e, portanto, não pode se assentar sobre pilares de violência. O compromisso com a não violência deve acompanhar o compromisso com a verdade; caso contrário, o compromisso com a verdade gerará a violência. A verdade é um escudo que protege da violência dos fortes contra os fracos, argumentei anteriormente. Para que o escudo não se transforme numa arma mortífera, ele deve ser segurado por uma mão que se recusa a praticar a violência, quero acrescentar aqui.

Nossas sensibilidades pós-modernas nos dizem que envolver-se na busca da verdade significa sancionar disfarçadamente a violência; por causa da liberdade nós nos afastamos da busca da verdade. No entanto, essa busca pode ser menos culpada do que imaginamos. Poderia acontecer de nos sentirmos compelidos a abandonar o diálogo sobre a verdade *porque temos medo de renunciar à violência*. Mas se não abrirmos mão da violência as inúmeras pequenas verdades que gostamos de entronizar no lugar da grande Verdade levarão a outras tantas pequenas guerras — guerras que são tão mortíferas como qualquer guerra travada em nome da única grande Verdade. A lição que devemos aprender do encontro entre Jesus, Caifás e Pilatos é que a autêntica liberdade é o fruto de um duplo compromisso com a verdade e a não violência.

"A verdade vos libertará", disse Jesus. Libertará para quê? À luz de minha argumentação mais ampla neste capítulo, vou responder desta maneira: ela nos libertará para empreender jornadas do ego para o outro e de volta, e para ver nossa história comum da perspectiva do outro bem como da nossa, em vez de nos fechar no isolamento e insistir na verdade absoluta da nossa própria perspectiva; ela nos libertará para viver uma vida verdadeira e, portanto, para ser modestas testemunhas da verdade em vez de inventar nossas próprias "verdades" e impô-las aos outros; ela nos libertará para abraçar os outros na verdade em vez de nos envolvermos em escancarados ou clandestinos atos de enganosa violência contra eles. Por amor a *essa* liberdade ergo minha taça e repito o brinde à verdade com alguma esperança de que minha fictícia interlocutora da introdução deste capítulo será capaz de juntar-se a mim, pois sua percepção errônea de minha posição foi desfeita e suas objeções foram respondidas — "À vontade de saber 'o que aconteceu'! Ao poder de lembrar-se disso! À coragem de proclamar isso alto e bom som!".

7

Violência e paz

O Messias crucificado e o Cavaleiro no cavalo branco

"E o reino da verdade virá?", pergunta Pilatos a Jesus em *O mestre e Margarida* de Mikhail Bulgákov. "'Virá, excelência', respondeu Yeshua com convicção. 'Jamais virá!', gritou de repente Pilatos numa voz tão terrível que Yeshua cambaleou para trás." Muitos anos antes, escreve Bulgákov, durante uma feroz batalha no Vale das Virgens na qual Muribellum, o gigante guarda-costas do governador romano, foi ferido, "Pilatos havia vociferado daquele mesmo jeito aos seus cavaleiros: 'Acabem com eles! Acabem com eles!'".[1] Agora, como juiz, ele selou o destino do acusado com a mesma raiva assassina. "Criminoso! Criminoso! Criminoso!", gritava, confirmando a sentença de morte.

Apenas uns momentos antes, o Pilatos de Bulgákov tivera a intenção de absolver Jesus de todas as acusações criminosas. A acusação de que ele havia incitado o povo a destruir o templo de Jerusalém parecia absurda. Para Pilatos, Jesus era um doente mental, não um criminoso. Mas constava mais uma acusação no pergaminho nas mãos do escriba. Assim que Pilatos o leu, seu sangue afluiu para o pescoço e o rosto. "Você algum dia disse alguma coisa sobre o grande César? Responda! Você disse alguma dessas coisas?", berrou para o acusado. Jesus respondeu:

> Entre outras coisas eu disse que todo poder é uma forma de violência exercida contra o povo, e que virá o tempo em que não haverá nenhum domínio de César e nenhuma outra forma de domínio. O homem entrará no reino da verdade e da justiça, onde nenhuma espécie de poder será necessária.[2]

---

[1] Mikhail Bulgakov, *The Master and Margarita*, trad. Michael Glenny (Ontario: Signet, 1967), p. 33.
[2] Ibid., p. 32.

Agora Pilatos entendia por que "um andarilho como Jesus alvoroçou a multidão no bazar falando sobre a verdade".[3] No mundo de Pilatos, a verdade e a justiça eram *frutos* da espada de César. No reino de Jesus, a verdade e a justiça eram *alternativas* à espada de César. Ficou claro na cabeça de Pilatos que em seu discurso sobre a verdade e a justiça Jesus estava mirando no pilar do governo de César, na fundação de sua verdade e justiça. Louco ou não, Jesus era o supremo criminoso; ele desafiava o governo de César não neste ou naquele lugar, mas em seu princípio. Ele tinha de morrer. "Você imagina, sua criatura miserável", disse Pilatos a Jesus depois que Jesus implorou para que o deixasse ir embora, "que um procurador romano poderia soltar um homem que disse o que acaba de me dizer? Ó céus! Ó céus! Ou acha que estou pronto para tomar o seu lugar? Eu não acredito nas suas ideias!"[4]

O Pilatos de Bulgákov merece nossa compreensão, não porque ele fosse um homem bom embora tragicamente enganado, mas porque nós não somos muito melhores que ele. Podemos acreditar em Jesus, mas não acreditamos nas ideias dele, pelo menos não em suas ideias sobre violência, verdade e justiça. Acaso não vivemos num mundo de bárbaros que emboscaram Muribellum e avançaram contra ele como cães contra um urso; num mundo de Pilatos que vociferou aos seus cavaleiros: "Acabem com eles! Acabem com eles! Eles capturaram o gigante Muribellum", num mundo do gigante Muribellum cujo chicote ensinou Yeshua a nunca mais referir-se ao confesso "desvairado monstro", Pilatos, como "um bom homem" mas sim como "excelência"? Como podemos então realmente acreditar que, quando alguém nos der um tapa na face direita, devemos oferecer também a face esquerda (Mt 5.39)? Nós não estamos muito preparados para apanhar a nossa cruz e seguir o não violento Jesus. Como o levita Mateus na versão da história da crucificação de Bulgákov, talvez estejamos suficientemente fascinados com Jesus para roubar uma faca a fim de cortar as cordas que o prendem à cruz, mas, de novo como o Mateus de Bulgákov, nós o seguimos apenas a uma distância segura, com medo de partilhar com ele seu terrível destino.

Num mundo em que a ordem se apoia na violência, nós por instinto tentamos nos agarrar ao Messias *ressuscitado* a quem foi dada toda a

[3] Ibid., p. 26.
[4] Ibid., p. 33.

autoridade no céu e na terra (Mt 28.20). Não que não vejamos alguma utilidade para o crucificado. Nós apenas insistimos numa clara divisão de trabalho entre o crucificado e o ressuscitado. O Messias crucificado é bom para o mundo interior de nossa alma atormentada pela culpa e o abandono. Ele é o Salvador que morre em nosso lugar para tirar nossos pecados e libertar nossa consciência; ele é o sofredor que nos acompanha e nos segura as mãos enquanto caminhamos pelo vale de lágrimas. Mas para o mundo exterior de nossos egos encarnados, onde interesses se chocam com interesses e poder se digladia com poder, nós sentimos que precisamos de outro tipo de Messias — "o Rei dos reis e o Senhor dos senhores", que tornará nossa vontade inflexível, nossos braços fortes e nossas espadas afiadas. Sobreposta à imagem do impotente Messias que pende da cruz está a imagem do vitorioso Cavaleiro no cavalo branco, com seus olhos como "chama de fogo", com seu "manto tinto de sangue", vindo para pisar "o lagar do vinho do furor da ira do Deus Todo-poderoso" (Ap 19.11-17). Acreditamos no Crucificado, mas queremos marchar com o Cavaleiro.

Há muitas razões para preferirmos estar no exército do Cavaleiro e não entre os discípulos do Crucificado. Todos nós recuamos diante do sofrimento e, em segredo, muitos de nós gostamos de praticar a violência. Contudo, estaríamos menos predispostos a infligir violência e também mais inclinados a suportá-la se vivêssemos num mundo onde a justiça fosse feita e a verdade respeitada. Mas não é o que acontece. Sem a espada de César, temos a sensação de que não reinarão nem a verdade nem a justiça. É possível que Thomas Hobbes tenha intuído *tudo* errado quando em *Leviatã* ele tentou proteger os seres humanos do caos da exterminação mútua por meio de um estado com poder absoluto.[5] Mas, enquanto ansiamos pela espada de César, não devemos nos esquecer de perguntar se a verdade e a justiça reinarão *com* a espada de César. Como podem a verdade e a justiça ser outra coisa a não ser engano e opressão para aqueles que foram induzidos à percepção pela violência? Será que eles mesmos não lançarão mão da espada para estabelecer a verdade *deles* e a justiça *deles*? A espada que se destinava a erradicar a violência acaba alimentando a violência. O medo "do caos de baixo" provoca "o caos de cima", que por sua vez perpetua "o

---

[5] Thomas Hobbes, *Leviathan*, The Library of Liberal Arts, ed. Oskar Piest (Indianapolis: Bobbs Merrill, 1967).

caos de baixo".[6] Ficamos presos num círculo vicioso: verdades e justiças concorrentes pedem violência, e a violência entroniza as verdades e justiças dos perpetradores. Para evitar esse círculo, será que não devemos abraçar o pensamento que levou o Jesus de Bulgákov à cruz? Se esperamos o reino da verdade e da justiça, não devemos esperar o dia em que o poder de César já não existirá, quando espadas serão transformadas em arados?

Sim, precisamos ter *esperança*. Mas, enquanto isso, continuamos vivendo num mundo que prefere estocar espadas a forjar arados suficientes; num mundo em que a cada minuto as nações do planeta gastam 3,46 milhões de dólares em equipamentos bélicos enquanto a cada hora 353 crianças morrem de fome, segundo dados de 2018. O rápido crescimento populacional, a degradação ecológica, a enorme desigualdade econômica, a deficiência na educação, a migração para favelas e os milhões de refugiados estão pressionando cada vez mais as numerosas linhas de ruptura social do nosso globo terrestre, criando condições maduras para mais Ruandas e Bósnias no futuro.[7] À medida que irrompe a violência, a opressão e o engano assumirão o comando, novos desequilíbrios de poder serão gerados, e profundos conflitos acerca da verdade e da justiça serão perpetuados. E tudo isso será obra de grandes e pequenos Césares brandindo grandes e pequenas espadas. Num mundo assim, nossa pergunta não pode ser se o reino da verdade e da justiça — o reino de Deus — deveria substituir o regime de César. Deveria, e quanto antes melhor. Nossa pergunta deve ser *como viver sob o domínio de César na ausência do reino da verdade e da justiça*. Será que o Messias crucificado de algum modo influencia nossa vida num mundo de meias-verdades e de justiça distorcida?

Ou devemos trancá-lo nos recintos interiores do coração e das igrejas, e buscar inspiração na imagem do Cavaleiro no cavalo branco para nossa atuação no mundo? Devemos desistir das duas coisas, abandonar completamente a religião e buscar recursos para a paz em outro lugar?

Partindo do exemplo de alguns de nossos antepassados do Iluminismo que optaram pela última alternativa (o abandono da religião), vou primeiro confrontar de modo crítico algumas das propostas mais importantes para

---

[6] Cf. Aleida Assmann e Jan Assmann, "Aspekte einer Theorie des unkommunikativen Handelns", *Kultur und Konflikt*, ed. Jan Assmann e Dietrich Harth (Frankfurt: Suhrkamp, 1990), p. 20.
[7] Ver Paul Kennedy, *Preparing for the Twenty-First Century* (New York: Vintage Books, 1994).

enfrentar a violência — a razão universal como uma alternativa a lealdades particulares geradoras de conflitos, o diálogo entre religiões como um suplemento à razão, propondo-me desmascarar tanto a razão quanto a religião como incentivadoras do "sistema do terror" em nome de um ego descentralizado e aberto. Na segunda parte vou argumentar que o Messias crucificado (a teologia da cruz) e o Cavaleiro no cavalo branco (a teologia do julgamento) não aprovam a violência, mas oferecem importantes recursos para viver em paz num mundo violento.

Razão contra violência

O que era a noite escura que, com sua luz brilhante, o Iluminismo quis iluminar? A narrativa tradicional diz que os protagonistas da modernidade dissiparam as trevas da tradição e da superstição com a luz da razão científica e filosófica; um método moderno, com suas próprias justificativas racionais, substituiu a confiança na tradição. Depois do século 20, nós estamos muito menos dispostos a associar a tradição com trevas do que estavam nossos antepassados do Iluminismo. Ao mesmo tempo, passamos a reconhecer trevas verdadeiramente sinistras que serviram como pano de fundo para o desenvolvimento do método racional moderno. Como argumentou Stephen Toulmin em *Cosmopolis*, Descartes "descobriu" o único método correto de aquisição de conhecimento numa época em que "em grande parte do continente [...] as pessoas corriam um grande risco de terem a garganta cortada e a casa queimada por desconhecidos que simplesmente não gostavam da religião de suas vítimas"[8] e em que "exércitos protestantes e católicos buscavam provar sua supremacia teológica mediante a força das armas".[9] Uma nova maneira de estabelecer a verdade "que fosse independente e neutra em relação a filiações religiosas particulares"[10] parecia uma atraente alternativa à guerra alimentada por alegações religiosas. A moderna confiança na abstrata, universal e atemporal razão foi uma resposta ao caos social criado por alegações religiosas opostas, uma tentativa de pôr um fim à violência criada por afiliações particulares.

---

[8] Stephen Toulmin, *Cosmopolis: The Hidden Agenda of Modernity* (New York: The Free Press, 1990), p. 17.
[9] Ibid., p. 69.
[10] Ibid., p. 70.

O caos das guerras religiosas não foi, é claro, o único fator no surgimento da razão do Iluminismo. Em outras épocas e em outros lugares as guerras religiosas não surtiram nenhum efeito semelhante. Mas na matriz cultural do Ocidente essas guerras serviram de pano de fundo para o desenvolvimento do método racional, que foi supostamente a solução de um problema que era preciso solucionar.

O método racional como um antídoto à violência foi parte integrante da visão otimista que o Iluminismo acalentou sobre o processo civilizador como uma história da humanidade emergindo da barbárie pré-social para desembocar na pacífica civilidade social. À medida que a história avança, argumentavam seus defensores, todos os impulsos irracionais e antissociais serão gradativamente suprimidos, e a violência será cada vez mais eliminada da vida social. No ensaio "O que é Iluminismo?" Immanuel Kant afirmou praticamente como um fato incontestável acerca da natureza humana que "os homens conseguem gradativamente se desvencilhar da barbárie se simplesmente não forem criados artifícios intencionais para mantê-los nela".[11] Dessa perspectiva, as explosões de violência eram um sinal de que o processo civilizador ainda não fora concluído, um lembrete que precisamos elaborar.

Kant reafirmou a mesma convicção na contínua eliminação da violência no ensaio "Estará a raça humana constantemente progredindo?":

> Gradativamente a violência da parte dos poderes diminuirá, e a obediência às leis crescerá. Surgirá no corpo político talvez mais caridade e menos conflito em ações judiciais, mais confiança na manutenção da palavra dada, etc., em parte por amor à honra, em parte pelo bem entendido interesse próprio. E no fim essa vontade também se estenderá às nações em suas relações externas de umas com as outras até a realização de uma sociedade cosmopolita.[12]

Na conclusão desse mesmo ensaio, Kant nos conta a história de um médico que diariamente consolava seus pacientes com esperanças de recuperação rápida, "garantindo para um que a batida de seu pulso estava melhor, para outro que suas fezes mostravam uma melhora, para um

---

[11] Immanuel Kant, *On History*, trad. Lewis White Beck et al. (Indianapolis: Bobbs-Merrill, 1963), p. 9.
[12] Ibid., p. 151.

terceiro a mesma coisa a respeito de sua transpiração, etc". Um dia o médico recebeu a visita de um amigo. "Como está sua doença, meu amigo?" foi a primeira pergunta do médico. "Como deveria estar? Estou pura e simplesmente morrendo da melhora."[13] Depois de contar a história, Kant a descartou como uma simples parábola sobre como os médicos modernos tratam seus pacientes. Prosseguiu sugerindo que as penosas consequências das guerras deveriam "forçar o profeta político a confessar uma muito iminente reviravolta da humanidade para melhor".[14] Hoje, mais sábios, depois de dois séculos e de duas guerras mundiais, do Holocausto e de muitas outras atrocidades, desejaríamos que Kant tivesse contado a história do médico no início de seu ensaio e tivesse prosseguido dizendo-nos como devemos viver para evitar morrer da melhora.

Em *O processo civilizador*, escrito no epicentro da Segunda Guerra Mundial, Norbert Elias argumentou que a organização da sociedade moderna implica uma domesticação dos instintos e, portanto, uma redução da agressividade e violência.[15] Sua tese era simples: quanto mais independentes forem as pessoas, tanto menos espontâneas elas poderão ser, e quanto menos espontâneas elas forem, tanto menos agressivas elas serão porque seu comportamento será regulado por uma pletora de normas e regras. O estado tem agora um monopólio sobre a violência com a qual previamente as pessoas lutavam por seu lugar na sociedade. Uma "contínua, uniforme pressão é exercida na vida individual pela violência física armazenada atrás das cenas da vida cotidiana",[16] e essa pressão diminui a violência física imprevisível. O resultado disso é que, argumentou ele, as sociedades modernas são mais pacíficas e, portanto, mais civilizadas do que as pré-modernas.

Elias apresentou uma explicação sociológica das promessas do Iluminismo de que, apesar dos sintomas, a humanidade está de fato emergindo gradualmente da barbárie pré-social rumo a uma coexistência pacífica. A noção de que o "processo civilizador" implica a redução da violência demostrou ser um mito ingênuo, apesar dos pesares. Note-se o óbvio: o monopólio do estado sobre a violência não pressupõe necessariamente a *redução*

---

[13] Ibid., p. 153.
[14] Ibid., p. 154.
[15] Norbert Elias, *The Civilizing Process: The History of Manners and State Formation and Civilization*, trad. Edmund Jephcott (Oxford: Blackwell, 1994).
[16] Ibid., p. 238.

da violência como tal, mas sim da violência *irregular*. Anthony Giddens argumentou que, seja qual for "a pacificação interna" existente nos estados nacionais modernos, ela foi intimamente associada a uma completa militarização do intercâmbio intersocietário e à produção da ordem no interior da sociedade.[17] Pode-se ter boas razões para preferir a violência "civilizada" dos estados nacionais à violência de guerras tribais com seus massacres e o império do terror, mas não se deve confundir isso com não violência. Mais ainda, não está nada claro que nas sociedades que foram "pacificadas" pelo monopólio do estado sobre o poder a violência diminuiu.[18] A obra *Obszönität und Gewalt* [Obscenidade e violência] de Hans Peter Duerr — um de uma série de volumes sob o título "O mito do processo civilizador" — representa uma sólida argumentação afirmando que a agressão e a crueldade, e o prazer que isso dá, não diminuíram nas sociedades modernas.[19]

É irônico que Elias tenha formulado sua visão do "processo civilizador" ao mesmo tempo que os horrores do Holocausto iam sendo tramados (1939). Certo, em contraste com a inabalável crença na progressiva eliminação da violência, o Holocausto poderia surgir como "um irracional extravasamento de resíduos ainda-não-totalmente-erradicados da barbárie pré-moderna", como diz o crítico Zygmunt Bauman.[20] A aparência se mostra ilusória assim que invertemos a relação interpretativa entre modernidade e Holocausto. Em vez de tentarmos encaixar o Holocausto em nossas preconcebidas noções acerca do progresso, precisamos perguntar como o Holocausto deveria impactar essas noções. Em contraste com a brutal realidade do Holocausto, a crença na progressiva eliminação da violência parece mais uma superstição moderna do que uma verdade envolvendo o progresso da história.

Em *Modernidade e Holocausto* o próprio Bauman de modo persuasivo argumentou que o Holocausto não é um intruso estranho na casa da

---

[17] Anthony Giddens, *The Nation-State and Violence* (Berkeley: University of California Press, 1985).

[18] Hannah Arendt argumentou que "quanto maior a burocratização da vida pública, tanto maior será a atração da violência" (*On Violence* [New York: Harcourt, Brace & World, 1970], p. 81).

[19] Hans Peter Duerr, *Obszönität und Gewalt: Der Mythos vom Zivilisationprozeß* (Frankfurt: Suhrkamp, 1993).

[20] Zygmunt Bauman, *Modernity and the Holocaust* (Ithaca, NY: Cornell University Press, 1989), p. 17.

modernidade, mas sim "um legítimo residente [...] de fato, alguém que não se sentiria em casa em qualquer outra residência".[21] A modernidade possibilitou o Holocausto, argumenta Bauman, e ela não continha mecanismos efetivos para impedir seu acontecimento. Na visão de Bauman, a culpada foi a tipicamente moderna "cultura burocrática". Explicando sua posição, ele escreve:

> Eu sugiro [...] que a cultura burocrática, que nos estimula a ver a sociedade como um objeto de administração, como uma coleção de inúmeros "problemas" a resolver, como a "natureza" a "controlar", a "dominar" e a "aperfeiçoar" ou "refazer", como uma legítima meta para a "engenharia social" e em geral como um jardim a projetar e manter na forma planejada pela força (a disposição de espírito da jardinagem divide a vegetação em "plantas cultivadas" das quais se deve cuidar e ervas daninhas que devem ser extirpadas), foi exatamente a atmosfera em que a ideia do Holocausto pôde ser concebida, lenta mas coerentemente desenvolvida e levada à sua conclusão. Também sugiro que foi o espírito da racionalidade instrumental e sua moderna, burocrática forma de institucionalização que tornaram as soluções ao estilo do Holocausto não apenas possíveis, mas também eminentemente "razoáveis" — e aumentaram a possibilidade da opção por elas. Esse aumento de probabilidades está mais do que casualmente relacionado à capacidade da burocracia moderna de coordenar a ação de um grande número de indivíduos morais na busca de qualquer fim, inclusive os imorais.[22]

Em vez de expulsar a violência da vida social, o processo "civilizador" moderno, alega Bauman, apenas a reinstalou em novos locais onde ela deu continuidade à mesma atividade destrutiva e assassina. Mediante "a substituição de impulsos naturais por padrões artificiais e flexíveis da conduta humana" a modernidade "tornou possível uma escala de desumanidade e destruição que permanecera inconcebível enquanto predisposições naturais orientaram a ação humana";[23] a burocracia e a tecnologia do estado moderno tornaram a escala da barbárie tão horrivelmente única.

Com o argumento de que "as inibições sociais não atuam à distância" e de que "o compromisso com atos imorais [...] torna-se mais fácil a cada

---

[21] Ibid.
[22] Ibid., p. 17s.
[23] Ibid., p. 95.

centímetro de distanciamento social", Bauman espera que um aperfeiçoamento resulte do simples fato de deixar que "as predisposições naturais" se desenvolvam em situações de "proximidade humana".[24] A expectativa pareceria justificada na medida em que o assassinato à distância de fato é facilitado — quando você "nunca precisa olhar nos olhos de sua vítima", quando você "conta pontos na tela, não cadáveres".[25] Todavia, mesmo se o distanciamento elimina a responsabilidade moral, não se pode deduzir disso que a proximidade a restaura. Contra Bauman, Arne Vetlesen argumentou em *Perception, Empathy, and Judgement* [Percepção, empatia e julgamento] que "não há nenhuma correlação *necessária* entre proximidade e conduta moral [...]. A proximidade interage com muitos fatores; por si só ela não causa, por si só ela não explica a conduta moral ou a ausência dela".[26] Gostemos disso ou não, não é uma exceção mas sim uma regra que os seres humanos destroem o que odeiam, e o que eles mais odeiam é um rival no próprio território deles.[27] A análise de Bauman da inter-relação da modernidade e o Holocausto sublinha corretamente que não deveríamos esperar paz da "civilização", com certeza não da civilização moderna racional e burocrática. Richard L. Rubenstein observou com acerto que civilização significa não apenas "higiene médica, ideias religiosas elevadas, arte bela e música refinada", mas também "escravidão, guerras, exploração e campos de morte. É um erro imaginar", conclui ele, "que civilização e selvageria são antíteses".[28] A "civilização" é um processo profundamente ambíguo (ver Capítulo 3).

Povos em guerra, deuses guerreiros

A modernidade não conseguiu entregar a paz prometida. Tampouco conseguiu afastar a religião em nome da razão. Isso nos leva de volta à questão

---

[24] Ibid., p. 192.
[25] Zygmunt Bauman, *Life in Fragments: Essays in Postmodern Morality* (Oxford: Blackwell, 1995), p. 150.
[26] Arne Johan Vetlesen, *Perception, Empathy, and Judgement: An Inquiry into the Preconditions of Moral Performance* (University Park: The Pennsylvania State University Press, 1994), p. 275.
[27] Hans Magnus Enzensberger, *Aussichten auf den Bürgerkrieg* (Frankfurt: Suhrkamp, 1993), p. 11.
[28] Richard L. Rubenstein, *The Cunning of History* (New York: Harper, 1978), p. 91.

de como a religião está relacionada com a inexorável violência nas sociedades modernas. A resposta depende em parte do lugar da religião nessas sociedades.

No mundo não ocidental temos testemunhado um verdadeiro ressurgimento da religião como uma força política. Como observa Mark Juergensmeyer em *The New Cold War* [A nova Guerra Fria]:

> A nova ordem mundial que está substituindo os poderes bipolares da antiga Guerra Fria caracteriza-se não só pelo surgimento de novas forças econômicas, pelo desmoronamento de antigos impérios e pela queda em descrédito do comunismo, mas também pelo ressurgimento de identidades provincianas baseadas em lealdades étnicas e religiosas.[29]

Em muitas partes do mundo não ocidental a religião está se reafirmando na vida pública. Há tentativas de fundir identidades políticas e religiosas, em parte para completar o processo de libertação cultural do secular colonialismo ocidental. Em situações de conflito, a religião então se torna uma força poderosa de legitimação do uso da violência para fins políticos. Cristãos podem passar a usar cruzes demasiado grandes, e os muçulmanos uma réplica do Alcorão em volta do pescoço, e mediante o anúncio ostensivo de uma convicção religiosa eles fazem uma declaração política inconfundível não apenas sobre quem eles são, mas também em nome de que estão lutando.

As coisas são um pouco mais complicadas nas assim chamadas sociedades industriais. Como James A. Beckford argumentou em *Religion and Advanced Industrial Society* [Religião e a sociedade industrial avançada], as maneiras dominantes de entender a relação entre religião e sociedade — religião como ideologia que encobre interesses materiais de classes, religião como sistema de integração social, e religião como fornecedora de orientações normativas para a ação e da base definitiva do significado — não funcionarão para sociedades industriais avançadas.[30] Não preciso aqui analisar os motivos pelos quais isso acontece, nem mesmo os motivos que não considero persuasivos. Para os meus objetivos no momento, mais significativa

---

[29] Mark Juergensmeyer, *The New Cold War? Religious Nationalism Confronts the Secular State* (Berkeley: University of California Press, 1993), p. 1s.

[30] James A. Beckford, *Religion and Advanced Industrial Society* (London: Unwin Hyman, 1989).

que sua crítica é sua sugestão positiva sobre como devemos imaginar o lugar da religião nas sociedades modernas.

Ao contrário de sociólogos que relegam a religião às margens do mundo moderno, Beckford argumenta em defesa de sua persistente relevância, embora menos como uma instituição social do que como *um recurso cultural*. Escreve ele:

> A transformação pós-Segunda Guerra Mundial do tipo de sociedade industrial imaginado pelos sociólogos no início do século 20 tendeu a minar as bases comunitárias, familiares e organizacionais da religião. Mas formas religiosas de sentimento, crença e ação sobreviveram como recursos relativamente autônomos. Tais recursos retêm a capacidade de simbolizar, por exemplo, o significado verdadeiro, o poder infinito, a máxima indignação e a sublime compaixão. E podem ser utilizados em benefício de praticamente qualquer grupo de interesses ou ideal [...]. A religião pode ser combinada com quase qualquer outro conjunto de ideias ou valores. E as chances de que a religião será polêmica são aumentadas pelo fato de que ela pode ser usada por pessoas que têm pouca ou nenhuma ligação com organizações religiosas formais. Uma das ironias ocultas da secularização foi a desregulamentação da religião.[31]

Alguém poderia questionar a adequação de concentrar-se apenas nas questões sociais a serviço das quais as religiões são colocadas sem, ao mesmo tempo, considerar a questão do conteúdo da verdade delas. Pode-se também questionar se cada religião pode ser combinada com qualquer conjunto de ideias ou valores. Mas mesmo supondo que Beckford tenha exagerado seu caso, como eu acho que ele fez, sua ênfase na variedade de usos aos quais a religião se presta nas sociedades modernas é importante. A perda de grandes monopólios religiosos no Ocidente e a desregulamentação da religião não implicam necessariamente um papel menor da religião nos conflitos sociais. Antes, à medida que a difusão do pluralismo e do relativismo corrói a unidade interna das sociedades, os símbolos religiosos podem continuar a ser usados nos conflitos entre vários grupos sociais. Enquanto os símbolos religiosos continuarem prendendo a imaginação das pessoas e enquanto as sociedades continuarem cheias de conflitos, as

---

[31] Ibid., p. 171s.

pessoas procurarão envolver símbolos religiosos em seus conflitos para usá-los como armas em suas guerras. Como pode você resistir a fazer seus deuses, seus supremos símbolos de significado, lutarem por você quando a vida de sua família ou de seu país está em jogo!? Você não pode — a menos que seus deuses se recusem a lutar.

A religião está viva e passa bem no mundo de hoje, e a violência também. Mais ainda, tem-se a impressão de que ambas podem trabalhar em conjunto, disseminando desolação, como fizeram ao longo da história humana. Com base no duplo pressuposto de que as religiões são um fator importante na vida pública e de que "as mais fanáticas, as mais cruéis lutas políticas são aquelas que foram caracterizadas, inspiradas e legitimadas pela religião",[32] Hans Küng argumentou ao longo dos anos que a paz não pode ser promovida "contra as religiões, mas apenas com elas".[33] Em círculos teológicos seu *slogan* vinculando a paz mundial à paz religiosa adquiriu o *status* de um truísmo: "Não pode haver paz entre as nações sem paz entre as religiões".[34] Uma vez que a paz religiosa só pode ser estabelecida por meio do diálogo religioso,[35] Küng acredita que a reconciliação dos povos depende do sucesso do diálogo inter-religioso.

Num certo nível, é difícil argumentar contra a tese de Küng. A maior parte da população do mundo é religiosa, e quando povos travam uma guerra, seus deuses são invariavelmente envolvidos. Ficaria a impressão de que se reconciliássemos os deuses nós nos aproximaríamos mais da reconciliação dos povos envolvidos. A questão, porém, é saber quem está combatendo a batalha de quem nessas guerras. As pessoas estão combatendo a batalha de seus deuses famintos de poder ou estão os deuses combatendo as batalhas de seus povos beligerantes? Os dois casos não são mutuamente excludentes, é óbvio. Minha suspeita é, todavia, que os deuses saem perdendo nessas situações: eles acabam fazendo mais trabalho sujo em benefício de seus supostos servos terrenos do que esses servos fazem por eles. E quando os deuses se recusam a fazer o trabalho sujo a maioria das pessoas envolvidas em conflitos ou os descartam favorecendo deuses mais complacentes ou procuram

---

[32] Hans Küng et al., *Christianity and World Religions: Paths to Dialogue with Islam, Hinduism, and Buddhism*, trad. Peter Heinegg (Maryknoll, NY: Orbis, 1993), p. 442.
[33] Hans Küng, *Global Responsibility: In Searh for a New World Ethic*, trad. John Bowden (New York: Continuum, 1993), p. 89.
[34] Ibid., p. 76.
[35] Ibid., p. 105.

reeducá-los, o que resulta na mesma coisa. Pobres deuses! O que eles não têm de aturar nas mãos de seus humildes devotos!

Para testar se minha compaixão pelos deuses maltratados faz sentido, vamos imaginar um mundo no qual *deuses diversos* não lutam uns com os outros. Seria um mundo no qual várias religiões — vários conjuntos de crenças e práticas — coexistem pacificamente lado a lado. Embora cada um *possa* alegar que sua religião é mais verdadeira que as outras, cada um partilha a crença de que todos os outros merecem respeito. Não se pode desejar mais que isso no que diz respeito à reconciliação entre religiões — a menos que alguém esteja interessado em reduzir todas as religiões a uma religião única (defendendo ou o velho estilo da exclusão ou o novo estilo da inclusão), ou vendo em cada religião concreta uma culturalmente condicionada manifestação de um singular compromisso religioso comum (digamos, defendendo uma espécie de pluralismo hickiano)[36] — todas essas opções Küng considera, corretamente, não persuasivas.[37] Sem dúvida, o mundo de religiões reconciliadas seria mais pacífico do que aquele em que vivemos. A intolerância religiosa é um fator no fomento de conflitos. Mas será que as pessoas deixariam de brigar e se reconciliariam se suas religiões fossem reconciliadas? É claro que não. Há muitas pessoas religiosas de um único e mesmo deus, adeptas da mesma religião, que lutam entre si a ponto de se matarem, cada uma acreditando que seu deus comum está do seu lado, lutando em suas batalhas. As pessoas às vezes brigam porque seus deuses brigam. Em regra, todavia, seus deuses lutam porque as pessoas estão em guerra umas contra as outras. Se elas acreditam ou não no *mesmo* deus faz pouca diferença.

A tese de que não pode haver paz no mundo sem paz entre as religiões é verdadeira, mas é muito menos significativa do que a sua altissonante natureza gostaria que acreditássemos. A paz entre as religiões pouco faria para criar a paz entre povos — a menos, claro, que se entenda a paz entre religiões como paz entre as *pessoas* que as abraçam, caso em que a tese é trivial. A única coisa que a paz entre religiões evitaria são as guerras estritamente religiosas. Em termos de promover a paz a questão da reconciliação entre religiões como sistemas de crenças e práticas é menos

---

[36] John Hick, *An Interpretation of Religion: Human Responses to the Transcendent* (New Haven: Yale University Press, 1989).

[37] Küng, *Global Responsibility*, p. 78ss.

importante do que *a natureza de cada religião*. Quão dispostos estão seus deuses a envolver-se nos conflitos de seus seguidores? Se cada religião fomenta a violência, a reconciliação entre elas pouco fará para promover a paz. Em contrapartida, mesmo se as crenças e práticas religiosas estão em mútua discordância, se cada uma delas promover a não violência dificilmente alguém será capaz de acusá-las em conjunto de promover a guerra. Se paz é o que buscamos, então a crítica da legitimação religiosa da violência — a crítica dos deuses guerreiros — é mais urgente do que a reconciliação entre as religiões.

Hans Küng fez muito não apenas para promover o diálogo entre religiões, mas também para sublinhar que a não violência está no âmago de muitas religiões. Uma Declaração do Parlamento das Religiões do Mundo,[38] elaborada por Küng, contém como a primeira de suas quatro "diretivas irrevogáveis" o "compromisso com uma cultura de não violência e respeito pela vida".[39] Note-se, porém, como o compromisso é detalhado: "Os detentores de poder político devem trabalhar num contexto de uma ordem justa e comprometer-se com as soluções mais pacíficas e menos violentas possíveis".[40] Embora significativa, a adoção das soluções *"menos violentas possíveis"* está minada precisamente por aquele tipo de ambiguidade que observamos em muitas religiões (inclusive o cristianismo) em relação à não violência. As religiões defendem a não violência em geral, e ao mesmo tempo encontram maneiras de legitimar a violência em situações específicas; seus representantes tanto pregam contra a guerra como benzem as armas das tropas de sua nação. E assim a profunda sabedoria sobre a não violência se resume a um princípio que nenhum senhor da guerra que se respeita negará, a saber, que você pode ser violento quando se torna impossível não ser violento, desde que seus objetivos sejam justos (e geralmente o são pelo simples motivo de que são seus). Com ou sem diálogo religioso, sem a afirmação do princípio de que *jamais é apropriado usar a religião para dar sanção moral ao uso de violência*, imagens religiosas e líderes religiosos continuarão sendo explorados por políticos e generais envolvidos com a violência.

---

[38] Hans Küng e Karl-Josef Kuschel, eds., *A Global Ethic: The Declaration of the Parliament of the World's Religions* (New York: Continuum, 1993).
[39] Ibid., p. 24.
[40] Ibid., p. 25.

Terror cósmico

Por que é tão difícil para pessoas religiosas adotar o princípio da não violência, mesmo quando a virtude da não violência é essencial para o sistema de crenças delas? Será que é simplesmente porque elas não conseguem resistir à lógica da violência num mundo de carnificinas e assim renegam suas crenças quando seus interesses exigem isso? Será possível que suas próprias religiões no fundo são violentas,[41] e suas estruturas mais profundas promovem o que suas afirmações superficiais procuram impedir? Não estão todas essas pessoas falando de uma luta cósmica?[42] O que deve impedir a encenação ritual dessa luta de aprovar a violência política? A violência cósmica divina e a violência social humana não são correlatas?

Não posso falar por todas as religiões. Meu objetivo é observar brevemente a estrutura mais profunda da fé cristã e investigar sua relação com a violência. Vou deixar que um incisivo crítico daquilo que ele denomina o "terror cósmico" cristão fale primeiro. Seu nome é Gilles Deleuze, e o objeto imediato de sua crítica é o livro do Apocalipse. Seu alvo, porém, é nada menos que a fé cristã como um todo. Tanto no conteúdo quanto na estratégia, além disso, seu ataque contra a fé cristã anda lado a lado com o ataque que ele e outros pensadores pós-modernos dirigem contra a modernidade. A razão universal da modernidade e o Deus absoluto do cristianismo são apenas duas manifestações, uma sagrada e a outra secular, de um único e mesmo sistema de terror. Em prol da liberdade humana, argumentam eles, precisamos desconstruir a razão moderna bem como a antiga religião.

No ensaio, "Nietzsche e Paulo, Lawrence e João de Patmos", Deleuze argumenta que Apocalipse contém uma mensagem do coração dos pobres e dos fracos. Seguindo Nietzsche,[43] ele sustenta que essas pessoas não são gente humilde e infeliz como muitas vezes se pensa que são. Elas estão cheias de ressentimento e espírito vingativo. Mas elas não sonham com a Nova Jerusalém, a cidade de luz, de verdade e de justiça? Sim, e é exatamente aí que está o problema. Deleuze escreve:

---

[41] Maurice Bloch, *Prey into Hunter: The Politics of Religious Experience* (Cambridge: Cambridge University Press, 1992).
[42] Juergensmeyer, *The New Cold War?*
[43] Friedrich Nietzsche, *The Birth of Tragedy and The Genealogy of Morals*, trad. Francis Golffing (Garden City: Doubleday, 1956), p. 258ss.

Talvez haja uma ligeira semelhança entre Hitler e o Anticristo, mas há muito mais semelhança entre a Nova Jerusalém e o futuro a nós prometido não apenas na ficção científica, mas até mais no planejamento industrial-militar do governo-absoluto do mundo. Apocalipse não é o campo de concentração (o Anticristo); é a grande segurança militar, policial e civil do estado novo (a celestial Jerusalém). A modernidade de Apocalipse não está nas catástrofes que ele anuncia, mas na programada glorificação de si mesmo, no glorioso estabelecimento da nova Jerusalém, na insana construção de uma regra moral e judicial. [...] Sem ter a intenção de fazer isso, Apocalipse está nos persuadindo de que a pior coisa não é o Anticristo, mas sim a nova cidade que está descendo do céu, a cidade santa. [...] Qualquer leitor estúpido de Apocalipse tem a sensação de já estar no lago de enxofre.[44]

Por que Deleuze pensa que caminhar pelas ruas douradas da cidade de luz não é melhor do que a tortura no lago ardente de enxofre abrasador? Por que ele insiste que a companhia da besta e do falso profeta não é pior do que a comunhão com Deus e o Cordeiro?

Deleuze apresenta duas razões interligadas. Falando de modo simples, a primeira é que a Nova Jerusalém é totalitária; ela representa um regime jurídico e moral absoluto. O totalitarismo da Nova Jerusalém é mais sinistro do que a ditadura aberta caracterizada por um monismo completo e o controle pan-abrangente da sociedade pelo estado. Seus súditos são governados *de dentro para fora* por um poder que procura permear todos os poros da realidade, penetrar em todos os cantos e em todos os vãos escuros até ter enchido todo o universo. Além disso, ninguém pode apelar a deuses superiores; o Deus único é o juiz supremo acima de todos os poderes.[45] Na Nova Jerusalém não há lugar nenhum para se esconder e nenhum tribunal superior ao qual se possa recorrer; Deus vê e julga tudo. Pessoas imersas "num campo de visibilidade total" e forçadas a interiorizar os julgamentos do árbitro final absoluto! Se você chama isso de céu, como o distingue do inferno? Um amigo íntimo de

---

[44] Gilles Deleuze, *Kleine Schriften*, trad. K. D. Schacht (Berlin: Minerva, 1980), p. 114. As reflexões de Deleuze sobre o Apocalipse são apresentadas no contexto de uma análise do comentário de D. H. Lawrence sobre o Apocalipse. Trato o texto simplesmente como uma expressão das visões de Deleuze.

[45] Ibid., p. 102.

Deleuze, Michel Foucault, descreve precisamente nesses termos a prisão suprema, o "panópticon" de Bentham.[46]

O segundo motivo da rebelião de Deleuze contra a cidade santa é que a luz brilhante da Nova Jerusalém pode brilhar apenas depois que todo o universo houver sido envolvido na escuridão da morte. Repercutindo a alegação de Nietzsche de que os primeiros cristãos, aqueles "santos anarquistas", transformaram "num 'ato de piedade' destruir 'o mundo'",[47] Deleuze interpreta a visão do comportamento celestial da Nova Jerusalém como o anverso do terror cósmico com o qual tão facilmente sonham os pobres e os fracos. Eles condenarão o mundo inteiro à destruição para se vingarem de seus inimigos. E depois por cima de tudo isso eles insistirão em chamar essa vontade mortífera de "justiça" e "santidade"![48] Juntando as duas objeções de Deleuze contra a Nova Jerusalém, o céu cristão não é apenas indissociável do inferno mas também emerge do terror cósmico que se disfarça como a execução da verdade e justiça finais.

De modo bastante estranho, o executor do terror cósmico que destrói o mundo e o recria de acordo com sua vontade é o *Cordeiro*. Mas ocorre que se trata de um Cordeiro estranho o que nós encontramos em Apocalipse — "um cordeiro com chifres que ruge como um leão",[49] "um cordeiro carnívoro".[50] Ignore-se o fato de que parece "imolado". Ele apenas usa a máscara de uma vítima para esconder o rosto do carrasco a fim de dar liberdade à sua mão mortífera. Nos capítulos finais de Apocalipse, a máscara cai e o Cordeiro inocente emerge como o Cavaleiro no cavalo branco que "pisa o lagar do vinho do furor da ira do Deus Todo-Poderoso" e veste "um manto tinto de sangue" (19.15,13). É verdade que se diz que o Cordeiro executa um julgamento justo. Mas qual é o teor desse julgamento? Deleuze responde: nada, a não ser "a vontade de destruir, a vontade de invadir cada canto, a vontade de ter sempre a última palavra: a tríplice vontade que é apenas uma única vontade, Pai, Filho e Espírito Santo".[51] E assim os pobres,

---

[46] Michel Foucault, *Power/Knowledge: Selected Interviews and Other Writings 1972–1977*, trad. Colin Gordon et al. (New York: Pantheon Books, 1980), p. 153ss.
[47] Friedrich Nietzsche, *Twilight of the Idols and The Anti-Christ*, trad. R. J. Hollingdale (London: Penguin, 1990), p. 192.
[48] Deleuze, *Kleine Schriften*, p. 113.
[49] Ibid., p. 101.
[50] Ibid., p. 102.
[51] Ibid., p. 103.

seu Cordeiro e seu Deus são todos mais bem retratados pela imagem de um "homem com a espada entre os dentes".[52]

Não pintam os Evangelhos um quadro diferente, todavia? À primeira vista, João de Patmos e Jesus de Nazaré parecem de fato contrastes irreconciliáveis. De acordo com Deleuze, Jesus está cheio de amor e sua mensagem é dirigida ao indivíduo; João sonha com o terror cósmico e se dirige à alma coletiva das massas. A religião do amor pessoal confronta a religião da violência coletiva. O contraste, todavia, não é incompatibilidade. Como opostos, o Cristo dos Evangelhos e o Cristo do Apocalipse pertencem um ao outro "mais do que se fossem uma única e a mesma pessoa".[53] São dois lados da mesma moeda. Quando o Cristo do Apocalipse destrói brutalmente o mundo e reconstrói um mundo novo de acordo com a sua vontade, ele tira sem querer dar. Quando o Jesus dos Evangelhos ama desinteressadamente, ele dá sem querer tirar. Em Apocalipse, as massas são expulsas da existência a chicotadas; nos Evangelhos, o Jesus de Nazaré empreende uma missão suicida. Nos dois casos, reinam a violência e a morte. A destruição apocalíptica do mundo germina num solo preparado pelo sacrifício evangélico do ego. Como observou Michel Foucault, o genocídio e o autossacrifício total nunca estão muito distantes um do outro.[54]

Segundo Deleuze, o "eu", o "sujeito", é o sanguinário criminoso que executa o sacrifício do ego e do outro. Um ego estável semeia a morte aonde quer que vá. Por quê? Deleuze dá duas respostas. Primeira, um sujeito estável (um "eu") invariavelmente emite julgamentos usando códigos de representação simbólica. Cada vez que um relacionamento físico é traduzido num relacionamento lógico, uma corrente é segmentada, uma coisa viva é morta.[55] O pensar e o estabelecer objetivos são por sua própria natureza repressores. Deleuze então recomenda "parar de pensar em si mesmo como um 'eu' a fim de viver como uma corrente, como uma coleção de correntes em relação a outras correntes dentro e fora de si mesmo".[56] Segunda, a unidade do ego racional corresponde à unidade do mundo, e a unidade do mundo pode ser alcançada somente pela supressão da multiplicidade.

[52] Ibid., p. 121.
[53] Ibid., p. 121.
[54] Michel Foucault, *History of Sexuality. Volume I: Introduction*, trad. Robert Hurley (New York: Random House, 1978), p. 149s.
[55] Deleuze, *Kleine Schriften*, p. 125.
[56] Ibid., p.124.

Deleuze insiste então que devemos dar primazia à multiplicidade; a unidade não é nada a não ser uma redução inaceitável da multiplicidade.

A solução que Deleuze descobriu para o problema do terror cósmico procura dar três passos elegantes: nenhum sujeito—nenhum estabelecimento de limites mediante a emissão de julgamentos—nenhum terror. Ela tropeça, porém, antes de chegar ao segundo passo. Não se pode negar o "eu" — o próprio "eu" de cada um — sem ao mesmo tempo afirmá-lo. Quem estaria fazendo o trabalho do negar? Falando de um modo ligeiramente diferente, Deleuze "não pode incluir o ego do qual ele fala na explicação de si mesmo" dentro de sua própria narrativa filosófica, como argumentou Alasdair MacIntyre.[57] Mesmo se Deleuze conseguisse dar o primeiro passo, ele tropeçaria ao dar o segundo. Como argumentei antes (Capítulo 3), sem limites nós teríamos o caos; não haveria correntes indiferenciadas, mas sim um mar confuso fluindo em todas as direções, o que significa dizer absolutamente não fluindo.[58] Se procurarmos evitar todos os julgamentos, como evitaremos chegar ao "ponto fatal" onde, como diz Deleuze, "tudo se mistura com tudo sem medida alguma"?[59]

A título meramente argumentativo, vamos supor, todavia, que Deleuze foi bem-sucedido dando os primeiros dois passos. Acaso esses dois passos nos colocariam numa posição a partir da qual poderíamos dar o terceiro decisivo passo? A liberdade do terror vem em seguida? De modo algum. Sem o uso de códigos simbólicos, sem julgamentos, tudo o que teríamos é o turbulento fluxo do desejo. Não se deve confundir esse imediatismo não reflexivo com ausência de violência. Pelo contrário, como argumentou Jean-Paul Sartre, a opção pelo imediatismo e a ausência de comunicação é a fonte da violência.[60] Se alguém *pensar* que negou o "eu", evitará emitir um julgamento mas o terror permanecerá. A única coisa pior que o terror que resulta do sistema de julgamento é o terror sem nenhum julgamento: rolam cabeças mas não se sabe dizer quando nem onde nem por quê. Além disso, sem um sistema de julgamento não teríamos nenhuma forma de combater a opressão e o engano porque não poderíamos distinguir entre o Açougueiro de Lyon e a Madre Teresa de Calcutá. Quem quer substituir o

---

[57] Alasdair MacIntyre, *Three Rival Versions of Moral Enquiry: Encyclopaedia, Genealogy, and Tradition* (Notre Dame, IN: University of Notre Dame Press, 1990), p. 210.
[58] Manfred Frank, *Was ist Neostrukturalismus?* (Frankfurt: Suhrkamp, 1984), p. 431.
[59] Deleuze, *Kleine Schriften*, p. 117.
[60] Cf. Frank, *Was ist Neostrukturalismus?*, p. 412.

"sujeito" da reflexão crítica por "correntes" de desejo deve afirmar o mundo do jeito que o encontra, com toda a sua horripilante violência. A tentativa de transcender o julgamento — seja o julgamento da razão ou o da religião — não elimina, mas entroniza a violência. Para fugir do castelo do julgamento, a consciência desembarca a pessoa no castelo dos homicídios.[61]

Pode ser relativamente fácil mostrar que a solução de Deleuze para o problema da violência está equivocada, que a sua alternativa é pior do que aquilo que ele rejeita. Mas depois de levar a cabo a desconstrução de Deleuze, ainda não teremos defendido a fé cristã da devastadora crítica que ele disparou contra ela. Estaria a fé cristã implicada na promoção da violência não apenas no nível de isoladas e acidentais crenças, mas também no seu próprio âmago? Suas imagens do novo mundo de Deus não são profundamente opressivas? Aquele mundo não acontece por meio de um ato de violência sem precedentes? O sério desafio que Deleuze apresenta é *se alguém pode enfrentar um julgamento definitivo contra o terror sem provar o terror do julgamento*. Pode a fé cristã afirmar o julgamento sobre a verdade e a justiça e negar a violência? Como vocês se lembram, é precisamente isso que faz o Jesus de *O mestre e Margarida* de Bulgákov. Ele *contrasta* o reino da verdade e da justiça com o reino da violência. Será que uma análise mais profunda de Apocalipse e dos Evangelhos confirma a interpretação de Bulgákov?

Rompendo o ciclo da violência

Embora não seja seu tema dominante, a violência fornece um pano de fundo para boa parte da narrativa do Novo Testamento. O drama da salvação começa e termina com violência, e sem violência seu ato central é inimaginável. Nas primeiras páginas do Novo Testamento, quando Jesus Cristo entra no palco da história, o rei Herodes, temendo perder seu trono, trucida os inocentes para eliminar um potencial rival (Mt 2); nas últimas

---

[61] James E. Miller, *Passion of Michel Foucault* (New York: Simon & Schuster, 1993), p. 115. Em *Life in Fragments* Zygmunt Bauman argumentou que, devido ao "desinteresse e à evasão de compromissos" dos tipicamente pós-modernos (num sentido sociológico) "consumidores sensacionalistas", a violência "pode retornar para os lugares de onde o 'processo civilizador' prometeu expulsá-la para sempre: para a vizinhança, para a família, para os parceiros conjugais — os lugares tradicionais da proximidade moral e do encontro face a face" (p. 124, 156).

páginas, quando a história finalmente chega ao fim, uma grande guerra acontece na qual Jesus atira a besta e o falso profeta no lago de fogo e mata seus seguidores com a espada que sai de sua boca (Ap 19). E no ato central do Novo Testamento, os governantes de sua época planejam e executam o brutal assassinato de Jesus Cristo, usando um julgamento falso para conferir-lhe legitimidade política.

Uma perspectiva cristã da violência precisa ser conquistada mediante a reflexão sobre atitudes para com a violência em todo esse drama da vinda de Jesus Cristo ao mundo, morando nele e julgando-o. Não bastará simplesmente pinçar declarações isoladas de Jesus sobre como seus discípulos devem comprar uma espada (Lc 22.36) mas não usá-la (Mt 26.52); não bastará analisar a instrução de Paulo sobre como um estado que carrega a espada é um servo de Deus (Rm 13.1-5), embora os cristãos nunca se vinguem mas deem "lugar à ira" de Deus (Rm 12.19); tampouco bastará refletir sobre a incapacidade de João Batista de dizer aos soldados que eles deveriam abandonar seus empregos (Lc 3.14). Cada uma dessas passagens é significativa por si só, mas nenhuma delas se compara em importância àquilo que está escrito nos pontos cruciais do drama de Jesus Cristo, particularmente a cruz e a segunda vinda. Proponho-me refletir brevemente sobre a violência que Jesus Cristo como Messias crucificado sofreu e a violência que se diz que ele como o Cavaleiro triunfante sobre o cavalo branco infligiu.

De acordo com Deleuze, permanecerá a lembrança de que o amor abnegado do Jesus terreno prepara o caminho para o terror do Senhor celestial porque a negação do ego é o primeiro passo rumo ao apagamento do ego, tanto do ego próprio como daquele do outro. Será, porém, que a leitura da história feita por Deleuze faz sentido? Não faz. A cruz não foi um resultado trágico da espécie de negação de si mesmo que aprova a violência, mas sim um fim plausível de uma vida de um ego engajado na luta pela paz de Deus num mundo de violência. Considerem-se as quatro maneiras seguintes pelas quais o Messias crucificado desafia a violência.

Em primeiro lugar, a cruz *rompe o círculo da violência*. Pendendo da cruz, Jesus forneceu o máximo exemplo de seu comando para substituir o princípio da retaliação ("olho por olho, dente por dente") pelo princípio da não resistência ("a qualquer que te ferir na face direita, volta-lhe também a outra" [Mt 5.39]). Suportando a violência como uma vítima inocente, ele assumiu para si a agressão dos perseguidores. Ele rompeu o círculo vicioso da violência absorvendo-a, assumindo-a para si mesmo.[62] Recusou-se a ser sugado pelo automatismo da vingança, mas procurou vencer o mal praticando o bem — mesmo às custas de sua vida. O tipo de opção de Jesus pela não violência não teve nada a ver com sua abnegação de si mesmo na qual alguém se coloca totalmente à disposição dos outros para que façam com ele o que lhes aprouver; teve muito a ver com o tipo de afirmação de si mesmo na qual alguém se recusa a ser seduzido pela estúpida repetição dos gestos violentos de seus inimigos e a ser remodelado à imagem espelhada deles. Não, o Messias crucificado não é uma velada legitimação do sistema de terror, mas sim sua crítica radical. Longe de entronizar a violência, a sacralização dele como vítima subverte a violência.

Segundo, a cruz *desmascara o mecanismo do recurso a bodes expiatórios*. Todos os relatos da morte de Jesus concordam que ele sofreu uma violência *injusta*. Seus perseguidores acreditavam na excelência da causa deles, mas na realidade odiavam sem nenhum motivo. Jesus foi um bode expiatório. Mas dizer que Jesus foi odiado sem motivo algum — que ele foi uma vítima inocente — não é dizer que ele foi uma vítima escolhida arbitrariamente, como alega René Girard, que propôs a teoria do bode expiatório.[63] Num mundo de engano e opressão, a inocência dele — sua honestidade e sua justiça — era razão suficiente para o ódio. Jesus *era* uma ameaça, e precisamente por causa de sua ameaçadora inocência ele foi escolhido como um bode expiatório. Em *O bode expiatório* Girard enfatizou corretamente, todavia, que uma das funções dos relatos do evangelho é desmascarar o mecanismo do bode expiatório.[64] Em vez de assumir a perspectiva dos perseguidores, os Evangelhos assumem a perspectiva da vítima; eles "constantemente revelam o que os textos dos perseguidores históricos, e especialmente dos perseguidores mitológicos, escondem de nós: o conhecimento de que a vítima deles é um bode expiatório".[65]

Para Girard a identificação de uma vítima como bode expiatório tem a importância de uma revelação:

---

[62] Ver a discussão de Michael Welker sobre a impotência como uma postura política (*God the Spirit*, trad. John F. Hoffmeyer [Minneapolis: Fortress, 1994], p. 128ss.).

[63] Paul Dumouchel, "Introduction", *Violence and Truth: On the Work of René Girard*, ed. Paul Dumouchel (Stanford: Stanford University Press, 1988), p. 13s.

[64] René Girard, *The Scapegoat*, trad. Yvonne Freccero (Baltimore: The Johns Hopkins University Press, 1986), p. 100ss.

[65] Ibid., p. 117.

Depois de identificados, os mecanismos não podem mais operar; acreditamos cada vez menos na culpabilidade das vítimas que eles exigem. Privadas do alimento que as sustenta, as instituições derivadas desses mecanismos caem por terra uma por uma ao nosso redor. Saibamos nós ou não, os Evangelhos são responsáveis por essa derrocada.[66]

Embora o desmascaramento do bode expiatório seja bastante significativo, Girard deposita nele uma confiança exagerada. Mesmo que admitamos o questionável pressuposto de que o não reconhecimento do mecanismo do bode expiatório é essencial para o seu funcionamento,[67] Girard dá pouca importância à tendência das pessoas de mascarar de novo o que foi desmascarado quando isso é do interesse delas. Mais ainda, embora Jesus fosse inocente, nem todas as vítimas de violência são inocentes. A tendência dos perseguidores a culpar as vítimas é reforçada pela culpa real das vítimas, mesmo que a culpa seja mínima e que elas incorram nessa culpa como uma reação à violência original cometida contra elas. Desmascarar o mecanismo do bode expiatório não será suficiente.

Será que as estratégias de "absorver" e "desmascarar" são as únicas formas com as quais Jesus combateu a violência? O sofrimento da violência seria, paradoxalmente, o único remédio para ela? Certamente não. A cruz é, em terceiro lugar, parte da *luta* de Jesus pela verdade e justiça de Deus. A missão de Jesus certamente não consistia em receber passivamente a violência. O grito de angústia dirigido a um Deus ausente não foi o único enunciado de Jesus; cair sob o peso da cruz a caminho de sua execução não foi sua única realização. Se Jesus não tivesse feito nada além de sofrer violência, nós o teríamos esquecido como esquecemos tantas outras vítimas inocentes. O mecanismo do bode expiatório não teria sido desmascarado por seu sofrimento, e a violência não teria diminuído por sua não resistência. A pura negatividade da não violência é estéril porque evita "entrar" no território do sistema do terror. Na melhor das hipóteses, os opressores podem ignorá-la em segurança; na pior, eles podem se ver indiretamente justificados por ela. Para ser significativa, a não violência deve fazer parte de uma estratégia mais ampla de combate ao sistema de terror.

[66] Ibid., p. 101.
[67] Henri Atlan, "Finding Violence and Divine Referent", *Violence and Truth: On the Work of René Girard*, ed. Paul Dumouchel (Stanford: Stanford University Press, 1988).

Mas será que essa linguagem de "luta" e "combate" não é inapropriada? Será que seus objetivos não se opõem aos da não violência? Considere-se o fato de que o ministério público de Jesus — sua proclamação e promulgação do reino de Deus como um reino da verdade e justiça de Deus — não foi um drama representado num palco vazio, deixado vago por outras vozes e outros atores. Um palco vazio estava indisponível para ele, como está para nós. Ele só estava lá no início, antes da aurora da criação. No palco vazio da não existência, Deus implementou o drama da criação — e o mundo passou a existir. Todos os dramas subsequentes são representados num palco ocupado; todos os expectadores são atores. Sobretudo na criação infestada de pecados, a proclamação e a promulgação do reino da verdade e da justiça jamais são um ato de mera suposição, mas são sempre uma invasão de espaços ocupados por outros. Uma oposição ativa ao reino de Satanás, o reino do engano e da opressão, é por isso inseparável da proclamação do reino de Deus. Foi essa oposição que levou Jesus Cristo para a cruz; e foi essa oposição que deu significado à sua não violência. Requer-se a luta contra o engano e a opressão para fazer a não violência deixar de ser uma negatividade estéril e tornar-se uma possibilidade criativa; para deixar de ser areia movediça e tornar-se a fundação de um mundo novo.

Em quarto lugar, a cruz é *um abraço divino dado nos desonestos e nos injustos*. Uma forma de abraçar os praticantes do mal seria simplesmente "agir como se o pecado não estivesse lá", como John Milbank sugeriu em *Teologia e teoria social*.[68] Jesus na cruz seria então o nosso modelo. Como ele nós diríamos dos perpetradores: "Pai, perdoa-lhes, pois não sabem o que fazem" (Lc 23.34). Num ato de absoluta graça, a justiça e a verdade seriam suspensas, e um abraço reconciliador aconteceria. Todavia, nós interpretamos o perdão de forma gravemente equivocada, se o imaginamos agindo "como se o pecado não estivesse lá" (ver Capítulo 4).[69] Mais significativamente, enquanto a suspensão da verdade e da justiça num gesto de perdão visa ajudar a criar um mundo novo, essa suspensão de fato *pressupõe* um mundo novo, *um mundo sem engano e injustiça*. Suspenda

---

[68] John Milbank, *Theology and Social Theory: Beyond Secular Reason* (Oxford: Blackwell, 1990), p. 411.

[69] Em *Embodying Forgiveness: A Theological Analysis* (Grand Rapids: Eerdmans, 1995), Gregory Jones acertadamente argumentou contra Milbank que só podemos conquistar genuinamente a reconciliação "reconhecendo que o pecado deles está lá, mas lidando com isso mediante um julgamento de graça" (p. 146, n4).

a verdade e a justiça e você não pode redimir o mundo; é preciso deixá-lo como ele é. Agir "como se não" diante do pecado poderia de fato antecipar o céu no qual não há pecado, como argumenta Milbank. Todavia, o preço dessa antecipação é a relegação do mundo às trevas do inferno; o mundo permanecerá para sempre errado, o sangue dos inocentes clamará eternamente aos céus. Não pode haver redenção a menos que a verdade sobre o mundo seja dita e a justiça seja feita. Tratar o pecado como se ele não estivesse lá, quando de fato está, equivale a viver como se o mundo estivesse redimido quando de fato não está. A alegação de redenção degenerou numa ideologia vazia, e por sinal perigosa.[70]

Há uma profunda sabedoria acerca da natureza do nosso mundo no simples credo da igreja primitiva de que "Cristo morreu pelos nossos pecados" (1Co 15.3). No âmago da fé cristã está a alegação de que Deus entrou na história e morreu na cruz na pessoa de Jesus Cristo em prol de um mundo injusto e desonesto. Assumindo para si os pecados do mundo, Deus disse a verdade sobre o mundo desonesto e entronizou a justiça num mundo injusto. Quando Deus foi feito pecado em Cristo (2Co 5.21), o mundo de engano e injustiça foi consertado. Os pecados foram expiados. O grito do sangue inocente foi atendido. Uma vez que o mundo novo se tornou realidade no Cristo crucificado e ressuscitado (2Co 5.17), é possível viver o mundo novo no meio do velho num ato de perdão gratuito sem abandonar a luta pela verdade e a justiça. Pode-se abraçar os perpetradores por meio da expiação. Na esteira da teoria do bode expiatório de Girard, James G. Williams argumentou em *The Bible, Violence, and the Sacred* [A Bíblia, a violência e o sagrado] que nos textos bíblicos "a linguagem sacrificial é usada, necessariamente, para romper com a visão sacrificial do mundo".[71] Acredito, em vez disso, que os textos bíblicos narram como Deus necessariamente *usou o mecanismo sacrificial* para recriar o mundo

---

[70] Agir "como se não" diante do pecado — alguém poderia chamar isso "redenção pela desconsideração" — para nosso desconforto isso está próximo demais da reconstrução nietzschiana da "psicologia do redentor" em *O anticristo*. Ali também se vive "a fim de sentir-se 'no céu'"; não há luta, mas não porque o mal foi vencido, e sim porque "o conceito de pecado" foi abolido; "a 'boa-nova' é precisamente que já não há opostos" (*Twilight of the Idols and The Anti-Christ*, p. 152-58).

[71] James G. Williams, *The Bible, Violence, and the Sacred: Liberation from the Myth of Sanctioned Violence* (Valley Forge: Trinity Press International, 1991), p. 224.

como um lugar no qual a necessidade de sacrificar os outros pudesse ser evitada — um mundo novo de graça que se doa, um mundo de abraço.

O Iluminismo nos deixou uma alternativa: ou a razão ou a violência. Nietzsche e seus seguidores pós-modernos demonstraram com aptidão que a própria razão é violenta,[72] acrescentando em seus momentos de honestidade o horripilante pensamento de que só se pode transcender a razão violenta na violência da irracionalidade.[73] A cruz de Cristo nos deveria ensinar que a única alternativa à violência é o amor que se doa a si mesmo, a disposição de absorver a violência para abraçar o outro sabendo que a verdade e a justiça foram e serão mantidas por Deus. Será que a cruz nos ensina a abandonar a razão juntamente com a violência? Sua mensagem é que a imediação da doação de si mesmo é o único antídoto para a imediação da violência? Certamente não. Não podemos dispensar a razão e o discurso como armas contra a violência. Mas a cruz nos sugere que a "responsabilidade da razão" não pode substituir nem a "consciência do pecado"[74] nem a vontade de abraçar o outro que pecou. Em vez disso, a razão e o discurso em si mesmos precisam ser redimidos na medida em que estão implicados nas agonísticas e pecaminosas relações de poder. Somente aqueles que estão dispostos a abraçar os desonestos e injustos, como Cristo fez na cruz, estarão habilitados a empregar a razão e o discurso como instrumentos de paz e não de violência.

O Cavaleiro no cavalo branco

Que dizer do Cavaleiro no cavalo branco que parece implementar a violência sem nenhum pensamento de abraçar o inimigo? Não é ele o mesmo Messias que estava o tempo todo sonhando com a vingança e agora finalmente passou a exercê-la com furor? Ele não vem extravasar "o furor da ira do Deus Todo-Poderoso" (Ap 19.15)? O céu não se alegra ante a visão da queda da Babilônia (Ap 18.20)? Os santos circunstantes não vibram contentes dizendo: "Dai-lhe em retribuição como também ela retribuiu, pagai-lhe em dobro segundo as suas obras e, no cálice em que ela misturou

---

[72] Nietzsche, *Twilight of the Idols and the Anti-Christ*, p. 43.

[73] Michel Foucault, "The Ethic of Care of the Self as a Practice of Freedom", *The Final Foucault*, ed. James Bernauer e David Rasmussen (Cambridge: MIT Press, 1988), p. 285.

[74] Hans-Otto Apel, *Diskurs und Verantwortung* (Frankfurt: Suhrkamp, 1988), p. 17s.

bebidas, misturai dobrado para ela" (Ap 18.6). Isso não é uma autêntica orgia de ódio, ira e espírito de vingança da parte daqueles que gostam de se ver vestidos em seus mantos brancos, uma vitória final da vingança contra o amor, da violência contra a não violência? Será que se João de Patmos, que viu Jesus Cristo como "um Cordeiro como tendo sido morto" (Ap 5.6), tivesse observado melhor não teria visto uma besta sanguinária?

Mas quem são aqueles que sofrem violência nas mãos do Cavaleiro? Eles são as pessoas embriagadas com o sangue dos inocentes (Ap 17.6) que lutam contra o Cordeiro e contra os que se adornaram com ações justas (Ap 19.19). Apesar de sua imponente ordem política e seu esplendor econômico, o poder imperial de Roma é, aos olhos de João, o Visionário, um sistema de "tirania política e exploração econômica", fundamentado "na conquista e mantido pela violência e a opressão".[75] A violência do Cavaleiro é o julgamento contra esse sistema da parte daquele que é chamado "Fiel e Verdadeiro" (Ap 19.11). Sem esse julgamento não pode haver nenhum mundo de paz, de verdade e de justiça: o terror (a "besta" que devora) e a propaganda (o "falso profeta" que engana) precisam ser derrotados, o mal precisa ser separado do bem, e as trevas, da luz. Essas são as causas da violência, e elas precisam ser eliminadas para que se possa estabelecer um mundo de paz.

Por que Deus precisa proferir o implacável "não" a um mundo de injustiça, engano e violência de uma forma tão *violenta*? Por que o "não" precisa ser codificado nas imagens do terror irrompendo e cobrindo o mundo com sangue e cinzas? A não violência é impotente? Há uma estratégia de responder a essas perguntas que não vai funcionar. É a tentativa de isentar o Apocalipse da acusação de afirmar a violência divina mediante a sugestão de que a vitória do Cavaleiro não foi "literalmente conquistada com armas", mas com a espada que sai "de sua boca", que vem a ser "a Palavra de Deus".[76] Isso não é plausível. A violência da palavra divina não é menos letal que a violência da espada literal. Temos de rejeitar a violência do Cavaleiro ou então descobrir maneiras de entender seu sentido; não podemos negá-la. Haverá uma forma de ver sentido não apenas na linguagem

---

[75] Richard Bauckham, *The Theology of the Book of Revelation*, New Testament Theology, ed. James D. G. Dunn (Cambridge: Cambridge University Press, 1993), p. 35.
[76] William Klaassen, "Vengeance in the Apocalypse of John", *Catholic Biblical Quarterly* 28 (1966): p. 308.

da "conquista" divina, mas também no fenômeno da "violência" divina em Apocalipse?

Há pessoas que confiam no poder infeccioso da não violência: mais cedo ou mais tarde ele será coroado de êxito. Nessa crença, porém, pode-se sentir um aroma demasiado doce de uma ideologia burguesa, acalentada muitas vezes por gente que não tem coragem nem honestidade suficiente para refletir sobre as implicações do terror que acontece bem no meio de sua sala de estar! O caminho da não violência no mundo da violência muitas vezes conduz ao sofrimento: às vezes a gente só pode romper o ciclo da violência às custas da própria vida, como o exemplo de Jesus demostra. Se a história ensina alguma coisa, as perspectivas de que a não violência não conseguirá desbancar a violência são boas.

Mas será que pacientes apelos à razão não farão as pessoas optar pelo abandono da insensatez da violência? Pensar que podemos persuadir a nós mesmos e a outros a fazer o tipo de escolha que é certo — especialmente as onerosas escolhas de evitar a violência — é esquecer-nos de que a "razão" e a "liberdade" nunca são puras, nunca localizadas em algum território neutro onde os argumentos são ponderados criteriosamente e as escolhas feitas sem nenhum viés. A razão e a liberdade estão sempre envolvidas com relações de poder; essas relações misturam razão e escolhas mal orientadas (ver Capítulo 6). Alguém precisa *querer* a paz para ser persuadido a ser pacífico. Alguém precisa *querer* abraçar o outro para ser induzido racionalmente a abraçar o outro. Será que podemos simplesmente supor que os violentos vão querer ser transformados a ponto de querer o bem-estar do outro e, consequentemente, a paz? Muitos podem querer essa transformação. Mas todos farão o mesmo?

Implícita na teologia do julgamento de Apocalipse está a suposição de que *nada* é suficientemente poderoso para mudar aqueles que insistem em permanecer bestas e falsos profetas. Com certeza, nós na maioria não somos bestas, embora a besta possa com demasiada facilidade ser despertada em nós; nós na maioria não somos falsos profetas, embora sejamos facilmente seduzidos pela aparente eficácia do engano. Não deveríamos, porém, evitar a desagradável e profundamente trágica *possibilidade* de que *possam* existir seres humanos, criados à imagem de Deus, que, por meio da prática do mal, se imunizaram contra todas as tentativas que visam a redenção deles. Atolados no caos da violência, que gera sua própria "razão" e "bondade" legitimadoras, eles se tornaram intocáveis à sedução da verdade e bondade de Deus.

É aqui que entra a ira de Deus. Como ressalta Jan Assmann em seu estudo sobre teologia política no Egito e em Israel, a ira contra a injustiça é uma emoção política tão arraigada que "a incapacidade de se indignar contra a injustiça é um sinal seguro de uma atitude apolítica".[77] De modo muito parecido com o Deus de toda a Bíblia, o Deus de Apocalipse é uma divindade eminentemente política — o Deus não apenas dos indivíduos e de suas famílias mas dos reinos do mundo (Ap 11.15). Se Agostinho estava certo ao dizer que "a cidade deste mundo [...] visa a dominação, que mantém nações na escravatura" e é "ela mesma dominada pelo próprio desejo de dominação",[78] então Deus deve estar irado. Um Deus não indignado seria um cúmplice da injustiça, do engano e da violência.

Não precisamos nos preocupar muito aqui com o "mecanismo" da ira de Deus. Em *The Wrath of the Lamb* [A ira do Cordeiro], Anthony T. Hanson corretamente enfatiza que em Apocalipse a ira de Deus consiste em parte na "solução do problema das consequências dos pecados da humanidade ao longo da história".[79] Todavia, sem uma dimensão escatológica, a discussão sobre a ira de Deus degenera numa ingênua e lamentavelmente inadequada ideologia acerca do autocancelamento do mal. Fora do mundo do pensamento ilusório, os malfeitores com demasiada frequência prosperam, e quando eles são derrubados, os vitoriosos não são muito melhores que os derrotados. A ira escatológica de Deus é o anverso da impotência do amor de Deus diante da autoimunização dos malfeitores presos no mecanismo autogerador do mal. Um Deus "simpático" é uma invenção da imaginação liberal, uma projeção no céu da incapacidade de abandonar ilusões acalentadas acerca da bondade, da liberdade e da racionalidade de atores sociais.

A tradição anabatista, consistentemente a tradição mais pacífica na história da igreja cristã, nunca hesitou em falar da ira e do julgamento de

---

[77] Jan Assmann, *Politische Theologie zwischen Ägypten und Israel* (München: Carl Friedrich von Siemens Stiftung, 1992), p. 93.
[78] Augustine, *Concerning the City of God Against the Pagans*, trad. Henry Bettenson (Harmondsworth: Penguin, 1976), livro I, prefácio.
[79] Anthony Tyrrel Hanson, *The Wrath of the Lamb* (London: SPCK, 1957), p. 160.

Deus,[80] e com bons motivos. Não há nenhum traço desse Deus não indignado nos textos bíblicos, seja no Antigo ou no Novo Testamento, seja Jesus de Nazaré ou João de Patmos. Os malfeitores que "devoram o meu povo, como quem come pão", diz o salmista em nome de Deus, "tomar-se-ão de grande pavor" (Sl 14.4-5). Por que pavor? Por que não simplesmente censura? Melhor ainda, por que não reflexão em conjunto? Por que não simplesmente amor aflito? Porque os malfeitores "corrompem-se e praticam abominação" (14.1); eles se "extraviaram" e "não há quem faça o bem" (14.3). Deus julgará, não porque Deus dá às pessoas o que elas merecem, mas porque há certas pessoas que se recusam a receber o que ninguém merece; se os malfeitores experimentarem o terror de Deus, não será porque eles praticaram o mal, mas porque resistiram até o fim à poderosa sedução dos braços abertos do Messias crucificado.

Se aceitarmos a irredimível teimosia de algumas pessoas, será que não vamos incorrer numa irreconciliável contradição no âmago da fé cristã? Aqui temos o "Messias crucificado" de braços estendidos abraçando o "mais vil pecador", lá temos o Cavaleiro no cavalo branco com uma espada saindo de sua boca para abater os irremediáveis perversos? O paciente amor de Deus contrapondo-se à fúria da ira de Deus? Por que essa polaridade? Não porque o Deus da cruz é diferente do Deus da segunda vinda. No fim das contas, a cruz não é perdão puro e simples, mas é Deus *corrigindo o mundo de injustiça e engano*. A polaridade está presente porque alguns seres humanos se recusam a "ser corrigidos". Aqueles que aceitam o sofrimento divino (a cruz) como uma manifestação da fraqueza divina que tolera a violência — em vez da graça divina que restaura o infrator — atraem sobre si mesmos a ira divina (a espada) que põe um termo à violência deles.[81] A violência do Cavaleiro no cavalo branco, sugiro eu, é

---

[80] Walter Klaassen, ed. *Anabaptism in Outline* (Scottdale: Herald Press, 1981), p. 316-44.
[81] Em convincentes passagens sobre a restauração de todas as coisas, Jürgen Moltmann propõe considerar o julgamento de Deus no fim da história um exercício de justiça retificadora, paralela à justificação do pecador no meio da história (*The Coming of God: Christian Eschatology*, trad. Margaret Kohl [Minneapolis: Fortress, 1996], p. 235-55). O resultado do julgamento de Deus concebido dessa maneira combina bem com nosso desejo do triunfo final do amor de Deus, mas nós devemos ter em mente que nada pode garantir a conquista desse resultado sem a "violência" divina. Não há necessidade de postular a existência de encarnações do mal totalmente autoimunes para tornar plausível que, da perspectiva de uma pessoa desse tipo, sua transformação num alegre praticante daquilo que da perspectiva de Deus é bom implicará violência. Basta apontar para um pensador

o *retrato simbólico da exclusão final de tudo o que se recusa a ser redimido pelo aflito amor de Deus*. Em benefício da paz da boa criação de Deus, nós podemos e devemos *afirmar essa* violência divina, acalentando ao mesmo tempo a esperança de que no fim até mesmo o porta-estandarte desertará do exército que deseja guerrear contra o Cordeiro.[82]

Um Deus amoroso não deveria ter paciência e continuar seduzindo o perpetrador para o bem? É exatamente isso que Deus faz: Deus tolera os malfeitores ao longo da história como os tolerou na cruz. Mas até que ponto deve Deus ter paciência? O dia da prestação de contas deve chegar, não porque Deus está com muita vontade de puxar o gatilho, mas porque o dia da paciência num mundo tão violento significa mais violência e cada adiamento da cobrança significa deixar o insulto somar-se à injúria. "Até quando, ó Soberano Senhor, santo e verdadeiro, não julgas, nem vingas o nosso sangue [...]?", clamam as almas sob o altar do soberano Senhor (Ap 6.10). Nós nos sentimos desconfortáveis com a resposta dada às almas: "Então, a cada um deles foi dada uma vestidura branca, e lhes disseram que repousassem ainda por pouco tempo, até que também se completasse o número dos seus conservos e seus irmãos que iam ser mortos como igualmente eles foram" (6.11). A resposta, contudo, sublinha que a paciência de Deus é onerosa, não tanto para Deus, mas sobretudo para os

como Deleuze para ver que, no âmbito de uma estrutura de valores e de uma determinada leitura da condição humana, ser um cidadão da Nova Jerusalém pode facilmente parecer tão perturbador como ver-se imerso no lago de enxofre (Deleuze, *Kleine Schriften*, p. 114). Consequentemente, a transformação divina de uma pessoa num santo cidadão da Nova Jerusalém, que não acontecesse de acordo com a sua vontade, deve parecer da perspectiva dessa pessoa um ato de violência. Nós achamos esse ato de transformação tolerável e tendemos a não o chamar "violento" só porque, como cristãos, partilhamos da perspectiva do transformador divino e nos identificamos com o resultado desejado. A única maneira de evitar a violência divina para com aqueles que se recusam a ser mudados de modo não violento é estipular de antemão que ninguém se recusará a ser mudado pela sedução do amor de Deus. Embora aqueles que foram tocados pelo amor de Deus devam esperar uma não recusa universal, se não forem impossibilitados de enxergar a condição humana eles hão de hesitar em contar com essa não recusa universal. Decorre disso a possibilidade da condenação final.

[82] Jürgen Moltmann resume a posição escatológica pressuposta em minha reflexão sobre a ira divina com sua característica precisão e elegância: "Não existe em princípio nenhuma particularidade, e não existe nenhum universalismo automático" (*The Coming of God*, p. 249). Uma forma diferente de expressar o mesmo ponto seria dizer, como já ouvi dizerem, que "não sou um universalista, mas Deus pode ser".

sofredores inocentes. Aguardar a reforma dos malfeitores significa deixar que o sofrimento continue.

A criação do mundo não implicou nenhuma violência. Como observou René Girard: "Na história da criação do mundo, o momento fundador vem no início, e nenhuma vitimação está envolvida".[83] Não há poderes caóticos que é preciso vencer; o mundo emerge mediante um ato de postulação.[84] O caos se instala como uma distorção da criação pacífica. A redenção não pode, portanto, ser um ato de puro postulado, mas implica negação e luta, até violência. Primeiro Deus sofre violência na cruz para a salvação do mundo. Depois, quando se esgota a paciência de Deus com os poderes caóticos que se recusam a ser redimidos pela cruz, Deus emprega a violência contra os teimosamente violentos para restaurar a paz original da criação. Por isso em Apocalipse a palavra criativa da aurora da criação se transforma na espada de dois gumes ao anoitecer que antecede o novo e eterno dia (Ap 19.15).[85]

Será que a violência então tem a última palavra na história da humanidade? Será que ela superará a última ação de Deus na criação original? Não, o julgamento contra a besta e o falso profeta é o anverso da salvação daqueles que sofrem nas mãos deles. Deus pode criar um mundo de justiça, verdade e paz somente pondo um fim ao engano, à injustiça e à violência. O objetivo do julgamento não é a calma mortal do desfecho final, mas uma eterna dança de diferenças que se entregam mutuamente num abraço pacífico. *O fim do mundo não é a violência, mas é sim um abraço sem violência e sem fim.*

Será que Apocalipse não pinta um quadro diferente do fim, aquele mais congruente com seu violento imaginário da conquista do Cavaleiro? Em sua última visão não predomina "o trono" (Ap 22.1) do qual saíam "relâmpagos, vozes e trovões" (4.5)? Não é o inominado "sentado no trono" séculos" (4.9; 5.1) uma projeção perfeita do supremo e incontestável

---

[83] René Girard, *Things Hidden Since the Foundation of the World*, trad. S. Bann e M. Metteer (Stanford: Stanford University Press, 1987), p. 143.

[84] Milbank, *Theology and Social Theory*.

[85] Katherine Keller objetou que a "espada afiada" do Apocalipse é como "uma melodramática paródia fálica da palavra criativa da primeira criação" ("Why Apocalypse, Now?" *Theology Today* 49 [1992]: p. 191). No entanto, ela não está disposta a descartar o tema do "guerreiro" porque, corretamente, quer ater-se ao projeto da libertação. Ela preserva a espada, mas lhe embota o fio. Fálico?

potentado-guerreiro? Se fosse assim, o Apocalipse simplesmente espelharia a violência da Roma imperial que ele se propôs subverter. O fato mais surpreendente acerca desse livro é que no *centro* do trono, juntando ambos o trono e todo o cosmos governado pelo trono, nós encontramos o *Cordeiro* sacrificado (cf. 5.6; 7.17; 22.1). No próprio coração "daquele sentado no trono" está a cruz. O mundo por vir é governado por aquele que sobre a cruz assumiu a violência para conquistar a inimizade e abraçar o inimigo. O governo do Cordeiro é legitimado não pela "espada", mas por suas "feridas"; o objetivo de seu governo não é subjugar, mas entregar o poder aos integrantes do povo que "reinarão pelos séculos dos séculos" (22.5). Com o cordeiro no centro do trono, a distância entre o "trono" e seus "súditos" se fundiu no abraço do Deus trino.

A cruz ou a espada?

A pergunta-chave é *quem* deve ser engajado para separar as trevas da luz. Quem deve usar a violência contra a "besta" e o "falso profeta"? Repercutindo todo o Novo Testamento, Apocalipse menciona apenas Deus. Mas o que significa seu silêncio acerca de toda a agência humana na violência apocalíptica? Esse silêncio é uma censura à violência histórica ou um silêncio de aprovação implícita, ou até de cumplicidade?

Existe um importante grupo de teólogos que descartariam essas questões como sendo ingênuas. Eles alegam uma correspondência evidente entre a ação divina e o comportamento humano. Uma vez que a primeira motivação religiosa é "imitar a divindade", o que quer que Deus faça, os adoradores de Deus devem também fazer. Se o seu Deus se envolve em guerras, você também se tornará um guerreiro.[86] A tese sobre a correspondência entre a ação divina e a humana enfatiza corretamente que a questão teológica fundamental em relação à violência é a questão sobre Deus: "Como é Deus" — o Deus que "ama inimigos e é o pacificador original"[87] ou o Deus da vingança, disposto a punir os insubordinados? A tese tem, todavia, uma pequena mas fatal falha: os seres humanos não são Deus. Há um dever que antecede o dever de imitar Deus, e trata-se do dever de

---

[86] David Ray Griffin, "The War-System and Religion: Toward a Post-Anarchist Hermeneutic", artigo inédito, 1993, p. 3ss.

[87] John Howard Yoder, *He Came Preaching Peace* (Scottdale: Herald, 1985), p. 104.

não querer ser Deus, de deixar que Deus seja Deus e que os seres humanos sejam seres humanos. Sem esse dever de proteger a divindade de Deus, o dever de imitar Deus seria vazio porque nossa concepção de Deus não seria nada mais que a imagem espelhada de nós mesmos — como somos ou como desejaríamos ser.

Preservando a fundamental diferença entre Deus e o não Deus, a tradição bíblica insiste na existência de coisas que só Deus pode fazer. Uma delas é o uso da violência. Ao contrário de muitas culturas antigas, a teologia política de Israel não operava com o "modelo da representação" segundo o qual todos os atributos de Deus eram também os atributos do rei. A ira do rei, só para tomar como exemplo essa eminentemente política emoção, nesse modelo nada mais era que a exteriorização da ira de Deus; e, inversamente, a ira de Deus servia como legitimação da ira do rei. Como argumentou Jan Assmann, em vez de secularizar a ira de Deus transferindo-a para o rei, Israel "teologizou" a ira do rei, "transferindo-a da terra para o céu". Em consequência disso, a história e o destino foram submetidos ao imediato julgamento da justiça de *Deus*, em vez de a execução da justiça de Deus ser posta nas mãos do rei.[88]

O Novo Testamento radicalizou o processo de teologização da ira divina e ousou proclamar que a *Deus* cabe o monopólio da violência, pelo menos no que diz respeito aos cristãos. Qualquer relação que possa existir entre o monopólio da violência de Deus e do estado — Romanos 13 e Apocalipse 13 dão respostas radicalmente diferentes a essa questão — os cristãos não devem lançar mão de suas espadas e se juntar sob o estandarte do Cavaleiro no cavalo branco, mas sim tomar cada um sua cruz e seguir o Messias crucificado. Em 1Pedro lemos: "Cristo sofreu em vosso lugar, deixando-vos exemplo para seguirdes os seus passos [...]; pois ele, quando ultrajado, não revidava com ultraje; quando maltratado, não fazia ameaças, mas entregava-se àquele que julga retamente" (1Pe 2.21,23; cf. Rm 12.18-21).

A direta associação entre a não violência humana e a afirmação da vingança de Deus no Novo Testamento é reveladora. O Messias sofredor e o Cavaleiro no cavalo branco estão interligados, mas não da maneira sustentada por Deleuze. Eles não são cúmplices no derramamento de sangue, mas parceiros na promoção da não violência. Sem entregar-se a Deus que julga com justiça, mal será possível seguir o Messias crucificado

---

[88] Assmann, *Politische Theologie zwischen Ägypten und Israel*, p. 98, 105.

e recusar-se a dar o troco ao sofrer maus-tratos. A certeza do julgamento justo de Deus no fim da história é o pressuposto da renúncia à violência no meio dela. O sistema divino de julgamento não é o outro lado da moeda do reino humano do terror, mas um correlato necessário da não violência humana. Uma vez que a busca da verdade e a prática da justiça não podem ser abandonadas, a única maneira de possibilitar a não violência e o perdão num mundo de violência se dá mediante o *deslocamento* ou *transferência* da violência, não mediante seu completo abandono.

Partindo de um raciocínio semelhante, o estudioso judeu Henri Atlan muito acertadamente argumentou em defesa da radical tese de que na medida em que alguém simplesmente vai se referir a Deus na luta contra a violência, "é talvez mais econômico — mais eficaz e menos perigoso — referir-se ao Deus da violência mais do que ao Deus do amor".[89] Apesar do absoluto contraste entre "o Deus da violência" e "o Deus do amor" nessa formulação, Atlan não opõe os dois, mas emprega a expressão "o Deus da violência" para referir-se a "um Deus que toma para si a instituição da violência" e, portanto, não é "inteiramente amor" em relação ao mundo.[90] Para um teólogo cristão, mesmo a descrição de Deus como "não inteiramente amor" será inaceitável; um teólogo cristão insistirá que a violência de Deus, para ser digna de Deus, que "é amor" (1Jo 4.8), deve ser um aspecto do amor de Deus. Mas a ideia de Atlan sobre a relação entre a violência divina e a não violência humana é boa. Uma vez que num mundo de violência a violência é às vezes necessária e igualmente justificável, argumentou ele, "a melhor maneira de livrar o mundo do sagrado violento é rejeitá-lo realizando uma transcendência. A transcendência da violência [...] culmina em sua expulsão do horizonte natural das coisas".[91] "A única forma de proibir qualquer recurso à violência por *nós mesmos*" é insistir que ela é legítima "somente quando procede de Deus".[92] A "teologização" da violência é uma precondição para as políticas da não violência.

---

[89] Atlan, "Founding Violence and Divine Referent", p. 206.
[90] Ibid.
[91] Ibid., p. 207.
[92] Ibid., p. 206. Seguindo em parte a sugestão de D. H. Lawrence de que a violência é uma demostração de ira, ódio e inveja, Adela Yarbro Collins argumentou que Apocalipse "limita a vingança e a inveja à imaginação e claramente exclui atos violentos" ("Persecution and Vengeance in the Book of Revelation", *Apocalypticism in the Mediterranean World and the Near East*, ed. David Hellholm [Tubinga: J. C. B. Mohr (Paul Siebeck), 1983] p. 747).

Alguém poderia objetar que não é digno de Deus empunhar a espada. Deus não é amor, longânimo e todo-poderoso amor? Uma contraquestão poderia ser formulada mais ou menos assim: Não é uma arrogância um pouco excessiva presumir que nossas sensibilidades atuais sobre o que é compatível com o amor de Deus são muito mais sadias do que aquelas do povo de Deus no decurso de toda a história do judaísmo e do cristianismo? Evocando meus argumentos acerca da autoimunização dos malfeitores, alguém poderia argumentar também que num mundo de violência não seria digno de Deus *não brandir* a espada; se Deus *não se irasse* com a injustiça e o engano e *não pusesse um termo final* à violência, Deus não seria digno de nossa adoração. Aqui, todavia, estou menos interessado em argumentar que a violência de Deus não é indigna dele do que em mostrar que ela é benéfica para nós. Atlan com acerto chamou nossa atenção para o fato de que num mundo de violência enfrentamos uma alternativa inevitável: ou a violência de Deus ou a violência humana. A maioria das pessoas que insistem na "não violência" de Deus não conseguem elas mesmas resistir a usar violência (ou tacitamente sancionar o uso dela por outros). Consideram o discurso sobre o julgamento de Deus irreverente, mas não se incomodam em confiar o julgamento a mãos humanas, presumivelmente persuadidas de que isso é menos perigoso e mais humano — e talvez mais confiável — do que confiar num Deus que julga! Que *nós* devamos derrubar "do seu trono os poderosos" (Lc 1.51-52) parece algo responsável; que *Deus* deva fazer a mesma coisa, como a canção da Virgem revolucionária explicitamente declara, parece rude. E assim a violência prospera, nutrida secretamente pela crença num Deus que se recusa a brandir a espada.

Minha tese de que a prática da não violência exige uma crença na vingança divina será impopular entre muitos cristãos, especialmente entre os teólogos do Ocidente. A quem estiver propenso a rejeitá-la, sugiro imaginar que você está dando uma palestra numa zona de guerra (que foi onde um artigo que fundamenta este capítulo foi originalmente apresentado). Entre seus ouvintes estão pessoas que viram suas cidades e aldeias primeiro saqueadas e depois queimadas e deitadas por terra, viram suas

A distinção dela entre violência da imaginação e atos de violência é demasiado simples e enganosa, todavia. Deixando de lado a questão de saber se Apocalipse de fato expressa inveja em vez de busca da verdade e da justiça, é crucial sublinhar que Apocalipse não limita a violência simplesmente à imaginação, mas que na "imaginação" ele claramente limita ainda mais a violência a Deus.

filhas e irmãs estupradas, seus pais e irmãos degolados. O tema da palestra: uma atitude cristã ante a violência. A tese: não devemos revidar pois Deus é perfeito amor não coercitivo. Você iria logo descobrir que se requer a quietude de uma casa num bairro nobre — protegida pela polícia e a força militar! — para a concepção da tese de que a não violência humana corresponde à recusa de Deus a julgar. Numa área destruída pelo fogo, encharcada pelo sangue de inocentes, essa tese invariavelmente morre. E enquanto a gente a observa morrendo, será bom refletir sobre muitas outras agradáveis prisões da mente liberal.

Chances de guerra, chances de paz

Em seu livro *Aussichten auf den Bürgerkrieg* [Perspectivas de guerra civil], Hans M. Enzensberger chama a atenção de seus leitores para Sísifo, aquela trágica figura da mitologia grega condenada a empurrar uma pedra enorme morro acima, muitas e muitas vezes. "Essa pedra é a paz", diz a última frase do pessimista livro de Enzensberger.[93] Já as primeiras linhas explicam por que as chances de guerra são muito maiores que as chances de paz:

> Os animais brigam, mas eles não promovem guerras. Os humanos são os únicos primatas que defendem entusiasticamente matanças em massa de indivíduos de sua própria espécie de uma forma planejada. A guerra está entre as mais importantes invenções humanas; a capacidade de promover a paz é provavelmente uma conquista tardia. As mais antigas tradições da humanidade, seus mitos e a poesia épica, falam predominantemente de matanças.[94]

De acordo com Enzensberger, o sórdido hábito de destruir e matar inscrito na própria natureza dos humanos só deixa espaço para uma utopia negativa — o "mito hobbesiano da luta de todos contra todos".[95] A paz nada mais pode ser além de uma breve e precária interrupção da sempre presente e inevitável guerra. A violência teve a primeira palavra na história; ela terá a última palavra — e também a maioria das palavras no espaço intermediário.

[93] Enzensberger, *Aussichten auf den Bürgerkrieg*, p. 93.
[94] Ibid., p. 9.
[95] Ibid., p. 36.

Contraste-se a imagem da luta de Sísifo com a visão de paz que encontramos na Bíblia. Em Isaías nós lemos (11.1-9):

Do tronco de Jessé sairá um rebento,
   e das suas raízes, um renovo.
Repousará sobre ele o Espírito do Senhor,
   o Espírito de sabedoria e de entendimento,
   o Espírito de conselho e de fortaleza,
   o Espírito de conhecimento e de temor do Senhor.
Deleitar-se-á no temor do Senhor;
não julgará segundo a vista dos seus olhos,
   nem repreenderá segundo o ouvir dos seus ouvidos;
mas julgará com justiça os pobres
   e decidirá com equidade a favor dos mansos da terra;
ferirá a terra com a vara de sua boca
   e com o sopro dos seus lábios matará o perverso.
A justiça será o cinto dos seus lombos,
   e a fidelidade, o cinto dos seus rins.
O lobo habitará com o cordeiro,
   e o leopardo se deitará junto ao cabrito;
   o bezerro, o leão novo e o animal cevado andarão juntos,
   e um pequenino os guiará.
A vaca e a ursa pastarão juntas,
   e as suas crias juntas se deitarão;
   o leão comerá palha como o boi.
A criança de peito brincará sobre a toca da áspide,
   e o já desmamado meterá a mão na cova do basilisco.
Não se fará mal nem dano algum em todo o meu santo monte,
   porque a terra se encherá do conhecimento do Senhor,
   como as águas cobrem o mar.

Se o texto não houvesse mencionado lobos e cordeiros, pobres e perversos, bebês e cobras, nós teríamos sido tentados a pensar que ele se refere a um mundo que não tem nada ver com o nosso. Mas é uma visão do nosso mundo — nosso mundo livre da injustiça e destruição, nosso mundo no qual a paz e não o terror tem a última palavra.

A visão bíblica — vamos chamá-la utopia — é mais esperançosa que a de Enzensberger. A violência não é o destino humano porque o Deus da paz é o começo e o fim da história humana. A visão bíblica de paz nos convoca, todavia, para uma tarefa mais difícil que a de Sísifo. Admito, empurrar a pedra da paz para o alto do morro da violência — praticar aqueles pequenos gestos de solidariedade mesmo sabendo que o assassino pode voltar no dia seguinte, na semana seguinte, ou no ano seguinte[96] — é difícil. Mas é mais fácil, todavia, que carregar a própria cruz seguindo as pegadas do Messias crucificado. Isso é o que Jesus Cristo pede que os cristãos façam. Seguros da justiça de Deus e apoiados pela presença de Deus, eles devem romper o ciclo de violência mediante a recusa a ficarem presos no automatismo da vingança. Não se pode negar que são grandes as perspectivas de que tentando amar seus inimigos eles podem acabar pendurados na cruz. Muitas vezes, no entanto, os onerosos atos de não retaliação tornam-se sementes das quais o frágil fruto da paz de Pentecostes se desenvolve — uma paz entre pessoas de diferentes espaços culturais reunidas num único lugar que se entendem entre si e compartilham os bens umas das outras.

Pode ser que uma consistente não retaliação e uma consistente não violência se mostrem impossíveis de sustentar neste mundo de violência. Talvez seja necessário derrubar tiranos de seus tronos e impedir que dementes semeiem a desolação. A decisão de Dietrich Bonhoeffer de participar de um atentado para assassinar Hitler é um famoso e persuasivo exemplo desse modo de pensar. Pode também ser que seja necessário primeiro tomar medidas envolvendo o uso de meios violentos para impedir que tiranos e dementes assumam o poder ou impedir que os tipos comuns de perpetradores caminhando em profusão pelas nossas ruas exerçam suas atividades violentas. Pode ser que num mundo inundado de violência a questão não seja simplesmente "violência *versus* paz" mas sim "que formas de violência poderiam ser toleradas para derrotar uma 'paz' social que se mantém coercivamente por meio da permitida violência da injustiça".[97] Mas se alguém decide munir-se de seu equipamento militar em vez de carregar a própria cruz, essa pessoa não deve procurar legitimação na

---

[96] Ibid., p. 92.
[97] Marjorie Hewitt Suchocki, *The Fall to Violence: Original Sin in Relational Theology* (New York: Continuum, 1995), p. 117.

religião que adora o Messias crucificado. Pois ali a bênção não é concedida aos violentos, mas aos mansos (Mt 5.5).

Há cristãos que têm muita dificuldade para resistir à tentação de procurar legitimação religiosa para sua (compreensível) necessidade de lançar mão da espada. Se caírem nessa tentação, eles devem renunciar a todas as tentativas de isentar sua versão de fé cristã da cumplicidade no fomento da violência. Obviamente, eles podem mencionar que símbolos religiosos devem ser usados para legitimar e inspirar apenas guerras *justas*. Mas mostre-me um único grupo envolvido numa guerra que não pense que sua guerra é justa! A lógica básica nos diz que pelo menos metade deles *deve* estar errada. Poderia ocorrer, todavia, que a lógica elementar não se aplique ao caótico mundo bélico. Então todos estariam certos, o que significa dizer que todos estariam errados, o que significa dizer que o terror reinaria — em nome dos deuses que já não é possível distinguir dos demônios.

Epílogo

Duas décadas e meia depois

Este epílogo não é um texto do tipo "como-mudei-de-ideia", pois, de modo geral, não mudei de ideia acerca do tema do livro. Penso que a essência de sua argumentação é tão plausível hoje como era quando originalmente o escrevi. Mas tampouco se trata meramente do tipo de texto "resposta-aos-meus-críticos", pois isso poderia sugerir ou que eu não errei em nada — por exemplo, aspectos de *autores* importantes que discuto — ou que não aprendi muito nos últimos vinte e cinco anos; nem uma nem outra coisa é verdadeira. Em vez de simplesmente retratar-me ou defender minhas posições, vou aqui (1) esboçar a estrutura teológica da principal argumentação do livro, (2) explicar algumas asserções mal-entendidas do livro, (3) defender-me de algumas críticas que considero inapropriadas (como aquela dirigida contra minha concepção da doutrina da Trindade e como ela tem relação com questões sociais), (4) corrigir algumas direções parcialmente erradas da minha parte (como na discussão da justiça), e (5) compensar alguns pontos ausentes na argumentação (por exemplo, uma análise da "reconciliação final" como um aspecto da transição escatológica ou "restauração" como uma dimensão crucial da reconciliação).

Convicções básicas

Meu título acadêmico oficial é o de Professor de Teologia Sistemática, o que sugere que meu interesse principal é a exploração da estruturação sistemática e das interligações de convicções teológicas. Assim como grande parte de meus escritos teológicos, *Exclusão e abraço* é um texto "de ocasião". Foi elaborado em resposta a uma candente questão existencial que se impôs no processo da desintegração da Iugoslávia no fim do século 20: O que significa viver como cristão — pensar e agir como cristão — no contexto de uma luta violenta entre pessoas compartilhando o mesmo espaço político, mas divididas por linhas étnicas e religiosas? Em termos mais abstratos: Que tem a dizer a fé cristã sobre negociar identidades, pessoais ou comunitárias, em situações de luta pelo poder? Obviamente, *Exclusão e abraço* não é um exercício de teologia sistemática tal como ela é classicamente entendida. Não é nada parecido com *A fé cristã*, o famoso texto do maior teólogo sistemático moderno, Friedrich Schleiermacher, ou, para dar um exemplo do século 20, a *Teologia sistemática* de Wolfhart Pannenberg.[1]

Num certo sentido, tenho consciência de ser um teólogo intencionalmente "assistemático".[2] Friedrich Nietzsche exagerou quando, em *Crepúsculo dos ídolos*, escreveu que "a vontade de um sistema é uma falta de integridade",[3] mas ele estava lançando uma ideia importante. Acredito que a finitude humana, a temporalidade e a falibilidade, assim como a incompreensibilidade de Deus, criam uma tensão com as aspirações da teologia em relação a uma sistematicidade abrangente. Se tivesse de mencionar um modelo do passado à minha forma de teologizar, Martinho Lutero me viria à mente, embora, voltando ainda mais ao passado — de fato, tão longe até chegar às origens da teologia cristã — eu poderia indicar também o apóstolo Paulo. Lutero era um pensador ocasional, mas não era um pensador inconsistente e, muito menos, arbitrário. Numa certa fase de seu desenvolvimento teológico, um conjunto de fundamentais e interligadas convicções teológicas informaram de modo bastante consistente as posições que ele assumiu. Assim também, um conjunto de compromissos teológicos básicos e interligados estrutura meus escritos teológicos, ao longo de todo o caminho desde *Work in the Spirit* [Trabalho no Espírito] (1991), passando por *After our Likeness* [À nossa imagem] (1998), *Free of Charge* [De graça] (2005) e *The End of Memory* [O fim da memória] (2006), até *A*

---

[1] Friedrich Schleiermacher, *Christian Faith*, vol. 1—2, trad. Terrence N. Tice, Catherine L. Kelsey e Edwina Lawler (Louisville: Westminster John Knox, 2016); Wolfhart Pannenberg, *Systematic Theology*, vol. 1—3, trad. Geoffrey W. Bromiley (Grand Rapids: Eerdmans, 1991).

[2] Para uma argumentação em defesa de ser um teólogo "sistematicamente assistemático" ver David Kelsey, *Eccentric Existence: A Theological Anthropology* (Louisville: Westminster John Knox, 2009), vol. 1, p. 44-45.

[3] Friedrich Nietzsche, *Twilight of the Idols and The Anti-Christ*, trad. R. J. Hollingdale (London: Penguin, 1990), p. 35.

Public Faith [Uma fé pública] (2011), *Allah* [Alá] (2011), *Flourishing* [Florescimento] (2017) e *For the Life of the World* [Pela vida do mundo] (2019).

Exclusão e abraço foi concebido e veio à luz na interface da situação concreta, exemplificando de fato uma característica mais geral do nosso mundo, um conjunto de compromissos teológicos básicos. Quais são eles? Na introdução a uma coleção de ensaios em homenagem a mim, *Envisioning the Good Life* [Vislumbrando a vida boa], Matthew Croasmun e Ryan McAnnally-Linz os enunciaram bem. Reproduzo abaixo a formulação deles com algumas emendas e acréscimos:[4]

> Dois conjuntos básicos de convicções enfatizam esta visão teológica. A primeira flui das alegações mais centrais da fé cristã: "Deus é amor" (1Jo 4.16). Isso não significa simplesmente dizer que Deus ama, mas sim que Deus é amor, e isso faz que o amor de Deus seja original e originário, sem depender de nenhuma situação e condição. Essa alegação bíblica básica assume na teologia cristã uma forma fundamentalmente trinitária. Deus é a santa Trindade, e assim o amor que o Deus único é já inclui o amor do "outro"; somente *por meio do outro*, somente nos modos dessa autodiferenciação, é possível falar do amor-próprio em Deus. Esse amor é *quem* Deus é.
>
> *Esse* Deus, o Deus que é amor, *cria*. Deus cria *por amor e para o amor*. A realidade da criação é uma manifestação do amor altruísta de Deus — isto é, a criação é uma *dádiva*. Sendo a dádiva de um bom doador, a criação em si é boa, e até a criação decaída, que traz as marcas da "futilidade" e do "pecado", é boa. Sua bondade é contingente e dependente (uma vez que a criação não é Deus), e isso é próprio da criação. Além disso, as criaturas de Deus são genuinamente boas umas para com as outras. Não, naturalmente, a ponto de excluir Deus, a fonte de toda bondade. Mas Deus não exige ser o único bem das criaturas.
>
> O mesmo Deus que é amor *redime*. Deus em Cristo e por meio do Espírito redime a criação desobediente *por amor*. Na cruz, Deus "morre" pelas amadas criaturas de Deus que se tornaram inimigas de Deus; Deus justifica os ímpios. Esse é o amor de Deus pelos não amáveis — o abraço que Deus

---

[4] Ver Matthew Croasmun e Ryan McAnnally-Linz, "Introduction: Miroslav Volf and Theology of the Good Life", *Envisioning the Good Life: Essays on God, Christ, and Human Flourishing in Honor of Miroslav Volf*, ed. Matthew Croasmun, Zoran Grozdanov e Ryan McAnnally-Linz (Eugene: Cascade Books, 2017), p. 3-5. Compare as páginas abaixo com as páginas dos ensaios de Croasmun e McAnnally-Linz para verificar minhas mudanças.

dá no que é todo diferente de Deus mesmo em caso de sua negação e inimizade em relação a Deus.

O Deus que ama *habita* o ser humano, não como uma presença estranha e invasiva, mas como a realização do caráter criado do ser humano. Pela fé, os seres humanos recebem Cristo, que mora neles por meio do Espírito. Como consequência disso, o tipo de amor de Deus, independente de situação e condição, é o distintivo da vida cristã. Assim o amor ao inimigo, tanto quanto o amor ao próximo, é essencial para a vida cristã. Embora completamente enraizada em Deus — todas as coisas provêm de Deus, por meio de Deus e para Deus — a vida cristã não é orientada exclusivamente para Deus. Em vez disso, tendo Deus atrás deles, embaixo deles e neles, os cristãos são orientados para o mundo, participando da missão de inundar o mundo com o amor de Deus e transformá-lo na casa das criaturas e de Deus. (Jesus diz em João: "assim como eu vos amei, que também vos ameis uns aos outros" [13.34], *não* o recíproco "como eu vos amei, deveis amar a mim".) Amamos Deus quando nos abrimos na fé para receber Cristo, a encarnação do amor de Deus, e nos tornamos "Cristos" uns para com os outros e para o mundo.[5]

O Deus que é amor atrai toda a criação para a sua *consumação*. O mundo por vir é o mundo *de amor*, especialmente o escatológico "amor que dança",[6] o amor que pode existir no mundo de paz e alegria. Nesse mundo, as realidades que compõem nossos contextos bem como as características de nossa interioridade — percepções, emoções, valores humanos etc. — são transformados. Já não existirão a inimizade e o pesar causados pelo pecado, substituídos agora pela pacífica e alegre comunhão.

No mundo presente, ainda não transformado, o amor — o de Cristo e o nosso — muitas vezes precisa sofrer, mas o sofrimento do amor é um *meio*, a dança do amor é o *objetivo*. O objetivo é um mundo de amor, uma comunidade de criaturas corretamente relacionadas com Deus e umas com as outras ("paz"). Esse mundo, e não apenas Deus, é o nosso destino final.

Esse é o primeiro conjunto de convicções, todas elas fluindo da convicção central de que *Deus é amor*. O segundo conjunto é, em certo sentido, um anverso formal ou "estrutural" da série de convicções mais substanciais

---

[5] A ideia de nos "tornarmos Cristos" é o ponto culminante da fé no resumo feito por Martinho Lutero em *Freedom of the Christian* (Luther's Works, vol. 31, ed. Harold Grimm (Philadelphia: Fortress, 1957], p. 368).

[6] Para a ideia do "amor que dança", ver o apêndice.

e "pessoais" descritas acima. As convicções do segundo conjunto tratam dos tipos de identidades associadas na anterior explicação do amor de Deus e da missão de Deus no mundo.

Primeiro, o Deus único que é amor vive numa unidade pericorética de três pessoas divinas. O Deus Único não é um ser divino indiferenciado, tampouco é uma comunidade compacta de pessoas divinas individuais. Uma pessoa divina é uma pessoa apenas numa relação unicamente divina e humanamente irreplicável de "ser-em" (em vez de simplesmente "ser-com") outras pessoas divinas; somente esse mútuo "ser-em" das três pessoas constitui o Deus Único que é amor.

A unidade pericorética das pessoas divinas tem uma analogia antropológica e cosmológica (não uma imagem espelhada!). Os seres humanos, juntamente com toda a criação, são criados para ser habitados por Deus, para ser "templo" e "casa" de Deus. Isto é, são criados para que Deus esteja neles e trabalhe por meio deles. Ser humano é ser criado para essa habitação divina. Receptividade para com Deus não é um complemento da vida humana, o equivalente humano a um opcional teto solar de um carro. É simplesmente o que significa ser humano.

Essa antropologia prepara o cenário para a cristologia, a soteriologia e a eclesiologia. A habitação de Deus nos humanos é realizada de uma maneira única em Cristo. Como é evidente desde o seu batismo, a identidade dele é a realidade trinitária: Cristo é o Filho, enviado pelo Pai e habitado pelo Espírito. Decorre disso que a vida cristã não é uma simples escolha entre muitas, mas sim a única realização do que é ser um ser humano, uma vida na qual a pessoa está "em Cristo" e Cristo naquela pessoa pelo poder do Espírito — uma relação pericorética de Deus e humanos análoga às relações pericoréticas entre as pessoas divinas.

Admitindo-se a *pericórese* trinitária original e seu análogo soteriológico, as relações entre humanos são também analogamente pericoréticas, embora num sentido mais fraco. Elas são pericoréticas de uma forma apropriada a humanos como criaturas finitas, encarnadas e (pelo menos por um tempo) falíveis.[7] Dentro da igreja, nossas identidades são — ou pelo menos deveriam ser — porosas, o que significa que são circunscritas, e mesmo assim permeáveis. Essa porosidade não compromete nossa individualidade,

---

[7] Ver o apêndice para uma tentativa de delinear cuidadosamente os limites adequados de analogias antropológicas, eclesiológicas e políticas com a natureza trinitária de Deus.

mas antes a expande e enriquece. Somos mais ricos precisamente como *indivíduos* quanto mais os *outros* (todo e qualquer bem criado, na verdade) através dos tempos e espaços nos "habitam". Podemos descrever esse tipo de identidade como "personalidade católica",[8] uma identidade enriquecida pela alteridade — "um microcosmo da nova criação escatológica".[9]

Essa mesma catolicidade se aplica a relações com outras comunidades e bens culturais: os cristãos individuais e suas comunidades eclesiais se enriquecem vivendo suas identidades com porosidade para com todas as igrejas através do tempo e espaço, e são melhores quando enriquecidos por bens culturais — inclusive outras religiões. Ao mesmo tempo, para citar *Exclusão e abraço*, "uma personalidade verdadeiramente católica deve ser uma personalidade *evangélica* — uma personalidade transformada pelo Espírito da nova criação e engajada na transformação do mundo".[10] Esse engajamento é energizado e guiado pela esperança de que Deus transformará o mundo inteiro num lugar para morar, um "tabernáculo" de Deus (Ap 21.3).

Note-se o movimento em cada uma dessas sequências. Os compromissos centrais, os que organizam e impulsionam o todo, são teológicos em sentido estrito. São alegações sobre Deus. Eles levam persistentemente, todavia, rumo a implicações com a vida humana no mundo em relação a Deus e aos outros. Não se pode simplesmente dizer que "Deus é amor" e parar nisso. Dizer que Deus é amor implica toda uma visão de florescimento humano e criatural, além de um estilo de vida que almeja exemplificar e promover essa verdade.

Essas últimas páginas não são uma miniatura da teologia sistemática, embora pudessem ser desenvolvidas em algo assim; elas são uma espécie de "credo" meu. Pretendo que essas convicções informem todo o meu trabalho teológico. Se alguém quisesse pensar numa analogia musical, essas convicções são meu modo de integrar e apresentar múltiplos temas que

---

[8] Ver Miroslav Volf, *After Our Likeness: The Church as the Image of the Trinity* (Grand Rapids: Eerdmans, 1998), p. 278-82.

[9] Ver Suzanne McDonald sobre a nossa explicação de "personalidade católica" (*Re-Imagining Election: Divine Election as Representing God to Others and Others to God* [Grand Rapids: Eerdmans, 2010], p. 128).

[10] Miroslav Volf, *Exclusion and Embrace*, p. 52.

criam uma composição complexa que é a fé cristã.[11] Numa determinada situação pego um ou outro tema e enfatizo sua importância, tendo sempre em mente que deve existir "um bom encaixe" desse tema no resto do todo integrado — e, mais importante ainda, "um bom encaixe" dele na revelação de Deus em Jesus Cristo contida nas Escrituras.

Praticando o abraço

Algumas críticas contra *Exclusão e abraço* baseiam-se em entendimentos equivocados. Nenhuma surpresa. Mais especificamente, baseiam-se naqueles tipos de entendimentos equivocados que acontecem quando os leitores se esquecem de que um autor não pode nem dizer tudo num só livro nem escrever todos os livros que seriam necessários para que tudo o que precisa ser dito sobre um tema pudesse ser dito. Aqui vão alguns exemplos.

Visão, espiritualidade e solução de conflito

Alguns se queixaram de que o livro não é suficientemente prático. Eu escrevo sobre aquilo a que devemos aspirar fazer e sobre quem devemos aspirar ser, mas não sobre *como fazer* o que devemos fazer e *como nos tornar* o que devemos almejar ser. Ao enfrentar essa objeção pessoalmente, muitas vezes respondo, de brincadeira, que sou um teólogo "nada prático" e que responder a essas perguntas sobre "como fazer" está acima de minha faixa salarial. Mas levo as questões sobre "como fazer" muito a sério. Embora fosse crucial para mim articular a visão do abraço e reforçá-la com razões teológicas, eu sabia que ter uma visão convincente da vida não basta. Pois é possível adotar totalmente uma visão e ter boas razões para isso, mas sentir-se incapaz de pôr essa visão em prática.

Durante uma palestra que fiz em Zagreb no lançamento da tradução croata de *Exclusão e abraço*, notei na plateia um senhor que estava ficando inquieto de um jeito entre preocupado e inquisitivo. Eu tinha certeza de que ele viria falar comigo depois da palestra. Esperou um pouco lá no fundo, depois entrou no fim da fila. Chegada a sua vez, quando todos já tinham ido embora, ele me olhou diretamente nos olhos e perguntou: "Mas como eu

---

[11] A analogia é do sociólogo David Martin (*Does Christianity Cause War?* [Oxford: Oxford University Press, 1997], p. 32).

consigo?". A esbaforida pergunta me pegou de surpresa. "Como eu consigo o quê?", perguntei. "Como consigo a vontade de abraçar o inimigo?", esclareceu ele. Aquela foi uma versão da penetrante pergunta "você consegue" que Jürgen Moltmann me fez em Berlim quando pela primeira vez apresentei em público um esboço de minha teologia do abraço: "Mas você consegue abraçar um četnik?". Começo o livro com essa pergunta, e passo a responder por que eu devo ser capaz de abraçar um četnik, mas o livro não contém nenhuma ajuda concreta a respeito de como fazer o que devo fazer, nenhuma espiritualidade do abraço, a não ser alguns dispersos gestos em relação a isso.[12]

Exclusão e abraço precisa da companhia de dois volumes práticos. Um deveria ser sobre a *espiritualidade do abraço*: um manual para a formação de um ego capaz de praticar o abraço. O outro deveria tratar da *resolução de conflitos*: um manual para a aquisição da habilidade de resolver prolongados conflitos, pessoais ou comunitários. Escrever esses livros está além de minha área de competência. O melhor que posso fazer é dar ocasionalmente conselhos pastorais, como fiz brevemente em prol do autor daquela pergunta em Zagreb.

Vontade de abraço

Há um aspecto teórico na objeção de que o livro não é suficientemente prático. Enquanto a primeira objeção diz respeito ao propósito do livro — a queixa sendo de que eu deixei de escrever o livro que alguns de meus leitores (também) queriam ler — esta outra objeção envolve uma de minhas alegações. Eu dou muito valor à "vontade" de abraço. Em certo sentido, tudo no livro gira em torno dessa vontade: se você a tem, o abraço pode acontecer; caso contrário, não pode. Os autores da objeção, sobretudo teólogos da "igreja" que adotam a ética da virtude comunitária, argumentam que a vontade de abraço pressupõe "sujeitos soberanos", indivíduos moralmente independentes, que decidem abraçar ou não abraçar outros,

---

[12] Para um texto que reconhece a principal intenção por trás de *Exclusão e abraço*, mas ainda nota a necessidade de tratar de questões mais práticas de transformação de agentes e de resolução de conflitos, ver Corneliu Constantineanu, "Exclusion and Embrace: Reconciliation in the Works of Miroslav Volf", *Kairos: Evangelical Journal of Theology 7*, n. 1 (2013): p. 35-54.

obedecer ou não obedecer à "lei (incondicional) do amor".[13] Esse nível elevado da vontade é antropológica e moralmente implausível, argumentam. Eu deveria, portanto, ter escrito mais sobre a comunidade cristã e suas práticas, sobre contextos e hábitos que fazem do cumprimento do que é certo em circunstâncias adversas não uma questão de mero exercício da vontade, mas o extravasamento do caráter que adquirimos.[14]

A objeção projeta no meu texto a antropologia que passou a dominar linhas importantes da teoria moral moderna. Mas eu discordo dessa antropologia de formas significativas. Primeiro, acredito que a relação de Deus com seres humanos não é extrínseca em relação a quem somos. Não iniciamos nosso relacionamento com Deus — ou de uns com os outros — como indivíduos definidos, muito menos soberanos. A criativa, mantenedora e redentora relação de Deus conosco é eternamente constitutiva de nós mesmos e, portanto, intrínseca a quem somos. Segundo, como disse Martinho Lutero, "[Deus] não trabalha em nós sem nós",[15] (embora, naturalmente, Deus trabalhe geralmente em nós sem que tenhamos consciência da obra divina em nós). Não somos meros instrumentos inanimados nas mãos de Deus. (Colocadas essas duas condições, Lutero pôde alegar tanto que a fé é um dom de Deus como que a natureza da fé é a vontade.)[16] A vontade de abraço sobre a qual escrevo é sempre obra de Deus, e quando nós como indivíduos ou como comunidades alegamos que ela é "obra nossa", interpretamos mal a natureza seja da nossa humanidade, seja da obra de Deus na vida humana.[17]

---

[13] Talvez seja útil observar que até na filosofia moral de Kant, para quem um sujeito soberano e uma vontade do indivíduo são fundamentais, a boa vontade não está em contraste com o caráter (ver Immanuel Kant, *Groundwork of the Metaphysics of Morals*, ed. Mary Gregor [Cambridge: Cambridge University Press, 1997], p. 7).

[14] Ver L. Gregory Jones, "Finding the Will to Embrace the Enemy", *Christianity Today* 41, n. 5 (1997): p. 29. De modo semelhante, William Cavanaugh, resenha de *Exclusion and Embrace: A Theological Exploration of Identity, Otherness, and Reconciliation* by Miroslav Volf, *Modern Theology* 15, n. 1 (1999): p. 98.

[15] Martin Luther, "The Bondage of the Will", *Luther's Works*, vol. 33, ed. Philip S. Watson (Philadelphia: Fortress, 1972), p. 243.

[16] Ibid., p. 64-65.

[17] Que isso sirva de resposta a Ellen Charry, que pensa que "no fim do dia" em minha explicação do abraço "fica no ar uma aura de pelagianismo". Por quê? Para mim, ela afirma, "abraçar o outro parece ser um ato de vontade", ao passo que "na verdade essa capacidade é realmente um milagre que só acontece mediante a graça de Deus. A reconciliação é a obra suprema de Deus" (resenha de *Exclusion and Embrace: A Theological Exploration of Identity, Otherness, and Reconciliation* por Miroslav Volf, *Theology Today* 56, n. 2 [jul., 1999]:

Mas isso não quer simplesmente dizer que os humanos estão "abertos" a Deus, da maneira como acabei de descrever, em suas constituições e atividades. Nós também somos "porosos" uns para com os outros, tornando-nos quem somos mediante muitas e variegadas relações inter-humanas, desde antes de nosso nascimento até a hora de nossa morte (e para aqueles que acreditam na "comunhão dos santos", também depois da morte). É ali que se encaixam as comunidades de práticas como moldadoras do caráter. Elas são cruciais a meu ver, como fica evidente a partir do lugar do batismo e da Eucaristia no Capítulo 4, "Abraço". Também no que se refere à gênese do livro eu identifico boa parte de sua visão numa microcomunidade de práticas — a família na qual fui criado, e não apenas meu pai e minha mãe, por mais extraordinários que fossem em sua luta, seu sofrimento, seus muitos fracassos e ainda mais sucessos, mas também a minha espontânea e naturalmente santa babá, a querida Milica.

Tudo isso eu presumo, mas não enfatizo. Parte da razão é o momento histórico do livro. Havia um conflito no qual duas comunidades *cristãs* estavam em lados opostos como implacáveis inimigas, cada uma vendo-se como engajada na guerra de libertação, cada uma reivindicando para si a "prática certa". Importantes líderes dessas comunidades cristãs defendiam com entusiasmo "o espírito de exclusão" que dominava muitos intelectuais e instituições influentes e tinha se escondido na alma de algumas das melhores pessoas que eu conhecia de ambos os lados. (A mesma coisa se verificava na comunidade muçulmana, o terceiro grupo em conflito, mas isso não vem ao caso aqui.) Mais importante é dizer que *escrevi o livro sobretudo para mim mesmo*, uma pessoa que foi moldada por comunidades de seguidores raciais e que se identificava com elas. Eu precisava tanto de clareza sobre o que é que uma boa vontade deve querer nessa situação quanto de razões convincentes para querer e fazer o que eu percebia que devia fazer. Esse foi o propósito do livro: argumentar contra minhas próprias tendências e contra a sensibilidade de muitos cristãos.

Os defensores da ética gostam muito de contar histórias de pessoas que agem de maneira moralmente exemplar em circunstâncias extraordinariamente adversas, e no entanto elas insistem com uma modesta naturalidade que não há nada de especial em fazer o que aquelas pessoas fizeram, que

p. 249). A meu ver, seguindo um dos teólogos cristãos mais antipelagianos, a vontade humana e a ação divina não deveriam ser colocadas uma contra a outra.

de fato "qualquer um teria feito a mesma coisa" (como disseram alguns líderes huguenotes de Le Chambon-sur-Lignon sobre seu heroico esforço para salvar judeus enfrentando o extermínio durante a Segunda Guerra Mundial).[18] Mas eu não tinha esse virtuosismo moral prático "espontâneo", e quase todos aqueles que imaginava que o teriam estavam fraquejando. Para mim, e para a maioria dos meus conhecidos, uma batalha feroz estava acontecendo para saber o que eu devia saber e fazer o que eu sabia que devia fazer, bem como uma luta para não deixar a incapacidade de fazer minar a verdade do saber.[19]

Esse tipo de inadequação em conhecer e impotência em fazer não é simplesmente uma experiência de pessoas vivendo por conta própria, fora da salutar disciplina de comunidades de virtude. É uma experiência de pessoas conscientes *nessas comunidades*. É por isso que comunidades de virtude são também comunidades de vício, e membros até mesmo das melhores comunidades de virtude estão eles mesmos moralmente divididos. Estamos todos moralmente divididos, e não apenas porque abraçamos a indisciplinada liberdade de sujeitos soberanos, mas sobretudo porque o pecado é ao mesmo tempo a podridão profunda de nossa alma e a fera da exclusão à espreita que mantém cativas sociedades, culturas e comunidades inteiras.[20]

É nesse ponto que a necessidade da *vontade* de abraço vai aparecer, não como um simples interruptor para ligar a prática do abraço, mas como um lugar de luta pela verdade de nossa humanidade. A adesão à comunidade de virtude é importante, mas quase nunca é um sucedâneo para a luta da excelência moral. Pelo contrário, ver-se preso numa comunidade que marcha ao som do tambor do poder do mal não é uma desculpa para o fracasso moral. Pois até nesses casos eu sou responsável. Quer eu more num prado ensolarado e cravejado de flores silvestres ou num brejo imundo, a ordem expressa do apóstolo Paulo se aplica: "tudo o que é verdadeiro, tudo o que é

---

[18] Para a história deles, ver Philip P. Hallie, *Lest Innocent Blood Be Shed: The Story of the Village of Le Chambon and How Goodness Happened There* (New York: Harper Perennial, 1984).

[19] Sobre a dinâmica do verdadeiro conhecimento e do fazer o certo, ver Miroslav Volf e Matthew Croasmun, *For the Life of the World: Theology That Makes a Difference* (Grand Rapids: Brazos, 2019), Capítulo 5 (escrito com a colaboração de Justin Crisp).

[20] Sobre o poder do pecado agindo por meio de estruturas transpessoais de pecado, ver Matthew Croasmun, *The Emergence of Sin: The Cosmic Tyrant in Romans* (New York: Oxford University Press, 2017).

respeitável, tudo o que é justo, tudo o que é puro, tudo o que é amável, tudo o que é de boa fama, se alguma virtude há e se algum louvor existe, seja isso o que ocupe o vosso pensamento" (Fp 4.8) — ou mantenham essas coisas na linha de frente de sua atenção e orientem sua vida rumando para elas. Isso parece uma tarefa impossível, no entanto há muitos equivalentes humanos a vitórias-régias, e nós com razão admiramos sua surpreendente inadequada beleza.

O Espírito "nos assiste em nossa fraqueza", escreveu o apóstolo Paulo (Rm 8.26) — por meio de comunidades e longe de qualquer comunidade, quando meditamos e oramos, e muitas vezes quando nem sequer acreditamos.

Agentes sociais, acordos sociais

Conforme observamos, teólogos da "igreja", especialmente os que estão sob a influência de Alasdair MacIntyre, não entenderam as comunidades de prática em *Exclusão e abraço*. Teólogos "políticos", especialmente aqueles sob a longa sombra de Karl Marx (mas não o meu orientador de doutorado, Jürgen Moltmann!), não entenderam a discussão dos acordos sociais. Escrevi no início do livro que considero essencial "participar de acordos sociais".[21] Afinal, parte do motivo da desintegração da ex-Iugoslávia e da guerra identitária que resultou disso foi o caráter autoritário do regime de Tito e, depois de 1974, um estado fraco e mesquinho. Do mesmo modo, sem alguma forma de acordos políticos pluralistas, num mundo marcado pela facilidade de comunicação e crescente interdependência, conflitos seguindo padrões de diferença religiosa e étnica vão perdurar. É um mito pensar que para sanar todas as mazelas o que se faz necessário é uma reserva de indivíduos suficientemente morais, não importando se as mazelas são exploração econômica, opressão política ou conflitos acerca de identidades comunitárias.

Em *Exclusão e abraço* eu alego que os teólogos *qua* teólogos só podem fazer uma contribuição limitada para a filosofia política e, portanto, também para a configuração de acordos sociais num determinado cenário, assim como teólogos *qua* teólogos só podem fazer uma contribuição limitada em muitas outras esferas da vida, tais como economia, medicina ou direito.

[21] Ver doc 1, p. 33; 1ª ed., p. 21.

Para fazer a perspectiva cristã exercer alguma pressão nessas esferas, mais que de teologia nós precisamos de "aprendizado cristão" informado teologicamente.[22] Baseando-me em filósofos como Nicholas Wolterstorff e Charles Taylor, em *Uma fé pública* (2011) e em *Flourishing* (2015), eu apresentei uma caracterização de acordos políticos que se baseia em profundas convicções morais cristãs — acima de tudo, liberdade de consciência e dignidade igual de todos os seres humanos — e se destina a possibilitar a convivência de indivíduos e comunidades com distintas identidades religiosas, étnicas ou mais amplamente culturais.[23] Isso foi em parte um exercício de teologia "política". Em contrapartida, *Exclusão e abraço* foi mais um exercício de teologia "pessoal", ou, mais precisamente, teologia de pessoas socialmente localizadas. Essa teologia é importante para as pessoas e suas relações, mas é também indispensável se precisamos tratar adequadamente o lado político da luta entre grupos motivada pela questão da identidade.

Mas por que tanta ênfase nas pessoas? No livro observo que a principal contribuição que a fé cristã e os teólogos cristãos têm de oferecer é articular uma visão social e fomentar os tipos de agentes sociais capazes de pô-la em prática, inclusive criando sociedades justas, honestas e pacíficas. Mas, para a teologia, a ênfase nas pessoas não é apenas uma questão de concentração de nichos específicos. Acreditar que tudo o que é necessário para sanar a maioria das mazelas sociais são acordos sociais adequadamente planejados é um mito tão grande como acreditar que tudo o que é necessário são pessoas moralmente responsáveis. Desde as primeiras páginas da Bíblia ficamos sabendo que uma pessoa pode se sentir oprimida e obstruída naquilo que, segundo consta, é um paraíso. Em sentido inverso, podemos viver em circunstâncias de "aconchegante escravidão", para usar a expressão de Karl Marx, ditosamente inconscientes do mal real ao qual estamos sujeitos e ao mesmo tempo servindo. Marx tinha em mente a participação em um sistema econômico degradante. No livro, esboço um cenário de participação entusiasta de grandiosos projetos políticos, que de dentro para fora pareciam para muitos inquestionáveis garantias de um renascimento nacional,

---

[22] Ver Nicholas Wolterstorff, "Public Theology or Christian Learning?" *A Passion for God's Reign: Theology, Christian Learning, and the Christian Self*, ed. Miroslav Volf (Grand Rapids: Eerdmans, 1998).

[23] Miroslav Volf, *A Public Faith: How Followers of Christ Should Serve the Common Good* (Grand Rapids: Brazos, 2011), p. 77-145; Miroslav Volf, *Flourishing: Why We Need Religion in a Globalized World* (New Haven: Yale University Press, 2015), p. 97-194.

mas eram profundamente perversos (como eram aqueles representados por *slogans* como "Deutschland über alles!" ou "Hakko ichiu!") ou eram moralmente muito questionáveis (como aqueles representados por *slogans* como "A Hungria é dos húngaros!" ou "Make America Great Again!"). Para resistir a várias formas de resvalo cultural e político rumo à barbárie, precisamos de agentes sociais ricos de vida interior e marcados por sua nobreza de espírito.

Teologia pessoal, teologia da igreja e teologia pública (incluindo-se nesta última categoria não apenas teologias políticas, mas também econômicas e ecológicas) não são alternativas mutuamente excludentes. Pelo contrário, estão integralmente associadas. Essa teologia multifacetada está implícita na universalidade da fé cristã. Por "universalidade" quero dizer que uma visão cristã de vida em florescimento diz respeito a todas as pessoas e ao mundo inteiro. A universalidade dessa visão implica mais que o fato de que todo mundo, cada qual à sua maneira, deve praticar isso na vida. Pois todos os humanos e toda a vida no planeta são interdependentes. Para uma pessoa realmente florescer, o mundo inteiro precisa florescer; para o mundo inteiro realmente florescer, cada pessoa nele precisa florescer; e para cada pessoa e o mundo inteiro realmente florescerem, cada pessoa à sua maneira e todos juntas precisam viver num mundo transformado na casa de Deus.[24]

A universalidade de uma visão cristã de vida em florescimento não é apenas uma questão de abrangência, mas também de profundidade. A imagem mais comum no Novo Testamento para uma visão da verdadeira vida cristã é o "reino de Deus". Em Romanos 14.17, o apóstolo Paulo declara que o reino de Deus consiste em "justiça, e paz, e alegria no Espírito Santo". Juntamente com Ryan McAnnally-Linz e Matthew Croasmun, eu associei justiça, paz e alegria a três mutuamente entrelaçadas dimensões da vida: justiça, resumida na ordem de amar a Deus e ao próximo, que trata da *vida bem conduzida*; paz, entendida como um conjunto de circunstâncias físicas, sociais, econômicas, políticas e ecológicas adequadas, e trata da *vida indo bem*; e alegria, que concentra em si todas as emoções positivas e trata da *vida sentindo-se como deve sentir-se*.[25]

---

[24] Ver Volf e Croasmun, *For the Life of the World*, p. 69-80.

[25] Ver Miroslav Volf, *Flourishing*, p. 75; Miroslav Volf, Ryan McAnnally-Linz e Matthew Croasmun, *Public Faith in Action: How to Think Carefully, Engage Wisely, and Vote with Integrity* (Grand Rapids: Brazos, 2016), p. 13ss.; Miroslav Volf e Matthew Croasmun, *For the Life of the World*, p. 16-17; e Miroslav Volf, Matthew Croasmun e Ryan McAnnally-Linz, "Meaning and Dimension of Flourishing" (no prelo).

Para discernir, articular e recomendar uma visão cristã de vida em florescimento nesse sentido abrangente, a teologia precisa preocupar-se com toda a abrangência da vida humana, desde as mais íntimas vibrações do coração até as terrestres interdependências da vida criada, e com tudo entre esses dois extremos. E deve preocupar-se com tudo isso à luz da autorrevelação de Deus em Jesus Cristo. Uma vez que tudo não pode ser dito de uma vez, os teólogos podem passar de um aspecto da vida em florescimento para outro, mas de preferência tendo em mente a abrangência total. Em *Exclusão e abraço* eu concentro minha atenção nos "agentes sociais".

Violência religiosa e poder político

O principal objetivo de *Exclusão e abraço* é esboçar uma visão teológica orientadora da prática do abraço. Essa visão teológica implicitamente contém uma crítica de visões teológicas que legitimam a prática da exclusão. Uma desvantagem de concentrar-se em agentes sociais (suas crenças e práticas) é que apenas de passagem menciono razões pelas quais a fé cristã é muitas vezes configurada de tal modo que fornece a legitimação da prática da exclusão. Lendo *Exclusão e abraço* alguém poderia pensar que a prática da exclusão é simplesmente uma falha moral de indivíduos cristãos, uma consequência da pressão de nossa natureza pecaminosa e do poder do pecado ao nosso redor. Mas não é esse o caso. Sem querer justificar ninguém totalmente, é importante também notar que os indivíduos muitas vezes se veem como herdeiros de versões excludentes da fé cristã. Eu explorei as razões para as formulações de versões excludentes da fé em publicações subsequentes, sobretudo em *Uma fé pública* e *Flourishing*.[26]

Muitos críticos pensam que a fé cristã é excludente por natureza. Eu obviamente discordo; *Exclusão e abraço* é uma argumentação cumulativa contra essa visão. Formas excludentes de fé cristã são distorções. Para responder à pergunta sobre por que surgem essas distorções de tal modo que a fé cristã passa a legitimar a exclusão e a violência, eu recorro à obra de David Martin, um sociólogo e "teólogo acidental".[27] Em *Does Christianity*

---

[26] Volf, *A Public Faith*, p. 56-62; Volf, *Flourishing*, p. 161-94.

[27] Para a categoria "teólogo acidental", ver Miroslav Volf e Matthew Croasmun, *For the Life of the World*, p. 12, n3.

Cause War? [O cristianismo causa a guerra?] ele sugeriu que pensemos na fé cristã como um repositório de "encadeados motivos articulados internamente de uma maneira distinta, originando extrapolações características" sobre um estilo de vida no mundo, um repertório que está vinculado à revelação original, mas não é idêntico a ela. Dependendo do cenário e dos interesses determinantes, o caráter da fé muda: alguns motivos de seu repertório aparecem em primeiro plano, outros são deixados lá no fundo, e a maioria deles são "executados" com vários tipos e graus de consonância ou dissonância com a situação. Todavia, embora mudando de acordo com as circunstâncias, a fé cristã não é totalmente maleável. A revelação original oferece subsequentes articulações da fé com "uma flexível mas distintiva lógica e uma gramática de transformações".[28]

Se nós seguirmos a sugestão de Martin sobre como a fé é configurada e reconfigurada, então a questão social será a seguinte: Em que condições a fé tende a legitimar a exclusão e a violência? Martin responde que isso acontece "quando a religião se torna virtualmente coextensiva com a sociedade e, por consequência, com a dinâmica do poder, da violência, do controle, da coesão e a demarcação de limites".[29] Quando a fé cristã se torna um mero marcador de identidade grupal (segundo Immanuel Kant, essa é a principal função pública das religiões),[30] ela tende a endurecer os limites conferindo a grupos a aura do sagrado, assim energizando e legitimando suas lutas; em sentido inverso, conflitos entre grupos associados na maioria das vezes com uma única religião forçam essas religiões a funcionar como marcadoras da identidade de determinado grupo. De modo semelhante, o enredamento da fé cristã com o poder político provoca aquele tipo de configuração dos motivos de uma religião que fornecerão poder político com legitimidade (e em alguns casos os próprios governantes, com a ajuda de elites religiosas, envolvem-se no "fomento, na indumentária e na formação" de tendências religiosas nativas para escorar a legitimidade delas, como observou Thomas Hobbes).[31] Em situações de conflito, uma religião

---

[28] David Martin, *Does Christianity Cause War?* (Oxford: Oxford University Press, 1997), p. 32, 120.

[29] Ibid., p. 134.

[30] Immanuel Kant, "Toward Perpetual Peace", *Practical Philosophy*, trad. e ed. Mary J. Gregor (Cambridge: Cambridge University Press, 1996), p. 336.

[31] Thomas Hobbes, *Leviathan*, ed. C. B. MacPherson (New York: Penguin, 1968), p. 168.

assim configurada acaba justificando a prática da exclusão do grupo e sua implementação da violência.

Um certo distanciamento do grupo social primário de alguém — a recusa a identificar-se totalmente com o grupo ou com qualquer de seus projetos políticos — é essencial se a fé cristã não quiser se entregar a uma forma excludente. Isso ficou implícito no Capítulo 2 sobre distanciamento e pertencimento, mas não desenvolvi a ideia.

Humanos, Cristo e Trindade

Trindade e uma visão social

Em seu importante livro, *Christ the Key* [A chave é Cristo], Kathryn Tanner, minha colega de Yale, escreve:

> Quando teólogos contemporâneos querem emitir julgamentos sobre questões sociais e políticas, eles muitas vezes recorrem à trindade em busca de orientação. Em vez da cristologia, a teologia da trindade é recrutada para apoiar tipos particulares de comunidades humanas — ou seja, comunidades nas quais diferenças são respeitadas — ou para rebater o individualismo moderno mediante um respeito maior pela maneira como um caráter pessoal é moldado na comunidade.[32]

Tanner considera o procedimento dos ditos teólogos contemporâneos "muito fácil e claro" — e completamente equivocado. Para expressar sua opinião, ela discute amplamente a obra *Trindade e o reino de Deus* de Jürgen Moltmann e meus próprios textos nos quais abordo a relação entre a Trindade e a comunidade humana, inclusive *Exclusão e abraço*.[33] Embora consciente de significativas diferenças entre nós, Tanner trata de nós dois — e de outros três defensores da posição que ela rechaça: Leonardo Boff, Catherine LaCugna e John Zizioulas — como representantes, *grosso modo*, de uma

---

[32] Kathryn Tanner, *Christ the Key* (Cambridge: Cambridge University Press, 2010), p. 207.
[33] Para Jürgen Moltmann, ver especialmente *The Trinity and the Kingdom: The Doctrine of God*, trad. Margaret Kohl (San Francisco: HarperCollins, 1981). No meu caso, *After Our Likeness*, p. 191-214; *Exclusion and Embrace*, 1ª ed., p. 22-3, 125-31; e "'The Trinity is Our Social Program': The Doctrine of the Trinity and the Shape os Social Engagement", *Modern Theology* 14, n. 3 (jul., 1998): p. 403-23.

posição singular. Pelo menos no meu caso, isso é um problema, pois eu muitas vezes me considero do lado dela no debate. Concordo com ela, por exemplo, quando ela ataca Moltmann por rejeitar o monoteísmo e preferir o trinitarianismo como se o trinitarianismo não fosse uma forma de monoteísmo;[34] quando ela levanta objeções contra associar o monoteísmo apenas com o autoritarismo ou o totalitarismo ("um só Deus, um só soberano") e ao mesmo tempo esquecer-se de seu impulso igualitário ("nenhum soberano exceto Deus");[35] ou quando ela se pergunta se a posição de Moltmann, na qual a Trindade, segundo alguns críticos, aparece como "um grupo de amigos", não se aproxima demais de cair no triteísmo.[36]

Tanner pensa que deveríamos excluir a natureza e as relações das pessoas trinitárias de nossas considerações quando refletimos teologicamente acerca de identidades e relações humanas. O que a Trindade parece ser não é "o melhor indicador do relacionamento apropriado entre um ser humano individual e uma comunidade" e não "define como as sociedades humanas deveriam se organizar". Os teólogos deveriam, portanto, não procurar "basear conclusões acerca de relações humanas na trindade".[37] A tentativa de fazer isso é equivocada e ao mesmo tempo vazia de sentido, sustenta ela. É equivocada porque a Trindade é radicalmente diferente da comunidade humana e, portanto, uma não pode servir como padrão para a outra. A tentativa é vazia de sentido pela mesma razão: na medida em que se diz que a Trindade fornece o padrão, ela tem de ser puxada lá do céu para a terra, e isso significa que ela "acaba não realizando nada; ela não diz nada que já não se sabia antes".[38]

Vou responder apenas àquilo que Tanner escreve sobre os dois pilares de *Exclusão e abraço*: a incondicional vontade de abraço e o caráter dinâmico de identidades pessoais e grupais. Em última instância, parcialmente estão em questão concepções divergentes da Trindade e da natureza da salvação, mas este epílogo não é o lugar para discutir nossas diferenças sobre esses dois assuntos. Vou entretecer em minha resposta a Tanner uma resposta

---

[34] Tanner, *Christ the Key*, p. 217. Ver Miroslav Volf, *Allah: A Christian Response* (New York: Harper-One, 2011) p. 127-48.
[35] Tanner, *Christ the Key*, p. 208-9.
[36] Ibid., p. 244.
[37] Ibid., p. 207, 221.
[38] Ibid., p. 230.

a um artigo de Karen Kilby,[39] no qual ela apresenta uma crítica apreciativa mas firme aos dois pilares trinitários da argumentação em *Exclusão e abraço* tal qual eu os articulei em meu subsequente artigo intitulado "A Trindade é nosso programa social"[40] (reproduzido aqui ligeiramente editado como um apêndice). As críticas de Tanner e de Kilby não são totalmente idênticas, mas elas se baseiam no trabalho uma da outra ao criticar meu trabalho.

Sobre correspondências entre Trindade e comunidade humana

Peço permissão para começar registrando a base bíblica da afirmação dessas correspondências, que Tanner explicitamente nega. Embora não disseminada no Novo Testamento, a ideia de humanos alinharem sua vida com a de Deus está claramente presente. "Portanto, sede vós perfeitos como perfeito é o vosso Pai celeste", lemos no Sermão do Monte (Mt 5.48). Presumo aqui que "Pai" significa "Deus" e não significa uma pessoa da Trindade com exclusão de outras. Dado o posterior entendimento trinitário de Deus, também presumo que os cristãos devem ler o texto como uma injunção para serem perfeitos como Deus, que é a Trindade, é perfeito.[41] De modo mais exato, a ideia de que as relações entre humanos em certo sentido correspondem às relações entre os agentes divinos (posteriormente reconhecida como contendo a Trindade) está claramente presente numa significativa e historicamente importante passagem do Novo Testamento, a última oração de Jesus em João 17. Jesus se dirige ao Pai pedindo que seus discípulos "sejam um, assim como nós" (17.11; tb. 20-22). Comentando essas passagens, Tanner alega que a ideia do advérbio "'como' não visa destacar a similaridade entre nossa unidade com o Pai e a unidade de Jesus com ele, mas sim a diferença".[42] É por isso que ela acredita que o advérbio "como" vincula a unidade entre Jesus e o Pai à unidade entre os crentes e o Pai. As relevantes passagens de João 17 referem-se então à "centralidade de Cristo, e à sua relação com o Pai, aplicada

---

[39] Karen Kilby, "The Trinity and Politics. An Apophatic Approach", *Advancing Trinitarian Theology: Explorations in Constructive Dogmatics*, ed. Oliver Crisp e Fred Sanders (Grand Rapids: Zondervan, 2014), p. 75-93.
[40] Volf, "The Trinity is Our Social Program".
[41] Kilby levanta uma objeção contra essa maneira de ler o texto, embora sem apresentar razões de por que faz isso ("The Trinity and Politics", p. 82, n19).
[42] Tanner, *Christ the Key*, p. 239.

à nossa relação com o Pai", e não à "unidade de pessoas humanas numa analogia com a unidade entre as pessoas da trindade".[43] Para que essa interpretação funcionasse, todavia, teríamos de ler 17.11 com o acréscimo de informação entre colchetes: "Pai santo, guarda-os em teu nome, que me deste, para que eles sejam um [contigo], assim como nós". Para ter em vista a unidade com o Pai, uma maneira mais natural de formular a última cláusula seria "como eu sou um contigo".[44] Não obstante seu apelo a Atanásio, a ideia de "como" em João 17.11,20-23 é a de sublinhar claramente a similaridade do tipo de unidade que existe entre o Pai e Jesus e a unidade entre os discípulos. Todos os principais comentários modernos concordam nesse ponto.[45] Ora, a unidade entre os crentes aqui não é simplesmente moldada na unidade entre Jesus e o Pai. Mais propriamente, ela está enraizada na unidade dos crentes com Jesus, e por meio de Jesus na unidade deles não tanto com o Pai quanto com a Trindade, no fato de eles estarem "em nós" (17.21), o que significa dizer em Jesus e no Pai que estão unidos por existirem um no outro (10.30). A unidade dos crentes se dá por eles habitarem e serem habitados e é moldada na Trindade e vivida na prática como a imagem visível da Trindade ("para que o mundo creia", 17.21).[46] Vou voltar ao tema da relação entre habitação e imitação.

[43] Ibid., p. 2398.
[44] De modo semelhante, ela teria de ler João 17.21-23 inserindo colchetes implícitos: "a fim de que todos sejam um [contigo, Pai]; e como és tu, ó Pai, em mim e eu em ti, também sejam eles em nós; para que o mundo creia [observando o ser dos crentes em Jesus e no Pai] que tu me enviaste. Eu lhes tenho transmitido a glória que me tens dado, para que sejam um, como nós o somos [i.e., como eu sou um contigo]; eu neles, e tu em mim, a fim de que sejam aperfeiçoados na unidade [contigo]". A meu ver, essa leitura do texto é muito implausível.
[45] Charles Kingsley Barrett, *The Gospel According to St. John: An Introduction with Commentary and Notes on the Greek Text*, 2ª ed. (Philadelphia: Westminster, 1978), p. 512; Rudolf Bultmann, *The Gospels of John: A Commentary*, trad. G. R. Beasley-Murray et al. (Philadelphia: Westminster, 1971), p. 512-13; Jean Zumstein, *L'Évangile selon Saint Jean (13—21)*, Commentaire du Nouveau Testament (Geneva: Labor et Fides, 2007), p. 183; Rudolph Schnackenburg, *The Gospel According to St John*, Herder's Theological Commentary on the New Testament, trad. David Smith e G. A. Kon (Tunbridge Wells: Burns and Oates, 1982), vol. 3: p. 191; Udo Schenelle, *Das Evangelium nach Johannes*, Theologische Handkommentar zum Neuen Testament (Leipzig: Evangelische Verlagsanstalt, 1998), p. 258-59.
[46] Comentando sobre "como" (*kathos*) em João 17.21, Raymond E. Brown escreve: "a unidade celestial é ao mesmo tempo o modelo e a fonte da unidade dos crentes" (*The Gospel According to John [XIII–XXI]*, Anchor Bible [Garden City: Doubleday, 1970], vol. 3: p. 769).

O segundo argumento de Tanner contra a base bíblica para algum tipo de correspondência entre a unidade de Deus e a comunidade humana diz respeito à prática de Jesus nos Evangelhos. Se ele tivesse pensado na unidade entre os discípulos numa analogia de sua unidade com o Pai, por que é que, indaga Tanner, "as relações de Jesus com o Pai e o Espírito de nenhum modo óbvio parecem ser na história o modelo para suas relações com outros seres humanos?"[47] No fim das contas, espera-se que Jesus exemplifique adequadamente a relação dos seres humanos com Deus e de uns para com os outros. A resposta é certamente que ele não pode relacionar-se com humanos como se relaciona com o Pai e o Espírito porque ele se relaciona com humanos não simplesmente como um ser humano, mas principalmente como a Palavra encarnada. De acordo com isso, os seres humanos devem relacionar-se com ele não simplesmente como alguém entre eles, mas como "o Senhor".

Não obstante a correspondência entre as duas, a natureza e a unidade das pessoas divinas e a natureza e a unidade dos seres humanos não podem ser nada que se aproxime de serem idênticas, e é isso que Tanner sugere que insinuam aqueles dentre nós que pensam que a natureza da unidade das pessoas divinas é relevante para a natureza da unidade entre seres humanos. A meu ver, a posição que Tanner critica, a saber, que aquilo que a "trindade parece ser [...] estabelece como as sociedades deveriam organizar-se"[48] é falsa tal qual ela se apresenta, a menos que nós a qualifiquemos extensivamente. Eu mesmo expresso exatamente essa ideia, e o faço por uma razão simples e incontroversa: de maneiras fundamentais e inalteráveis, os seres humanos divergem das pessoas divinas, e suas respectivas unidades devem diferir. Os seres humanos são criaturas frágeis e limitadas, ao passo que as pessoas divinas, no modo único de sua divindade, são o eterno ilimitado Criador. O seres humanos são também pecadores, inclinados para si mesmos, ao passo que as pessoas divinas são o primordial Amor e portanto sempre incondicionalmente amorosas.[49] Não podemos derivar visões normativas de pessoas e relações humanas mediante a transposição para elas do caráter das pessoas e relações divinas. Devemos interpretar a importância das pessoas e relações divinas

---

[47] Tanner, *Christ the Key*, p. 237.
[48] Ibid., p. 207.
[49] Ver Volf, *After Our Likeness*, p. 198-200.

para a visão normativa das pessoas e relações humanas levando em conta o caráter dos seres humanos como criaturas e pecadores. Se não fizermos isso, acabaremos ou divinizando os seres humanos ou "secularizando" a Trindade. Se fizermos isso, acabaremos tendo algo parecido com uma tênue analogia entre a Trindade e as comunidades humanas tais quais elas deveriam ser, mas nada parecido com uma identidade entre humanos e a Trindade. Defendo essa analogia. De fato, defendo uma analogia na qual a diferença é sempre maior que similaridade e que, precisamente como tal, garante uma afirmação de similaridade.

Sobre derivar da Trindade a forma de comunidade humana

No meu modo de ver, o objetivo de identificar essa analogia não é principalmente derivar a forma de pessoas e relações humanas, não acessível a nós de nenhuma outra maneira, a partir de pessoas e relações divinas, de modo que estas possam ser por nós "imitadas" ou "reproduzidas". Na versão original do artigo "A Trindade é nosso programa social" eu uso a linguagem de derivação e cópia, com moderação mas ainda talvez de modo incauto.[50] Mas afirmo com muita clareza que um trabalho de conceituação não pode ser feito simplesmente de cima (Trindade) para baixo (igreja e sociedade).[51] Ele deve também proceder no sentido contrário: do tipo de seres humanos que somos, como criaturas e pecadores, para a natureza de uma possível correspondência com a Trindade. Em vez de visar simplesmente "derivar e replicar", eu estou primeiramente buscando mostrar algo como a utilidade da adequação da analogia. Dado que Deus cria seres humanos à imagem de Deus, esse tipo de Deus cria adequadamente esses tipos de seres humanos com esses tipos de identidades e relações comunais e pessoais. Foi isso em parte que eu quis dizer quando, em *After Our Likeness*, afirmei que "conceber a igreja numa correspondência com a Trindade não significa muito mais que pensar com consistência teológica".[52]

Superando qualquer um de meus críticos, Kilby claramente afirma que minha proposta metodológica procede no trabalho construtivo tanto de cima quanto de baixo. Mesmo assim, ela acredita que de modo

---

[50] Volf, "The Trinity is Our Social Program", p. 403-5. Ver apêndice.
[51] Volf, *After Our Likeness*, p. 194.
[52] Ibid.

inconsistente eu me proponho "desenvolver um entendimento da identidade a partir do conceito de *pericórese*".[53] Ela considera minha concepção de identidade humana "atraente e em grande medida plausível", mas insiste que "o que não é plausível é que ela deva supostamente ser derivada de um entendimento da Trindade imanente".[54] Duas coisas estão erradas nessa alegação. Primeiro, como declaro de modo explícito (como Kilby também observa anteriormente em seu artigo), eu construo meu argumento "baseado principalmente na narrativa do engajamento do Deus trino com o mundo",[55] muito mais que na Trindade imanente. Quando se trata da questão de identidade que é distinta da doação de si mesmo, isso significa que eu me baseio principalmente no relato da relação entre o Pai e Jesus Cristo no Evangelho de João. Segundo, Kilby pensa que enquanto avanço formulando uma concepção de identidade eu esqueço o princípio metodológico que me propus: avanço direto da *pericórese* divina para formas humanas de identidade. Por que ela pensa assim? Porque eu não apresento "nenhum indício" de que estou "começando a introduzir considerações deduzidas da finitude e do pecado na" minha discussão do significado de *pericórese* para a identidade.[56] Eu não afirmo isso de modo explícito na versão original do artigo, mas deveria ter sido óbvio que estou de fato introduzindo "considerações deduzidas da finitude e do pecado" porque escrevo sobre a negociação de identidades num mundo finito e pecaminoso. O argumento é que existe uma analogia — uma analogia fraca dadas as humanas finitude e pecaminosidade — entre identidades divinas "não fechadas em si mesmas" e "não redutíveis" visíveis na *pericórese*, e o tipo de identidades humanas pessoais e grupais marcadas por "porosos e cambiantes" limites que mesmo assim precisam ser mantidos e negociados em cenários de conflitos nos quais vivem seres pecaminosos e finitos.

"Derivação" não é um termo adequado para esse complexo empreendimento construtivo. Mas Tanner e Kilby parecem ler meus textos através da lente da "exigência de derivação exclusiva", que eu de modo explícito rejeito. Elas acreditam que o fato de podermos derivar de outras fontes os tipos de personalidade e relações sociais que eu defendo — outros tópicos

---

[53] Kilby, "The Trinity and Politics", p. 79.
[54] Ibid., p. 81.
[55] Ver apêndice.
[56] Kilby, "The Trinity and Politics", p. 81.

teológicos (por exemplo, a encarnação, como sugere Tanner)[57] ou também outros não teológicos e seculares — compromete minha posição. Não compromete. Essencial para a minha posição é a declaração de que é impossível derivar a personalidade humana e as relações sociais somente da Trindade e que, portanto, é necessário derivá-las também de outras fontes.[58]

Será que a consequência de um apelo à Trindade para uma visão social é que de fato vamos acabar ficando de mãos vazias? Será que a Trindade "acaba não realizando nada" porque ela não "diz nada que já não se sabia antes"?[59] Então o que se consegue mediante o apelo à analogia entre as pessoas e as relações divinas e humanas, entendida como um teste de qualidade de ajuste? Essa analogia informa e legitima uma visão particular da personalidade humana e da unidade humana — por exemplo, como limites são negociados — e também motiva as pessoas a se esforçarem para consegui-las. Considere-se de novo a oração de Jesus pedindo que seus discípulos fossem um como ele e o Pai são um. Ela indica, por analogia, que a unidade dos discípulos deve corresponder ao tipo de unidade que Jesus e o Pai desempenharam na história de suas interações tais como foram retratadas no evangelho. Ela também declara que é Deus em última análise que causa a unidade entre os humanos, fornecendo ao mesmo tempo motivação para que eles aspirem a essa unidade e trabalhem para alcançá-la.

Sobre ser um "trinitário social"

Uma analogia entre a unidade do Deus trino e a unidade humana é possível porque precisamos postular uma analogia — repito, uma analogia fraca, mas mesmo assim uma analogia — entre as pessoas divinas e as humanas. Essa convicção está no âmago de meu "trinitarismo social". Não gosto do termo porque ele tende a um sério equívoco. Evoca três seres divinos independentes, uma espécie de equipe ou família, e assim incorre no risco de negar a mais básica afirmação cristã de que "não há senão um Deus" (1Co 8.4). O conteúdo de meu "trinitarismo social" consiste na convicção de que analogias sociais são indispensáveis

---

[57] Tanner, *Christ the Key*, p. 241.
[58] Ver Volf, *After Our Likeness*, p. 191-200, e apêndice.
[59] Tanner, *Christ the Key*, p. 230.

quando se pensa sobre a trindade do Deus único, que sem analogias sociais não poderíamos expressar algo essencial sobre Deus. Analogias psicológicas também são apropriadas e indispensáveis; elas enfatizam a singularidade de Deus e ao mesmo tempo buscam articular a natureza distinta das pessoas. Também acredito que descrever concepções orientais da Trindade como "sociais" e concepções ocidentais como "psicológicas" é errado, embora seja verdade que os pais da igreja oriental se sentem, acertadamente, mais confortáveis com analogias sociais do que os pais da igreja ocidental.[60]

Kilby reconhece que sou um "trinitário social" que "procede — no todo — com surpreendente atenção a perigos e possíveis dificuldades do projeto".[61] Exatamente por esse motivo ela se sente confusa indagando por que me sinto confortável explorando teologicamente as implicações de analogias sociais para a Trindade. Ela cogita que a fonte de meu "trinitarismo social" são dois acidentes de minha biografia: sou aluno de um trinitário social, Jürgen Moltmann, e escrevi um livro sobre eclesiologia comunitária. De imediato ela descarta a explicação biográfica dando preferência a uma explicação do tipo "justificação-de-existência": o trinitarismo social ajuda teólogos como eu a justificar nosso trabalho e "nosso salário", porque ele parece conferir à nossa disciplina "seu singular tesouro de ideias para a extração de teorias sociais e políticas", ideias únicas no que diz respeito a pensadores seculares bem como cristãos comuns. E em seguida ela acrescenta uma explicação do tipo "provocar-é-preciso": é sedutor poder "trabalhar com conceito tão evasivo, até paradoxal" como a pericórese trinitária.[62]

Kilby em nenhum momento considera a explicação de meu "trinitarismo social" que descrevi acima, isto é, que acredito que analogias sociais são indispensáveis porque somente com a ajuda delas podemos dizer algo que é verdadeiro sobre a Trindade — verdadeiro até onde qualquer uma de nossas afirmações sobre Deus pode ser considerada verdadeira. Eu acredito que sedutoras e úteis mas falsas ideias sobre Deus são idólatras. Tenho compromisso com a opinião de que somente de ideias verdadeiras sobre

---

[60] Ver Miroslav Volf, "Being as God Is: Trinity and Generosity", *God's Life in Trinity*, ed. Miroslav Volf e Michael Welker (Minneapolis: Fortress, 2006), p. 5-6.
[61] Kilby, "The Trinity and Politics", p. 81.
[62] Ibid., p. 82-83.

Deus se pode fazer bom uso. A impossibilidade de manipulação de Deus é fundamental para a divindade de Deus.

Então o que há de verdade acerca das analogias sociais para a Trindade? Acredito que é errado pensar que "pessoa" é "um marcador de posição muito mal definido para o que quer que possa haver três na trindade".[63] Não estou sugerindo que é adequado referir-se ao Pai, o Filho e o Espírito Santo como "pessoa". Observando que em João 10.30 Jesus fala de sua unicidade com o Pai no plural ("Eu e o Pai somos um"), Agostinho corretamente afirma que usamos "pessoa" para expressar aquilo de que existem três na Trindade, "não a fim de dizer isso precisamente, mas a fim de que possamos não ser obrigados a permanecer em silêncio".[64] Pois "a língua humana labuta com uma grande escassez de palavras" ao falar sobre Deus.[65] "Pessoa" é um temo inadequado, como são muitos outros que também usamos referindo-nos a Deus. Apesar de sua inadequação, esse termo expressa corretamente o fato de que no Novo Testamento encontramos o Pai, o Filho e o Espírito como três atores e falantes e, crucialmente, atores e falantes que não somente atuam em relação ao mundo e se dirigem a humanos, mas também atuam e conversam entre si. Como é evidente do começo ao fim dos Evangelhos e das Epístolas, o Pai envia o Filho e fala com o Filho, e o Filho obedece ao Pai e fala com o Pai; e ambos o Pai e o Filho enviam o Espírito, e o Espírito intercede junto ao Pai em prol dos humanos (cf. Rm 8.26).

É em grande medida esse "diálogo" do Pai, do Filho e do Espírito consigo mesmos e com humanos na economia da salvação que a doutrina de Trindade foi articulada para "explicar" em palavras como um diálogo dessa natureza pode acontecer entre personagens consideradas divinas dada a inenarrável unicidade de Deus. Considero implausíveis as tentativas de enraizar a doutrina da Trindade no caráter da autorrevelação de Deus (Karl Barth)[66] ou na autocomunicação de Deus (Karl Rahner).[67] A meu ver, a raiz é a história do engajamento dos três divinos que são unicamente um na

---

[63] Tanner, *Christ the Key*, p. 220.
[64] Agostinho, *De Trinitate*, V. 10.
[65] Ibid.
[66] Ver Karl Barth, *Church Dogmatics*, I/1, tr. G. W. Bromiley e T. F. Torrence (Edinburgh: T & T Clark, 1975), p. 296-98.
[67] Ver Karl Rahner, *The Trinity*, trad. Joseph Donceel (New York: Crossroad, 1999), p. 34-37.

economia da salvação (Jürgen Moltmann).[68] Para que os três divinos falem entre si e com humanos e também atuem mutuamente e com humanos nessa "economia", deve existir algo neles anterior à criação do mundo que permita tal diálogo e interação, apesar de nossa gagueira na tentativa de expressar o que esse algo poderia ser.[69] Se uma concepção de "pessoa" no nível da Trindade imanente torna o diálogo e as interações entre as pessoas divinas na economia ininteligíveis, a lacuna entre a Trindade imanente e a econômica torna-se tal que a unidade entre as duas não pode ser mantida, um sinal seguro de que essa construção da doutrina da Trindade falhou. A conceptualização da doutrina da Trindade não deveria tornar impossível aquilo que ela foi planejada para tornar plausível em primeiro lugar.

Cristologia versus *Trindade*

Tanner escreve criticando o procedimento seguido por "trinitários sociais": "Em vez da cristologia, uma teologia da trindade é recrutada para apoiar tipos particulares de comunidades humanas".[70] Para ela, e talvez para alguns teólogos que ela critica, esta é a única alternativa: ou cristologia ou teologia da Trindade. Para mim não é isso. Tanto as relações entre as pessoas divinas quanto o trabalho delas no mundo, especialmente durante a vida de Cristo, são relevantes. De fato, minha ênfase principal recai sobre Cristo e sua vida. Para refletir sobre a natureza dinâmica das identidades e relações pessoais e comunitárias — para aquilo a que ambos Tanner e eu nos referimos como questões "formais"[71] — eu me sirvo principalmente das relações trinitárias nas duas esferas, a econômica e a imanente. Para refletir sobre a "vontade de abraço", e mais amplamente sobre a doação de si mesmo para o bem do mundo — aquilo que ambos Tanner e eu denominamos questões "substantivas" — eu me sirvo primeiramente, mas em

---

[68] Ver Jürgen Moltmann, *The Trinity and the Kingdom: The Doctrine of God*, trad. Margaret Kohl (New York: Harper & Row, 1980), p. 64. Ver também Miroslav Volf, "Being as God Is: Trinity and Generosity", in *God's Life in Trinity*, ed. Miroslav Volf e Michael Welker (Minneapolis: Fortress Press, 2006), p. 6.

[69] Isso contrasta com Karl Rahner, para quem não existe nenhuma reciprocidade entre as pessoas divinas; de acordo com ele, não se pode dizer, por exemplo, que elas se amam mutuamente (ver *Trinity*, p. 106).

[70] Tanner, *Christ the Key*, p. 207.

[71] Ibid., p. 230.

nenhuma hipótese de modo exclusivo, da vida de Cristo, especialmente de seu caminho para a cruz e sua morte na cruz. A meu ver, a Trindade informa, legitima e motiva nossa visão social nessas duas maneiras interligadas; não se verifica nenhuma "atenção isolada ao que é narrado sobre os relacionamentos entre as pessoas trinitárias" no meu caso.[72]

Por trás da minha abordagem está a alegação de que as três convicções seguintes são interdependentes: (1) Deus é amor, (2) Deus é a Santa Trindade, e (3) Deus estava em Cristo fazendo as pazes com o mundo. Como está claro desde o seu batismo, no qual o Pai fala a respeito do Filho e o Espírito desce sobre ele, a vida de Cristo foi uma história "trinitária". Em sua missão, Cristo está intimamente relacionado ao Pai cuja vontade ele está fazendo e ao Espírito que o energiza. Deus em Cristo vivendo uma vida humana e assumindo o pecado e o sofrimento do mundo e assim pondo em prática o divino abraço incondicional da humanidade — eis a Trindade atuante. A espécie de dinâmica unidade divina e de divina identidade de pessoas efetuada na história de Cristo juntamente com as pressuposições dessa unidade e dessas identidades na Trindade imanente são o lado formal do substantivo amor divino: essa é a essência do Deus trino e é o que Cristo pôs em prática num mundo de sofrimento e pecado.

Tanner objeta que, além de desviar sua atenção de Cristo, os teólogos que deslocam a importância da reflexão trinitária para questões políticas e sociais enfatizam o lado formal da questão (a estrutura de identidades e relações) e marginalizam o lado substantivo da questão (a natureza amorosa das relações). Não é o meu caso. Na vida de Deus *a se*, e nas relações de Deus com o mundo, os dois estão intimamente entrelaçados. De acordo com isso, enfatizo ambos, mesmo destacando em alguns textos um e em outros o outro. Em *After Our Likeness*, por exemplo, eu me preocupo principalmente (não de modo exclusivo!) com o lado formal da questão porque ali estou visando o objetivo limitado de desenvolver uma eclesiologia congregacional não individualista.[73] Em *Exclusão e abraço* eu me preocupo principalmente com o lado substantivo da questão, embora, como fica evidente na minha interpretação da história do filho pródigo, uma certa concepção da dinâmica da negociação da identidade seja de fato uma dimensão necessária do lado substantivo do relacionamento.

---

[72] Ibid., p. 237.
[73] Volf, *After Our Likeness*, p. 191.

Em "A Trindade é nosso programa social" (neste volume: o apêndice "Trindade, identidade e doação de si mesmo") eu junto os dois aspectos.

Imitação, incorporação, imanência

Grande parte da objeção de Tanner à minha interpretação de como a Trindade se relaciona com a visão social diz respeito àquilo que ela descreve como esforços humanos de "imitar" ou mais comicamente "arremedar" a Trindade, de buscar atingir "as alturas das relações trinitárias reproduzindo-as em e por si mesmas".[74] Embora eu seja muito a favor da imitação entendida de modo apropriado — da imitação de Cristo bem como do Deus trino — juntamente com Tanner sou muito contra "arremedar" Deus e até mesmo "reproduzir" relações divinas.[75] Como observei antes, os humanos evidentemente não são Deus, e portando meras reproduções e arremedos das relações divinas são tentativas fúteis e incorretas. O mesmo se aplica, num determinado sentido, a arremedar ou reproduzir a vida de Cristo. Há coisas que Cristo faz por nós que não podemos fazer por outros, pois Cristo é o criativo Verbo encarnado, e nós humanos somos criaturas desse Verbo. Assim, o simples "arremedo" está excluído porque ele erroneamente pressupõe uma identidade próxima entre humanos e Deus.

---

[74] Tanner, *Christ the Key*, p. 236.

[75] Mark Husbands, de modo semelhante, afirma que "Volf nos apresenta uma doutrina do Deus trino para a qual a importância imediata da Trindade consiste principalmente em ser para nós um modelo a imitar mais do que a base constitutiva de nossa reconciliação e promessa de vida" ("The Trinity Is *Not* Our Social Program", *Trinitarian Theology for the Church: Scripture, Community, Worship*, ed. Daniel J. Treier e David Lauber [Downers Grove: IVP Academic, 2009], p. 126). Mas essa interpretação dos meus textos sobre a Trindade é sem dúvida alguma equivocada porque simplesmente ignora o que escrevo sobre a "imanência" de Cristo e do Espírito no crente e na igreja. Tampouco considera aquilo que qualquer um que escreve sobre essa habitação deve presumir sobre a relação entre Deus e a criação. Para mim é inexplicável a suspeita dele de que o projeto "incorre no risco da redução nominalista da doutrina de Deus à eclesiologia e, por sua vez, da redução da eclesiologia a práticas sociais" (p. 122). O que poderia significar minha adoção da distinção entre a Trindade imanente e econômica e minha adoção da resistência de Yves Congar (*I Believe in the Holy Spirit*, trad. David Smith [New York: Seabury, 1983], vol. 3: p. 13-15) contra o axioma de Karl Rahner — "A Trindade econômica é a Trindade imanente e vice-versa" (*Trinity*, p. 22) — se não que eu rejeito *energicamente* considerar o mundo uma dimensão necessária da vida de Deus, sem falar em reduzir Deus a uma dimensão (da prática social) do mundo?

Mas mesmo quando rejeitamos a "identidade" em favor da "analogia" — uma "analogia fraca" em relação à Trindade e uma "analogia forte" em relação a Cristo — como argumentei que devemos fazer, a primeira relação de humanos com a Trindade e o Verbo encarnado não deveria ser a de imitação. Rejeito a postura que Tanner atribui a mim, a saber, que a Trindade nos mostra "uma forma de si mesma que podemos esperar abordar" e com isso "oferecendo-nos um modelo externo ao qual possamos mais facilmente nos adaptar".[76] A criação e a preservação de toda a realidade não divina, a habitação de Cristo pelo Espírito no crente e na igreja, Deus habitando o mundo são as principais maneiras pelas quais a Trindade e as criaturas se relacionam. Todavia, mantenho que a prática da "imitação" é importante. Como?

A alternativa de Tanner para o "arremedo" é afirmar que a Trindade entra em nosso mundo em Cristo e estreita o vão entre si mesma e a humanidade "mediante a incorporação real dos humanos em sua própria vida pela encarnação". Ela prossegue: "Não somos, portanto, chamados a imitar a trindade via encarnação, mas somos levados a participar dela".[77] Contudo, é falsa a oposição entre imitação e participação. Se rejeitamos a concepção de Cristo ou da Trindade como simples modelos exteriores (o que eu faço), podemos afirmar o que afirma Tanner e ainda insistir na imitação como uma forma importante, até indispensável, que os humanos devem adotar para relacionar-se com a Trindade. Não há nenhuma razão que impeça Tanner de afirmar que Deus é ao mesmo tempo externo e interno em relação aos seres humanos, e, portanto, ele pode ser plausivelmente interpretado como uma presença e também um modelo. No fim das contas, uma da principais convicções dela é que a relação entre Deus e o mundo e entre a divina imanência e a transcendência não é competitiva.[78]

Não é difícil encontrar exemplos de pensadores cristãos que pensam como eu. Seguindo o evangelista João e o apóstolo Paulo,[79] Martinho Lu-

---

[76] Tanner, *Christ the Key*, p. 234.
[77] Ibid., p. 234.
[78] Por esse último ponto agradeço a Ryan McAnnally-Linz. Ver Kathryn Tanner, *Jesus, Humanity, and the Trinity* (Minneapolis: Fortress, 2001), p. 1-34.
[79] Nos escritos do apóstolo Paulo, Cristo é interior em relação ao crente ("já não sou eu quem vive, mas Cristo vive em mim" [Gl 2.20]) e Cristo é um modelo exterior a ser imitado [Gl 2.3; Lutero interpreta Paulo como modelo de Cristo neste versículo]. No Evangelho de João: Cristo é interior em relação ao crente (Jo 17.26) e Cristo é um modelo exterior a ser imitado (Jo 13.15).

tero, por exemplo pensava que Cristo está em nós sem ser "nosso" e assim permanece, num sentido técnico, *extra nos*. Como tal, ele é um modelo interior, ou melhor, um modelo que em sua exterioridade é também interior. Em *Da liberdade do cristão*, ele afirmou a união com Cristo bem como a imitação de Cristo, e insistiu com ênfase que a união precede e possibilita a imitação, resultando disso que os cristãos devem ser "Cristos" uns para os outros e para o mundo.[80] O mesmo se pode dizer da imitação da Trindade. Em João 17 lemos que o Pai e o Filho em sua mútua interioridade são uma presença interna nos crentes e também um "objeto externo" de imitação. A unidade das pessoas divinas é um modelo no sentido de que o pedido de Jesus ("para que eles sejam um, assim como nós" [17.11]) deve ser posto em prática pelos discípulos: eles devem procurar incorporar em suas relações mútuas importantes elementos daquilo que eles veem mostrado na história da relação mútua entre Jesus e o Pai. Mas o modelo a ser posto em prática é também, e mais basicamente, uma presença interior. Jesus ora pedindo "que todos sejam um; e como és tu, ó Pai, em mim e eu em ti, também sejam eles em nós [...]; eu neles, e tu em mim" (17.21,23; ver tb. 17.26).

Baseando-se em fontes patrísticas, Tanner prefere a linguagem da "participação" humana na vida divina e vê isso acontecendo mediante a transformação de todos os humanos em "membros do Filho único" e movendo-se "como um todo, como um só corpo".[81] Baseando-me em autores da Reforma, prefiro a linguagem da "habitação" de Cristo e do Espírito no crente e na igreja (em analogia com o Verbo que vem e assume uma habitação na carne): pelo Espírito, Cristo vive em indivíduos e em corpos eclesiais — duas formas de habitar que estão relacionadas, mas que não são redutíveis uma à outra — e, no fim, no mundo inteiro. A vida que os cristãos vivem agora é a vida de Cristo neles, uma vida vivida pela fé no Filho que os amou e por eles entregou sua vida (ver Gl 2.20). A participação da criatura em Deus e a habitação de Deus na criatura não devem ser colocadas uma contra a outra. Ambas estão de fato presentes em textos paulinos e joaninos; em Paulo: o crente está "em Cristo" e "Cristo no" crente (Gl 2.20); e em João: os discípulos estão "em nós [o Pai e Jesus]" e "eu [Jesus] neles" (Jo 21,23). Na verdade, é pelo fato de Deus habitar nas criaturas — mediante a vinda de Deus ao mundo e sua recepção pelo mundo (Jo 1.10-18) — que as criaturas

---

[80] Luther, *Luther's Works*, vol. 31, p. 368.
[81] Tanner, *Christ the Key*, p. 238.

passam a participar de Deus, o que é distinto de simplesmente viver por meio dele e na ambiência dele. Mas, quaisquer que sejam a primazia ou os méritos ou deméritos teológicos, antropológicos, cristológicos, soteriológicos, eclesiológicos e escatológicos de uma ou de outra conceituação, ambas afirmam a profunda união de Deus com humanos. Não há necessidade de pensar nessa união como uma alternativa à imitação.

Esperança e memória

Transitoriedade e esperança

No extenso Capítulo 4 sobre o "abraço", no fim da crítica das grandes narrativas e antes da explicação do elemento do abraço, escrevi que a busca do abraço é uma luta "por uma reconciliação não final embasada numa visão da reconciliação que não pode ser desfeita".[82] Escrevi no livro algo sobre o caráter imperfeito de todas as reconciliações históricas. Elaborando um pouco, pude observar que toda memória pressuposta no abraço é em parte obscurecida e distorcida, que todo julgamento sobre infrações é parcialmente equivocado e injusto para com o outro, que todo perdão não é apenas um presente, mas parcialmente é também uma orgulhosa afirmação pessoal e às vezes um insulto, que todo abraço inclui em si elementos de exclusão. Relacionando a imperfeição ao arrependimento e à reparação (ver abaixo), pude observar que todo arrependimento é parcialmente falso e toda reparação inadequada. A insistência na reconciliação e no abraço perfeitos resultará simplesmente em abraço nenhum. A meu ver, a prática do abraço exige "a coragem de aceitar a imperfeição" — e a esperança de um abraço final (esboçada no sentido dinâmico na seção "O drama do abraço") no futuro mundo do amor.

Não traço no livro uma distinção clara entre reconciliação e abraço, mas os dois não são idênticos. A reconciliação é um movimento do conflito rumo a uma paz dinâmica; o abraço é a paz dinâmica em si. Historicamente, cada um desses movimentos é imperfeito; escatologicamente, ambos são finais. Na explicação teológica final das Últimas Coisas, o abraço final é uma instância particular da vida interpessoal do mundo por vir, que é um mundo de amor, paz e alegria. Mas que dizer

[82] Ver p. 149.

da *reconciliação final*? Onde ela se encaixa na concepção das Últimas Coisas? Ela pertence à transição do mundo como ele é para o mundo por vir. Geralmente, supõem-se que essa transição consiste em dois eventos importantes: a ressurreição dos mortos e o juízo final. Mas embora a reconciliação final pressuponha esses dois eventos, ela não faz parte de nenhum dos dois. A ressurreição tem a ver com conferir uma vida eterna aos mortos, libertando-os da corruptibilidade; o juízo final tem a ver não só com cada um recebendo parte do mundo por vir, mas também adquirindo clareza sobre o caráter de sua vida já vivida e passando por uma transformação moral.

Pode-se pensar que a reconciliação definitiva faz parte do juízo final. No juízo final, cada pessoa estará face a face com Cristo, o juiz (2Co 5.10), e dado que o juízo final não é simplesmente um juízo baseado nas obras, mas também um juízo baseado na graça, o juízo final é também o cenário da *reconciliação final com Deus*, a realização da ação de Deus "que nos reconciliou consigo mesmo por meio de Cristo" (2Co 5.18). Para nos conduzir ao mundo do amor, a transição escatológica não pode ser apenas um acontecimento entre Deus e seres humanos, mas deve ser também "um evento social entre seres humanos, mais precisamente, um ato divino para seres humanos, que é também um evento social entre eles". Assim, além de cada ser humano apresentar-se diante do trono do julgamento, cada um ficará face a face com outros seres humanos para reconciliar-se plenamente com eles em casos onde consta uma história de infrações. Esse foi o principal argumento de meu ensaio "A reconciliação final".[83]

Juntamente com o argumento de que o mundo por vir é marcado pela temporalidade — que seus habitantes têm uma vida que é sempre duradoura em vez de uma vida eterna[84] — a visão da reconciliação social é o pressuposto escatológico para a minha controversa reflexão em *Exclusão e abraço* sobre a memória da infração cometida e do sofrimento suportado.

---

[83] Miroslav Volf, "The Final Reconciliation: Reflections on a Social Dimension of the Eschatological Transition", *Modern Theology* 16, n. 1 (2000): p. 93.

[84] Miroslav Volf, "Time, Eternity, and the Prospects for Care: An Essay in Honor of Jürgen Moltmann's 90th Birthday", *Evangelische Theologie* 76, n. 5 (2016): p. 345-54; ver também "Enter into Joy! Sin, Death, and Life of the World to Come", *The End of the World and the Ends of God: Science and Theology on Eschatology*, ed. John Polkinghorne e Michael Welker (Harrisburg: Trinity Press International, 2000), p. 256-78.

Sobre não vir à memória

Nenhuma outra parte do livro suscitou mais discussão que a seção "O paraíso e a aflição da memória", seja de "aprovação ou de resistência", como observou Marie Tonstad em seu empenho com minha "imaginativa proposta" acerca do "peso do passado no mundo do amor".[85] Escrevi um livro inteiro em resposta aos críticos, *O fim da memória*,[86] que pouco fez para resolver a questão, é claro, embora muito, espero, para esclarecer os problemas. A resistência deve-se em parte a sensibilidades culturais acerca de lembrar injustiças que gradativamente surgiram depois de meados do século passado ("Jamais esquecer!") e em parte a questões teológicas essenciais. Vou limitar meus comentários aqui às preocupações teológicas, mas sem repetir todos os argumentos de *O fim da memória*.

Peço permissão para deixar bem claro aqui o que não foi totalmente esclarecido em *Exclusão e abraço* (mas está claro em *O fim da memória*): defendo a ideia de que erros cometidos e sofrimento suportado *não virão à memória* de pessoas do mundo por vir e que isso acontecerá *depois* que as injustiças tiverem sido nomeadas, esquecidas e tiverem passado pelo processo do arrependimento, *depois* que os perpetradores e as vítimas tiverem se reconciliado e *depois* que o mundo tiver sido salvo do mal. Não estou defendendo o "esquecimento" em vez da lembrança e do perdão (posição essa adotada por Nietzsche, por exemplo). Tampouco defendo o "esquecimento" em vez da reconciliação e em vez da transformação do mundo.[87] Defendo o "esquecimento" *depois* da superação dessas etapas. Em grande medida, em meu relato o "esquecimento" não é algo que fazemos, mas algo que acontece conosco, algo que recebemos como uma dádiva. Essa ideia é mais bem expressa usando não o termo "esquecimento",

---

[85] Linn Marie Tonstad, "The Weight of the Past in the World of Love", *Envisioning the Good Life: Essays on God, Christ, and Human Flourishing in Honor of Miroslav Volf*, ed. Matthew Croasmun, Zoran Grozdanov e Ryan McAnnally-Linz (Eugene: Cascade Books, 2017), p. 225.

[86] Miroslav Volf, *The End of Memory: Remembering Rightly in a Violent World* (Grand Rapids: Eerdmans, 2006).

[87] Meu interesse principal não eram a natureza e as utilidades do "esquecimento" de modo mais geral, mas sim o papel do "esquecimento" no processo da reconciliação e na visão da integridade. Para uma recente e muito rica obra sobre a importância do esquecimento de modo mais geral, ver o fascinante e produtivo livro de "citações, aforismos, anedotas, histórias e reflexões" de Lewis Hyde, *A Primer for Forgetting: Getting Past the Past* (New York: Farrar, Strauss and Giroux, 2019).

mas a frase bíblica "não haverá lembrança das coisas passadas, jamais haverá memória delas" (Is 65.17).[88]

Minha impressão é que falta algo no perdão e na reconciliação que não resultem em "não haver memória" da injustiça cometida seja da parte da vítima, seja da parte do perpetrador. Se eu perdoo, e acrescento: "Mas nunca vou esquecer", envolvo o presente do perdão no invólucro cinzento de um aviso, que pode ser até mesmo um manto de ameaça. Também afixo no perpetrador e na vítima uma marca indelével da ofensa; a memória da ofensa perdoada prega, definitivamente, as identidades dos perpetradores a seus malfeitos e as identidades das vítimas a sua vitimação: uma vez ofensor, sempre ofensor; uma vez vítima, sempre vítima — mesmo que ofensor e vítima já não existam.[89] As identidades são assim definidas em parte pelo pecado. Como argumentei em *O fim da memória*, uma vez que a justiça exige total memória de todos os pecados de todos os cidadãos do mundo do amor, não está claro que esse tipo de memória não anularia completamente a realidade do mundo de amor.[90]

Alguns sugeriram que há empregos mais benignos e necessários da memória de injustiças cometidas e sofrimentos suportados. Essa memória nos ajuda, argumentam eles, a desfrutar de modo apropriado e verdadeiro o bem da vida no mundo por vir. As alegrias exigem a memória de sofrimentos do passado como sua condição. Claramente, as alegrias da libertação são particularmente poderosas em nossa experiência comum. Pense em Miriã, a irmã do grande libertador Moisés: movimentos rítmicos do tamborim sobre a cabeça, pesados colares, os espólios dos egípcios, saltando sobre os seios, cabelos e roupas esvoaçando enquanto ela conduz a dança de celebração pela destruição dos exércitos do opressor (Êx 15.19-21). Mas exatamente essa alegria é um tributo à primazia do bem e, portanto, também ao fato de ele ser uma causa suficiente de alegria. Nós nos alegramos na libertação como um bem porque a liberdade é um bem e a libertação é um instrumento

---

[88] Para a importância de um certo tipo de esquecimento para podermos viver bem em situações de conflito, ver o breve e inspirador artigo de Yehuda Elkana, "The Need to Forget", publicado em *Há'aretz* (2 de mar., 1988).

[89] Para uma breve explicação da memória do perdoador, ver Miroslav Volf, *Free of Charge: Giving and Forgiving in a Culture Stripped of Grace* (Grand Rapids: Zondervan, 2005), p. 173-77.

[90] Ver Volf, *The End of Memory*, 193ss. Ver também Tonstad, "The Weight of the Past in the World of Love", p. 228-34.

para consegui-la. Normalmente não nos alegramos por nos libertar de uma frigideira e cair no fogo — ou, em sentido inverso, nem mesmo por nos livrar do fogo e cair na frigideira. A posse do bem é — e no mundo por vir será — motivo suficiente para exultar. Se o bem é original, como afirma a fé cristã, então ele deve ser atraente e gerar alegria enquanto bem, sem a necessidade do acompanhamento da memória da derrota da negatividade.

Será que o esquecimento dos erros cometidos e dos sofrimentos suportados simplesmente não diminuiria e no fim extinguiria a nossa gratidão pela libertação da parte de Deus? Diminuiria com certeza, e esse é exatamente o meu ponto. No meu modo de ver, não seria digno de Deus e de seu amor incondicional exigir ou aceitar gratidão *duradoura para todo o sempre* por resgatar a humanidade da perdição. Se uma filha minha que eu tivesse salvado de um acidente fatal me agradecesse ou se mostrasse grata a mim cada vez que me visse, eu consideraria sua gratidão um insulto à minha bondade. Esperaria que ela me agradecesse com sinceridade uma vez, expressasse sua gratidão uma ou duas vezes se nos lembrássemos do acontecimento, e depois seguisse alegrando-se na vida e na minha presença. Não estou sugerindo que não deva haver gratidão para com Deus, pois há motivos mais imediatos para a gratidão: a totalidade de nossa vida individual e do mundo naquele mundo por vir são e serão eternamente o resultado da generosidade de Deus.

Mas que dizer de Jesus Cristo, das cicatrizes da crucificação marcando seu corpo ressuscitado, como lemos nos Evangelhos? Será que elas também não marcam seu corpo que ascendeu ao céu? João, o Visionário, não viu a imagem do Cordeiro no trono com Deus? Em *Icons of Hope* [Ícones da esperança], John Thiel dá grande importância ao corpo ferido e ressuscitado no mundo por vir, até mesmo à "presença permanente da cruz no céu".[91] De modo semelhante, como o preço da redenção em sofrimento e sangue é comemorado no céu, é inevitável que, como diz ele, "uma espécie de tristeza [...] provocada pelo peso dos efeitos do pecado" marquem eternamente a vida no mundo por vir.[92] Uma visão do mundo por vir coberto com névoas de tristeza está vinculada à visão dele de um purgatório sem um visível fim do túnel. A alternativa à posição que Thiel nos apresenta

---

[91] John Thiel, *Icons of Hope: The "Last Things" in Catholic Imagination* (Notre Dame, IN: University of Notre Dame Press, 2013), p. 42, 184.
[92] Ibid., p. 186.

é a seguinte: ou você tem um céu triste, ou você não tem nele a cruz e a memória de injustiças cometidas e sofrimentos suportados. Minha opção é por um céu de alegria, o céu prometido por Deus (ver Mt 25.20-22).

Mas será que nos lembraremos da cruz? Baseando-me na história de José e seus irmãos em Gênesis, em *Exclusão e abraço* sugeri que a cruz pode ser "um paradoxal memorial do esquecimento", como foi o nome do filho de José chamado Manassés, "alguém que provoca o esquecimento".[93] Essa é uma maneira de posicionar-se a favor dos que optam por uma alegria eterna. Mas talvez seja mais convincente sugerir que a cruz não será lembrada. É óbvio que estamos especulando. Mas não vejo por que especular a favor da lembrança seja melhor que especular contra ela, e consigo ver por que o oposto poderia ser o caso. Alguns acham a referência ao Cordeiro no trono em Apocalipse uma espécie de indicação da presença do crucificado no mundo por vir. Não é fácil decifrar como funciona a imagem do Cordeiro em Apocalipse. Claramente trata-se de uma metáfora literária que invoca o cordeiro de Páscoa de Êxodo (Êx 12.21); ninguém espera que um cordeiro de verdade — muito menos um cordeiro imolado (Ap 13.8) — esteja sentado no trono com Deus. A maioria nem sequer espera que Deus esteja sentado num trono concreto; Deus no trono é uma imagem terrena do domínio de Deus que não pode ser abarcado pelo universo e muito menos caber num trono. Invocar as imagens da crucificação faz sentido enquanto a história dura e a cruz vai continuando sua obra de salvação. Mas quando a história chegar ao fim e a obra da salvação estiver concluída, a cruz terá cumprido seu propósito e sua memória não precisará vir à mente.[94]

O que quer que decidamos acerca de Jesus Cristo, da natureza do seu corpo ressuscitado, inclusive a questão de saber se Jesus Cristo ainda terá um corpo físico distinto, *se* Jesus Cristo carregará suas cicatrizes da crucificação saradas, o que Tonstad escreve sobre a cruz — sobre cicatrizes como lembretes da cruz — no mundo por vir parece exatamente correto:

> Num mundo no qual Deus e os seres humanos se amam uns aos outros face a face, todavia, não parece necessário supor que a cruz tenha um lugar. Estaremos na presença daquele que nos ama como fomos amados "então"

---

[93] Ver o texto final.
[94] Ver Volf, *The End of Memory*, p. 145-47.

(i.e., na cruz). Mas o conheceremos muito melhor quando o virmos face a face e formos mudados nessa contemplação.[95]

Quando se trata de lembrar injustiças cometidas e sofrimentos suportados no mundo por vir, a questão mais fundamental diz respeito à "redenção do passado". Em *Exclusão e abraço* cito do texto de Nietzsche a exclamação extraída de *Assim falou Zaratustra*: "Redimir o passado, apenas isso eu chamo de redenção".[96] Rigorosamente falando, o *passado* não pode ser redimido; apenas as *pessoas* que viveram e suportaram a aflição de ter cometido e suportado injustiças e sofrimentos podem ser redimidas. Para Nietzsche, a redenção do passado ocorre mediante a transformação da atitude para com o passado: uma pessoa abraça com coragem o passado dizendo com relação a tudo o que foi: "Eu quis que fosse assim".[97] A redenção do passado é aqui um ato de vontade de afirmação de si próprio identificando-se com o que aconteceu: Eu afirmo e celebro a realidade como ela foi, é e será.

"Eu quis que fosse assim" é uma versão "Deus-está-morto" do jeito que muitos teólogos nos recomendaram que nos relacionássemos com o passado que clama por redenção: "Deus quis que fosse assim — ou no mínimo a infinita sabedoria divina permitiu isso". Essa maneira teocêntrica de "redimir" o passado pressupõe uma teodiceia bem-sucedida; exige ser capaz de dizer com confiança que os destroços da história, seus males horrendos e não tão horrendos, são compatíveis com a bondade divina e têm um propósito na divina providência.

Minha proposta pessoal acerca do não se lembrar do mal cometido e sofrido origina-se em parte da dúvida de que qualquer teodiceia pode obter êxito e da suspeita de que se obtivesse êxito ela justificaria aquilo que do meu ponto de vista parece injustificável. Agora, *não alego* que uma teodiceia seja impossível e que se fosse possível ela seria necessariamente repreensível do ponto de vista moral. Quando a história houver concluído seu curso e "o reino do mundo" houver se tornado "de nosso Senhor e do seu Cristo" (Ap 11.15), *talvez* nós teremos uma teoria que mostrará que os horrendos males da história faziam todos eles parte do plano, e até o mundo de que

---

[95] Tonstad, "The Weight of the Past in the World of Love", p. 236.
[96] Friedrich Nietzsche, *Thus Spoke Zarathustra*, p. 161.
[97] Ibid., p. 163.

eles faziam parte era o melhor dos mundos possíveis. Mas não temos essa teoria agora, e eu acredito que, em princípio, não poderemos tê-la antes que a história complete seu curso e o significado dos acontecimentos que a compõem possam ser pelo menos em princípio acomodados. Não pretendo menosprezar filósofos e teólogos que lidam com a teodiceia, mas me preocupa o fato de que eventuais embustes teóricos desses projetos possam ter terríveis consequências práticas para os mais vulneráveis.

A menos que encontremos — ou que possamos esperar encontrar — uma teodiceia que celebrará todos os males sofridos como árduos bens, a proposta que fiz sobre não trazer esses males à mente dos cidadãos do mundo por vir merece ser levada em consideração. Isso, também, não equivale à redenção do passado, mas é uma forma de manter os males do passado relegados ao passado, de impedir que eles entrem na vida dos redimidos num mundo transfigurado passando pelo portão da memória e anulando sua alegria no que é e no que permanecerá.

Justiça e justificação da violência

Justiça e abraço

No livro escrevi: "O abraço é parte integrante da própria definição de justiça". Ainda acredito que isso é correto, se por justiça entendemos o que nas traduções mais antigas da Bíblia era designado como "retidão". No Novo Testamento, um viver correto se resume no amor a Deus e ao próximo, e o termo para isso em hebraico bem como em grego é simplesmente justiça. Desde que escrevi o livro e sob a influência de Nicholas Wolterstorff,[98] passei a acreditar que precisamos distinguir "justiça" de "retidão", ou, se quisermos nos ater a uma única palavra, precisamos distinguir entre "justiça 1" (justiça) e "justiça 2" (retidão). Em seu belo livro *Just and Unjust Peace: An Ethic of Political Reconciliation* [Paz justa e paz injusta: Uma ética da reconciliação política], Daniel Philpott se posiciona contra a minha distinção e afirma, praticamente como eu digo em *Exclusão e abraço*, que "reconciliação é justiça".[99] A melhor maneira de explicar por que eu discordo tanto de

---

[98] Ver Nicholas Wolterstorff, *Justice: Rights and Wrongs* (Princeton: Princeton University Press, 2008).
[99] Daniel Philpott, *Just and Unjust Peace: An Ethic of Reconciliation* (New York: Oxford University Press: 2012), p. 53.

Philpott como de meu ego anterior consiste em examinar o lugar da justiça no perdão, um elemento crítico da reconciliação e do consequente abraço, e o elemento mais contestado pelos críticos da reconciliação.[100]

Se o abraço como consequência e a reconciliação como processo estão fazendo o que é justo, então o perdão também deve ser justiça, um processo de fazer o que é justo. Mas será que é? Perdoar é não mais levar em conta os malfeitos dos perpetradores contra eles. Definido dessa maneira, o perdão tem dois componentes, um implícito e um explícito, e ambos essenciais. O componente *implícito* é a identificação e a condenação de um ato como transgressão e da pessoa que o cometeu como perpetradora. Essa identificação exige uma explicação de como o perpetrador devia ter agido e de como a vítima tinha o direito de ser tratada. Uma determinada pessoa devia ter agido de modo justo e não violado o direito de outra pessoa, mas ela agiu de modo injusto e, portanto, seu ato é certamente uma transgressão, e ela é uma perpetradora. Em ação aqui está a "justiça 1". O componente *explícito* do perdão consiste em não mais levar em conta o malfeito do perpetrador contra ele e em ver o perpetrador como uma pessoa que cumpre suas obrigações; isso de modo explícito e em primeiro lugar faz quem perdoa. Se "a graça do abraço" é "parte integrante da ideia de justiça", esse elemento explícito do perdão também deve ser chamado justiça; quando alguém perdoa age de modo justo ("justiça 2"). Mas chamar de "justiça" tanto (1) "respeitar os direitos de uma pessoa e não cometer infração contra ela" ("justiça 1") como (2) "não levar em conta a infração contra a pessoa que a cometeu" ("justiça 2") não é apenas confuso, mas também errado. Pois se "justiça 2" é de fato nada mais nem menos que agir de modo justo, então a vítima *ficaria devendo perdão* a um perpetrador (arrependido); *não perdoar* seria *ser injusto* para com o perpetrador. Mas quando uma pessoa perdoa ela está espontaneamente dando um presente; e quando uma pessoa se recusa a perdoar ela está sonegando generosidade mais que incorrendo em culpa por prejudicar o perpetrador. Quando o perpetrador recebe o perdão, o perpetrador recebe algo ao qual não tem direito; o perpetrador deve sempre receber o perdão como um presente imerecido. Na tradição cristã, a vítima tem um dever de perdoar; embora seja um presente, o perdão *não* é um presente

---

[100] Reproduzo em seguida, com algumas pequenas mudanças, uma parte da minha resenha de *Just and Unjust Peace* de Philpott: "Reconciliation, Justice and Mercy," *Books & Culture* (set./out., 2013): p. 24-25.

que vai além da obrigação, pelo contrário, é uma obrigação. Mas do dever de perdoar da vítima não se pode deduzir que ela deva perdão ao perpetrador e que o perpetrador possa exigir o perdão como legitimamente seu.

Na minha concepção atual, "justiça 1" é *justiça*, "justiça 2" é *misericórdia*, e as duas juntas são componentes-chave dos relacionamentos corretos entre pessoas e são mais bem designadas como *retidão* (que é equivalente a amor). Na minha concepção em *Exclusão e abraço*, "justiça 1" e "justiça 2" juntas formam a "justiça" definida como um relacionamento certo. Essa maneira de apresentar as coisas teria a vantagem de nos deixar organizar a reflexão sobre a reconciliação política em torno da virtude política principal que é a justiça. No meu modo de pensar atual, em contrapartida, precisamente porque a justiça como uma virtude política designa o que *devemos* a outras pessoas, seria enganoso falar de reconciliação e abraço como justiça, pois há elementos de reconciliação que não devemos a outros e aos quais outros não têm crédito.

Arrependimento e reparação

A parte central do livro é o Capítulo 4 sobre o abraço, e a parte central do capítulo contém um esboço dos elementos-chave do abraço. Analisei-os concentrando-me no árduo — e injusto — trabalho que a pessoa injustiçada precisa fazer. Isso se deveu em parte à consequência da convicção de que ser injustiçado não isenta ninguém da obrigação de seguir Cristo e de que a incondicionalidade do amor de Deus promulgado em Cristo implica a incondicionalidade da vontade de abraço. A tese principal do livro é que a vontade de abraço é

> anterior a qualquer julgamento sobre outros, com exceção daquele de identificá-los em sua humanidade. A vontade de abraço precede qualquer "verdade" sobre outros e qualquer construção da "justiça" deles. Essa vontade é absolutamente indiscriminada e estritamente imutável; ela transcende o mapeamento moral do mundo social em "bom" e "mau".[101]

Isso tudo está como deve ser; nada pretendo retirar. Mas isso não é tudo o que precisa ser dito sobre o abraço. A *vontade* de abraço é incondicional;

[101] Ver p. 48.

o *abraço em si* não é, como também deixei bem claro, por exemplo, no último capítulo quando insisti que "sapatos sujos" precisam ser deixados junto ao portão do mundo do amor escatológico.[102] Não escrevi muito no livro, todavia, sobre as condições que os infratores precisam satisfazer antes que o abraço concreto possa acontecer. Além da transformação do infrator passando de uma fonte de perigo para um confiável aspirante a agente de amor — no vocabulário da teologia tradicional: um grau de santificação — as duas condições para que o movimento do abraço termine num abraço concreto são *arrependimento* e *restituição*.

Em *Free of Charge* argumentei que o perdão é um evento interpessoal com a estrutura formal da doação de um presente: alguém dá algo a outro alguém.[103] O primeiro alguém é a pessoa injustiçada; o segundo alguém é o infrator. O "algo" que o injustiçado dá ao infrator consiste em ele não levar em conta a infração e não a imputar a quem a cometeu, o que quer dizer que, depois de identificar e revelar o nome do infrator como sendo a pessoa que cometeu a injustiça contra ele, o injustiçado dá ao infrator o presente de tratá-lo como se ele não tivesse cometido a injustiça. Quando alguém dá um presente, o outro o recebe, caso contrário o presente fica entalado entre quem o dá e o outro que não o quer receber. O modo de recebermos o presente é mediante o arrependimento. Arrepender-se significa (1) *dizer que sentimos muito* — e sentimos, como disse eu em *Flourishing*, "não por termos sido apanhados na infração, não porque a outra pessoa foi vítima da infração, mas sentimos por tê-la cometido"[104] —, (2) *sentir muito de verdade*, e (3) *comprometer-nos a agir de outro modo* no futuro. Essas três coisas juntas — confissão, contrição e compromisso de mudança — sinalizam que o presente do doador foi recebido, que o fato de o perdoador não me imputar mais minha infração corresponde a quem de fato sou ou pelo menos desejo ser.

Todavia, o arrependimento por si só não basta; a *reparação* também se faz necessária. Pois eu não seria quem no arrependimento declaro ser e quem no perdão a pessoa injustiçada me trata como sendo se deixo de querer reparar o dano que minha infração causou. O tempo não volta

---

[102] Ver p. 189.
[103] Miroslav Volf, *Free of Charge: Giving and Forgiving in a Culture Stripped of Grace* (Grand Rapids: Zondervan, 2005), p. 157-92.
[104] Volf, *Flourishing*, p. 179.

atrás, e o que foi feito não pode ser desfeito; a reparação não pode fazer que a transgressão não tenha acontecido. Qual é então a forma ideal da reparação possível? Meu colega de Yale, John Hare, expressou o caso da seguinte maneira: a melhor reparação possível é concebida para que você como vítima

> se sinta *grosso modo* tão contente com dois estados do mundo: o primeiro contém a ofensa junto com o arrependimento, o pedido de desculpas e a reparação; o segundo não contém nada disso. Se você, devido aos meus atos, se sente indiferente entre esses dois estados do mundo, ou dá a preferência ao primeiro, então meus esforços, no que me concerne, foram bem-sucedidos.[105]

A reparação é necessária e, entendida como Hare corretamente sugere, é também muito custosa. Mas se não fosse, o dom do perdão seria tratado como uma graça muito barata.

---

[105] John Hare, *The Moral Gap: Kantian Ethics, Human Limits, and God's Assistance* (Oxford: Clarendon, 1996), p. 231.

APÊNDICE

Trindade, identidade e doação de si mesmo

Imaginando a Trindade[1]

Foi Nikolai Fiodorov, um erudito amigo de intelectuais russos da grandeza de Liev Tolstói, Vladimir Soloviov e Fiódor Dostoiévski, quem formulou pela primeira vez a chocante frase: "O dogma da Trindade é o nosso programa social". O que ele tinha em mente é audacioso intuir, embora não difícil de formular. Mediante sua encarnação, o Filho de Deus tornou-se consubstancial com a humanidade e, consequentemente, sua ressurreição foi a ressurreição de toda a humanidade num novo estado ontológico marcado pela participação na vida divina. Paul Evdokimov, em cuja análise do pensamento de Fiodorov em *Le Christ dans la pensée Russe* [O Cristo no pensamento russo] eu me apoio, coloca o caso desta maneira: por meio de Cristo toda a humanidade "insere-se em Deus como seu lugar ontológico".[2]

Embora ousada, a ideia de "inserir-se em Deus" não é incomum; é apenas uma variação do conhecido tema soteriológico ortodoxo da divinização. Inovadoras eram as implicações sociais que Fiodorov inferiu dessa ideia. Inscrito na nova ontologia da ressurreição com Cristo está um imperativo ético, acreditava ele. Mais que simplesmente a boa-nova do que Deus fez, o evangelho é um projeto social que a humanidade deve realizar. Uma vez que a ressurreição de Cristo é imanente a todos os seres humanos, a participação na vida trinitária de Deus não é apenas uma promessa

---

[1] Este texto foi escrito pouco depois da conclusão de *Exclusão e abraço* e foi publicado pela primeira vez sob o título de "THE TRINITY IS OUR SOCIAL PROGRAM: THE DOCTRINE OF THE TRINITY AND THE SHAPE OF SOCIAL ENGAGEMENT", *Modern Theology* 14:3 (jul., 1998): p. 403-23. © Blackwell Publishers Ltd 1998 Published by Blackwell Publishers Ltd, 108 Cowley Road, Oxford OX4 1JF, UK e 350 Main Street, Malden, MA 02148, USA.

[2] Paul Evdokimov, *Le Christ dans la pensée Russe* (Paris: Cerf, 1970), p. 84.

escatológica, mas uma realidade presente e, portanto, também um programa histórico.[3]

Não há necessidade de desperdiçar argumentos para demonstrar que a proposta de Fiodorov é ilusória e sua visão quimérica. Uma coisa é abraçar a crença de que na ressurreição de Cristo entra em ação um poder "capaz de transfigurar a natureza".[4] Mas alegar que "Deus pôs à nossa disposição todos os meios para controlar desordens cósmicas"[5] porque participamos da vida divina, isso é o material de que são feitos os sonhos. Mas será que as reflexões ilusórias e potencialmente perigosas de Fiodorov invalidam sua ideia fundamental?

A julgar pelo que Ted Peters tem a dizer em *God as Trinity* [Deus como Trindade] acerca das tentativas de ver a Trindade como um modelo da sociedade humana, ele argumentaria que a proposta de Fiodorov está errada no seu âmago. A falha básica de todas as tentativas como a de Fiodorov é que elas "funcionam de forma conjuntiva e não disjuntiva", sustenta Peters. Insistindo que as relações sociais deveriam refletir as relações trinitárias, as propostas de Fiodorov ignoram o simples fato de que "só Deus é Deus" e de que "nós como criaturas não podemos copiar Deus em todos os aspectos".[6] Visto dessa perspectiva, o quimérico programa social de Fiodorov pareceria um caso específico de uma estranha enfermidade que aflige teólogos que buscam na Trindade o modelo da sociedade humana: amnésia afetando o mais elementar conhecimento teológico segundo o qual é impossível modelar a sociedade em Deus porque a unicidade está gravada na própria noção de Deus,[7] e um

---

[3] Propostas sobre a correspondência entre a Trindade e a sociedade, para esse efeito menos escatologicamente intoxicadas, podem ser rastreadas para além do século 19, por exemplo no pensamento de John Donne no século 17, e podem ser constatadas em outros pensadores do século 19, tais como F. D. Maurice. Ver David Nicholls, "Divinity Analogy: The Theological Politics of John Donne", *Political Studies* 32, n. 4 (1984): p. 570-80; David Nicholls, "The Political Theology of John Donne", *Theological Studies* 49, n. 1 (1988): p. 45-66; Torben Christenson, *The Divine Order: A Study in F. D. Maurice's Theology* (Leida: Brill, 1973); Guy H. Ranson, "The Trinity and Society: A Unique Dimension of F. D. Maurice's Theology", *Religion in Life* 29, n. 1 (1959): p. 64-74.

[4] Evdokimov, *Le Christ dans la pensée Russe*, p. 83.

[5] Ibid., p. 84.

[6] Ted Peters, *God as Trinity: Relationality and Temporality in Divine Life* (Louisville: Westminster John Knox, 1993), 186.

[7] Como diz Tertuliano em *Adverse Marcionem*, "Deus si non unus est, non est" [Se Deus não é somente um, ele não existe] (livro I, cap. 3).

invólucro de mistério enraizado na categórica diferença de Deus em relação ao mundo envolve a Santa Trindade.

Se não é possível "copiar" Deus em todos os aspectos, como Peters corretamente sublinha, será que decorre disso que, quando relacionamos Deus com realidades sociais, devemos operar apenas de forma disjuntiva em vez de conjuntiva, como ele argumenta? Devemos seguir o Karl Barth em sua fase inicial e seus alunos que insistiam que não existem análogos terrenos a Deus, mas que, no entanto, se sentiam compelidos a atribuir a Deus qualidades com fortes tons políticos, tais como poder, majestade, domínio e força?[8] Em nossa busca de fontes de teologia social estritamente teológicas, devemos descartar o modelo da Trindade inclusiva e, em vez disso, concentrar-nos nas buscas da inimitável e exclusiva "realeza de Deus", como Peters gostaria que fosse? Eu não penso assim.

Independentemente do fato de sabermos o que significa a "realeza" divina somente graças às narrativas do engajamento do Deus trino com o mundo,[9] não seria estranho alegar que não existem *análogos* para Deus na criação e, mesmo assim, afirmar, como devem fazer os teólogos cristãos, que os seres humanos foram criados à imagem de Deus? E não seria anômalo insistir que os seres humanos, criados para a comunhão com o Deus trino e renovados mediante a fé e o batismo em nome do Deus trino, criados "segundo Deus" (Ef 4.24), não devem buscar ser semelhantes a Deus em suas relações mútuas? Se a ideia de uma imagem que supostamente não deve refletir a realidade da qual ela é uma imagem não nos chocar como algo estranho, o comando de Jesus no Sermão do Monte nos deveria esclarecer sobre isso: "Portanto, sede vós perfeitos", ordena ele a seus discípulos, "como perfeito é o vosso Pai celeste" (Mt 5.48; cf. 1Pe 1.16). Os filhos terrenos devem ser como seu Pai que está no céu, diz ele (5.45); o caráter de Deus deve moldar o caráter e o comportamento daqueles que o adoram, sugere ele implicitamente.

Aonde vai nos levar este breve confronto entre a proposta de Fiodorov e a crítica de Peters a todas as propostas semelhantes à de Fiodorov? A duas opções igualmente inaceitáveis, uma sendo a busca da imitação do Deus

---

[8] David Nicholls, *Deity and Domination: Images of God and the State in the Nineteenth and Twentieth Centuries* (London: Routledge, 1994), p. 113-15, 233-34.
[9] Jürgen Moltmann, *The Trinity and the Kingdom: The Doctrine of God*, trad. Margaret Kohl (Minneapolis: Fortress, 1981).

trino num flagrante desrespeito ao fato de que não somos Deus, e a outra respeitando nossa diferença criatural em relação a Deus mas deixando de buscar a nossa mais apropriada vocação humana de sermos como Deus? Seja como for, não temos de escolher entre a divinização humana de Fiodorov e a total alteridade de Deus defendida por Peters, para quem o ser divino está "envolto num eterno mistério para além do tempo em que vivemos".[10] Na verdade, a alternativa é falsa. Entre "retratar Deus em todos os seus aspectos" (algo que lembra muito Fiodorov) e "não retratar Deus de modo algum" (algo que lembra muito Peters) há um amplo espaço aberto da responsabilidade humana, que consiste em "retratar Deus em alguns aspectos". A meu ver, a questão não é saber se a Trindade deve servir de modelo para a comunidade humana; a questão é antes saber em que aspectos e até que ponto ela deve fazer isso.[11]

Em *After our Likeness*, argumentei que a comunidade humana (no livro, a comunidade eclesial) deve ser modelada pela Trindade, mas também argumentei que existem dois básicos e ontologicamente intransponíveis limites para toda essa modelagem.[12] Primeiro, uma vez que ontologicamente os humanos evidentemente não são divinos, e uma vez que noções noéticas humanas sobre o Deus trino não podem corresponder exatamente a quem é o Deus trino, conceitos trinitários tais como "pessoa" "relação", ou "*pericórese*", que são por si mesmos analogias, só podem ser reaplicados à comunidade humana num sentido análogo e não unívoco. Como criaturas, os seres humanos só podem corresponder ao Deus não criado de uma maneira criatural; qualquer outra correspondência que não fosse criatural seria completamente inapropriada, não porque Deus é governado pelo ciúme "mesquinho e apaixonado", como diz Thomas Mann em sua interpretação da história de José e seus irmãos,[13] mas porque os seres humanos não deveriam sucumbir à patética e autodestrutiva tentação de ir além de suas possibilidades.

---

[10] Peters, *God as Trinity*, p. 114.

[11] A doutrina da Trindade não constitui, é claro, *tudo* o que devemos levar em conta quando refletimos teologicamente sobre comunidades humanas. Outras doutrinas também são importantes, assim como são textos bíblicos.

[12] Miroslav Volf, *After Our Likeness: The Church as the Image of the Trinity* (Grand Rapids: Eerdmans, 1998), p. 198-200.

[13] Thomas Mann, *Joseph and His Brothers*, vol. 1, trad. H. T. Lowe Porter (New York: Knopf, 1946), p. 347.

Segundo, uma vez que a vida de seres humanos é inevitavelmente manchada pelo pecado e sobrecarregada com o peso da transitoriedade, na história os seres humanos não podem ser transformados em perfeitas imagens criaturais do Deus trino, que é o que eles escatologicamente estão destinados a vir a ser. Pecadores e "de carne" como são (Is 40.6ss.; 1Pe 1.24), os seres humanos só podem corresponder ao Deus trino de maneiras historicamente apropriadas; qualquer outra correspondência que não fosse historicamente apropriada estaria fora de lugar, não porque os seres humanos devem tolerar o mal, mas porque a luta contra ele só será eficaz se nós reconhecermos o entrincheiramento dele em pessoas, comunidades e estruturas.

Os dois limites da correspondência entre a Trindade e as comunidades humanas têm uma consequência metodológica significativa. A construção conceitual das correspondências não pode ocorrer numa rua de mão única começando de cima — da doutrina da Trindade descendo para uma visão das realidades sociais. Uma vez que a maneira e a extensão da correspondência não são apenas determinadas pelo caráter da Trindade mas também são ajustadas às próprias realidades sociais, a construção conceptual das correspondências deve ir e voltar por uma rua de duas mãos, a partir de cima bem como de baixo. Mediante a descrição de Deus à cuja imagem os seres humanos são criados e redimidos, a doutrina da Trindade indica a realidade que as comunidades humanas devem retratar. Mediante a descrição de seres humanos como sendo diferentes de Deus, as doutrinas da criação e do pecado informam o modo pelo qual as comunidades humanas *podem* retratar a imagem do Deus trino, agora na história e depois na eternidade.[14]

[14] Há uma discrepância entre a vasta quantidade de reflexão dedicada à possibilidade de uma correspondência positiva entre o Deus trino e a comunidade humana e a quase total ausência de reflexão sobre os limites inerentes a todas essas correspondências. A maioria das propostas sobre a relação da Trindade com a comunidade humana não tematiza explicitamente a ideia de que as doutrinas da criação e do pecado devem configurar a maneira de analisarmos as correspondências entre a Trindade e a comunidade humana, e em vez disso procede *como se* a construção agisse simplesmente de cima para baixo. Mas de fato a maioria leva em consideração as dissimilaridades entre Deus e a humanidade e, de acordo com isso, ajusta possíveis correspondências. Por exemplo, embora Moltmann trace um paralelo entre a *pericórese* divina e a criatural (*God and Creation: A New Theology of Creation and the Spirit of God*, trad. Margaret Kohl [Minneapolis: Fortress, 1991], p. 17), o modo como ele desenvolve a ideia deixa claro que ele não pretende afirmar a identidade entre Deus e a humanidade.

A proposta de Fiodorov tem falhas não porque ele constrói seu pensamento social com base na Trindade, mas porque ele faz isso exclusivamente de cima para baixo, desconsiderando os dois limites inerentes às correspondências entre a Trindade e as realidades sociais. Nesse caso, a crença de que a encarnação e ressurreição de Cristo iniciaram uma nova ontologia resulta numa intoxicação escatológica, na qual os limites entre Deus e a criação que são impostos pela condição humana de criatura transitória e pecadora adquirem um ar de irrealidade. Os maus hábitos de Fiodorov não nos devem impedir, entretanto, de abraçar sua visão básica de que, em grande medida, a doutrina da Trindade realmente implica um "programa social" ou, como prefiro dizer, que ela modela nossa "visão social".

Antes de avançar e sugerir como a doutrina da Trindade deve moldar nossa visão social, peço permissão para tecer um breve comentário explicando por que prefiro a expressão "visão social" à expressão "programa social" de Fiodorov e fazer uma observação preliminar sobre os aspectos da doutrina da Trindade em que pretendo basear-me. A escolha do termo "programa" deve-se muito à intoxicação escatológica de Fiodorov. Quando se refere a questões sociais, o termo "programa" geralmente significa "um plano ou sistema de acordo com o qual podem ser tomadas medidas visando um objetivo". A menos que defendamos algo próximo de uma fusão entre a humanidade e a Trindade, todavia, a doutrina da Trindade evidentemente não constitui esse plano ou sistema de ação. O que ela contém, contanto que respeitemos as diferenças entre Deus e a criação que acabei de esboçar, são os contornos do supremo fim normativo que todos os programas sociais deveriam esforçar-se para conseguir.[15] Por isso eu falo de "visão".

O termo *social* é muitas vezes empregado para designar arranjos sociais, uma forma de estruturar sociedades e redes de sociedades. De modo correspondente, a doutrina da Trindade é empregada para buscar primeiramente o projeto de reorganizar (mundialmente) estruturas

---

[15] Como argumentaram os melhores representantes da "teologia política", "a teologia é política simplesmente por reagir à dinâmica de seus próprios temas. Cristo, salvação, a igreja, a Trindade: a discussão desses temas envolveu os teólogos em discussões sobre a sociedade e lhes permitiu formular fins políticos normativos. [...] Não é uma questão de adaptar-se a exigências estranhas ou de aprovar uma agenda externa [...] mas sim de deixar que a teologia cumpra fielmente a sua tarefa" (Oliver O'Donovan, *The Desire of the Nations: Rediscovering the Roots of Political Theology* [Cambrige: Cambridge University Press, 1996], p. 3).

socioeconômicas.[16] Embora esses projetos de modo algum sejam inapropriados, a estrada que vai da doutrina da Trindade até as propostas acerca de arranjos sociais de ordem global ou nacional é longa, acidentada e cheia de perigos.[17] Visto que não estou bem-equipado para empreender uma jornada dessas e não estou disposto a seguir atalhos, em vez de me concentrar na estrutura de arranjos vou me concentrar no caráter dos agentes sociais e suas relações, uma questão não menos *política* que a questão das estruturas sociais. Aqui *social* refere-se primeiramente à maneira pela qual o ego, por sua própria natureza, é inserido em pequenas e grandes redes de relacionamentos, tanto como o sedimento singular delas quanto como seu formador criativo. Pretendo explorar as implicações da doutrina da Trindade para a formação do ego social e das relações que constituem o ego e que o ego por sua vez molda.

Mas em que aspecto da doutrina da Trindade devemos nos concentrar? A questão se impõe quando se apela para a clássica distinção entre a Trindade imanente e a Trindade econômica. Em seu ensaio *A Trindade*, Karl Rahner formulou a atualmente famosa regra sobre a identidade da Trindade econômica e imanente: "A Trindade 'econômica' é a Trindade 'imanente', e vice-versa".[18] Por um lado, a regra faz sentido. Claramente, se a Trindade imanente e a econômica não fossem uma única e a mesma Trindade, teríamos então dois deuses e seis pessoas em vez de um único Deus em três pessoas. E, no entanto, uma rigorosa identidade entre a Trindade econômica e a imanente é insustentável porque ela implicaria a crença de que o mundo é necessariamente uma parte integral da vida de Deus. Com base nesse argumento, Yves Congar sugeriu em *Creio no Espírito Santo* que a regra "a Trindade econômica é a Trindade imanente" só se aplica se não for reversível — só se não implicar a regra "a Trindade imanente é

---

[16] Leonardo Boff, *Trinity and Society*, trad. Paul Burns (Maryknoll, NY: Orbis, 1988).

[17] Que a estrada que vai da doutrina da Trindade até as propostas genéricas acerca de arranjos sociais, sem falar em programas sociais concretos, está repleta de perigos pode-se ilustrar mediante o fato de que pessoas que transitam por ela acabam caminhando em direções opostas. Michael Novak entusiasticamente fundamenta o *capitalismo* democrático na mesma doutrina da Trindade e com o mesmo entusiasmo com que Leonardo Boff fundamenta o *socialismo* democrático. Ver Boff, *Trinity and Society*; Novak, *The Spirit of Democratic Capitalism* (New York: American Enterprise Institute, 1982).

[18] Karl Rahner, *The Trinity*, trad. Joseph Donceel (New York: Herder and Herder, 1970), p. 24.

a Trindade econômica".[19] Há sempre um superávit na Trindade imanente que a Trindade econômica não expressa. E o mesmo acontece no sentido inverso: algo novo é introduzido na vida da Trindade com a criação e a redenção — o encontro do amor de Deus que se doa a si mesmo com o mundo da inimizade, injustiça e engano. No que vem em seguida eu proponho tanto a unidade quanto a distinção entre a Trindade imanente e a econômica;[20] e embora a Trindade imanente ainda sirva como o horizonte extremo, eu me baseio sobretudo nas narrativas do engajamento do Deus trino com o mundo.

Identidade

Nos últimos anos os teólogos deram grande atenção ao debate acerca de entendimentos hierárquicos *versus* entendimentos igualitários da Trindade. Durante a maior parte da história da doutrina, a hierarquia na Trindade foi incontestável — tão incontestável como era nas comunidades humanas. A primazia de uma pessoa parecia ser uma precondição indispensável tanto para a unidade das três pessoas quanto para a distinção entre elas.[21] Construções igualitárias da Trindade parecem dessa perspectiva projeções em Deus dos sentimentos democráticos que emergiram quando sociedade modernas funcionalmente diferenciadas substituíram sociedades tradicionais hierarquicamente segmentadas. A negação da hierarquia na Trindade, segundo essa argumentação, parece alimentada

---

[19] Yves Congar, *I Believe in the Holy Spirit*, vol. 3, trad. David Smith (New York: Seabury, 1983), p. 13-15.

[20] Em *The Spirit of Life: A Universal Affirmation*, Jürgen Moltmann corretamente objetou que a distinção entre Trindade imanente e Trindade econômica prova "ser uma grade demasiado larga" (trad. Margaret Kohl [Minneapolis: Fortress, 1992], p. 290). Embora em si e por si mesma a distinção seja insuficiente porque só apresenta um esquema inadequado para narrar a história de Deus com o mundo, como a distinção mais básica da dualidade da "Trindade imanente e econômica" ela ainda se sustenta.

[21] Sobre a primazia de uma para a unidade das três pessoas, ver Wolfhart Pannenberg, *Systematic Theology*, vol. 1, trad. G. W. Bromiley (Grand Rapids: Eerdmans, 1991), p. 325; John Zizioulas, "The Teaching of the 2nd Ecumenical Council on the Holy Spirit in Historical and Ecumenical Perspective", in *Credo in Spiritum Sanctum: atti del congresso teologico internazionale di pneumatologia* (Vatican: Libreria Editrice Vaticana, 1983), p. 29-54, esp. 45. Sobre a primazia de uma das pessoas para a distinção entre elas, ver John Zizioulas, *Being as Communion: Studies in the Personhood and the Church* (Crestwood, NY: St. Vladimir's Seminary Press, 1985), p. 45, n40.

mais pelo espírito falsamente igualitário da época do que moldado pela revelação da natureza de Deus.

Vozes surgiram contestando construções hierárquicas da doutrina da Trindade e defendendo o igualitarismo trinitário.[22] Juntando-me a este grupo de teólogos, sugeri em outros textos que a hierarquia não é necessária para preservar a divina unidade ou as distinções entre as pessoas divinas.[23] Aqui eu quero acrescentar que numa comunidade de perfeito amor entre as pessoas que compartilham todos os atributos divinos uma noção de hierarquia é ininteligível. Construções hierárquicas das relações trinitárias parecem, dessa perspectiva, projeções do fascínio por hierarquias terrenas na comunidade celeste. Parecem menos inspiradas por uma visão do Deus trino do que motivada por uma nostalgia de um "mundo em decadência" ou por temores do caos que pode invadir as comunidades humanas se as hierarquias forem niveladas, a despeito da aparente justificação bíblica desse nivelamento.

Embora o debate entre os defensores da hierarquia e os defensores da igualdade na Trindade tenha grande importância para o modo como a doutrina da Trindade deve moldar a visão social, não vou prosseguir nesse assunto aqui. Tendo-me colocado entre os igualitários, prefiro em vez disso explorar questões em que, assim espero, até mesmo aqueles que discordam profundamente da questão hierarquia *versus* igualdade na Trindade possam encontrar um terreno comum significativo. Uma das questões é a "identidade", um tópico recente no pensamento trinitário,[24] e a outra é a

---

[22] Moltmann, *The Trinity and the Kingdom*.

[23] Ver Volf, *After our Likeness*, 216n106. Wolfhart Pannenberg estabelece uma distinção entre "igualdade ontológica" e "subordinação moral" — pelo fato de que o Filho, embora não ontologicamente inferior, subordina-se ao Pai — e argumenta que a "subordinação moral" do Filho é a precondição de sua unidade e "ontológica igualdade" com o Pai (*Systematic Theology*, vol. 1, p. 324-25). Deixando de lado a dificuldade de conceituar a "subordinação moral" de uma pessoa com todos os atributos da divindade a outra pessoa com esses mesmos atributos, não está claro como a "igualdade ontológica" poderia ser, conforme Pannenberg sugere, a consequência de uma "subordinação moral".

[24] Em *The Triune Identity: God According to the Gospel*, Robert W. Jenson elevou a noção de "identidade" a um nível de termo trinitário fundamental (Philadelphia: Fortress, 1982). Ele sugere que esse termo substitui *hipóstase* (p. 105-11). Como ficará claro mais adiante, nesta seção estou mais interessado naquilo que poderia ser descrito como a "construção trinitária da identidade" — nas características formais da identidade de uma pessoa divina em relação às outras — do que em apresentar uma alternativa contemporânea ao tradicional conceito de *hipóstase*.

"doação de si mesmo", um tópico sobre o qual muito se escreveu através da história mas que nunca deixa de nos surpreender com novas profundezas.

Nas últimas décadas a questão de identidade galgou ao primeiro plano das discussões sobre filosofia social. Se os movimentos de libertação dos anos 1960 tratavam todos da igualdade — sobretudo igualdade de gênero e igualdade racial — as principais preocupações dos anos 1990 parecem concentrar-se na identidade — no reconhecimento de identidades distintas de pessoas que diferem em gênero, cor da pele ou cultura.[25] Será que a doutrina da Trindade tem algo a dizer a esses debates? Que noção de identidade está inscrita no caráter e na relação das pessoas divinas, e que análogos pode ela ter na esfera humana? Que sugere a doutrina da Trindade acerca de como proceder na negociação de identidades em condições de inimizade e conflito?

Uma proposta de que as crenças sobre Deus devem moldar nossa visão social precisa levar em conta essas questões, e isso não simplesmente em si mesmas mas também à luz de um duro ataque ao monoteísmo em décadas recentes por seus supostos efeitos deletérios nos processos de formação da identidade. A discussão de Regina M. Schwartz da relação entre o monoteísmo e a identidade em *The Curse of Cain* [A maldição de Caim], com seu subtítulo *The Violent Legacy of Monotheism* [O violento legado do monoteísmo], é um bom exemplo. "Seja como unicidade (este Deus contra os outros) seja como totalidade (este é todo o Deus que existe), o monoteísmo abomina, odeia e expulsa tudo aquilo que ele define como fora de sua abrangência", argumenta ela.[26] Uma vez que a crença num Deus único "forja a identidade por oposição",[27] ela resulta não apenas numa noção truncada de identidade na qual "nós somos 'nós' porque não somos 'eles'"[28] mas também em práticas violentas que derivam dessa concepção de identidade.[29] Ela propõe que nos libertemos dos "tentáculos da injun-

---

[25] Charles Taylor, "The Politics of Recognition," *Multiculturalism: Examining the Politics of Recognition*, ed. Amy Gutmann (Princeton: Princeton University Press, 1994), p. 25-73; Louis Menand, "The Culture Wars", *The New York Review of Books* 41 (1994): p. 18.

[26] Regina M. Schwartz, *The Curse of Cain: The Violent Legacy of Monotheism* (Chicago: University of Chicago Press, 1997), p. 63.

[27] Ibid., p. 16.

[28] Ibid., p. x.

[29] Ibid., p. 88.

ção 'não terás outros deuses além de mim'"[30] e que abracemos a visão do profeta Miqueias (4.5) de um mundo onde todos caminham "cada um em nome do seu deus".[31] Embora eu ponha em dúvida a adequação da análise dela e acredite que sua proposta, caso implementada, causaria mais dano que benefício, ela corretamente alega que qualquer entendimento da divindade centrado na unicidade de um sujeito onipotente tenderá a forjar identidades insensíveis e a fomentar a violência. Quero argumentar aqui que uma alternativa viável para esse entendimento do monoteísmo está disponível. Ela está guardada na doutrina da Trindade.[32]

Observe-se primeiro como pessoas e comunidade se relacionam na doutrina da Trindade. Ali não é possível encontrar nenhum "ego não onerado" do liberalismo moderno, tão habilmente analisado por Michael Sandel.[33] Como ressaltou Colin Gunton em *The One, the Three and the Many* [O único, os três e os muitos], "as pessoas [da Trindade] não estabelecem simplesmente uma relação entre si, mas são constituídas em suas relações mútuas".[34] A comunidade não é simplesmente uma coleção de pessoas in-

---

[30] Ibid., p. 69.
[31] Ibid., p. 38.
[32] Para uma discussão crítica do livro de Schwartz, ver Miroslav Volf, "Jehova on Trial", *Christianity Today* 42, n. 5 (1998): p. 32-35.
[33] Para a análise de Michael Sandel, ver *Liberalism and the Limits of Justice* (Cambridge: Cambridge University Press, 1982). Para importantes paralelos entre o "ego não onerado" do liberalismo moderno e o que Catherine Keller denomina o "ego separativo", que ela argumenta ser um ego tipicamente masculino, ver *From a Broken Web: Separation, Sexism, and Self* (Boston: Beacon, 1986), p. 7-9. Como resultado de sua ausência na doutrina da Trindade, o "ego não onerado" não pode encontrar nenhuma legitimação apropriada na crença no Deus de Jesus Cristo. Historicamente, é óbvio que essa legitimação foi apresentada. Como Michael Walzer observou, o "ego não onerado" carrega em sua "forma original os ônus da divindade. O indivíduo está ligado ao seu Deus — o pronome possessivo singular é aqui muito importante — e desonerado apenas com respeito a seus semelhantes [...]. É por causa de sua relação pessoal com Deus que alguém assim é capaz de assumir o 'protestantismo' em qualquer outra relação" (*What It Means to be an American: Essays on the American Experience* [New York: Marsilio, 1996], p. 109-10). Walzer está certo ao chamar atenção para o pronome possessivo singular. Pois é precisamente aqui que a posição que procura endossar o "ego não onerado" por meio de sua posse de um Deus solitário se equivoca. Algo como "o Deus dele ou dela" não é evidentemente o Deus de Jesus Cristo, mas sim um ídolo. O Deus de Jesus Cristo é o Deus de todo mundo ou então não é Deus de modo algum. Além disso, esse Deus é uma comunidade de pessoas divinas que busca criar uma comunidade de gente.
[34] Colin Gunton, *The One, the Three and the Many: God, Creation and the Culture of Modernity* (Cambridge: Cambridge University Press, 1993), p. 214.

dependentes e autônomas; de modo inverso, as pessoas não são meramente um determinado número de partes e funções individuais distintas de um agregado social. As pessoas e a comunidade são equiprimais na Trindade. Embora essa observação seja significativa por si só porque sugere, como diz Anne Carr em *Transforming Grace* [Graça transformadora], que "a perfeita sociabilidade personifica [...] qualidades de mutualidade, reciprocidade, cooperação, unidade, paz em genuína diversidade",[35] pretendo explorar aqui a importância dessa observação para o entendimento da identidade. A importância é imensa, e a melhor maneira de estudá-la é mergulhar na noção da "habitação recíproca" das pessoas divinas, tecnicamente falando, na *pericórese* (que significa "abrir espaço",[36] não "dançar ao redor").

Tradicionalmente, a *pericórese* foi usada sobretudo para refletir sobre a unidade divina.[37] Em *De Fide*, João Damasceno, que popularizou o termo que Pseudo-Cirilo estendeu da cristologia para a linguagem trinitária,[38] escreve: "Pois [...] elas [as pessoas divinas] são feitas uma só não para se comisturarem, mas sim para se apegarem mutuamente, e elas têm seu ser cada uma nas outras duas sem nenhuma coalescência ou comistura".[39] Aqui a *pericórese* descreve o tipo de unidade no qual a pluralidade é preservada em vez de apagada. Mas os recursos da *pericórese* para a reflexão sobre a identidade são igualmente frutíferos para a reflexão sobre a unidade. Pois a *pericórese* sugere que as pessoas divinas não são apenas interdependentes e exercem uma influência mútua a partir de fora, mas também são pessoalmente interiorizadas entre si. O Jesus joanino fala repetidas vezes dessa

---

[35] Anne E. Carr, *Transforming Grace: Christian Tradition and Women's Experience* (San Francisco: Harper, 1988), p. 156-57.

[36] O entendimento da *pericórese* como "abrir espaço" não depende de se pensar a *pericórese* divina em termos analogamente espaciais ou não (Gunton, *The One, the Three and the Many*, p. 163-66).

[37] Eberhard Jüngel, *The Doctrine of the Trinity: God's Being is in Becoming* (Grand Rapids: Eerdmans, 1976), p. 31-33. Mais precisamente, a *pericórese* foi concebida como "o exato reverso da identidade da *ousia*" (G. L. Prestige, *God in Patristic Thought* [London: SPCK, 1956], p. 298) entendida como a base da unidade das pessoas divinas. Em outro texto argumentei que, de fato, o postulado da identidade numérica da divina *ousia* deve ser visto, propriamente falando, como uma alternativa à *pericórese*, como um modo de conceber a unidade trinitária (Volf, *After Our Likeness*, p. 210, n87).

[38] Michael G. Lawler, "*Perichoresis*: New Theological Wine in an Old Theological Wineskin", *Horizons* 22, n. 1 (1995): p. 49-51.

[39] João Damasceno, *De Fide*, livro I, cap. vii.

interioridade divina: "o Pai está em mim, e eu estou no Pai" (Jo 10.38; ver 14.10ss.; 17.21). Cada pessoa divina é habitada pelas outras pessoas divinas; todas as três pessoas interpenetram-se mutuamente. Mas elas não deixam de ser distintas. Pelo contrário, a interpenetração delas pressupõe suas distinções; não se pode dizer que pessoas que se dissolveram numa terceira coisa qualquer são mutuamente interiores. Apesar das distinções das pessoas, suas identidades se sobrepõem parcialmente. Cada pessoa é e atua como si mesma, e no entanto as outras duas pessoas estão presentes e atuam naquela pessoa.

A identidade do Filho — no contexto da Trindade econômica, a identidade de Jesus Cristo — é moldada por meio de seu duplo relacionamento com o Pai e o Espírito (que pretendo explorar aqui tal qual ele foi retratado no Evangelho de João, mas que poderia ser igualmente bem estudado nos Evangelhos sinóticos). Tomemos primeiro a relação do Pai com Jesus Cristo. Numa passagem que fascinou Agostinho, o Jesus joanino declara: "O meu ensino não é meu, e sim daquele que me enviou" (Jo 7.16). Em seu comentário sobre o Evangelho de João, Agostinho elabora o paradoxo entre

> "meu [...] não é meu" sugerindo que "o próprio Cristo é o ensino do Pai, se ele é o Verbo do Pai. Mas, visto que o Verbo não pode ser de ninguém, mas sim de alguém, ele disse 'seu ensino', isto é, ele mesmo, e também 'não seu próprio', porque ele é o Verbo do Pai".[40]

A mútua interioridade pessoal faz o "meu" (de Jesus) ser simultaneamente "não meu" (do Pai) sem deixar de ser "meu", exatamente como o "não meu" é simultaneamente "meu" sem deixar de ser "não meu". Simultaneamente, Jesus Cristo é aquele sobre quem "o Espírito" desceu do céu e permaneceu (Jo 1.32). A missão de Jesus Cristo, inclusive a morte na cruz,

---

[40] Augustine, *Tractates on the Gospel According to St John*, vol. 10., The Works of Aurelius Augustine, ed. Marcus Dods (Edinburgh: T&T Clark, 1873), p. 404; cf. Joseph Ratzinger, *Introduction to Christianity*, trad. J. R. Foster (New York: Herder and Herder, 1970), p. 136-37. Em seu tratado sobre a Trindade, Agostinho interpreta as declarações para referir--se às naturezas divina e humana de Cristo. "De acordo com a forma de Deus, [seu ensino é] propriamente seu; de acordo com a forma de um servo, não propriamente seu" (livro I, cap. xii, § 27). Mas a razão que o texto apresenta para que o ensino não seja de Jesus é que o ensino é daquele que enviou Jesus Cristo, isto é, do Pai. O texto implica a *pericórese* das pessoas divinas, não a *pericórese* das naturezas de Cristo. E como vimos, isso é de fato o que Agostinho afirma em seu comentário ao Evangelho de João.

é realizada no Espírito, e portanto sua identidade é moldada pelo Espírito. Se, como diz Dumitru Stăniloae, "Tudo o que Cristo consegue, ele o consegue por meio da Espírito",[41] então o mesmo dialético "meu" e "não meu" faz parte da relação com o Espírito exatamente como da relação com o Pai.

O que esse jogo de "meu" e "não meu" implícito na paradoxal alegação "O meu ensino não é meu" — uma alegação cujos paradoxos são aqueles da própria identidade trinitária[42] — sugere sobre a construção de identidades humanas, identidades de criaturas decaídas, marcadas pela finitude e fragilidade? Primeiro, a *identidade é irredutível*. As pessoas não podem ser plenamente traduzidas em relações. Uma pessoa está sempre já fora das relações nas quais está imersa e por meio das quais ela é socialmente constituída. Se não fosse assim, o "não meu" nunca poderia tornar-se "meu" porque não teria lugar algum fora de si mesmo onde, por assim dizer, pousar. Daí a necessidade da manutenção de limites — o que, pelo menos no nível humano, implica uma espécie de asserção do ego na presença do outro e uma certa deferência do outro diante do ego. Uma vez que a negociação de identidades humanas é sempre conflituosa, a não assertividade do ego na presença do outro coloca o ego em risco ou de dissolver-se no outro ou de ser sufocado pelo outro.[43] De modo semelhante, a não deferência do outro diante do ego coloca egos fracos que lutam para se afirmar em risco de ser ou manipulados ou violados. A combinação da não assertividade do ego na presença do outro e a não deferência do outro diante do ego apresenta o maior risco: ela ameaça aniquilar o ego mais fraco. Para evitar esses riscos, temos de respeitar os limites de identidades mediante a aplicação de regras que protegem as identidades e proporcionar ambientes que as nutram.

Segundo, *a identidade não está fechada em si mesma*. O outro sempre já está no ego e assim a identidade do ego não pode ser definida simplesmente por oposição. Elaborando sobre o jogo de "meu" e "não meu" mediante o

---

[41] Dumitru Stăniloae, *Theology and the Church*, trad. Robert Barringer (Crestwood, NY: St. Vladimir's Seminary Press, 1980), p. 39. Ver também Ralph del Colle, *Christ and the Spirit: Spirit Christology in Trinitarian Perspective* (New York: Oxford University Press, 1994).

[42] Comentando a declaração de Paulo em Gálatas, "Sede qual eu sou; pois também eu sou como vós" (Gl 4.12), Daniel Boyarin acertadamente observa em *A Radical Jew: Paul and the Politics of Identity* ([Berkeley: University of California Press, 1994], p. 3) que "os paradoxos e oxímoros da frase são aqueles da própria identidade". Aqui temos um exemplo de identidades humanas análogas — não idênticas! — às próprias identidades divinas expressas na noção de *pericórese*.

[43] Carr, *Transforming Grace*, p. 58.

uso de uma tríplice negativa: "meu" não é aquilo que não é "não meu"; pelo contrário, o "não meu" em grande medida é também meu. Os limites do ego são porosos e cambiantes. O ego só é ele mesmo por existir num estado de fluxo que nasce de autoconstituintes "incursões" do outro no ego e do ego no outro. O ego é moldado mediante a criação de espaço para o outro e a concessão de espaço para o outro, mediante seu enriquecimento quando ele habita o outro e o compartilhamento de sua plenitude quando ele é habitado pelo outro, mediante o repetido exame de si mesmo quando o outro fecha sua porta e o desafio do outro batendo à porta dele.

A noção de identidade sugerida pela *pericórese* trinitária é, proponho eu, uma viável alternativa àquilo que Luce Irigaray em *This Sex Which Is Not One* [Este sexo que não é um só] denomina "lógica oposicional do mesmo" — uma "lógica" que expulsa todos os resquícios de não identidade do espaço conceptual ocupado por uma determinada identidade, a mesma lógica, em outras palavras, que Regina Schwartz argumentou que foi endossada pelo monoteísmo bíblico.[44]

A complexa e dinâmica noção de identidade que a doutrina da Trindade ao mesmo tempo instaura e cujo análogo antropológico ela nos desafia a construir parece dialogar diretamente com os debates contemporâneos sobre a identidade.[45] E, no entanto, ela não é nada nova, pelo menos não em seus contornos mais gerais. De fato, há uma longa tradição teológica que implicitamente opera com uma noção similar de identidade. Essa tradição dialoga tranquilamente com o pensamento eclesiológico e se esconde por trás de termos como *anima ecclesiastica*[46] ou "catolicidade da pessoa".[47] Seu mais sofisticado proponente é John Zizioulas. Em *Being as Communion* [Ser como comunhão] ele argumenta:

> em sua comunhão e por meio dela uma pessoa afirma sua própria identidade e sua particularidade. [...] A pessoa é o horizonte no âmbito do qual

---

[44] Ver Luce Irigaray, *This Sex Which Is Not One*, trad. Catherine Porter com Carolyn Burke (Ithaca. NY: Cornell University Press, 1985); Schwartz, *The Curse of Cain*.

[45] Allison Weir, *Sacrificial Logics: Feminist Theory and the Critique of Identity* (New York: Routledge, 1996).

[46] Joseph Ratzinger, *Das Fest des Glaubens: Versuche zur Thologie des Gottesdienstes* (Einsiedeln: Johannes, 1981), p. 28.

[47] Vladimir Lossky, *In the Image and Likeness of God* (Crestwood: St. Vladimir Seminary Press, 1985), p. 175.

a verdade da existência se revela, não como simples natureza sujeita à individualização e à recombinação, mas como uma única imagem do todo e da "catolicidade" do ser.[48]

Uma pessoa pode ser uma imagem única do todo, argumenta Zizioulas, somente sendo inserida em Cristo e participando da identidade de Cristo. Do lado divino, Cristo é constituído por meio da relação filial do Pai com ele; do lado humano, ele é uma personalidade constituída pelos muitos que estão "nele". Zizioulas, por meio da eclesiologia e da cristologia, conecta a noção antropológica da identidade à Trindade, na qual ele descobre sua fundamentação mais apropriada.

Embora seja em muitos aspectos relevante, a argumentação de Zizioulas não é completamente convincente. Acho problemática a sugestão de que uma pessoa retrate "o todo" e acho mal orientado o postulado de que a mesma eterna relação com a qual o Pai se relaciona com o Filho seja o elemento constitutivo de todas as pessoas. A combinação desses dois movimentos, sugiro eu, impede que Zizioulas seja capaz de conceitualizar de modo adequado a particularidade de uma pessoa.[49] Mas o anverso dessa fraqueza significativa tem uma força importante. Ele pode assim ao mesmo tempo afirmar a presença de múltiplos outros no ego e não perder o ego em sua própria fluidez. O que Zizioulas faz bem é especificar o caráter de uma pessoa: cada uma é determinada por Cristo na dupla relação que Cristo guarda com o Pai e com a humanidade. Contrastando com isso, minha concepção, que enfatiza a necessidade de manter limites e mantê-los fluidos, embora capaz de fundamentar a particularidade de alguém, parece deixar a identidade pessoal indeterminada. Como é que alguém sabe quando fechar os limites do ego para estabilizar a própria identidade e quando abri-los para enriquecê-la? Mais ainda, com base em que motivos deve alguém decidir o que pode entrar e o que deve ficar de fora?

Nenhuma resposta prévia a situações concretas pode ser dada à primeira questão. Se os limites serão abertos ou fechados dependerá do caráter específico quer do ego quer do outro numa dada conjuntura no relacionamento. A única orientação viável é buscar uma sabedoria flexível em vez de regras fixas. A resposta à segunda pergunta — a pergunta sobre

---

[48] Zizioulas, *Being as Communion*, p. 106.
[49] Volf, *After Our Likeness*, p. 85-88.

os motivos para negociar identidades fluidas — está contida na narrativa da divina doação de si mesmo na cruz com suas mensagens duplas e inter-relacionadas sobre um "acolhimento indiscriminado" e sobre a importância da "verdade e justiça".

Doação de si mesmo

É essencial situar a reflexão sobre a construção da identidade na narrativa da divina doação de si mesmo. Caso contrário, o discurso sobre as fluidas identidades corre o risco de tornar-se não apenas subdeterminado mas também formal demais e, no fim, teologicamente vazio, não obstante sua suposta derivação da doutrina da Trindade. Se o que digo sobre a construção da identidade não estivesse inserido na estrutura da reflexão sobre a doação de si mesmo, acabaria sendo igual a uma pletora de propostas acerca da relação entre a Trindade e as comunidades humanas, e o meu texto, embora significativo, teria um valor limitado porque permaneceria no nível de generalidades por demais difusas, como por exemplo, propostas sobre a "pluralidade na unidade", a dialética do "um e muitos" ou o equilíbrio entre "relacionalidade e alteridade".[50] Em propostas desse tipo a doutrina da Trindade serve mais ou menos como a mina da qual o suposto ouro de princípios abstratos deve ser extraído e depois usado para construir imagens da comunidade humana ou até mesmo de toda a realidade.

---

[50] Em *Revelation and Reconciliation: A Window on Modernity* [Cambridge: Cambridge University Press, 1995], p. 171), Stephen N. Williams corretamente objetou que a reflexão de Colin Gunton sobre a relação entre um e muitos e entre relacionalidade e alteridade em *The One, the Three and the Many* é "excessivamente abstrata". Da minha perspectiva, o problema da abordagem de Gunton é, todavia, não o fato de ele estar engajado em entender os "*conceitos* [...] corretamente" (ibid.), mas o fato de que em suas reflexões, de resto significativas, sobre as inter-relações do um e muitos ele dá pouquíssima atenção à concreta narrativa trinitária da histórica doação de si mesmo de Deus (ver, porém, Colin Gunton, "The Church on Earth: The Roots of Community", *On Being the Church, Essays on the Christian Community*, ed. Colin E. Gunton e Daniel W. Hardy [Edinburgh: T&T Clark, 1989], p. 48-80, 78-79), uma abordagem que parcialmente explica por que as inter-relacionadas e socialmente centrais noções de "poder", "conflito", "violência", "justiça" e "amor" desempenham um papel tão surpreendentemente marginal em um livro sobre "Deus, criação e a cultura da modernidade". Williams obviamente tem razão quando diz que apresentar os conceitos corretamente não é o mesmo que levar as pessoas a agirem corretamente, mas, em certo sentido, isso nem é preciso dizer e se aplica igualmente bem àqueles que *argumentam* contra o "intelectualismo".

Mas isso implica um erro de avaliação sobre o que de fato é ouro. Princípios abstratos não são ouro puro; a narrativa da vida da Trindade, em cujo âmago encontra-se a história da doação de si mesmo, é ouro puro. O discurso sobre identidades fluidas e, do mesmo modo, as generalidades sobre "pluralidade na unidade" e "um e muitos" só serão úteis se forem "dourados" depois de mergulhados na narrativa da divina doação de si mesmo.

Em certo sentido, podemos "mergulhar" a proposta sobre identidades trinitárias no ouro da doação de si mesmo porque foi desse ouro que a proposta emergiu em primeiro lugar. A proposta foi construída com base na noção trinitária central de *pericórese*, e essa mesma noção se baseia na atividade de doação de si mesmo no interior da Trindade. Mas como devemos refletir sobre a doação trinitária? Como ela se relaciona com o mundo que habitamos, um mundo de engano, opressão e violência? O que significa para os seres humanos ser a imagem do Deus que se doa a si mesmo? Essas são questões que pretendo discutir agora. E é a resposta a essas questões que contém a sabedoria necessária para tomar as decisões certas sobre quando fechar e quando abrir os limites de nossas identidades e sobre o que deixar entrar e o que manter fora.

O ego doa algo de si mesmo, de seu próprio espaço, por assim dizer, num movimento no qual ele se contrai a fim de ser expandido pelo outro e no qual ele ao mesmo tempo entra no contraído outro a fim de aumentar a plenitude do outro. Essa doação do ego que coalesce com a recepção do outro nada mais é que o movimento circular do eterno amor divino — uma forma de troca de presentes na qual o outro não emerge como um devedor porque ele ou ela já deu seu presente mediante seu recebimento com alegria e porque, mesmo antes que o presente tenha chegado a ele ou ela, o outro já estava engajado num movimento de reciprocação adiantada.[51] Se nós ajustássemos a famosa declaração de João: "Nós amamos porque ele nos amou primeiro" (1Jo 4.19) para encaixá-la no ciclo de troca entre perfeitos amantes, teríamos de dizer que cada um ou cada uma já ao mesmo tempo ama primeiro e ama porque ele ou ela é amado ou amada. Falando

---

[51] Em "Can a Gift be Given? Prolegomena to a Future Trinitarian Metaphysics", John Milbank argumentou em defesa de um "atraso" e uma "repetição não idêntica" entre um presente e um contrapresente como elementos estruturais necessários do doar (*Modern Theology* 11, n. 1 [jan., 1995]: p. 125). A ideia de "reciprocação adiantada" pode ser vista como um atraso *invertido* na repetição não idêntica e é sugerida pela necessidade de conceber o recebedor sempre como um já doador.

de modo menos paradoxal, o ciclo das perfeitas doações de si mesmo deve começar movendo-se simultaneamente em todos os pontos.[52] É por isso que somente Deus é amor propriamente dito (1Jo 4.8) — Deus concebido como uma perfeita comunhão de amantes.[53]

Quando Jesus disse aos discípulos: "sede vós perfeitos como perfeito é o vosso Pai celeste" (Mt 5.48), poderia parecer que ele estivesse exigindo que eles imitassem, de uma forma humanamente apropriada, a perfeição do eterno amor divino. Mas não é isso. Quem sabe, a mais profunda razão para a ausência de uma ordem dessa natureza é que o ciclo perfeito da doação de si mesmo — repito, tão perfeito quanto humanamente possível — não pode ser ordenado: ele deve ser concedido a todos aqueles que nele se empenham, e deve ser concedido a todos ao mesmo tempo. Como os versículos anteriores indicam, Jesus ordenou a seus discípulos algo muito menos sublime mas, em certo sentido, muito mais difícil precisamente porque aquilo que ele ordenou não era o fruto puro da graça, mas o resultado de um esforço. Os discípulos serão os filhos de Deus, não tanto quando eles, ecoando em sua própria maneira humana uma espécie divina de reciprocidade, amarem aqueles que os amam (5.46), mas sim quando eles imitarem uma igualmente divina espécie de parcialidade do amor de Deus que "faz nascer o seu sol sobre maus e bons e vir chuvas sobre justos e injustos" (5.45), amando os seus "inimigos" e orando pelos que

---

[52] Meu principal interesse aqui é a reciprocidade no amor concebido como doação de si mesmo, e portanto eu só menciono mas não exploro a absolutamente importante *circularidade* desse amor. Sem circularidade o amor morreria ou por congelamento, por assim dizer, ou por transformar-se em seu oposto, a possessão. Decorre disso que quando apresentei em *Exclusão e abraço* uma "fenomenologia do abraço", argumentei que além de (1) "os braços abertos" do desejo e (2) "os braços fechados" do mútuo segurar-se, um abraço entendido apropriadamente também deve conter (3) o "aguardar" como uma postergação do desejo até que a resposta tenha acontecido e (4) "os braços abertos do soltar" como uma expressão de respeito pela alteridade do outro. Em *Eros for the Other: Retaining Truth in a Pluralistic World* ([University Park, PA: Pennsylvania State University Press, 1996], p. 72), Wendy Farley expressou uma ideia semelhante enfatizando a importância da "ausência" na relação entre quem ama e quem é amado:

> Eros nada na água da ausência; quando essa água seca, Eros morre. Possuída pelo Eros, a gente acha que não quer nada mais intensamente do que possuir o ser amado. O ser amado está presente para quem ama como aquilo que é desejado. Não é pura ausência ou não ser. Mas o ser amado está presente como ausente, por assim dizer. Está relacionado a quem o ama não por pura imediação, mas sim pelo eco deixado por sua ausência.

[53] Richard Swinburne, *The Christian God* (Oxford: Clarendon, 1994), p. 170-91.

os "perseguem" (5.44). Essa não é exatamente uma espécie de doação que se alimenta dos deleites das reciprocidades no amor que os discípulos são chamados a imitar; essa espécie de doação acabará acontecendo automaticamente no mundo por vir se o outro tipo de doação for praticado, aquele tipo que busca provocar a inexistente resposta do amor até mesmo naqueles que praticam exatamente o contrário do amor. Jesus mandou não tanto que imitássemos a divina dança da liberdade do amor e da indiscriminada confiança, mas sim o divino trabalho do risco e sofrimento do amor. O amor que dança é amor interior entre as pessoas da Trindade; o amor que sofre é aquele mesmo amor direcionado a um mundo repleto de inimizade. Em seus análogos humanos, o primeiro é o amor perfeito do mundo por vir e seu eco nas instáveis e incompletas mutualidades do melhor de nossos amores;[54] o segundo é o mesmo amor engajado na transformação do mundo profundamente corrompido que está aí.

Como se relacionam esses dois amores? Alguém poderia imaginar uma relação de simples identidade: o amor de Deus na cruz reitera o amor eterno em Deus e, analogamente, o amor humano, engajado na transformação do mundo presente, simplesmente repete o amor do mundo por vir. O engajamento divino no mundo assume aqui a forma de uma repetição da divina "dança" no céu; o engajamento humano com o mundo repete no mundo o amor do mundo por vir. Mas será que o postulado de identidade é plausível? Embora tenha denominado os dois amores "o mesmo", eu contudo os descrevi como "primeiro" e "segundo". Por quê? Porque, diferentemente do amor interno da Trindade imanente e do amor humano do mundo por vir, o amor engajado na transformação do mundo não é simplesmente positivo; em grande medida é também reativo.[55] Não quero dizer com isso que a forma desse "segundo" amor é governada pela pragmática da eficácia do engajamento. Antes, esse amor é reativo no sentido de que o engajamento do amor não pode ser um *engajamento* se ele proceder como se aquilo que a ele se opõe não estivesse presente e não precisasse

---

[54] Em *The Gifting God: A Trinitarian Ethics of Excess*, Stephen W. Webb acertadamente sublinha que a "incorporação dos excessos de Deus no seio de uma comunidade completamente recíproca, na qual o doar-se se engendra em mutualidade, integridade e harmonia", é "o sentido da escatologia cristã" ([New York: Oxford University Press, 1996], p. 150).

[55] John Milbank, *The World Made Strange* (Oxford: Blackwell, 1997), e Rowan D. Williams, "Interiority and Epiphany: A Reading in New Testament Ethics", *Modern Theology* 13, n. 1 (jan., 1997): p. 29-51.

sofrer oposição. O ciclo trinitário de perfeitas doações de si mesmo não pode ser simplesmente repetido no mundo de pecado; o engajamento com esse mundo implica um processo de complexa e difícil *tradução*. Enviado por Deus no poder do Espírito, o Verbo se tornou "o Cordeiro de Deus, que tira o pecado do mundo" (Jo 1.29). No trabalho de "tirar o pecado do mundo", o deleite do amor é transmutado na agonia do amor — a agonia da oposição ao não amor, a agonia de sofrer nas mãos do não amor e a agonia da solidariedade com as vítimas do não amor. Entra em cena então a cruz de Cristo. E também decorre disso que os seguidores de Cristo devem apanhar sua cruz.

Considere as maiores dádivas do Crucificado: "graça" e "perdão". São formas que o espontaneamente criativo ciclo do amor assume no encontro com o mal anterior a ser superado. Embora a afirmação da graça implique uma negação de que a aceitação de Deus deve ser agenciada "por um intermediário ou um sistema de condições administradas",[56] a graça, diferentemente do íntimo amor trinitário, não está além da "lei"; a graça só é graça por continuar afirmando a lei mediante a suspensão dela. De modo semelhante, embora o perdão libere da dívida o ofensor, ele não age assim tratando as ofensas como se elas não estivessem presentes;[57] o perdão só é perdão porque ele continua afirmando a justiça mediante a transcendência dela.[58] Essa afirmação da "lei" e da "justiça" é algo importante que distingue o ato positivo da redentora doação de si mesmo do ato passivo do sacrifício de si mesmo. No primeiro caso, o ego reafirma sua própria criação na imagem do Deus trino e procura arrastar o outro para dentro da comunhão com Deus e com o próximo; no segundo caso, o ego simplesmente aceita ser obliterado pelo mau outro.

Em Romanos 13.8-14, Paulo de modo sutil mas claro faz a mesma observação acerca da luta contra o não amor. "Vai alta a noite", escreve ele, "e

---

[56] Williams, "Interiority and Epiphany", p. 38.

[57] John Milbank, *Theology and Social Theory: Beyond Secular Reason* (Oxford: Blackwell, 1990), p. 411; Milbank, "Can a Gift be Given?", p. 148. Tratar a ofensa como se ela não estivesse presente é a alternativa de Nietzsche para o perdão (ver Friedrich Nietzsche, *Thus Spoke Zarathustra: A Book for Everyone and No One*, trad. R. J. Hollingdale [London: Penguin, 1969], p. 161).

[58] Ver Miroslav, *Free of Charge* (Grand Rapids: Zondervan, 2005), p. 140-144. Ver também Gregory Jones, *Embodying Forgiveness: A Theological Analysis* (Grand Rapids: Eerdmans, 1995), p. 135-62; Lewis B. Smedes, *The Art of Forgiving: When You Need to Forgive and Don't Know How* (Nashville: Moorings, 1996), p. 77-85.

vem chegando o dia. Deixemos, pois, as obras das trevas e revistamo-nos das armas da luz. Andemos dignamente, *como em pleno dia*" (13.12-13; itálicos acrescentados). O "dia" é a luz da nova criação e a "noite" são as trevas do mundo pecaminoso. Por trás da injunção "Andemos dignamente, como em pleno dia", está portanto a própria questão de que trato aqui: Que forma deve assumir o amor do perfeito mundo por vir no presente mundo de pecado? Devem os cristãos praticar o amor "como se o mal não estivesse presente"? Poderia parecer que "como em pleno dia" é simplesmente uma maneira diferente de dizer que devemos viver "como se não houvesse noite" ou comportar-nos com uma soberana desconsideração pela ainda difundida noite. No entanto, não é assim. A crucial diferença entre "como em pleno dia" e viver "como se não houvesse noite" está assinalada na distinção entre "obras das trevas" e "armas da luz". "Obras" são algo que simplesmente se pode fazer — e no caso das obras das trevas elas são feitas, como insinua Paulo, no "sono" (13.11), isto é, com uma espécie de automatismo ao qual se entrega alguém que participa de "orgias e bebedices" e se envolve em "impudicícias e dissoluções" (13.13). "Armas", porém, sugere luta pois designa armas tanto ofensivas como defensivas.[59] Enquanto durar a "noite" só é possível viver como à luz do "dia" vestindo a armadura para combater a noite. O amor é

[59] Ver C. E. B. Cranfield, *The Epistle to the Romans*, ICC (Edinburgh: T&T Clark, 1979), p. 686. Em 1Tessalonicenses 5.1-11, Paulo junta de modo semelhante "o dia" e a ideia de armadura: "Nós, porém, que somos do dia, sejamos sóbrios, revestindo-nos da couraça da fé e do amor e tomando como capacete a esperança da salvação" (5.8). Uma vez que couraça e capacete são primeiramente armas defensivas (F. F. Bruce, *First and Second Thessalonians*, WBC 45 [Waco: Word Books, 1982], p. 112; Richard B. Hays, *The Moral Vision of the New Testament: Community, Cross, New Creation. A Contemporary Introduction to New Testament Ethics* [San Francisco, Harper, 1996], p. 23), seria possível argumentar que a luta ativa contra "a noite" não está implícita na injunção de viver como se fosse à luz do dia. Em outras passagens, todavia, essas duas realidades são mencionadas como parte de "toda a armadura" (cf. Ef. 6.13ss.), e em geral a armadura é para ser usada na batalha contra o mal tanto de modo ofensivo como defensivo (D. G. Reid, "Triumph," em *Dictionary of Paul and His Letters*, ed. G. F. Hawthorne e R. P. Martin [Downers Grove, IL: Intervarsity, 1993], p. 950-53). Além disso, Paulo "não é consistente no significado que atribui às várias peças da armadura" (Leon Morris, *The First and the Second Epistles to the Thessalonians*, NICNT [Grand Rapids: Eerdmans, 1991], p. 158). Assim, embora em 1Tessalonicenses 5.8 ele mencione apenas a couraça e o capacete, pode muito bem ser que eles representem o todo, especialmente porque são as partes mais importantes de todas as insígnias de batalha e assim são análogos das virtudes supremas da fé, esperança e caridade, com as quais eles são aqui associados (ver ibid.).

uma arma. E é uma arma no exato sentido em que a doação de si mesmo de Jesus foi uma arma contra o mal. Como já havia observado Orígenes em seu comentário sobre Romanos, vestir as "armas da luz" (13.12) equivale a revestir-se "do Senhor Jesus Cristo" (13.14).[60] Consequentemente, quando Paulo passa a tratar do relacionamento entre o "forte" e o "débil" (Rm 14.1—15.13), ele repetidas vezes apela para o Cristo que se doou a si mesmo como o modelo a imitar.

Se o amor trinitário não for praticado como uma "arma", se não for traduzido em graça e perdão, duas virtudes que transcendem e afirmam a lei e a justiça, sua proclamação, ao fim e ao cabo, resultará nas falsas "boas novas" de que a vida eterna é "não prometida" mas plenamente dada, de que a fé é "seu próprio 'reino de Deus'", de que o pecado não é vencido mas "anulado", de que não existem "opostos" e de que a negação de qualquer coisa que seja é "totalmente impossível" — um exato resumo da "psicologia da redenção" de Nietzsche em *O anticristo* concebida como uma explicação de "como alguém deveria viver para sentir-se 'no céu', para sentir-se 'eterno'".[61] O "céu" tem aqui uma nova narrativa; o "céu" é até praticado — em teoria, é claro — mas o movimento de seu engajamento transformador com o mundo, com seu solo encharcado pelo sangue de Abel, é travado.[62]

Se a minha argumentação for convincente, então propor um conhecimento social baseado na doutrina da Trindade não significa apenas "projetar" e "representar" "o Deus trino, que é paz transcendental por meio de uma relação diferencial", como argumenta John Milbank em seu merecidamente aclamado *Teologia e teoria social*.[63] Antes, propor um conhecimento social baseado na doutrina da Trindade é acima de tudo fazer uma nova narrativa da história da cruz, a cruz entendida não como uma simples repetição do amor divino no mundo, mas como o engajamento

---

[60] Origen, *PG*, Vol. 14, col. 659.

[61] Friedrich Nietzsche, *Twilight of the Idols and The Anti-Christ*, trad. J. Hollingdale (London: Penguin, 1990), p. 153-58.

[62] Richard H. Roberts corretamente ressaltou que a proposta construtiva de Milbank em *Theological and Social Theory* em sua última análise pode "encorajar uma forma de 'hibernação' que sanciona o baile de máscaras da impossibilidade político-escatológica sob o disfarce de 'práxis'". Ver "Transcendental Sociology? A Critique of John Milbank's *Theology and Social Theory: Beyond Secular Reason*", *Scottish Journal of Thought* 46, n. 4 (1993): p. 543.

[63] Milbank, *Theology and Social Theory*, p. 6.

do Deus trino com o mundo a fim de transformar os injustos, falsos e violentos reinos deste mundo no justo, verdadeiro e pacífico reino "de nosso Senhor e de seu Cristo" (Ap 11.15). A mesma *imitatio crucis* se aplica não apenas ao "conhecimento social" mas também às "práticas sociais". Sem dúvida, muitas vezes nos é concedido um prazer antecipado do perfeito amor da Trindade, como nos prazeres da amizade e do abraço erótico, ou na alegria de celebrar a comunhão. Mas nós somos chamados a imitar sobretudo o amor terreno daquela mesma Trindade que desembocou na paixão da cruz porque desde o princípio tratava-se de uma paixão por aqueles que estão presos nas ciladas do não amor e dominados pelo poder da injustiça, do engano e da violência.

O que então significa, para a vida de comunidades humanas, a doação trinitária de si mesmo transladada para este mundo e, portanto, representada na cruz pelo poder do Espírito? Resumindo boa parte de sua argumentação em Romanos, o apóstolo Paulo escreve: "Portanto, acolhei-vos uns aos outros, como também Cristo nos acolheu" (15.7). Em capítulos anteriores deste livro, argumentei que a divina aceitação em Cristo, que no Novo Testamento é de modo consistente e quase universal retratada como o modelo para a imitação dos cristãos,[64] traduz-se na alegação de que a vontade de nos doar aos outros e acolhê-los, de reajustar nossas identidades para criar espaço para eles, tem prioridade em relação a qualquer julgamento sobre os outros, excetuado o de identificá-los em sua humanidade. A vontade de abraço precede qualquer "verdade" sobre os outros e qualquer construção da "justiça" deles. Essa vontade é absolutamente indiscriminada e rigorosamente imutável; ela transcende o mapeamento moral do mundo social em "bons" e "maus".

Será que com o endosso dessa indiscriminada vontade de abraço eu atingi o ponto além da "verdade" e da "justiça" e assim transgredi os limites estabelecidos pela lógica da graça e a necessidade da manutenção de limites por mim enfatizada antes? Note-se que descrevo a *vontade* de abraço como indiscriminada, não o abraço em si. Embora a proclamação de Jesus "não faça [...] nenhuma apropriada distinção e discriminação",

---

[64] Ver Hays, *Moral Vision of the New Testament*, p. 197; Luke Timothy Johnson, *The Real Jesus: The Misguided Quest for the Historical Jesus and the Truth of the Traditional Gospels* (San Francisco: Harper SanFrancisco, 1996), p. 151-66.

como Dominic Crossan corretamente sustenta em *O Jesus histórico*,[65] evidentemente não corresponde aos Evangelhos que Jesus não fez "apropriadas distinções e discriminações" *depois* que o acolhimento divino foi emitido. Um indiscriminado acolhimento divino de todo mundo de modo algum implica uma afirmação indiscriminada de tudo. De modo correspondente, Jesus acolheu (ver Mc 2.13-17) *e* também mandou embora (ver Mc 10.17-31), ele renomeou pecados falsamente rotulados (ver Mc 7.1-23) e reconstituiu pecadores verdadeiros perdoando seus pecados (ver Mc 2.1-12). De modo semelhante, uma vez que a cruz não é a negação da "lei" e da "justiça", a sabedoria da cruz nos diz que o abraço não pode acontecer até que a verdade tenha sido dita e a justiça feita. Daí que, mesmo que a vontade de abraço seja indiscriminada, o *abraço pleno* em si deve ser discriminado. Pois o perfeito abraço é inimaginável fora do mundo restaurado — um mundo no qual questões de verdade e justiça foram atendidas e um mundo no qual a ressurreição dos mortos desfez o que Oliver O'Donovan em *Desire of the Nations* [Desejo das nações] denomina "a monstruosa desigualdade da sucessão geracional" na qual todas as nossas posses se tornam "uma espécie de roubo, coisas que tiramos daqueles que as compartilhavam conosco mas com quem não podemos compartilhá-las em retribuição".[66] A participação plena no ciclo perfeito das doações de si mesmo depende da criação de todas as coisas de novo.

Será que a minha indisposição para atingir neste mundo ainda não redimido o ponto além da "verdade" e da "justiça" me levou de volta para a luta pela "verdade" e a "justiça" como um necessário precursor da doação de si mesmo? Será que a sabedoria da cruz me levou ao ponto onde a própria sabedoria aparece como loucura, não apenas para "os que se perdem", mas também para nós "que somos salvos" (1Co 1.18)? Será que amor que se doa si a mesmo da Trindade foi transferido para o mundo de pecado só para ser engolido pelas condições que essa mesma transferência lhe impõe? Não exatamente. Pois a "verdade" e a "justiça" em si mesmas precisam ser redimidas pelo amor que se doa a si mesmo. Nietzsche sublinhou corretamente, a meu ver, que há demasiada

---

[65] John Dominic Crossan, *The Historical Jesus: The Life of a Mediterranean Jewish Peasant* (San Francisco: Harper SanFrancisco, 1991), p. 262.
[66] O'Donovan, *Desire of Nations*, p. 287-88.

desonestidade na busca obstinada da verdade e demasiada injustiça na luta intransigente pela justiça.[67] No entanto, nenhum seguidor do Crucificado endossará a autocontraditória retórica de Nietzsche segundo o qual "nada é verdade" e "tudo é permitido".[68] A alegação negativa acerca da verdade e da justiça é simplesmente o anverso da alegação positiva que se apoia totalmente na "sabedoria da cruz": a verdade e a justiça em contextos sociais não estão disponíveis fora da *vontade de doar-nos aos outros e de abraçá-los*.

E assim a graça triunfa mais uma vez: a mesma graça que desconsiderou a falsidade e a injustiça do outro quando iniciou o movimento do abraço também orienta a reconstrução da "verdade" e da "justiça" a fim de completar o abraço. Essa primazia da graça no estabelecimento da verdade e da justiça, proponho eu, inscrita na dinâmica interna da justificação divina, é a dinâmica interna da cruz e é a dinâmica interna do amor trinitário transferido para o mundo do pecado. É por isso que o amor pelo inimigo é essencial para a fé cristã.

O reflexo de Deus, a glória de Deus

Anexada à passagem de Romanos, na qual minha argumentação sobre a doação de si mesmo se apoia, está uma breve frase sobre a glória de Deus. "Portanto, acolhei-vos uns aos outros, como também Cristo nos acolheu", escreve Paulo, e depois continua, "para a glória de Deus" (Rm 15.7). Comentando esse versículo, Rowan Williams ressalta que

> generosidade, misericórdia e aceitação são imperativos para o cristão porque são uma participação na atividade divina; mas são também imperativos porque mostram a glória de Deus e convidam ou atraem os seres humanos a glorificarem a Deus — isto é, a refletirem para Deus o que Deus é.[69]

Que aspecto do ser de Deus deve ser refletido de volta para Deus? Segundo Paulo, não é tanto o circular movimento do amor divino, embora isso não esteja excluído, é claro; é mais o movimento linear do mesmo

---

[67] Nietzsche, *Thus Spoke Zarathustra*, p. 229.
[68] Friedrich Nietzsche, *The Birth of the Tragedy and The Genealogy of Morals*, trad. Francis Golffing (Garden City: Doubleday, 1956), p. 287.
[69] Williams, "Interiority and Epiphany", p. 42.

amor — descendo rumo à humanidade pecadora e sofredora a fim de elevá-la para dentro da comunidade divina. A razão é simples: a unilateralidade do movimento linear — uma unilateralidade que visa a reciprocidade mas não a pressupõe — é a forma que o amor que se doa a si mesmo da divina Trindade assume no mundo de pecado e sofrimento, que é o mundo que habitamos.

Nikolai Fiodorov, convém lembrar, propôs a nova narrativa doutrinal do Deus trino como o programa social do Deus trino. Sua proposta se apoia no movimento ascendente pelo qual Deus inseriu a humanidade na própria vida de Deus. Uma ontologia baseada na participação na vida da ressurreição fundamenta uma prática social moldada na vida eterna da Trindade. Em contrapartida, argumentei que a visão social baseada na doutrina da Trindade se apoia primeiramente no movimento descendente no qual Deus, num certo sentido, sai da circularidade do amor divino a fim de incluir a humanidade em seu divino abraço. Uma soteriologia baseada na habitação do Crucificado pelo Espírito (Gl 2.19-20) fundamenta uma prática social moldada na paixão de Deus para a salvação do mundo.

Em minha proposta, onde está a importância social do "túmulo vazio" e do corpo translúcido de Cristo subindo ao céu? Será que estou mantendo práticas sociais, por assim dizer, "pregadas à cruz"? Onde está a nova criação escatológica? Será que ela evaporou-se numa impossibilidade que fascina o pensamento a fim de seduzir as práticas a uma deslealdade para com seres humanos de carne e osso sobre a frágil face da terra? Não. A meu ver, a nova criação não desapareceu; ela está situada no meio da história porque pende crucificada pelos pecados do mundo. O Crucificado é a nova criação — a ratificação do eterno amor do Deus trino no mundo de pecadores (cf. Rm 5.6-11). Mais precisamente, o Crucificado é a nova criação quando entra na criação presente que se tornou velha mediante a prática da injustiça, do engano e da violência, a fim de transformar a humanidade na imagem do Deus trino. Por isso o corpo de Cristo pregado na cruz é o corpo que as garras da morte não conseguem prender; a carne torturada é o translúcido corpo ascendente da glória. A paixão da doação de si mesmo tem a promessa da glória porque ela já participa daquela mesma glória; o inferno da crucificação tem seu anverso na glória da vida da ressurreição.

Não haverá nada entre a glória oculta do sofrimento na terra e a glória manifesta da felicidade celestial? A glória do amor somente brilhará no sofrimento até que o mal seja totalmente conquistado? A nova criação só estará presente na dor e nunca na alegria? Certamente não. Depois da ressurreição de Cristo e do envio do Espírito, a nova criação está *entrando* no mundo pecaminoso sempre de novo no movimento da cruz para o túmulo vazio, no trabalho do amor e suas múltiplas repetidas transformações na dança do amor.

Seguindo uma linha de pensamento semelhante, o evangelista João narra de modo surpreendente a história da crucificação como uma história de glorificação do Crucificado[70] — na hora da paixão do Filho, o Pai glorificará o Filho com a mesma glória que o Filho tinha antes do princípio do mundo (Jo 17.5; cf. 1.14), para que mediante a paixão o Filho possa glorificar o Pai (Jo 17.1). O reflexo histórico do caráter de Deus na obra de doação de si mesmo dá glória a Deus e recebe de volta a glória de Deus porque é exatamente aquela mesma glória. O linear movimento descendente já participa do movimento circular em que a glória de Deus, que nada mais é que a pureza do amor divino de doação de si mesmo, é eternamente permutada.

E é desse movimento descendente do amor divino que o Jesus Cristo joanino habilita seus seguidores a participar. O Cristo ressuscitado apareceu aos seus discípulos, soprou sobre eles e disse: "Recebei o Espírito Santo" (Jo 20.22). O Espírito que os discípulos receberam era o mesmo Espírito que João Batista viu descer sobre Jesus quando ele o identificou como "o Cordeiro de Deus, que tira o pecado do mundo" (Jo 1.29-34). Aquele que foi para a cruz no poder do Espírito agora dispensa o mesmo Espírito para habilitar seus seguidores a participarem do movimento descendente do amor de Deus, que perdoa pecados e cria uma comunidade de alegria no meio do sofrimento (Jo 20.19-23). O "Sopro" do Cristo ressuscitado dentre os mortos dá à luz o "corpo de Cristo" oferecido ao mundo.[71]

---

[70] C. K. Barrett, *The Gospel According to St. John* (Philadelphia: Westminster: 1978), p. 422-23, 501.

[71] Essa breve referência à igreja como uma "comunidade de abraço", que complementa minha discussão sobre "a cruz" e o amor do "mundo por vir", serve para indicar que aquilo que estou buscando neste ensaio está em consonância com o significado central de *Moral Vision of the New Testament* de Richard Hays, que elabora os temas éticos do Novo Testamento em torno de três imagens focais de "comunidade", "cruz" e "nova criação". Uma

Esse corpo forma um povo cuja visão social e práticas sociais retratam o Deus trino descendo numa paixão de autoesvaziamento a fim de inserir os seres humanos no perfeito ciclo de trocas, nas quais eles se doam um ao outro e se recebem de volta sempre de novo em amor.[72]

maneira de apresentar meu projeto aqui é dizer que busco conectar esses três temas éticos enraizando-os na doutrina da Trindade entendida como uma expressão doutrinal da narrativa do engajamento do Deus trino com a humanidade.

[72] Este ensaio foi apresentado como "palestras Waldenstroen" na Escola de Teologia de Estocolmo, em 6 de maio de 1998. Uma versão anterior mais breve foi apresentada na conferência "A doutrina de Deus e ética teológica" no King's College de Londres, 28-30 de abril de 1997. Eugene Matei forneceu-me preciosa ajuda nos estágios iniciais da pesquisa, Medi Sorterup continuou de onde Matei parou, e também ajudou a manter preocupações feministas diante de meus olhos. Maurice Lee, meu assistente de ensino, e meus alunos de doutorado leram com um olhar crítico uma versão prévia do texto. As discussões na conferência no King's College e com meus colegas, membros do Restaurant Theology Group, ajudaram a moldar a versão final.

Agradecimentos

É um prazer expressar aqui minha gratidão a muitas pessoas e instituições que tornaram este trabalho possível e até delicioso. Quando estava escrevendo a primeira edição, o Seminário Teológico Fuller de Pasadena, na Califórnia, me concedeu dois sabáticos e um afastamento parcial; durante esse tempo a maior parte do material foi pesquisado e redigido. A Fundação Alexander von Humboldt me patrocinou durante um dos sabáticos. Meus alunos do Seminário Teológico Fuller, da Faculdade Teológica Evangélica da Universidade de Tubinga, na Alemanha, e do Seminario Teológico Evangélico em Osijek, na Croácia, dedicaram-se aos argumentos apresentados no livro (especialmente as turmas mais avançadas e alunos de pós-graduação em Osijek na primavera de 1996; a paixão deles pelo assunto foi igual à argúcia de seus argumentos). Apresentei versões anteriores de vários capítulos e recebi importantes comentários e informações em conferências na Croácia, Alemanha, Holanda, Hungria, Índia, Nova Zelândia, Sri Lanka e nos Estados Unidos, incluindo-se a função de fazer palestras no Seminário Bíblico dos Irmãos Menonitas em Fresno, na Califórnia (21-22 de abril de 1996). Partes dos capítulos foram publicadas em *Evangelische Theologie, Ecumenical Review, Journal of Ecumenical Studies* e *Synthesis Philosophica* (embora elas apareçam aqui numa forma substancialmente revisada). Muitos amigos e conhecidos comentaram versões prévias dos capítulos individuais, entre eles Ellen Charry, Jayakumar Christian, Clifford Christians, Philip Clayton, Robert Gundry, Bruce Hamill, Thomas Heilke, Stanley Hauerwas, George Hillery, David Hoekema, Serene Jones, Robert Johnston, Hans Kvalbein, Maurice Lee, Dale Martin, Marianne Maye Thompson, Jürgen Moltmann, Nancey Murphy, Linda Peacore, Amy Plantinga-Pauw, Claudia Rehberger, Juan Sepúlveda, Marguerite Shuster, Medi Sorterup, James Taylor, Michael Welker e Tammy Williams.

Matthew Colwell e Richard Heyduck colaboraram como assistentes de pesquisa em parte do trabalho. Janice Seifrid auxiliou na indexação. Recebi ajuda secretarial de Peter Smith, Todd Nightingale e especialmente de Michael Beetley, que foi além de seu dever de inúmeras formas. John Wilson de *Books & Culture* leu boa parte do manuscrito e ofereceu orientações inestimáveis, principalmente sobre o que ler e o que *não* dizer.

Muitos contribuíram também para esta segunda edição; tenho minhas suspeitas de que sem eles eu teria gastado o dobro do tempo para escrever textos que fossem apenas 50% tão bons. A comunidade mais ampla que possibilita a maior parte do meu trabalho são as pessoas associadas com o Centro de Fé e Cultura de Yale, sobretudo os generosos membros do Conselho Consultivo: Denise Adams, Roger e Lynne Bolton, Marjorie Calvert, William Cross, Warner Depuy, Jeppe Hedaa, Edward "Peb" Jackson, Julie Johnson, Philip e Patty Love, Harold Masback, Fred Sievert, Beth e Scott Stephenson, e Gregory Sterling. Alguns dos funcionários do Centro contribuíram diretamente para a segunda edição. Ryan Ramsey fez o paciente trabalho de reformatar o texto inteiro e de juntar num arquivo único meus detratores e meus paladinos. A dra. Karin Fransen me poupou (não sou falante nativo e sou ligeiramente disléxico) de maiores embaraços e fez o paciente trabalho de revisão de todo o original, pelo que me sinto imensamente grato. Meu amigo e íntimo colaborador, o dr. Ryan MacAnnally-Linz, juntamente com o dr. Dane Andrew Collins, ajudou a afiar a argumentação na nova introdução e no epílogo. Marietta D. C. van der Tol também apresentou valiosos comentários das perspectivas holandesas e europeias. O prof. Willie Jennings, amigo e colega, foi meu guia através das complexidades dos recentes avanços no estudo da "identidade negra" nos Estados Unidos. A dra. Carolina Sommerfield, que teve a bondade de ler e comentar o livro inteiro, também me apresentou os pensadores de movimentos identitários europeus. O prof. Peter Kuzmič, meu cunhado a quem orginalmente dediquei o livro e que está intimamente familiarizado com lutas centradas na identidade na Europa Central, seja de vinte anos atrás seja de hoje, ofereceu-me perspicazes comentários sobre a nova introdução. Paul Franklyn é um editor muitíssimo eficiente e é uma alegria trabalhar com ele.

Sou grato aos meus dois filhos, Nathanael e Aaron, bem como à minha esposa, Jessica, e à minha filhinha pequena, Mira, por me lembrarem diariamente das coisas que importam mais do que aquelas para às quais tive a sorte de ser convocado a fazer: ser um teólogo que ensina, escreve livros e dá palestras.

Índice remissivo

Abel, 90, 126–134, 431
Abraão, 57–69, 71–73, 77, 206, 268
abraço, 135–137
    aliança e, 196–208
    drama do, 187–196
    elementos do, 188–192
    esquecimento e, 175–187
    justiça e, 258–266
    libertação e, 137–143
    paz e, 345–347
    perdão e, 165
    prática do, 372–382
    risco do, 196
    verdade e, 300–307
Agostinho, 19, 69, 179, 354, 391, 421
aliança, 66, 173, 208, 276
alteridade, 24, 31, 33–34, 36, 74, 80, 92–93, 98, 102, 149, 192–193, 195, 205, 209, 210, 219, 297, 318, 371, 412, 425, 427
amizade, 17, 142, 189, 432
Andrić, Ivo, 29
Aquino, Tomás de, 172, 241, 286, 301
Arendt, Hannah, 162–163, 248, 332–365
Aristides, 72
Aristóteles, 235, 263
arrependimento, 50, 55, 76, 100, 136, 152, 159, 161, 183, 211, 218, 268, 397, 399, 406–408
ascensão. *Ver também* retorno
Assmann, Jan, 280, 354, 359
Atlan, Henri, 360–361

Babel, 62, 228, 266–268
Balslev, Anindita, 47
batismo, 42, 68, 71, 97–98, 268, 370, 375, 393, 411
Bauman, Zygmunt, 35, 38, 105–107, 139, 141, 156, 190, 192, 198, 245, 332–334
Beasley-Murray, George, 314
Beckford, James, 336
bem
    mal e, 48, 84, 95, 112, 116, 141, 352, 432
    vida boa, 199, 233–234
Benhabib, Seyla, 247, 248
Benjamin, Walter, 46
bode expiatório, 159, 314, 347–348, 350
Bom Samaritano, história do, 104
Bonhoeffer, Dietrich, 165, 168, 252
Boyarin, Daniel, 64, 68–69, 73, 195, 422
Brown, Raymond, 315
Brueggemann, Walter, 267
Bulgákov, Mikhail, 326–328, 345
Bultmann, Rudolph, 321
Butler, Judith, 91

Caim, 58, 90, 126–134
Caputo, John, 235–237, 262
catolicidade, 79, 371, 423
Ceia do Senhor, 42, 276. *Ver também* Eucaristia
Charry, Ellen, 69, 374
Chilton, Bruce, 152
Chodorow, Nancy, 91

Cioran, E. M., 141
Clayton, Philip, 186
Coakley, Sarah, 170
Collins, Adela Yarbro, 360
compensação, 141, 158, 165, 265
contrato (social), 196-199
cordeiro
  Apocalipse e, 77, 343, 351-358, 402
  ceia do, 148
  como substituto, 11, 62
  Isaías e, 363
cruz. *Ver também* Jesus Cristo

de Beauvoir, Simone, 61
de Benoist, Alain, 20-21
Delbanco, Andrew, 89
Deleuze, Gilles, 59-61, 87, 143, 340-346, 356, 359
Derrida, Jacques, 32-33, 87, 236, 267
Descartes, René, 242, 284, 292, 329
desigualdade, 128, 149, 156, 328, 433
de Unamuno, Miguel, 129, 134
Deus
  amor e, 40-42, 98, 101, 137, 143, 149, 152, 168, 172-173, 207, 263, 355-356, 360-362, 370-372, 393, 401, 406, 416, 426-434
  imagem de, 19, 21, 353, 387, 411
  ira de, 354-358, 359
Dietrich, Walter, 126
diferenciação, 16, 71, 90-95
  autodiferenciação, 368
  desdiferenciação, 93, 191, 193
  sistema de, 133
Dikötter, Frank, 84
doação de si, 39-44, 45-50, 70, 137, 172-173, 195, 206-208, 351, 388, 392, 425-436
Dostoiévski, Fiódor, 165, 180, 409
drama, 187
Dreyfus, Hubert, 293

Duerr, Hans Peter, 332
Dussel, Enrique, 83

Eckstein, Hans-Joachim, 66
ego, 35-39, 76-78, 80, 84, 87-88, 93, 98-99, 105, 109, 122, 125-126, 130, 149, 158, 174, 177, 178, 196, 199, 209, 211, 238, 265, 298, 299, 300, 302, 306, 317, 321, 322-324, 344, 346, 415, 421-425, 426, 429
Elon, Amos, 279
Enzensberger, Hans, 362-365
escravidão, 56, 122, 142-143, 166, 334, 378
esquecimento, 175-187, 275, 404
estrangeiro, 27, 54, 59, 77, 84, 104, 151, 194, 261
Eucaristia, 168-175. *Ver também* Ceia do Senhor
exclusão, 14, 16, 49, 50, 80, 99-101, 162, 188, 213, 253
  Caim e, 126-134
  diferenciação e, 95
  dinâmica da, 99-109
  etnicidade e, 65, 80-87
  justiça e, 164-168, 252-258
  o pródigo e, 208-219
  poder e, 86-90, 293
  simbolismo da, 356
  sistema de, 101, 119-126

Fanon, Frantz, 54
Faulkner, William, 103
Fiodorov, Nikolai, 409-416, 435
Fiorenza, Elisabeth Schüssler, 45
Fish, Stanley, 306
Foucault, Michel, 85, 89-90, 121, 143, 227, 290, 293, 295, 318, 320, 342-343
Fraser, Nancy, 293

Gates, Henry Louis Jr., 238
Geertz, Clifford, 298
genealogia, 64, 67, 71, 293

ÍNDICE REMISSIVO

Gese, Hartmut, 128
Giddens, Anthony, 332
Gilkey, Langdon, 299
Girard, René, 127, 133, 159, 347-348, 350, 357
González, Justo, 72
Gossman, Lionel, 295
graça, 41, 48, 66, 67, 100, 116-117, 126, 133, 159, 173, 183, 185, 197, 251, 264, 349, 351, 355, 398, 405, 408. *Ver também* misericórdia
Griffioen, Sander, 285
Gundry-Volf, Judith, 250
Gunton, Colin, 200, 419, 425
Gurevitch, Z. D., 188, 191

Habermas, Jürgen, 146, 290, 305
Halbwachs, Maurice, 282
Hall, Douglas J., 68
Hanson, Anthony T., 354
Harris, Thomas, 130
Hauerwas, Stanley, 303, 323
Hegel, Georg Wilhelm Friedrich, 187-195
Hengel, Martin, 271
Hick, John, 65
Hiebert, Paul, 98
Hirsch, Herbert, 279
hobbesiano, 138, 362
Hobbes, Thomas, 203, 327
Homero, 62
Horowitz, Donald L., 30

identidade, 14, 13-25, 27, 31-37, 68, 71-79, 90-92, 123-125, 130, 149, 169, 173, 182, 187-196, 195, 206-219, 238, 266, 282, 302, 335, 370, 378, 388, 395, 417, 419, 422-426
  cristã, 59, 271
  cultural, 32, 57, 71, 73, 75, 80

igreja, 19, 42, 53-57, 64, 75, 78, 98, 126-127, 156, 174, 243, 309, 370, 387, 394-396, 436
igualdade, 21, 24, 34, 68, 67-71, 113, 129, 195, 232, 262, 418
Ilgnatieff, Michael, 81, 225
Iluminismo, 145, 230, 240, 328, 329-331, 351. *Ver também* modernidade
imanência
  divina, 395
  humana, 62, 63, 72
inclusão, 84, 90, 98, 100, 215
inimizade, 43, 70, 137, 149, 156, 162, 169-171, 189, 193, 195, 197, 204, 208, 228, 253, 305, 358, 369, 416, 418, 428
inocência, 85, 109-117, 141, 159, 167, 347
Irigaray, Luce, 91, 423
Iugoslávia, 13-17, 22, 27, 31, 80, 87, 118, 139, 149, 366, 377

Jacoby, Susan, 166
Janowski, Bernd, 167
Jepsen, A., 307
Jesus Cristo
  como Cordeiro, 25, 78, 252, 343, 352-358, 402, 429, 436
  como o Cavaleiro no cavalo branco, 329, 358-359
  corpo de, 71, 168, 174, 435, 436
  cruz de, 12, 39-43, 44-47, 70, 96, 117, 164, 168-173, 187, 195, 207, 252, 319, 328, 345-351, 364, 393, 402-403, 421, 429, 431-434
  encarnação, 42, 369, 395, 414
  julgamento de, 313-317
  proclamação, 151, 154, 159, 163, 349, 432
  ressurreição de, 47, 49, 97, 175, 243, 410, 414, 436
  vida de, 39, 393
Juergensmeyer, Mark, 335

Jung, Carl Gustav, 118, 160
justiça, 12, 145, 406, 433
    abraço e, 47-50, 404-406
    aliança e, 206-207
    choque de justiças, 223-228
    Deus e, 167, 228-234, 249-250, 257, 260-264, 359-362
    perversão da, 253
    pluralidade de, 234-239
    tradição e, 239-242
    universalidade da, 228-234

Kafka, Franz, 209
kantiano, 143, 232
Kant, Immanuel, 24, 231-232, 292, 331, 374, 381
Keller, Catherine, 62, 357, 419
Kilby, Karen, 384, 390
Kogan, Michael S., 59
Kristeva, Julia, 76
Kundera, Milan, 274
Küng, Hans, 339

Lamb, Sharon, 109, 114, 158
Lawrence, D. H., 340, 341, 360
lei, 70, 100, 197, 202, 234-236, 270, 293, 374, 429-433
Lévinas, Emmanuel, 131, 194
Lévi-Strauss, Claude, 103
Lévy, Bernard-Henri, 102, 115, 293
liberdade, 88-90, 131, 136-146, 155, 158, 164, 192, 199, 202, 226, 232, 238, 261-263, 282, 293, 300, 322-324, 344, 353, 376, 400, 428
libertação, 122, 137-149, 151, 154, 157, 160-161, 335, 357, 401
    movimentos de, 68, 418
    teologia da, 142, 250
limites, 25, 79, 89, 90, 92, 94, 98, 101, 107, 124, 185, 189-191, 193, 282, 344, 381, 388, 389, 414, 423-424, 426

Lukes, Steven, 122, 245
Luntley, Michael, 198
Lutero, Martinho, 367, 369, 374, 395-396
Luxemburgo, Rosa, 276
Lyotard, Jean-François, 145, 143-147

MacIntyre, Alasdair, 242, 239-246, 286, 293, 308, 311, 344, 377
mal, 16, 20, 46, 75-79, 81, 83, 85, 89, 95, 109-117, 117-123, 175-187, 347, 358, 376, 378, 403, 413, 436
Manfred, Frank, 88
marxista, 47, 143, 158, 277, 289
Marx, Karl, 83, 146, 270, 377, 378
McDonald, J. I. H., 152
memória, 175-187, 211-212, 272, 278-324, 279, 291, 397, 399-404
mentalidade alargada, 249. *Ver também* visão dupla
Metz, Johann Baptist, 276
Milbank, John, 242, 349, 350, 426, 431
misericórdia, 251, 406, 434
modernidade, 29, 38, 46, 49, 62, 83, 84-87, 115, 139, 144, 155, 285, 287, 329, 333, 334-335, 341
Moltmann, Jürgen, 11, 39-43, 55, 83, 99, 123, 142, 149, 161, 164, 172, 179-180, 202-204, 208, 243, 276, 305, 355-356, 373, 377, 382-383, 390, 392, 398, 411, 413, 416-417
Moltmann-Wendel, Elisabeth, 45
Morrison, Toni, 178
Mouffe, Chantel, 233
Mouw, Richard J., 285
Müller-Fahrenholz, Geiko, 160

Nagel, Thomas, 286, 297
não violência, 48, 117, 324, 331-332, 340, 347, 349, 351-353, 358-362, 364
Neusner, Jacob, 58, 64, 66
Niebuhr, H. Richard, 54, 56

ÍNDICE REMISSIVO

Niebuhr, Reinhold, 99, 113, 263
Nietzsche, Friedrich, 16, 43, 53, 62, 76, 85, 87, 111, 115, 154, 165, 170, 179, 184, 185, 237, 244, 253, 262, 288, 291, 302, 306, 322, 340, 342, 351, 367, 399, 403, 431, 434
nietzschiano, 48, 61, 85, 111, 147, 236, 254, 322, 350
Nolland, John, 215
Norbert, Elias, 332

Oppenheimer, Helen, 261
opressão, 14, 29, 35-36, 40, 89, 94, 101, 110, 117, 141-143, 149, 156, 164, 188, 201, 237, 263, 274, 277, 287, 310, 312, 327, 328, 344, 347, 349, 352, 377, 426
Orwell, George, 273, 278
outro, o, 31-36, 168-175, 187-196, 258-266

Pagels, Elaine, 116
Pannenberg, Wolfhart, 116, 123, 367, 417
Parnet, Claire, 60
particularidade, 21, 25, 34, 68, 65-70, 72, 98, 234, 239, 356, 424
partida, 57-63, 71-73, 76, 209-219
Pasewark, Kyle, 293
Paulo, apóstolo, 42-43, 47, 57, 63-73, 74, 96-98, 112, 117, 122, 169, 184, 309, 323, 340, 346, 367, 376, 395, 422, 430
paz, 12, 37, 50, 78, 136-137, 142, 147-149, 169, 201, 203, 285, 306, 313, 334-339, 346, 353-357, 369, 379, 397, 420
    a cruz e, 70
    guerra e, 329-334
    razão e, 329-334, 362-365
    universal, 149, 229, 287
    verdade e justiça em relação à, 226-231
pecado, 109-117, 121-126. *Ver também*
    exclusão
    autoimunização, 354, 361

como inveja, 126-134
geografia do, 131
ideologia do, 131
igualdade de pecados, 113
mundo de, 42, 113, 429, 430, 433, 435
original, 115, 143
universalidade do, 116, 117
Pentecostes, 228, 266-272, 364
perdão, 50, 160-169, 237, 264, 349-351, 397, 405-408, 429-431
pericórese, 172, 370, 388, 390, 412-413, 420-423, 426
perpetradores, 11, 40, 117, 127, 132, 137, 139, 157-158, 162, 164, 170, 176, 184, 252, 254, 257, 275, 293, 328, 349-350, 364, 399, 405
pertencimento, 22, 31, 35, 56, 73, 121, 129, 132, 136, 198, 200, 206, 211, 213, 243, 260, 382
Plantinga, Cornelius, 93
Plotino, 71
Pöhlmann, Wolfgang, 218
pós-modernidade, 38, 43, 87, 144
Premdas, Ralph, 55
pródigo, filho, 47, 136, 208-219, 260, 393
progresso, 19, 46, 82, 84, 115, 144, 332

Rabinow, Paul, 293
Rahner, Karl, 391, 392, 394, 415
Ratzinger, Joseph, 172
Rawls, John, 231-233, 259
reconciliação, 10, 14, 48, 55-56, 116, 141, 142, 149, 150, 161, 164-165, 169, 186, 207, 208, 264, 339, 349, 366, 374, 394, 398-400, 404-406
reconhecimento, 9, 15, 35, 65, 115, 129, 145, 187, 195, 215, 322, 348, 418
Rensberger, David, 315-317
reparação, 207, 265, 397, 406-408
restituição, 10, 158, 407
Ricoeur, Paul, 92, 181, 306

Rilke, Rainer Maria, 213
Robbins, Jill, 214, 215
Rorty, Richard, 47, 94–96, 145–146, 292
Rose, Gillian, 123
Rosenzweig, Franz, 59
Ross, Kenneth, 30
Ruanda, 13, 30, 87, 103, 118, 328
Rubenstein, Richard, 334
Ruether, Rosemary Radford, 68

Said, Edward, 53, 75, 194, 248
Sandel, Michael, 233, 419
Sanders, E. P., 152
Sanneh, Lamin, 54
Sartre, Jean-Paul, 344
sati, 224, 226
Schaar, John, 202
Schwartz, Regina M., 418, 423
Segunda Guerra Mundial, 118, 141, 160, 190, 280, 331, 336, 376
Selznick, Phillip, 198, 201
Sennett, Richard, 59, 76
Sermão do Monte, 155, 384, 411
Sheppard, Gerald T., 166
Smedes, Lewis, 162, 176, 274
Sobrino, Jon, 41
solidariedade, 39–41, 112–115, 209–210, 227, 364, 429
Song, Choan-Seng, 59
Stăniloae, Dumitru, 43
Suchocki, Marjorie, 110, 119, 123

Takaki, Ronald, 108
Tanner, Kathryn, 382–388, 394–397
Taylor, Charles, 34, 138, 233, 292, 378
Taylor, Mark, 256, 298
teodiceia, 179, 181, 186, 404
Theissen, Gerd, 156
Thiselton, Anthony C., 195
Tillich, Paul, 270
Todorov, Tzvetan, 32, 77, 104, 225, 278, 304

Tonstad, Linn Marie, 399, 402
Torá, 64, 66–67
Torrance, Thomas F., 307
Toulmin, Stephen, 284, 329
tradição, 33, 43, 64, 69, 76, 99, 105, 116, 136, 138, 151, 158, 160, 171–174, 202, 204, 211, 227–228, 230, 242–246, 250, 284, 288, 294–295, 309, 315, 329, 354, 359, 405, 423
transcendência, 67, 98, 302
   Abraão e, 61–63
   divina, 58, 61, 69, 395
   humana, 63, 72, 132, 297, 360
Trindade, 10, 366, 368, 382–397, 409–437

universalidade, 25, 34, 65–70, 99, 144, 202
   da justiça, 263
   da verdade, 312
   de Deus, 58, 65, 67–69
   do cristianismo, 68, 72, 379
   do multiculturalismo, 64
   do pecado, 116, 117

van Wolde, Ellen, 132
verdade, 273–278
   abraço e, 300–307
   como confiabilidade, 308
   comunidade e, 307–313
   história e, 282–286
   liberdade e, 322–324
   objetividade e, 284
   poder e, 292–294, 313–322
   regimes de, 288–295
   testemunha da, 317
   violência e, 322–324
   visão dupla e, 295–300
   vontade de, 288, 303, 305–307, 312
Vetlesen, Arne, 131, 334
vingança, 103, 150, 167, 160–168, 184, 262, 279, 347, 352, 360, 358–362, 364

violência, 12, 20, 30, 32, 40, 44, 48, 70, 76, 93, 96, 99, 111, 117, 124, 133, 136, 147, 150, 155-156, 162, 166, 169, 170, 177, 205, 226, 228, 231, 262, 267, 291, 295, 305, 314, 317-318, 323, 324, 332, 325-365, 345, 355, 360, 382, 419, 426, 432, 435
visão dupla, 249, 250, 252-258, 272, 295-300, 305-306
vítimas, 11, 41, 83, 89, 109-115, 141, 160-164, 170, 176, 184, 185, 207, 254, 274, 275, 280, 293, 348, 399, 400, 429
von Balthasar, Hans Urs, 173
von Ranke, Leopold, 283
Vukovič, Željko, 150

Walzer, Michael, 35, 232, 419
Webb, Stephen H., 428
Weir, Allison, 91

Welker, Michael, 91, 116, 121
Westermann, Claus, 126, 128
Westphal, Merold, 112
Wiesel, Elie, 93, 176, 274-275, 279
Williams, James G., 350
Williams, Rowan, 171, 182, 434
Williams, Stephen N., 425
Wink, Walter, 119
Wittgenstein, Ludwig, 144
Wolfe, Alan, 81, 83, 87
Wolterstorff, Nicholas, 38, 378, 404
Wood, Michael, 89
Wright, N. T., 66
Wright, Robin, 29

Yoder, John Howard, 39
Young, Iris, 231

Zaret, David, 200
Zizioulas, John, 174, 382, 424

Compartilhe suas impressões de leitura,
mencionando o título da obra, pelo e-mail
opiniao-do-leitor@mundocristao.com.br
ou por nossas redes sociais

Esta obra foi composta com tipografia Minion Pro
e impressa em papel Chambril Avena 70 g/m² na gráfica Imprensa da Fé